نشر جانان

لاله برافروخت

اسماعیل فصیح

نشر جانان
تهران، ۱۳۷۷

چاپ اول: ۱۳۷۷

چاپ دوم: ۱۳۷۷

تعداد: ۵۵۰۰ نسخه

شابک: ۶ - ۹ - ۹۱۴۴۱ - ۹۶۴

ISBN: 964 - 91441 - 9 - 6

چاپ: چاپخانۀ مهارت

گل در کف و می بر لب و معشوق به کام است
سـلطان جهانـم به چـنین روز غلام است

دفتر اول

بچه‌ها بلند شدند - مصطفی و جمشید. سحر بود. وضو گرفتند و نماز خواندند. لباس پوشیدند و خودشان را با دقت وسواس‌آمیز ساختند. هنوز هوا گرگ و میش بود که از خانه بیرون آمدند. از پس‌کوچه‌های قنات‌آباد انداختند بالا. برای کاری که می‌خواستند انجام دهند، نه روشنی روز را می‌خواستند و نه شلوغی شهر را.

از بازارچهٔ قوام‌الدوله زدند جلوی کوچهٔ مسجد قندی، و بعد، از کوچهٔ وزیردفتر انداختند پشت مسجد سیدنصرالدین، از پاچنار انداختند توی بازار. از پشت مسجدشاه آمدند بالا - طرف پامنار و عودلاجان و سرچشمه، و بالاخره پشت مسجد سپهسالار.

سایه‌روشن روز تیره و ابرآلود کم‌کم روی شهر پخش می‌شد.

زیر نیم‌تنه‌ها و شلوارهای گشاد و خاکی رنگ، دور کمرهاشان، هر کدام دوازده کانتینر فلزی کوچک پر از گاز نیتروگلیسیرین بسته بودند. مکانیسم هر دستگاه به یک

فیوز دوتوناتور وصل بود. سر فیوز چاشنی‌دار در یکی از جیبهای شلوارشان بود. حاضر بودند، گو اینکه می‌ترسیدند و امید زیادی هم نداشتند.

خام و بی‌تجربه بودند، اما احمق نبودند. مصطفی نبوی مانند برادرش از اعضا و پایه‌گذاران انجمن اسلامی و دانشجوی ممتاز دانشکدهٔ فنی دانشگاه تهران بود. دوستش جمشید حسینی، با وجود ریشه‌های مذهبی، عقاید مارکسیست-لنینیستی داشت و معلم بود. امروز صبح دقیقاً هدفشان زدن ضربه‌ای به سیستم غول‌آسای موجود بود، تا اندک صدایی بلند کنند.

ورودی مسجد به شدت مراقبت می‌شد. بنا بود مراسم ترحیم رسمی در مسجد سپهسالار برگذار شود: ۱۰ بامداد، با حضور نخست‌وزیر و اکثر وزرا و امرای ارتش و رؤسای سازمان امنیت و اطلاعات.

بچه‌ها خود را از جلوی کتابخانهٔ مجلس به خیابان پشت مسجد رساندند. تصمیم گرفتند از در کوچکتر «مدرسه عالی الهیات» در بطن مسجد سپهسالار استفاده کنند. کوچه خلوت بود. مقابل مدرسه ایستادند و نفس تازه کردند. مردم تک و توک رد می‌شدند. یکی دو گدا اینجا و آنجا دستشان دراز بود.

نفسهای عمیقی کشیدند. به چشمهای هم خیره شدند. مصطفی گفت «الله اکبر!» به چشمهای هم خیره شدند. جمشید با اشارهٔ مشت به او علامت داد. وقت عمل بود.

به ورودی مسجد که نزدیک شدند، گدایی جلوی آنها سبز شد. «شما رو به ابوالفضل به من گدا رحم کنین.» پسرها را به دقت نگاه می‌کرد. آنها هم او را برانداز

کردند. گدای دومی را که نبش کوچهٔ مقابل، سینهٔ دیوار
نشسته بود، ندیدند.

اول مصطفی خطر را احساس کرد. این چشمها را پیش
از این هم دیده بود. باید در جا تصمیم می‌گرفتند. باید او
را از سر راه خود برمی‌داشتند. شاید هنوز هم می‌توانستند
نقشهٔ خود را اجرا کنند.

«البته پدر، چشم.»

دست توی جیب کرد. هنوز مرد گدا حرکتی نکرده بود
که دست مصطفی با چاقوی ضامن‌دار، برق‌آسا از جیبش
بیرون پرید، و ضربه‌ای به گیجگاه مرد کوبید. مردک تکانی
خورد، اما یکوری در میان دستهای جمشید افتاد. سعی
کردند او را یواشکی به کناری بکشند و مخفی کنند، که
رگبار یوزی گدای دوم از نبش کوچه بر سرشان بارید.
بچه‌ها به زمین غلتیدند. گدای اول را هم با خود بردند.

حتی فرصت نیافتند خود را منفجر کنند ـ کاری که
می‌خواستند در صورت عدم موفقیت نقشه‌شان انجام دهند.
جمشید در جا کشته شد. همچنین گدای اول، علی ملایری،
که عضو گروه کمیتهٔ مشترک ضد خرابکاری بود. مصطفی
چنین شانسی پیدا نکرد. فقط از ناحیهٔ دست و پای چپ و
کمر و شکم تیر خورد، و دقایقی بعد دستگیر شد.

فصل اول

عصری آفتابی، اوایل شهریور ماه سال یکهزار و سیصد و پنجاه هجری شمسی. ویلای نیاوران خانم قدسی خسروی صدر قائناتی، در دامنه‌های البرز، شمال تهران. نسیم ملایمی نوک درختهای سرو و کاج و افرا و چنار و اقاقیای اندک خزان‌زده را می‌لرزاند. ساختمان سه‌طبقه و سفید-رنگ به سبک ایتالیایی، با باغ بزرگ به سبک ایرانی، انگار از خواب اشرافی تنبل بعدازظهر آخر تابستان بیدار می‌شود. وسط باغ، حوض آرام دراز کشیده، بزرگ و بیضی‌شکل و حاشیه سنگی، با مجسمه‌های کوچک فرشته و قوی سفید، و فواره‌های بلند. در دو سمت حوض، و در هر دو سوی راه اتومبیل رو، گلهای داودی و کوکب و اقاقیای قرمز و رز پاییزی با رنگهای دلنشین به باغ طراوت بیشتری می‌بخشد.

حدود ساعت شش است که رانندهٔ قدسی‌خانم، میترا و مادربزرگش فاطمه سادات خانم را با مرسدس بنز ۲۸۰ نقره‌ای متالیک، از در باغ می‌آورد تو، و از باریکهٔ اتومبیل‌روی سمت راست باغ می‌آورد بالا. پیرزن از چلهٔ یک فامیل دور و قدیمی از جنوب شهر برمی‌گردد. میترا کوچولو هم با او رفته بود.

وقتی بنز به پای پله‌های ساختمان ویلا می‌رسید، میترا از شیشهٔ

اتومبیل سرگرد جهانگیر را دید. سرگرد خواستگار کتی (کتایون) خواهر میترا بود و چند وقتی می‌شد که می‌آمد و می‌رفت. اکنون در حالی‌که با یک دست سلام نظامی می‌داد از پله‌ها می‌آمد پایین. ولی چندان خوشحال نبود. سرگرد جلو بود و خواهرش دنبال او. پشت سر آنها هم قدسی‌خانم، و بالأخره کتی تا میان پله‌ها آمده بودند.

مادر و دختر هر دو شیک و عالی لباس پوشیده بودند: قدسی‌خانم یک دوپیس ابریشم نقره‌ای، و کتی پیراهن ژرژت ارغوانی روشن، با مینی‌ژوب همرنگ. هر دو کامل و مجلل هم آرایش کرده بودند. قدسی‌خانم یک‌طرف گیسوان بلوطی میزانپلی‌شده‌اش یک سنجاق درشت پلاتین داشت، با دانه‌های یاقوت. او و کتی به خاطر پذیرایی از سرگرد، ساعتهای اول بعدازظهر را زیر دست آرایشگران گذرانده بودند.

شورلت طلایی‌رنگ سرگرد خسرو جهانگیر پای پلکان نیمدایرهٔ مرمر سفید منتظر ایستاده بود. رانندهٔ نظامی سرگرد، بیرون ماشین ایستاده و درِ عقب را برای آنها باز نگه داشته بود. سرگرد با یونیفرم شکوهمند و پرطمطراق افسران گارد شاهنشاهی، در حالی که یک‌وری ولی شق و رق از پله‌ها پایین می‌آمد، با نزاکت نظامی خوش و بشهای خداحافظی را انجام می‌داد. میزبانانش هم هر دو صورتهایشان پر از لبخند و تعارف بود. خواهر بلندقد و لاغر و موبور سرگرد، اغلب او را در جلسات خواستگاری همراهی می‌کرد.

وقتی میترا و مادربزرگش رسیدند و کمی دورتر از شورلت سرگرد از اتومبیل خودشان پیاده شدند، سرگرد آنها را دید. به‌طرف آنها آمد، و نه‌چندان پرطمطراق ولی دوستانه، به پیرزن و میترا سلام نظامی داد. احوالپرسی کرد. ولی دست نداد.

سرگرد خسرو جهانگیر، ابواب جمعی گردان مخصوص لشکر گارد

ویژهٔ محافظت علیاحضرت شهبانو بود. قد بلند بود، با صورت سفید کشیده، انبوه موهای مجعد قهوه‌ای‌رنگ روشن، با یک جفت چشم درشت و آرام مثل چشم فرشته‌های کارت‌پستال. حتی سبیل قهوه‌ای‌رنگش، که به ابروهای کلفت و قهوه‌ای‌رنگش می آمد، حالت پسرانهٔ صورتش را تغییر نمی‌داد. دماغ کوتاه و نوک‌تیزش مثل مجسمه‌های کلاسیک کتیبه‌های ایران باستان بود.

پس از سلام و تعارف، سرگرد در چند جملهٔ کوتاه از فاطمه سادات‌خانم ـ مادربزرگ نامزد آینده‌اش دلیل پوشیدن لباس سیاه عزاداری را زیر چادر سیاه پرسید. فاطمه سادات‌خانم سرسری جواب داد که شخص مهمی نبوده، یکی از اقوام خیلی دور بوده... میترا ساکت بود ــ گرچه آثار تجربهٔ آن بعدازظهر، اثر گریه‌ها و شیونها، آدمهای سرقبر و قاریها هنوز در چشمانش بود.

سرگرد جهانگیر باز سلام نظامی داد، و با خواهرش سوار اتومبیل شد و رفت. قدسی‌خانم و کتی از بالای پله‌های مرمر برای او دست تکان دادند.

به‌محض دور شدن شورلت سرگرد، لبخند و روی خوش از صورت کتی محو شد و جای آن را حالت بیحوصلگی، و حتی اخم و قهر و اوقات تلخی گرفت.

«مامی! چرا خواستی بلند شن بیان دوباره؟»

«وا ــ به من چه دخلی داره مادر؟ خودشون تلفن کردن خواستن بیان.»

«چند دفعه گفتم من از این بیا بروهای مزخرف و کف‌صابونی بدم میاد؟ دفعهٔ دیگه اونا از این در بیان تو من از اون در میرم بیرون!»

«وا؟! خاک عالم! تو که تا الآن نشسته بودی گل می‌گفتی گل می‌شنیدی باهاشون. آخه بگو من چکار کنم؟ وقتی ورمیداره از دفترش توی دربار تلفن میکنه و بعد بلند میشن با بوق و کرنا راه

میافتن میان، ترو خدا بگو من چکار کنم؟ چی جوابشون رو بدم؟ بگم نیان؟ برای چشم و ابروی قشنگ من که نمیان!»

«خیلی خب، منم نمیخوام برای خاطر چشم و ابروی قشنگ من بیان اینجا!...»

اما قهر و افادهٔ کتی بیشتر جنبهٔ لجبازی و لوسبازی داشت، تا تکدر خاطر و عناد واقعی. به‌طرف میترا برگشت، و با دیدن صورت غمگین خواهر کوچک، با دهن‌کجی ادا در آورد.

«تو چه‌ت شده؟»

«هیچی.»

«جن دیدی؟... چشمهات گریه‌ای‌یه یا من دارم خواب می‌بینم؟»

«گفتم که، هیچی.»

قدسی خانم هم دختر کوچکش را با دقت نگاه کرد. «وا؟ چی شده؟»

میترا سر تکان داد و شانه بالا انداخت.

قدسی‌خانم به مادرش رو کرد: «خانمجان؟ چیزی شده؟ گفتم بیخود راه نیفتین اون‌همه راه. چطور بود؟»

فاطمه سادات خانم جواب داد: «هیچی... همون آه و ناله‌ها و گریه‌زاریهای معمولی سر خاک و چلهٔ مرگ جوون شهید. چیزی نیست.»

میترا گفت: «وحشتناک بود!»

کتی با پوزخند گفت: «من که گفتم نرو، خره.»

میترا گفت: «چه فلاکتی... بینوایان ویکتورهوگو پیش اینها بورژوان.»

قدسی‌خانم مأیوسانه سر تکان داد: «خب بچه‌جان، تو چرا رفتی؟ آخه به تو چه؟ این چیزها به شما چه مربوط میشه، دختر؟ اونم توی این هوای گرم و مزخرف. توی امامزاده عبدالله! اگه مادربزرگت دلش

میخواد به این جور رسم و مراسم بره، به خودش مربوط میشه. تو چرا یه‌کاره بلند شدی رفتی؟ بیا حالا یه‌تیکه کیک وردار با چای آبلیمو بخور، گلوت تازه شه. شمام بیا تو، خانمجان. بیا یه استکان چای بخور. شما خودتم بیخود رفتی. به شماها چه؟»

میترا تکان نخورد. فقط گفت: «نمیخوام.»

قدسی‌خانم گفت: «بیاین تو. خودمون دردسر کم داریم؟... تو هم بیا تو کتی جان.»

کتی گفت: «من که سرم داره میترکه. میرم بالا تو اتاقم.» به ساعت طلایش نگاه کرد.

قدسی‌خانم گفت: «آسپرین رو میز توالت من هست.»

«نچ... وقت ندارم.» بعد گفت: «بیا، میترا. بیا بالا و تا من دارم لباس عوض می‌کنم همه‌چی رو واسه‌م تعریف کن.»

«حوصله ندارم...»

«بیا خنگه. من حوصله دارم. باهات حرف دارم. بیا میخوام ازت یه چیزی بپرسم.»

همه داخل ساختمان شدند. میترا، خواهی‌نخواهی، همراه کتی از پله‌های مارپیچ بالا رفت.

فصل دوم

ویلای قدسی‌خانم چیزی در حدود چهارصد مترمربع زیربنا داشت. هر طبقه دارای چهار اتاق بزرگ و سرویس کامل و بالکن بود. باغ با پله‌های مرمر سفید به طبقهٔ اول راه داشت. طبقهٔ اول حدود یک متر از سطح زمین بالاتر بود و شامل یک هال با پنجره‌های بزرگ شیشه‌ای هم می‌شد؛ چندین متر هم به شکل بالکن در سمت شرقی باغ دو هزارمتری سرش می‌افتاد. قدسی‌خانم خودش در اتاقهای خواب طبقهٔ پایین زندگی می‌کرد. میترا و کتی در طبقهٔ دوم اتاق داشتند، هر کدام دو اتاق. طبقهٔ سوم متعلق به پریسا دختر اول قدسی‌خانم بود، که حالا امریکا بود، با یک مقاطعه‌کار امریکایی ازدواج کرده بود و گهگاه به تهران می‌آمد.

اتاق «مطالعهٔ» کتی مبلمان و دکور فیروزه‌ای‌رنگ داشت و اتاق خوابش تختخواب و میز کنسول صورتی. تختخواب و میزکنسول توالت همه ساخت ایتالیا بود. پرده‌ها و پشتدریها و یالانها را از «هارودز» لندن خریده بودند. چلچراغ و چراغ‌خوابها را از سویس آورده بودند. فرشهای کف اتاقها همه ابریشم خالص کاشان با طرح باغ بود. سیستم مجتمع رادیوگرام سفارشی سونی او را سفیرکبیر ژاپن

در ایران شخصاً برای خسروی شوهر سابق قدسی‌خانم آورده بود. رختکن کتی، که می‌شد آن را اتاق کوچک محسوب کرد، پر از انواع لباس از تمام کشورهای دنیا بود. حتی از ژاپن و افریقا و از قبائل سرخپوست امریکایی. مثل مانکنهای مجلات مد طراز اول نیویورک لباس و آرایش داشت، مثل دختر اوناسیس یونانی ولخرجی می‌کرد، مثل ژیگولتهای ایتالیایی شبها تا صبح توی دیسکوتکها می‌رقصید و خسته نمی‌شد. خوشگلی هم داشت. صورتش پهن و تودلبرو بود. با هاله‌ای از موهای فر ششماهۀ ریز، به رنگ بور مایل به صورتی. و یک جفت چشم که چشم بود.

حتی قبل از اینکه جلوتر از خواهر کوچکش وارد اتاق بشود، لباسش را روی یکی از مبلها پرت کرد. درحالی‌که با ریتم یواش، ترانۀ جدید گوگوش را زیر لب زمزمه می‌کرد، بطرف رختکن لباسهایش رفت. رقص‌کنان درِ کمد بزرگ دیواری را باز کرد، ایستاد، نگاه کرد. هنوز می‌رقصید و آهنگ تازۀ گوگوش را می‌خواند:

با نگاهت این روزا...

داری منو چوب می‌زنی

بزن بزن که داری خوب می‌زنی...

«چی بپوشم، جقل؟»

«چی؟» هنوز توی خودش بود.

«میگم چی بپوشم، خنگ خدا.»

«کجا میخوای بری؟»

«د بگو چی بپوشم؟»

«کجا خیال داری بری؟»

«مهمونی تو باشگاه... با تام شاو.»

«تام شا.» معلوم نبود می‌گوید تام شاو، یا تام‌شاه.

«همون اکبیره که اون هفته باهاش رفتی کلوب امریکائیها؟»

«مسخره‌ش نکن! تا یه چیزی پرت نکرده‌م تو کله‌ت. چی بپوشم؟» در حقیقت سؤال نمی‌کرد، فقط داشت از خودش لذت می‌برد.

تام ـ تام شاو ـ یکی از معاونین کنسول اول امریکا در تهران بود.

میترا گفت: «از ریختش عُقّم میگیره!»

کتی کرکر زد: «نه‌هه، خوشگله... میخواد برای عروس آینده‌ش ـ که ظاهراً خود بنده باشم ـ یه جزیره توی برمودا بخره.» چند کلمهٔ آخر را به انگلیسی ادا کرد و سعی داشت با خنده ادای لهجهٔ تکزاسی تام‌شاو را تقلید کند.

میترا گفت: «قیافه‌ش خره...»

«نه... خوشگله. فقط من و تو با هم اختلاف سلیقه داریم...»

«الاغه. آدم صرفاً به این دلیل که باباش میلیارددره، خوشگل نمیشه ـ با اون ریخت. با اون قد دیلاق. با اون طرز حرف زدن خرخریش.»

خیلی قشنگه چشمهات

«دِ... چی بپوشم؟»

میترا پرسید: «کتایون خسروی. یک جناب سرگرد جهانگیر شوالیه چی میشه؟»

«ولش کن.» مدتی ساکت بود. بعد گفت: «نه... نمیتونن مجبورم کنن، چی بپوشم؟»

میترا سرش را تکان داد: «بقول خودش "همونجور که هستی بیا"... همین جوری برو.»

«آی بدجنس. می‌کُشمت.»

«تقصیر خودته. سرگرد اقلاً ایرانی‌یه، از خانوادهٔ خوبی‌یه. شخصیت هم داره.»

«یابو نشو. میخوای بزنم تو سرت؟» هنوز داشت می‌رقصید.

«پس از من سؤالهای یابویی نکن.»

«می‌کشمت!» با خنده یک بلوز برداشت و به طرف میترا پرت کرد. لباس پروازکنان آمد و توی صورت میترا که بیحرکت مانده بود خورد و افتاد روی فرش. میترا نه چیزی گفت و نه کاری کرد. معمولاً در اینگونه موارد او هم یک چیزی توی سر و صورت کتی پرت می‌کرد و بعد هر دو تمام لباسها و بالشها و عروسکها و هر چیزی را که دم دستشان بود ول می‌کردند... اما امروز میترا حواس نداشت.

صورتش را برگرداند، و ساکت از پنجره به بیرون نگاه کرد.

«هی، چیه؟... چته امروز؟»

«هیچی.»

«تو امروز یه چیزیت هست، جقلی.»

«گفتم هیچی.»

بیرون، بر فراز باغ، نسیم ملایم سرد شده بود. در انتهای آسمان باغ، خورشید سرخی یک جا در وراء کوههای قشنگ غروب می‌کرد. و خون عجیب و غیرقابل وصفی را روی ابرهای افق پخش کرده بود.

میترا گفت: «یه ناصر کوچولو داشتند ــ با رماتیسم قلبی و مردنی ــ روی زمین، وسط عر و عور عزادارها خوابیده بود. اول فکر کردم مرده...»

کتی سوت زد، بعد با طعنه ابروهاش را انداخت بالا. «آها... پس یه ناصر اونجا بود.»

«اِ، گمشو.»

«این آقا ناصر کی باشن؟»

«بچه کوچولوئه، یعنی بچهٔ آخر اون مهری خانم ــ خواهرزادهٔ خانمجان...»

«خب، این ناصرخان چند سالشه؟»

«دوازده، سیزده، فکر کنم. اما خیلی کوچولوناست.»

«اوخ جون! یه پسر، همسن خودت، دوازده، سیزده. فقط کوچولوناست!»

«دِ، خفه شو!»

«پس یه ناصر اونجا بود...» کتی کرکر زد و باز با خنده و لذت بدنش را مثل رقص شکم جنباند و بعد در میان لباسهایش به جستجو ادامه داد. «من میدونستم امرزز یه چیزی تو کلهٔ خواهر کوچولوی ناتنی بنده افتاده، که اعصابش رو قلقلک داده.»

«ساکت... من اول دلم براش سوخت. رفتم ازش پرسیدم حالت چطوره؟ خوبی؟ ولی اون موش‌خرمای موذی شروع کرد به مسخره کردن و طعنه زدن به من و بعد اونوقت حتی به پدرم بد و بیراه گفتن.»

«زیاد جوش نزن، میترا خانوم. یادت باشه اونها توی چه دنیایی و چه جور دخمه‌ها و سوراخهایی زندگی می‌کنن. فراموش نکن چه جور شعور و سطح فکرهایی دارن ـ زیر بازارچه‌های پشت سیدنصرالدین!...»

«وحشتناک بود!»

میترا هنوز ساکت بود.

«هی، از تو حرف می‌پرسم، هالو. خوابت برده؟»

میترا نگاهش به پنجره بود، غروب سرخ‌رنگ را تماشا می‌کرد. هنوز آثار گریه در قبرستان توی چشمانش بود. «دلم می‌خواست بگیرم کله‌ش رو بکنم که اونجوری از پدرم حرف زده بود. پرسید «پدرت توی لوس آنجلس تصادف کرد مرد ـ یا توی پاریس؟» می‌خواستم کله‌ش رو بکنم. از عصبانیت گریه‌م گرفته بود.»

کتی یک دستش را به کمرش گذاشت، آهی مصنوعی کشید، گفت: «دوشیزه خانم میترا صدر... ولشون کن دختر. دیگه حرفشون رو

نزن. سرم درد گرفت. بذار آنقدر توی نفهمیها و لج و لجبازیها و کثافتهای خودشون غلت بخورن تا بمیرن.»

«منو بگو که دلم براش می‌سوخت!...»

«دیگه حرفشو نزن، دختر. مامی راست میگه. خانمجان می‌خواست بره، رفت. تو چرا رفتی؟ یه فامیل دور پسرخالهٔ دسته‌دیزی یه نفر مرده. تازه مراسم چله... به تو چه؟ پاشو یه کار دیگه بکن. پاشو یه نوار بذار. پاشو برقص، آواز بخون. پاشو واسهٔ من اون نوار بابی دیلان رو بذار...»

«نمی‌تونم فراموشش کنم. چه منظره‌ای!...»

«چرا، میتونی... گفتم ولشون کن. هر که در دنیا قسمتی داره. پاشو خوش باش.»

«موش خرمای کثیف!»

«جین مخمل سفید چطوره؟ با بُلیز ژرسهٔ سفید؟»

اما میترا حرفهای او را نمی‌شنید. «انقدر منو ترسوند که گریه‌م یادم رفت.»

«ولشون کن، بچه. حالا دیگه داری کلهٔ منو هم بدتر درد میاری.»

«انگار تمام فامیل و طبقه و بنیاد و ایل و تبار منو تهدید می‌کرد.»

«بس کن دیگه، سرم رفت.»

«اون موش‌خرمای رماتیسم قلبی گرفته که همه دوستش داشتند ــ»

«بس می‌کنی یا نه؟»

«نه... اون از یادم نمیره.»

«دختره، من وقت این خرده کثافتکاریها رو ندارم. شب شد. دو ساعت دیگه تام میاد و من هنوز حاضر نیسّم.»

راست می‌گفت. برای کتی خسروی شب جوان بود و تمام دنیا و آینده روشن و «مدرنیستیک!» بنا بود به یک «اسکوئر دانس» در کلوب امریکائیها برود. با یک سیاستمدار جوان و میلیونر امریکایی «دیت» داشت. نوزده سالش بود، خوشگل بود، خودش هم تقریباً میلیونر بود. وقت این «خُرده کثافتکاریها» را نداشت.

جلوی آینهٔ بیضی‌شکل میز توالتش نشست و شروع کرد به تازه کردن آرایشش. میترا او را نگاه کرد.

هنوز چیزی وسط سینه‌اش می‌گرفت: آن روز بعد از ظهر از یادش نمی‌رفت... و آن منظرهٔ سرخاک... مراسم چلهٔ برادر ناصر نبوی... دنیای دیگری بود... امامزاده عبدالله... حضرت عبدالعظیم.

فصل سوم

اوایل بعدازظهر بود. پنجاه شصت زن و مرد و بچه سرخاک جمع شده بودند. دور و برشان را هم قاریها و نوحه‌خوانها و گداها و مرده‌خورهای حرفه‌ای گرفته بودند. غیر از این جماعت، صحن قبرستان امامزاده عبدالله زیر باد خشک آخر تابستان، تقریباً خالی و متروک بود. نوحه‌خوانی با صدای سوزناک می‌خواند:

باز این چه شورش است که در قلب عالم است
باز این چه نوحه و چه عزا و چه ماتم است
ناصر کوچولو نگاه می‌کرد.

تابستانی که ده سالش بود، برندهٔ جایزهٔ اول تلاوت قرآن مجید در مسجد لختی درخونگاه شده بود. اما نه اینکه صرفاً مثل برادرانش عاشق تلاوت قرآن باشد. در واقع این کار سخت، با مرض و وضعیت قلبی مادرزادی پسرک، برایش دردناک بود. اما به هر ترتیب که شده، با کوشش و تقلای عجیب این فن را یاد گرفته، و تسلطی استادانه پیدا کرده بود ـفقط به این دلیل که هر پنج برادرش، که همه از او بزرگتر و قوی‌تر و سالم بودند، در تلاوت قرآن استاد، و در تمام محله

معروف بودند. در خانهٔ آنها آویختن به قرآن، آویختن به زندگی بود.

ناصر نبوی، آخرین بچهٔ اوس عبدالرضا بنا و مهری خانم قائناتی، در اواخر زمستان ۱۳۳۹ با روماتیسم قلبی به دنیا آمده بود. با وضعی که در ساعات اول تولد داشت، هیچکس فکر نمی‌کرد بیشتر از دو سه روز زنده بماند. چیزی کمتر از دو کیلو وزن داشت، تنفسش طبیعی نبود، پستان هم نمی‌گرفت. بعدها هم که با ضعف عمومی و قلب مریض و نصف رشد طبیعی بچه‌ها و دست و پایی نیمه‌فلج ماند و رفته‌رفته گوشهٔ خانه رسوب کرد، در خانهٔ شلوغ و پلوغ دو اتاقهٔ «کوچهٔ بناها»ی بازارچهٔ درخونگاه، هیچکس بجز مهری خانم و خواهرش مریم اهمیت نمی‌داد که او مرده است یا زنده.

تنها عکس موجود از ایام طفولیت ناصر، عکسی بود که دایی فیروز، در یکی از سفرهایش از گُجرات هندوستان به تهران، با دوربین خودش از پسرک، زیر شاخه‌های مو، گرفته بود. در عکس شش در هشت سفید و سیاه رنگ و رو رفته، تصویر او بیشتر شبیه به نمادی از طبیعت بی‌جان یک برهٔ تودلی بود. فقط مادر و تنها خواهرش مریم او را دوست داشتند و بغلش می‌کردند. برای بقیه علی‌السویه بود. برای اوس عبدالرضا هم این بچهٔ ته‌تغاری در واقع فقط «یه نونخور دیگه» بود...

اوس عبدالرضا بنّا، دردسرها و بدبختیهای بزرگ زار و زندگانی عجیب خودش را داشت... در واقع، حدود بیست و پنج سال پیش از آن، عبدالرضا نبوی وضعش اینطور نبود و سر و سامانی داشت. تنها پسر یکی از زعفران‌کاران معروف و معتبر دهستان سراب از توابع قائن بخشی از شهرستان بیرجند بود. آن سالها، سالهای خوب زندگانی خوب عبدالرضا بود. بیست و یکی دو سالش بود، و تازه دختر یکی از روحانیون معروف شهرستان را برایش گرفته بودند. اما ناگهان، در

اواخر سلطنت رضاشاه پهلوی، وضع تغییر کرده بود زمینهای پدر
عبدالرضا برخلاف خواسته و رضایت پیرمرد، از او «خریداری» شده و
خانوارش را از زمینهای اجدادی‌اش در سراب و حتی از قائنات بیرون
رانده بودند.

ناصر کوچولو هرگز جزئیات این مصیبت را تمام و کمال نفهمیده
بود و جریان را درست نمی‌دانست. اما طی سالهای اول زندگیش،
آنقدر این واقعه را از دهان این و آن شنیده بود که همانند مصیبت
کربلا، که در تکیهٔ درخونگاه طی روضه‌ها و عزاداریها و سینه‌زنیها
تکرار و تکرار می‌شد، مصیبت پدرش در سراب و قائنات نیز جزئی
از تاروپود زندگیش شده بود ـــدرست همانطور که نقش و نگار
جاجیم بیرجندی پاره زیرشان بافتی از زندگیش بود.

بعد از واقعهٔ «قانون مالکیت» رضاشاه، پدر عبدالرضا که زنش هم
بتازگی مرده بود، بقیهٔ خانواده را برداشت و به مشهد مقدس رفت و از
آنجا به «طهران» آورد. در آن موقع مهری خانم زن عبدالرضا حامله
بود. پدر عبدالرضا خواهری هم داشت، نصرت خانم، که با آنها زندگی
می‌کرد، و چون این خواهر در آن موقع مریض بود، او را در مشهد،
پیش خواهر دیگرش گذاشتند که شوهر داشت و در مشهد زندگی
می‌کرد.

در آن زمستان شوم، قبل از جنگ جهانی دوم، سفر فلاکت‌بار
مشهد به تهران در جاده‌های خاکی بیشتر از سه هفته طول کشید. در بین
راه دامغان به سمنان، مهری خانم لاغر و ضعیف، بچه‌اش را که پسری
بود انداخت. عبدالرضای جوان با دستهای خودش بچه را یک جا چال
کرد و گریه‌کنان به این تقدیر و سرنوشت شوم لعنتها فرستاد و باعث
و بانی آن را نفرین کرد.

وقتی به تهران رسیدند، پدر عبدالرضا حالش خیلی خراب بود. بعد
از دو سه شبانه‌روز آوارگی و انتظار کشیدن در گوشهٔ گاراژهای

کثیف، اتاق محقری در یکی از پس کوچه‌های بازارچهٔ درخونگاه گیر آوردند. اما همان شب اول توی درخونگاه، پدر عبدالرضا مرد.

عبدالرضا تمام آن شب را بالای سر جنازهٔ پدرش نشست، گریه کرد، قرآن خواند و نفرین کرد. بعد از آنچه بر سر بچه‌اش، بر سر پدرش، بر سر خودش، بر سر مزرعهٔ نازنین زعفرانشان آمده بود، او این حق بی‌چون و چرا را به خود می‌داد که تقاص بگیرد. این حکم و قضاوت الهی بود. بعد از ظلمی که در حق او شده بود، حق داشت رضاشاه را نفرین کند و به خدا و قرآن متوسل شود.

و از آن پس، هر شب و هر روز، ماهها و سالها، همین کار را کرده بود و ندای این تظلم و حق‌خواهی را در تک‌تک بچه‌هایش هم، هر شش پسر و یک دخترش، تزریق کرده بود.

حتی پسرک رماتیسم قلبی هم از این قاعده مستثنی نشده بود.

از اولین صداها و چیزهایی که پسرک یادش می‌آمد، صدای قرآن خواندن بابا، از دو سه سالگی، توی گوشش بود ــ که در گوش تمام بچه‌های دیگر هم خوانده بود. بعدها پسرک کشف کرده بود، که اغلب فقط هم یک سوره خاص بود که اوس‌عبدالرضا می‌خواند: سورهٔ «التّوبه». خود بچه‌ها هم بقدری این سوره را خوانده و تلاوت کرده بودند، که تمام ۱۲۹ آیهٔ آن را حفظ بودند. و به همین نحو، ناصر کوچولوی مریض هم سوره «التّوبه» برایش آب‌خوردن بود.

اما از خیلی لحاظ دیگر، او با بقیهٔ برادرهایش فرق داشت. آنها جزو بچه‌های اسم و رسم‌دار و معروف کوچه و بازارچه بودند: خیلی جدی، نمازخوان، قوی و ورزشکار. اغلب روزهای تعطیلی را به کوه‌پیمایی می‌رفتند. حال آنکه ناصر کوچولوی سر بزیر و مریض، یا به قول بچه‌های محل «ریقو»، مدام گوشهٔ خانه پیش مادرش یک گوشه کز می‌کرد، و غرق بازی با کرمهای ابریشم خودش، یا با کبوترها و

قناریهای برادر بزرگش می‌شد.

برادر بزرگش «ممد آقا» که حالا در قید حیات نبود، هرگز به مدرسه نرفته بود، چون آنطور که پسرک شنیده بود، نقص زبان یا لکنت زبان داشت، و تا زمانی که در تظاهرات سال ۴۲ کشته شد، زیر دست اوس عبدالرضا شاگردی می‌کرد. اما بقیهٔ برادرها، علی، رضا، مصطفی، محسن، همه به مدرسه رفته بودند، و علاوه بر کار به صورت نیمه‌وقت، با وضع آرام کشور در سالهای نیمهٔ دوم دههٔ ۱۳۴۰، و دانشگاههای رو به ازدیاد، آنها هم به دانشگاه وارد شده و دنبال تحصیل بودند. بطوری که در سال ۱۳۵۰ که ناصر کوچولو دوازده سالش بود، برادرها بجز علی که فارغ‌التحصیل دانشکدهٔ فنی شده و شغل خوبی گرفته بود، بقیه هنوز دانشجو بودند: مصطفی سال آخر علوم در رشتهٔ شیمی بود، ولی حالا زندان بود. محسن دانشجوی سال دوم اقتصاد بود و این تابستان در خانهٔ امنی مخفی بود. رضا دنبال طلبگی رفته و خارج از کشور، در نقطه‌ای در بیروت یا عمان بود، ناصر کوچولو دقیقاً نمی‌دانست کجا.

در اواخر بهار سال ۱۳۴۲ داداش ممد، که جوان مذهبی دوآتشه‌ای بود، در ماجرای ۱۵ خرداد کشته شده بود از این واقعه و این سال بود که خانوادهٔ اوس عبدالرضا دیدگاه عبوس‌تر و تلخ‌تری داشت. می‌گفتند: «محمد» شهید شده. اوس عبدالرضا و محمد و سایر برادرانش از پیروان آیت‌الله خمینی بودند، و در پیروی از مخالفت ایشان، محمد در تظاهرات جلوی سبزه‌میدان تهران شرکت کرده و در اثر شلیک گلوله‌سربازان کشته شده بود و بعد جنازه‌اش را تحویل خانواده داده بودند. بعد از مراسم ترحیم مخفیانه و شیونها و عزاداریها و گریه‌های شب هفت و چله توی خانه، عکس کوچک قابشدهٔ محمد حالا سر تاقچه پای تمثال بزرگ امیرالمؤمنین و شمایل صحنهٔ واقعهٔ کربلا (که رویش پرده کشیده بودند،) قرار گرفته بود. آن موقع ناصر کوچولو

سه ساله بود. تشییع و دفن داداش ممد را یادش مانده بود. همچنین این ندا را که داداش ممد «شهید» شده است.

از آن به بعد، خانوار اوس‌عبدالرضا مراسم دههٔ محرم و قتل امیرالمؤمنین را توی خانه خیلی مفصل‌تر برگذار می‌کردند. در خانهٔ آنها مراسم روضه‌خوانی ماهانه سنت همیشگی بود، اما در این مراسم خاص سینه‌زنی چیز دیگری بود. برادرها حالا گردانندهٔ مراسم بودند. سینه‌زنی در خانه در اتاق عقب حیاط اجرا می‌شد. سرتاقچهٔ این اتاق، حالا علاوه بر شمایل و تمثال و عکس قابشدهٔ «داداش ممد»، یک عکس کوچک آیت‌الله خمینی هم پشت تمثال امیرالمؤمنین سر تاقچه مخفی بود. البته صحنهٔ صحرای کربلا هم بود، که در مراسم روضه‌خوانی و سینه‌زنی از روی آن پرده برمی‌داشتند. این مجلس از نوع نقاشیهای مذهبی قهوه‌خانه‌ای رنگ و روغن قدیمی بود که داداش رضا از یک سمساری پایین‌تر از سه راه سیروس خریده بود. ناصر کوچولو بخصوص جذب این شمایل می‌شد: که در آن شمر سر امام حسین (ع) مظلوم را بریده و آن را در مقابل لشکر جرار ابن‌سعد به سر نیزه زده بود. اوس‌عبدالرضا و پسرها و مهمانها نوحه می‌خواندند و سینه می‌زدند. پسرک محو این صحنه‌ها هم می‌شد. از وقتی پسرک سه‌چهار ساله شد، گاهی داداش رضا می‌گفت ناصر هم سینه‌اش را لخت کند و وسط جمع بنشیند و سینه بزند. او سینه می‌زد، نوحه می‌خواند و لذّت می‌برد.

بعد از مراسم سینه‌زنی، برای روح شهدای اسلام صلوات می‌فرستادند. و بعد رضا برای پیروزی و طول عمر «علمای مجاهد اسلام» هم تقاضای صلوات جلی می‌کرد.

پسرک مادرش را با تمام دل و جان دوست داشت. مثل همهٔ برادرهایش او را «عزیز» صدا می‌کرد. در چشم پسرک مادرش تمام دنیا

بود.

مهری خانم، زنی ریزنقش و هنوز زیبا بود. آرام و کم‌حرف بود، همیشه توی خانه مشغول کار، کمی غمگین، اما نه غم‌انگیز. او تنها دختر یک مرد روحانی اهل کتاب و گوشه‌گیر قائنات بود. بنابراین او خودش هم اگرچه عبوس نبود، ولی بطور کلی ساکت و گوشه‌گیر بود. در سیزده سالگی ازدواج کرده و تا سی سالگی هفت بچه زاییده و یکی هم انداخته بود. اگرچه هرگز به مدرسه نرفته بود و سواد خواندن و نوشتن نداشت و نماز و روضه‌اش ترک نمی‌شد، و توی روضه‌ها برای امام حسین (ع) از ته دل گریه می‌کرد، اما مثل اوس عبدالرضا عبوس و «متعصب» نبود. مرگ بچهٔ اولش محمد، در نوزده سالگی قلب زن جوان را بدجوری شکسته و برای بچه‌اش گریه‌ها کرده بود. مهری‌خانم نیز او را «شهید» یا «مجاهد اسلام» می‌دانست. ولی این «بچه‌اش» بود! ــو سربازهای ذلیل مرده شاه‌کشته بودندش. اغلب بعد از نماز می‌نشست و گریه می‌کرد، با خدا حرف می‌زد. پسرک گاهی از گوشهٔ اتاق مادرش را نگاه می‌کرد. مهری خانم فقط با خدا حرف می‌زد و از او می‌خواست بقیهٔ بچه‌هایش را حفظ کند. گاهی، از اشکهای مادر و از درد دلهای مادر بود که پسرک هم احساس می‌کرد درد و بدبختی پنهان‌شده‌ای توی فامیلش هست. یک جا، یک چیزی خراب بود؛ ظلمی شده بود؛ دنیای زیبائی از دست رفته و پوسیده بود، یا داشت می‌پوسید؛ هیچ کاری هم نمی‌شد کرد جز اینکه به خدا پناه برد.

در این تابستان بود که مرگ دوباره به خانهٔ او شبیخون زده و یکی دیگر از پسرهایش را برده بود. و این بار قرعه به نام علی عزیز و نازنینش افتاده بود. مقدر بود که این مرگ نقطهٔ عطفی در زندگی تمام بچه‌های مهری خانم بیچاره بشود، بخصوص در زندگی ناصر

کوچولو.

آن روز، در مراسم چلهٔ تقریباً مخفیانه و عزاداری دور قبر، بجز مهری خانم، کسی گریه و شیون زیادی نداشت، برخلاف چهل روز پیش که جنازه را ــ جنازهٔ سوراخ‌شدهٔ مهندس علی نبوی را ــ دفن کرده بودند. علی به عنوان خرابکار به دست مأمورین سازمان امنیت در «کمیتهٔ مشترک» به اصطلاح «هنگام فرار و در اثر تیراندازی مأمورین» کشته شده بود. وقتی بالاخره جنازه‌اش را تحویل دادند، چندین روز از کشته‌شدنش می‌گذشت. تحویل جنازه به دلایل تشریفات اداری و پرداخت «پول گلوله»، و قرض و قوله گرفتن عبدالرضا به تعویق افتاده بود. سوراخهای گلولهٔ تن مقتول را شمرده و به ازاء هر گلوله کلی پول از اوس عبدالرضا غرامت خواسته بودند. علی نبوی آن سال بیست و سه سالش بود. درجهٔ مهندسی داشت و عضو «سازمان مبارزین اسلامی» بود.

امروز بعدازظهر، در مراسم چلهٔ عبوس، در گوشهٔ گورستان امامزاده عبدالله پسرک کنار مادرش نشسته بود. سرش گیج می‌رفت و بدنش تبدار بود. عزاداران و فاتحه‌خوانها و گداها را نگاه می‌کرد و آفتاب داغ روی صورتش می‌ریخت. آفتاب شهریور ماه جنوب تهران از مذاب آتشفشان هم داغ‌تر بود. پسرک سعی می‌کرد احساس خفگی عجیبی را که از ساعتی پیش توی گلو و سینه‌اش می‌پیچید بفهمد... رنگش بدجوری پریده بود.

مهری خانم گریه‌اش را قطع کرد، چادرش را از جلوی صورتش پس زد، با دلواپسی به بچهٔ مریضش نگاهی انداخت.

«چطوری ننه؟ حالت داره بهم میخوره؟»

«چیزی نیست، عزیز.»

«پس چرا رنگت اینجوری پریده؟»

«چیزی نیست عزیز ــ حالم خوبه.»

«بیا اینجا رو پام درازشو. بیا سرتو بذار رو زانوم ننه. بیا بادت
بزنم.»

اما می‌دانست که یک چیزی هست. او این بچه را زاییده و سیزده
سال بزرگ کرده بود.

احساس عجیب خفگی توی گلو و سینه پسرک، اگرچه تازگی
داشت، چندان هم نامطبوع نبود. رفت و همانطور که مادرش خواسته
بود، روی زمین دراز کشید و سرش را گذاشت توی سایه روی زانوی
او، روی دامن چادر او، تا خیال او راحت شود. مهری‌خانم مدتی او را
با بادبزن حصیری دستش باد زد، بعد آهی کشید که در سینه‌اش
شکست، و بعد به گریه و شیون خودش برگشت. با یک دست
چادرش را جلوی صورتش گرفته بود و با دست دیگر که هنوز بادبزن
توی مشتش بود توی سینهٔ خودش می‌زد.

پسرک سرش بالا بود و آسمان آفتابی و هوای خاک‌آلود
چشمانش را پر کرده بود، که او آمد جلوی صورتش.

با قد بلند و صورت عینک‌دارش آمد بالای سر او، روی سرش خم
شد، و با احتیاط نگاهش کرد، انگار که بچه گربهٔ نیمه‌جان و افلیجی را
روی خاک وارسی کند. صورتش همسن و سال خود پسرک بود، اما
سر و وضع و لباس و قیافه‌اش داد می‌زد که متعلق به دنیای آنها و دار
و دسته خانوادهٔ اوس عبدالرضا نیست.

تصویر آن روز صورت او، روی مغز پسرک برای ابد حک شد:
صورت بزرگ و بیضی شکل، سفید و خوشگل، با یک جور
رنگ پریدگی طبیعی مهتابی، که ظاهراً خوب و سالم بود. موهای زبر
و سیاهش فرفری بود، پسرانه اصلاح شده و بیشترش زیر روسری
ابریشمی سیاه رفته بود. فرقش را از سمت چپ باز کرده، و بیشتر
موهای بالای پیشانی‌اش معلوم بود. ابروهای پرپشت ولی نازکش
کمانی و پیوسته بود. چشمانش سبز بود و دماغ باریک و کوچولویی

داشت. عینك داشت ــ با شیشهٔ طبی و قاب طلایی، خیلی اعیان و اشرافی. چانه‌اش هم کوچولو و کمی تیز بود و به لبهای ریز و حساسش می‌آمد. تمام صورتش یك جور حالت شورانگیز خام داشت.

اول مدتی بربر به پسرك ساکت نگاه کرد. پسرك هم حالا کمی با تعجب نگاهش می‌کرد. در آن لحظه، آفتاب از پشت سر دختر زیبا می‌زد و نور می‌شکست و به صورت او حالت غیرواقعی بیشتری می‌داد.

پرسید: «حالت خوبه؟»

پسرك او را در آن لحظه نشناخت: «اوهوم.»

«پاشو بیا بریم اونجا توی سایه.» با دستش به یك طرف اشاره کرد.

پسر کوچك نمی‌دانست چکار کند.

سرش را تکان داد.

«یه درخت اونجاست، اون زیرم سایه‌ست. سایه خوبه.»

نگاه کرد. یك درخت بید مجنون کم‌جان کنار دیوار یك مقبرهٔ خصوصی بود.

دختر گفت: «اسم من میتراست.»

مهری خانم که حالا باز گریه‌اش را قطع کرده بود سرش را برگرداند. به دخترك با تحسین نگاه کرد، بعد به بچه‌اش نگاه کرد. پسرك هنوز ساکت بود. سرش را هم بطرف مادرش برگردانده بود.

مادرش گفت: «پاشو، الهی قربونت برم... پاشو برو زیر سایه درخت، پاشو حال نداری. ببین چه خانوم کوچولوی خوبی داره با شما حرف می‌زنه. ماشاالله. پاشو، ناصرم. پاشو با هم برین اونجا زیر سایه، سایه خوبه.»

او فقط سرش را تکان می‌داد.

«پاشو قربونت برم، حالت داره بهم میخوره.»

«همین جا پهلوی شما خوبه.»

دختر گفت: «اونجا کنار دیوار زیر درخت سایه‌ست. آب هم هست.»

مهری خانم گفت: «پاشو، عزیزم. از زیر این آفتاب برو. سرت بدتر درد میگیره. برو یه مشت آب بزن سر و صورتت. ببین از هوا چه آتیشی میباره. پاشو با این خانوم کوچولو برو. ببین میتراخانوم چه خانوم کوچولوی ماه و مهربونی‌یه... دخترخالهٔ ماهاست. دختر قدسی خانومه... راستی قدسی‌خانوم چطورن؟»

میترا گفت: خوبن الحمدلله. مامان مهمون داشت، نتونست بیاد. من با مامان‌بزرگ اومدم. اونجاست. اوناهاش.»

حالا لبخند می‌زد.

پسرک هنوز به مادرش نگاه می‌کرد که چشمهای بادکرده‌اش مثل کاسهٔ خون شده بود. دلش نمی‌خواست از کنار او دور شود.

مادرش گفت: «پاشو، تصدقت برم. پاشو با هم اونجا زیر سایهٔ درخت وایسین.»

میترا به مهری خانم گفت: «الهی غم آخرتون باشه، خانوم.»

مهری خانم گفت: «چه کنیم، الهی تصدقت برم؟ آخ الهی شکر... پاشو ناصرم، پاشو برو زیر سایه.» و دوباره برگشت زیر چادر نماز خودش، و توی سینه‌اش کوبید و صدای گریه و شیونش وسط همهمه و قیل و قال و تلاوت قرآن و روضه محو شد. نوحه‌خوان دربارهٔ داماد شهید و ناکام کربلا می‌خواند و اشک و نالهٔ مهری خانم را بیشتر درآورد.

از درد دلـم بـار خدایا تو گواهی
قاسـم ز کـفم رفت خدایا تو گواهی

دخترک گفت: «پاشو بیا.»

پسرک هر جور بود بلند شد و بی‌اینکه به دختر اعیان و اشرافی نگاه کند، به طرف دیوار راه افتاد. بخاطر مادرش رفت. احساس ناجوری داشت. هم خجالت می‌کشید و هم بدش می‌آمد. نمی‌دانست چکار کند. پیش از این هیچوقت این دختر را ندیده بود، گرچه درباره‌اش خیلی چیزها می‌شنید، چون مادربزرگش، «خاله‌خانوم»، هنوز هم گاهی با خانوادهٔ مهری خانم رفت و آمد داشت، یعنی گاهی توی عزاداریها و عروسیها می‌آمد. آنها هم از خراسانیهای قدیم بودند از ده سراب قائنات.

دختر گفت: «من با مادربزرگم اومدم، مادربزرگ شماها رو خیلی دوست داره، خالهٔ مامان شماست.»

پسرک ساکت ماند.

«پیرها همیشه دلشون میخواد ریشه‌های فامیلی رو نگه‌دارند.»

پسرک ساکت ماند.

فصل چهارم

قدم‌زنان به گوشهٔ خلوت قبرستان رفتند. هر دو سعی می‌کردند روی سنگ‌قبرها پا نگذارند. بیدمجنونی که میترا نشان داده بود نزدیک دیوار بود. یک جوی باریک آب هم از پایش رد می‌شد.

میترا نفس بلندی کشید. «پس ناصر، ناصر که مادربزرگم میگه تویی.»

«چی؟»

«روماتیسم قلبی مشهور خانوادهٔ مهری خانوم...»

پسرک فقط گفت: «مثلاً...»

«مادربزرگ من خیلی از تو حرف میزنه.»

«باشه، مرحمت دارن.» به طرف او نگاه نمی‌کرد، سرش پایین بود. نمی‌دانست چرا لجبازی‌اش گل کرده بود. تمام برادرها و خواهرش مریم از خانوادهٔ اعیان و اشرافی قدسی‌خانم نفرت داشتند. و نفرت در خانواده‌شان مسری بود.

«میدونستی مادربزرگهای من و تو با هم خواهر دوقلو بودند؟ برای همینه که ما به مادربزرگهای همدیگه میگیم خاله‌خانوم.»

«یک چیزهایی شنیده‌م».

* * *

میترا راست می‌گفت: مادربزرگ میترا، فاطمه‌سادات خانم و مادربزرگ ناصر زهرا سادات خانم در روزگار گذشته دخترهای ملای خوشنامی از دهستان سراب به اسم حاج حسن آقا قائناتی بودند. درحالی‌که زهرا سادات در همان دهستان سراب زن پدربزرگ ناصر، کربلایی محمدعلی زعفرانکار می‌شود، فاطمه سادات را به حاج آقا سید احمد قائمی می‌دهند، که در مشهد از رؤسای استانداری است. فاطمه سادات از حاج آقا قائمی صاحب دختری می‌شود که اسمش را قدسی می‌گذارند و بعد از مرگ حاج آقا قائمی در سال ۱۳۲۰، همانجا در مشهد پیش مادرش می‌ماند. و قدسی در خوشگلی اعجازی است.

می‌گویند زیبایی می‌تواند در سرنوشت یک زن کارهای عجیب و غریبی بکند ــ به هر حال زیبایی در زندگی قدسی قائمی تأثیرات عجیب و غریبش را می‌کند. هنوز چهارده سالش بیشتر نیست و در مشهد به مدرسه می‌رود، که او را به مسعود خسروی شوهر می‌دهند. جناب مسعود خسروی ــ رئیس دفتر اسدالله علم که در آن موقع استاندار خراسان است ــ او را می‌بیند و می‌گیرد. مردان شاه در آن دوران هر جا می‌خواستند می‌رفتند هر کار می‌خواستند می‌کردند.

اسدالله علم قرار است در کابینهٔ جدید پستی داشته باشد، چند ماه بعد از گرفتن قدسی، مسعود خسروی به تهران می‌رود و به فاصلهٔ دو سه ماه ترتیبی می‌دهد که قدسی و مادرش فاطمه‌سادات به تهران بیایند. خسروی

آنها را در خانهٔ شیک و بزرگی در خیابان جدید روزولت در ضلع شرقی سفارت جدید امریکا سکنی می‌دهد. نمی‌تواند از قدسی دل بکند. هیچ مردی نمی‌توانست.

هنوز پاییز آن سال تمام نشده که قدسی اولین دخترش پریسا را می‌زاید. ولی بزودی خبردار می‌شود که او تنها زوجهٔ شوهرش نیست. اول قهر می‌کند، دعوا می‌کند، جز می‌زند، گریه می‌کند، و طی سالهای بعد چند بار از خسروی تقاضای طلاق می‌کند و یک دختر دیگر هم برایش می‌زاید ــ کتایون (کتی)ــ تا اینکه بالاخره چون خیلی هواخواه داشته از خسروی طلاق می‌گیرد ــخسروی به او نفقهٔ ماهانهٔ کلان و ماشین و خانه می‌دهد و یک مبلغ هنگفت هم یک جا برایش توی بانک می‌گذارد. اسدالله علم حالا از مقامات وزارت دربار است، و خسروی رئیس دفتر او.

استحالهٔ قدسی خانم از یک دختر سراب قائناتی به یک خانم اشرافی و نزدیک به دربار پهلوی در تهران، بسرعت ولی به نرمی انجام می‌گیرد. ده دوازده سال بعد از آمدن به تهران در اوائل دههٔ ۱۳۳۰، با حکومت زاهدی و آمدن فرهنگ و نفوذ امریکا در دولت و پایتخت کشور شاهنشاهی، قدسی‌خانم حالا کم‌کم زندگی کاملاً مدرنی را در تهران پیش گرفته، و به اصطلاح آن روزها، خیلی خیلی «موند» بالاست. لباسهای گرانقیمت مد روز ولی سنگین می‌پوشد ــگرچه همیشه روسری ابریشمی شیک سرش می‌کند. مادرش فاطمه‌سادات خانم، با موهای سفید زیر چادر و چارقد، همیشه با

اوست تا ریشه‌های مذهبی و روحانی فامیل را به قدسی
یادآور شود۔ «ننه روز قیامتی هم هست». اما بانو قدسی
قائناتی خسروی هم تازه سی ساله است و زیبا و مورد
رشک زنها و مطلوب مردها. و اکنون مردهایی که او را
در ارتباطش با وزارت دربار می‌شناسند، از بانفوذترین
و سرشناس‌ترین و قدرتمندترین مردهای کشورند.

تا مدتی بعد از طلاق گرفتن از مسعود خسروی،
قدسی خانم از شوهر کردن، و بطورکلی از مردها تا
حدی کناره می‌گیرد و به تحکیم استقلال و آزادی
شخصیت خود می‌پردازد. پریسا را (به اصرار خسروی)
در مدرسهٔ تازه تأسیس امریکاییها نامنویسی می‌کند و
کتی کوچولو را هم خودش در قسمت کودکستان همان
مدرسه می‌گذارد. با نفوذ و توصیه‌های خسروی برای
خودش هم یکی دو شغل به عنوان مشاور مخصوص،
یکی در ادارهٔ اوقاف و یکی در سازمان برنامه در تهران
جور می‌کند و جزو حقوق‌بگیران دولت از دو
وزارتخانه می‌شود. در یک شرکت خصوصی واردات
اتومبیل و موتور و ماشین‌آلات نیز سرمایه‌گذاری
می‌کند، که از بزرگترین مؤسسات واردکنندهٔ ایران در
این روزهاست. در واقع، رئیس این شرکت، یوسف
آزادگان است که خودش یک روز می‌آید و به بانو
قدسی قائناتی خسروی پیشنهاد می‌کند که در شرکت
معظم وی سهیم شود. او قدسی‌خانم را یک بار در
سازمان برنامه دیده و مجذوبش شده بود ۔هم مجذوب
زیباییش، و هم مجذوب مقام و نفوذش در دستگاه
دولت و وزارت دربار. قدسی خانم در شرکت آزادگان

اندک سرمایه‌ای واریز می‌نماید ولی به عنوان مشاور مخصوص درآمدش از اینجا سه برابر جمع حقوقهایی است که از دولت می‌گیرد، گرچه هفته‌ای دو سه ساعت بیشتر کار نمی‌کند، و محل سگی هم به لب و لوچهٔ آب‌افتادهٔ آزادگان نمی‌گذارد.

اما در این شرکت تجارتی است که قدسی خانم برای اولین بار در زندگی‌اش به مردی علاقه‌مند می‌شود و در فاصلهٔ چند ماه به او دل می‌بازد. مرد مورد علاقهٔ او، جوان لاغر و نحیفی است با صورت سفید استخوانی، سبیل بور کلفت، یک جفت چشم سبز غمزده. بیژن صدر: شاعری اندک معروف، لیسانسیهٔ اقتصاد است و در شرکت حسابداری می‌کند. دو کتاب قصه هم ترجمه کرده، و معلومات انگلیسی و آلمانی خوبی دارد، اما شخصیت واقعی او در این است که کتابهای ماکسیم گورکی و گارسیا لورکا را در بچگی خوانده و روحش در ایدئال سوسیال کمونیسم منجمد شده. پرونده‌ای هم در ساواک (سازمان اطلاعات و امنیت کشور) دارد. قدسی خانم همهٔ اینها را می‌داند ولی اهمیت نمی‌دهد. شش ماه تمام هوش و حواس و تمام جذبه‌های زنانه‌اش را بر بیژن صدر متمرکز می‌کند. از کارهای دولتی‌اش هم دست می‌کشد، تا بالاخره بهار سال بعد، بسادگی با او ازدواج می‌کند. بیژن صدر البته می‌داند که قدسی خانم بیوه است و دو دختر دارد. اما احتمالا از هویت و عمق ریشه‌های شوهر اول او در دربار و سیستم خبر ندارد. همیشه توی خودش است و توی شعر و ادبیات «متعهد»ش. فقط یک نکته است که او در رابطهٔ پیش از

ازدواجش با قدسی‌خانم نمی‌فهمد. قدسی خانم در اسفند ماه پیش از ازدواج با بیژن صدر یک مسافرت دوهفته‌ای و غیرمنتظره به سویس می‌کند ــ به عنوان معالجه.

پس از ازدواج با بیژن صدر، قدسی‌خانم کتی را هم پیش دختر دیگرش پریسا که حالا در لوس‌آنجلس تحصیل می‌کند به امریکا می‌فرستد. شوهر دلخواهش را به خانهٔ خیابان روزولت می‌آورد و در زمستان همان سال، سال ۱۳۳۸، میترا به دنیا می‌آید.

اما با همهٔ زیبایی و پول و پرستیژ، مقدر نیست که قدسی خانم در این دنیا شوهردار بماند. خیلی سعی می‌کند این یکی را که خیلی هم دوستش داشته نگه دارد. اما بیژن صدر شاعر، ناآرام و «انقلابی» است. پس از مدتی کارش را ول می‌کند و دنبال تحقیق و بحث و کارهای ادبی-سیاسی-ژورنالیستی می‌رود. کم‌کم حتی شبها و گاهی هفته‌ها به خانه نمی‌آید. میترا پنج شش ساله است که بیژن صدر قاطی گروههای مارکسیست-لنینیست می‌شود که بیشتر اعضاء آن را روشنفکران جوان و دانشجویان تشکیل می‌دادند. بالاخره مأمورین بخشی از ساواک، به روال معمول دنبالش می‌آیند، صدر به اختفا می‌رود و به اصطلاح می‌رود داخل فعالیتهای زیرزمینی...

این دوره، بحران بدی را در زندگی قدسی‌خانم پیش می‌آورد. مأمورین ردهٔ پایین ساواک خانهٔ او را زیر نظر می‌گیرند و یک روز هم می‌آیند و از قدسی‌خانم، با کمال عذرخواهی، سؤالاتی می‌کنند. بعد بحران دیگری پیش می‌آید که قدسی‌خانم را کلافه‌تر می‌کند. یوسف

آزادگان نیز، که هنوز ظاهراً گلویش پیش او گیر است
و از ماجرای اخیر هم بو برده، باز سر و کله‌اش پیدا
می‌شود، مدام تلفن می‌کند، یا می‌آید و می‌خواهد
قدسی‌خانم را مثلاً در پناه خود بگیرد. می‌گوید می‌تواند
مأمورین ساواک را بخرد و برای همیشه از پاشنهٔ در خانهٔ
او دور نگه دارد. حتی پیشنهاد ازدواج می‌دهد، و
می‌گوید می‌تواند اول از طریق دادگاه طلاق او را از بیژن
صدر بگیرد. قدسی را می‌خواهد و ماهها اصرار و
پافشاری می‌کند و حتی تابستان آن سال که قدسی‌خانم
میترا را برمی‌دارد و برای دیدن دو دخترش به
لوس آنجلس می‌برد، آزادگان هم دنبال او به آنجا
می‌رود. در آنجا هم به قدسی پیشنهاد می‌کند که ویلای
بزرگی در بورلی هیلز برای قدسی و بچه‌هایش بخرد تا
آنها بتوانند دور از مشکلات شوهر فراری و ساواک
فضول به راحتی زندگی کنند.

اما جواب میترا کوچولوی شش ساله را چه کسی
بدهد؟ میترا حساس است و عاشق و کشته و مردهٔ پدرش.
و حالا، حتی در امریکا، و دور از پدرش، بی‌آرامی و
بی‌تابی می‌کند. با هیچ نیرویی هم سرگرم نمی‌شود،
گول نمی‌خورد. مدام به تلخی گریه می‌کند، قهر می‌کند،
پدرش را می‌خواهد. گهگاه حتی دچار هیستریهای ناجور
می‌شود.

قدسی خانم ناگزیر به تهران برمی‌گردد. با این تصمیم
که مسائل آشفتهٔ زندگی‌اش را فوراً و قاطعانه حل کند.
در این روزها شوهر سابقش خسروی در ژنو است و
می‌گویند عمل جراحی دارد، و به او دسترسی نیست.

قدسی خانم بالأخره تصمیمی می‌گیرد. در تهران با تلفن با یک تیمسار پرقدرت و آشنا که از سالها پیش با او سر و سری داشته، تماس می‌گیرد. فردای آن، تیمسار قدسی‌خانم را می‌پذیرد و قدسی‌خانم در اتاق دربسته مسائل را با او در میان می‌گذارد. بچه‌ها هرگز اسم این تیمسار ناشناس ولی پرقدرت و آشنای قدیمی مادرشان را نمی‌دانستند که گهگاه حلال مشکلات بود. اسم او را به شوخی گذاشته بودند «تیمسار ایکس مامی».

به فاصلهٔ بیست و چهار ساعت بعد یوسف آزادگان را در فرودگاه مهرآباد، در حین پیاده شدن از پرواز پان‌امریکنِ دستگیر و به جرم میلیونها اختلاس و تقلب در امور گمرکی و مالیاتی دستگیر و زندانی می‌کنند. به فاصلهٔ کمتر از چهل و هشت ساعت بیژن صدر در یک حادثهٔ اتومبیل در جادهٔ چالوس کشته می‌شود. اتومبیلش را درحالی‌که فقط خود او در آن بود، ته دره پیدا می‌کنند، جنازه‌اش را تشخیص هویت می‌کنند و به قدسی‌خانم تحویل می‌دهند.

* * *

میترا مدتی سکوت کرد. پسرک هنوز نگاهش نمی‌کرد. «تو حالت خوبه؟» هوای امامزاده عبدالله نفس‌گیر بود.

«نمیدونم.» سرش را بلند نکرد. او هیچوقت از جزئیات زندگی میترا و حتی قدسی خانم خبر نداشت.

«یعنی میگم روماتیسم قلبی که داری چطوره؟ راسته که قلب و سینه‌ت مدام درد میکنه؟ من همیشه خیال میکردم مردم پاهاشون روماتیسم میگیره.»

«چه میدونم.»

«نچ... چرا حرف نمیزنی؟»

پسرک سرش را بلند کرد. «از خونۀ شماها تو نیاوران تا اینجا خیلی راهس. با چی اومدین؟»

«با بنز مامانم.»

«تو و مادربزرگت تنها اومدین؟»

«راننده داریم.»

پسرک سنگی برداشت و پرت کرد طرف جو. سنگ توی جو نرفت، خورد به دیوار مستراح و بعد کمانه کرد و به طرفی ول شد.

«ناراحتی؟»

پسرک سرش را انداخت پایین. «نچ...» یک سنگ دیگر برداشت و پرت کرد توی آب.

میترا گفت: «مادربزرگ میگه تو مدام قلب و سینه‌ت درد میکنه و درد مفاصل هم داری.»

«نه... فقط بعضی وقتها... وقت نماز که رکوع و سجود میرم.»

دخترک مدتی نگاهش کرد. «خب. کاری نمیشه کرد؟»

زیر درخت بید مجنون رسیده بودند. پسرک دولاّ شد و لب جوی نشست و سر و صورتش را شست، همانطور که عزیز خواسته بود دو سه مشت آب ریخت روی سرش. خیلی هم لفتش داد. به میترا محل نگذاشت.

بعد میترا گفت: «تعریف کن که روماتیسم قلبی چه جوری‌یه.»

بدون اینکه نگاهش کند، شانه‌هایش را بالا انداخت. «هیچی... فقط، هم از رشد مرخصی هم از عقل و مشاعر. قلبت هم بزرگ میشه قد کله‌ت میشه ــعوض اینکه به اندازۀ مشت دستت باشه. خونت هم مثل آب دهن مرده‌س.» لحن و جملاتش خصمانه بود.

میترا هم سرش پایین بود، هم زیر چشمی پسرک را نگاه می‌کرد. گفت: «مرده‌ها آنقدرها آب دهن ندارند.»

«منم آنقدرها خون ندارم.»

دختر سر بلند کرد و نگاه تازه‌ای به پسر کوچک انداخت. بخوبی احساس می‌کرد که این وروجک از او خوشش نمی‌آید. چشمان خودش هم آن حالت آرامش و نوازش چند دقیقهٔ پیش را نداشت. سوزشی هم در چشمانش احساس می‌کرد. با انگشت گوشهٔ یک چشمش را پاک کرد.

پسرک گفت: «نترس ـ نمی‌افتم جلوی پات بمیرم.» سرش را بلند نکرد.

میترا گفت: «چرا مرتب نیش می‌زنی؟ گناه کردم آمدم یک دقیقه با تو حرف بزنم؟»

«گفتم نترس نمی‌میرم.»

«خوب نمیر.» آه پرغیظی کشید، و پسرک فکر کرد حالاست که او با عصبانیت قهر کند و برگردد پیش مادربزرگش... اما میترا تکان نخورد. سرش را برگرداند و به بید مجنون نگاهی انداخت که لاخه‌های ریش‌ریش و درازش را باد تند و داغ قبرستان مثل موهای یک عجوزهٔ آشفته و سردرگم تکان تکان می‌داد. بعد گفت:

«مردن چیز بدیه. یعنی البته من برای برادرت متأسفم، واقعاً... مقصودم اینه که هر نوع مرگ غیرطبیعی، زشت و بی‌معنی‌یه، مگه نه؟»

پسرک جواب نداد. باز یک قلوه‌سنگ از یک جا برداشت و پرت کرد توی آب. و بعد یکی دیگر.

میترا گفت: «وقتی پدر خود من شش سال پیش کشته شد، فکر کردم دنیا چیز کثافت سیاهی‌یه. می‌خواستم خودم رو بکشم. گفتند توی تصادف کشته شده، اما من باور نمی‌کردم. هنوز هم نمی‌کنم.»

«تو لوس آنجلس تصادف کرد؟ یا تو پاریس؟»

میترا سرش را تندی برگرداند و بعد پسرک دید اشک از چشمان او

سرازیر شده. صورتش هم سفیدتر شده بود و لبهایش می‌لرزید.
«چیه؟ مگه حرف بدی زدم؟»
دخترک وقتی دوباره حرف زد لحن صدایش عوض شده بود. «شماها اصلاً... اصلاً نمیدونین پدر من واقعاً کی بوده. اصلاً نمیدونین چه جوری کشته شده.»
«مگه خودت نگفتی توی تصادف کشته شد؟»
«گفتم اونها گفتند توی تصادف کشته شده.»
«پدرت رو واقعاً کشته‌ن؟»
جواب پسرک را نداد. سرش را هم به طرف او برنگرداند. حتی سعی نکرد اشکهای صورتش را پاک کند. «من فقط می‌خواستم چند دقیقه بیام با تو حرف بزنم و مثلاً به تو تسلیت بگم. اما این از تو... اول که یک جوری با لجبازی با من رفتار می‌کنی که انگار از من نفرت داری، پدرکشتگی داری... حالا هم که داری به پدرم اهانت می‌کنی.»
او یک سنگ دیگر انداخت توی جو. «وای، یا امام حسین!» جوابی نداشت.
میترا بی‌حرکت ایستاد و همانطور که به تنهٔ درخت بید مجنون تکیه زده بود، به نقطهٔ نامعلومی وسط جمعیت عزادار دور قبر برادر پسرک خیره ماند. انگار قبر پدر خودش بود.
پسرک از لب جو بلند شد، او را نگاه کرد و گفت: «خیلی خب... معذرت میخوام، باشه؟ اگه دربارهٔ پدرت...»
«لازم نیست.» بعد گفت: «من باید برگردم.»
پسرک پرسید: «پدرت چه جوری کشته شد؟»
«واسه تو چه اهمیتی داره؟»
پسرک ساکت و بی‌حرکت ایستاد. باد داغی که از شوره‌زارهای جنوب می‌آمد حالا شدت پیدا کرده بود و در سطح قبرستان می‌پیچید و موهای جلوی سر میترا را بالای عینکش پریشان می‌کرد. پسرک او

را نگاه کرد و برای چند ثانیه فکر کرد انگار بدتر از خودش، او هم مثل بچهٔ گمشده‌ای است که از پشت به کله‌اش لگد زده باشند. از خودش خجالت کشید که او را اذیت کرده و به گریه انداخته است. هیچکس هم نه، او ــ ناصر جقله با روماتیسم قلبی.

«نمیگی چه جوری کشتندش؟»

«چه کسی اهمیت سگ میده؟ هیچکس از شماها باورش نمیشه که اون بالاها هم دردها و خبرهایی هست.» سرش پایین بود.

پسرک آنقدر به طرف صورت او نگاه کرد تا او بالأخره چشمانش را بلند کرد و به مصاحبش نگاه کرد.

پسرک گفت: «چند دقیقه پیش مهربونتر بودی.»

جوابش را نداد. با گوشهٔ مشتش گونه‌هایش را یکی یکی پاک کرد. پسرک خودش هم حالا به سرفه افتاده بود، به همان سرفه‌های حلقومی کذائی‌اش. بعد سینه‌اش را صاف کرد: «من... تقصیر من بود که حرف بدی دربارهٔ پدرت زدم. ببخشین... باشه؟»

باز هم جواب نداد، اما سرش را برگرداند و به جمعیت عزادار دور قبر نگریست. بعد گفت: «پدر منو هم همون کسانی کشتند که برادر تُرو کشتند...» گلویش را صاف کرد و با دستمالی که درآورده بود دماغش را هم گرفت. «... من شش هفت سالم بود. هنوز همه‌چی رو نمیدونم. بالأخره یک روز می‌فهمم. بزرگترها بین خودشون یه چیزایی میگفتن. از من قایم می‌کردند. به من دروغ می‌گفتند. اما آدم میفهمه ــ مخصوصاً اگر قتل پدر خود آدم باشه.»

«پدرت توی یکی از این ــ از این دار و دسته‌ها نبود؟»

میترا چند لحظه‌ای ساکت ماند. بعد با لحن محکم اما زمزمه‌وار، که انگار فقط میخواهد مرده‌ها بشنوند، گفت: «شنیده‌م پدر من یک شاعر انقلابی بوده... می‌گفت دلش میخواد در ایران یک حکومت خلقی به وجود بیاد.»

«تو مثل داداشها و خواهر من حرف می‌زنی. اما داداش بزرگم محمد و داداش دومم علی الآن زیر خاک خوابیده‌ن. مصطفی هم که حالا توی زندون ساواکه. رضا و محسن هم که فراری‌اند...»

میترا، پنداری حرفهای او را نشنیده باشد، گفت: «اسم گروه سیاهکل رو شنیدی؟ پدرم از دوستای اونها بود. همه با هم ایاغ بودند. اما بابا رو خیلی قبل از واقعهٔ سیاهکل کشتند.»

«چرا؟»

«چرا چی؟»

«یعنی میگم چرا اونو تکی گرفتند کشتند؟»

«موضوع خصوصی هم همین بوده. ماههای آخری که پدرم زنده بود، از خونهٔ مامان رفته بود.»

«مخفی بود؟»

«آره، فقط بعضی وقتها گهگاه یواشکی می‌اومد خونه. تا بالأخره یک روز گفتند در تصادف جادهٔ چالوس کشته شده. جنازه‌ش رو ادارهٔ تصادفات پلیس راه تحویل مادرم داد.»

«یه چیزهایی یادم هست.»

کلاغ سیاه بزرگی آمد روی بید مجنون نشست و قارقار کرد. باد وسط لاخه‌های درخت پیچید. قارقار کلاغ و زوزهٔ باد با همهمهٔ تلاوت قرآن و شیونهای جمعیت دور قبرعلی در آمیخت. میترا باز چشم از قبر برنمی‌داشت. پسرک برای آنکه چیزی گفته باشد، برای اولین بار اسم او را به زبان آورد.

«میترا...»

میترا گفت: «ناصر ــ با روماتیسم قلبی.» لبخند تلخ و مهربانی به لبانش آمد.

پسرک به چشمان او نگاه کرد. «پدرت رو... خیلی دوست داشتی، مگه نه؟... برای همین بود که گفتی مردن چیز بدییه؟»

«مردن چیز بدی‌یه، مثل بیخودی غصه خوردن.»

«حتی شهادت؟»

«من این چیزا رو نمی‌فهمم.» سرش را انداخت پایین.

پسرک گفت: «یعنی مردن برای یه چیزی که بهش اعتقاد داری ـ این جور مرگ هم چیز بدی‌یه؟» به قبر برادرش علی نگاه کرد.

میترا گفت: «نمیدونم.» بعد سرش را بلند کرد و مدتی به لاخه‌های آشفتهٔ بید مجنون خیره ماند. «من نمیخوام بمیرم. آدم باید زندگی کنه. آدم باید زنده بمونه، باید مبارزه کنه که زنده بمونه ـ زنده بمونه و با عشق و محبت باشه. مفید باشه. این توقع زیادی‌یه؟»

ناگهان صدایی از پشت سرشان گفت: «شهادت جان جانان است!»

فصل پنجم

«فهمیدین؟!»

لحن و کلامش مثل یک معلم کارکشته محکم و مطمئن بود.

همچون سایه‌ای تنها یا روحی گمشده بود که به ندایی شگرف به گورستان کشیده شده باشد. چند جای شلوار جین کهنه‌اش سوراخ بود. نیم‌تنهٔ سیاه چرکی تنش بود، با زیپ و دهانهٔ جیب پاره. موهای خیلی بلند و سیاهش وسط باد داغ بهم می‌ریخت. ریشش خاک و خُلی می‌نمود. یک گوشهٔ دهانش زخم بود. چشمانش رنگ کاسهٔ خون بود، اما خشک... و برق می‌زد. نگاهش گستاخ و مغلوب نشده، اما خوشحال و حتی سرمست بود. انگار تنها کسی بود در این قبرستان (شاید به استثنای خواهرش مریم) که کشته شدن علی را ابداً ضایعهٔ اسفناک و بدی نمی‌دانست. برای او و یارانش، این نوع مرگ، شهادت بود، یک نوید مقدس.

«فهمیدین؟»

میترا ترسید: «بله.» هنوز نمی‌دانست این ریشوی غریبه کیست.

اما پسرک با خوشحالی گفت: «سلام داداش...»

کلمات او اول با خوشحالی زیاد توأم بود. اما وقتی از زیر ریشها

آن زخم بد و خون‌آلود را در گوشهٔ لب برادرش دید خوشحالی از صورتش رفت. گوشهٔ دهان برادرش خون زیادی دلمه بسته بود.

«سلام، ناصر.» با سوءظن اطراف را نگاه می‌کرد.

«لبتون چی شده. داداش؟ دهنتونم خون میاد.»

«چیزی نیست.» بعد توضیح داد که از موتور افتاده است. «خانم کوچولو کی باشن؟» دیگر به میترا نگاه نمی‌کرد.

پسرک آب دهانش را قورت داد. «این میتراست، داداش ـ نوهٔ خاله خانوم عزیز...»

«اوهوم.» نگاه تندی از زیر چشم به میترا انداخت.

«با مادربزرگش اومده.» بعد رو به میترا گفت: «این داداشمه ـ محسن.»

میترا گفت: «سلام.»

محسن با سوءظن بیشتری اطراف را نگاه کرد، ولی جواب سلام دخترک را داد چون وظیفهٔ هر مسلمان بود. گفت:

«مردی که اونجا توی اون قبر خوابیده» ـ به قبر علی اشاره کرد ـ «و تنش با گلوله‌های ساواک سوراخ سوراخ شده، نمرده. چون او بخاطر خدا و شهادت ایمان جونش رو داده. زنده‌ست. هزاران نفر دیگر هم جونشون رو میدن. اینجا جون اصلاً ارزشی نداره.» جزو گروه دانشجویان انجمن اسلامی دانشکده بود.

میترا گفت: «میدونم.»

محسن گفت: «بارک‌الله... و بارک الله که نرفتی وسط اونها که دارن عین بیوه‌زنهای مفلوک زار و زار گریه میکنن. نگاه کن، خواهر من هم گریه نمیکنه. نگاهش کن اونجا. اون گوشه تنها نشسته، عین یک ماده‌شیر زخمی داره خودش‌و میخوره. اینو میگن خواهر. خواهر خودمه. و اون هم پدرم، اونم گریه نمیکنه ـ فقط دستش‌و روی پیشونی‌ش گذوشته. از غضب و نفرت داره قل میزنه. داره زیر لب

قرآن میخونه.» با پشت دست خون دلمه‌بستهٔ گوشهٔ لبانش را پاک کرد. بعد برگشت و به ناصر نگاه کرد و دستش را روی سر او گذاشت. پسر کوچک بدش نیامد.

«این هم ناصر کوچولوی ما. هَلْ مَنْ ناصِرِ یَنْصُرنی. این قهرمان کوچولوی منه.» دستش را روی موهای ماشین‌شدهٔ برادر کوچکش کشید و سرش را نوازش کرد و عرق پیشانی‌اش را سترد. «مریض بوده و حال نداره ـ اما اینم یک روز مجاهد اسلام میشه.»

پسرک سرش را با خجالت انداخت پایین. هیچوقت نمی‌توانست خودش را لایق آن تصور کند ـ که جای برادرهایش محمد یا علی را بگیرد، یا حتی جای برادرش رضا را بگیرد که می‌گفتند رفته فلسطین و ساواک برای زنده یا مرده‌اش جایزهٔ کلان تعیین کرده. با نوک پا یک سنگ را انداخت توی جو، و فقط گفت: «نه...»

محسن گفت: «چرا؛ میشی. وقتش که برسه مبارز میشی. ما همه مجبوریم. مجبور میشیم.»

میترا پرسید: «که کشته بشیم؟»

«درست فهمیدی...» از نگاه او احتراز می‌کرد. بعد گفت «خداوند می‌فرماید: «قاتِلوهُم یُعَذِّبهُم اللّهُ بِأَیدیکُم وَ یُخزِهِم وَ یَنْصُرْکُمْ عَلَیْهِمْ وَ یَشفِ صُدُورَ قَومٍ مؤمنین.» شما با آنها کارزار کنید تا خدا آنان را به دست شما عذاب کند و خوار نماید و پیروزتان گرداند و دلهای اهل ایمان را شفا بخشد... حالا ما دیگه به این نتیجه رسیدیم که تنها راه رسیدن به این «پیروزی» و «شفا» برای دلهای این خلق ستمدیده، از دست ظلم این رژیم و تسلط امپریالیسم، فقط و فقط عمل به حکم قرآن مجید است، عیناً همون کاری که ما داریم می‌کنیم. ما جنگ می‌کنیم و میدونیم که عاقبت خداوند آنهارو به دست ما نابود میکنه. به همین سادگی و روشنی. ما این زنجیر بندگی امپریالیسم رو به نام خدا و قرآن مجید پاره می‌کنیم. اگر واقعاً ایمان داشته باشیم و جنگ

کنیم و شهید بدیم، پیروزی با ماست. ما هم شروع کرده‌ایم!»

در حینی که این حرفها را می‌زد خون تازه‌ای از گوشهٔ دهانش بیرون آمد و توی ریشهایش دوید. پسرک و میترا او را نگاه می‌کردند. بخصوص میترا که این حرفها و ایده‌ها برایش کلمات و اخباری باورنکردنی و تکان‌دهنده بود. پسرک هم گرچه این حرفها را هزار بار از او و دیگر برادرانش در خانه شنیده بود، از تلخی و نیروی تازهٔ عجیبی که در روح محسن بود حیرت می‌کرد، و آن را به حساب زخم دهانش یا به حساب مرگ علی می‌گذاشت. شاید محسن همین الآن از دست مأمورین فرار کرده بود. پسرک به جایی که مادرش نشسته بود نگاه کرد. مهری‌خانم هنوز سرش زیر چادر بود و ضجه و صدای او تنها صدای بلند گریه‌ای بود که می‌آمد.

محسن دنبال حرفش را گرفت: «تا روزی که جوانهایی مثل علی و امثال او زیادند امید هست. امثال او هم زیاداند. ما برنامه‌هایی داریم که بچه‌ها دارند روشون کار میکنن. گروههای دیگه‌ای هم هستن. اونا هم برنامه‌هایی دارن و روی برنامه‌هاشون کار میکنن. اما امسال ما ضربه‌های زیادی خوردیم. خیلی از بچه‌ها رو گرفتن و شکنجه دادن و شهید کردن. از بچه‌های چپی هم خیلی گرفتن و کشتن. رژیم تمام این کارها رو برای این کرد که اون نیکسون حرومزاده میخواست با کیسینجر بیاد ایران و شاه میخواست همه چیز آرام و تحت کنترل جلوه کنه. میخوان کشور رو به خاطر جشنهای دو هزار و پانصد ساله که امسال پاییز راه میندازن، به خیال خودشون آروم و خالی از مخالفین جلوه بدن. البته اینها اولین شهدای اول و آخر جهاد ما نیستن.» سربرگرداند و به قبر علی نگاه کرد. دستهایش حالا کمی می‌لرزید. «اون نخواست زنده تسلیم بشه و دستگیرش کنن. میدونست اگه زنده بگیرنش باهاش چه کارهایی میکنن. میدونست با خونواده‌ش چه کارهایی میکنن.» بعد باز با سوءظن و نفرت به گوشه‌ای از جمعیت اطراف نگاه کرد. قاریها

صدایشان بلندتر شده بود.

محسن دو دست را دراز کرد و سر پسرک را زیر بغل گرفت و به حال خداحافظی به خود چسباند. فرقش را بوسید و او را بیشتر به خود فشرد. پسرک صورت او را نمی‌دید. نمی‌دانست گرمی خون است یا گرمی اشک که پوست سر و موهای او را گرم کرده است. فقط انگار شنید که می گفت: «علی... علی...»

بعد ناگهان بغضش ترکید و به گریه افتاد ولی زار نزد. بعد سرش را بلند کرد. به آسمان خشک و داغ نگاه کرد. کف گوشهٔ لبهاش خون‌آلود بود. صدای گریه‌اش در حلقوم و دماغش شکست... «بِسْمِ الله المُنتَقِم. اَعُوذ بالله مِنَ النّار و مِنْ غَضَبِ الجَبّار و مِن شَرّ الکُفّار. اَلعِزَة لله الواحِدِ القَهّار...»

درست در همین وقت بود که مدّاح دعای ختم عزاداری را سر داد. و هنوز دعا تمام نشده بود که لشکر گداها و قاریها به ظرفهای حلوا و میوه و شیرینی و شکر پنیر و خرمای روی قبر هجوم بردند. اوس عبدالرضا سعی کرد جلوی آنها را بگیرد و همه چیز را بین آنها قسمت کند، یا لااقل ظرفها را نجات دهد، ولی بیفایده بود.

وقتی پسرک سربرگرداند، دو پاسبان را دید که جلوی راهروی ورودی صحن ایستاده‌اند ــ و محسن باز غیبش زده بود.

برگشت پیش مهری‌خانم که از فرط گریه چیزی نمانده بود حالش بهم بخورد. بقدری حواسش پیش مادرش رفت که نفهمید میترا و مادربزرگش چه وقت رفتند.

فصل ششم

آخر شب، پسرک در رختخوابش توی حیاط، زیر آسمان پرستاره دراز کشیده بود. خواهرش مریم هم کنار او توی رختخواب خودش بود. طرف دیگر حیاط کوچک، زیر داربست مو، اوس عبدالرضا بعد از نماز روی گلیم به دعا نشسته و اَمَّنْ یُجیبْ را تکرار می‌کرد. مهری خانم هنوز کنار پاشویهٔ حوض بود و ظرف می‌شست و آب می‌کشید. در یک گوشه هم رختخوابی برای محسن انداخته بودند تا اگر آمد جایش حاضر باشد، گو اینکه بیش از دو سه ماه بود که او به خانه نمی‌آمد.

پسرک نگاهش را از ماه برداشت و به پدرش چشم دوخت. اوس عبدالرضا بعد از اَمَّنْ یُجیبْ سورهٔ توبه را بلندبلند می‌خواند. صدایش مثل همیشه رگه‌دار بود و گاهی می‌شکست. سرش به آسمان نیلگون بلند بود و از پشت سر، کاسهٔ جمجمهٔ صورتی و طاسش زیر مهتاب می‌درخشید و بدن کوچک و خمیده‌اش را کوچک‌تر و آب‌رفته‌تر نشان می‌داد.

مریم آهسته پرسید: «با همدیگه چی میگفتین اونجا؟»

«کجا؟»

«خودت رو به اون راه نزن ـــ سرخاك، اون گوشه زیر درخت بید
با هم چی میگفتین؟»

«با میترا؟»

«با میترا!؟ اوهوه! چه خودمونی!»

مریم شانزده ساله بود و صورتش پر از جوش بود، اما سوای
جوش و کك مك، درست سیبی بود که با مادرش نصف کرده باشند.
لبهای نازك و بی رنگ، دماغ کوتاه، چشمهای درشت و آرام، همان
موهای شبق فامی که مثل مهری خانم همیشه از وسط فرق باز می کرد.
پوست بدنش از گردن به پایین سفید و پاك و تمیز بود و بدنش هم
همیشه زیر پیراهنهای خیلی گشاد پوشیده می ماند.

«نه خیر، نه با میترا... با محسن. تا من اومدم بیام جلو دیدم رفته.»

«نفهمیدم کجا قایم شده بود که یکهو از پشت درخت سبز شد
اومد جلو.»

«چی میگفت؟»

«هیچی... مثل همیشه.»

«پس چرا ماتت برده؟»

«اومده بود چلهٔ علی فاتحه بخونه. چه میدونم.»

«حالش خوب بود؟»

«آره. فقط با موتور خورده بود زمین. گوشهٔ لبش زخم شده
بود.»

مریم آهی کشید و پرسید: «نگفت چکار میکنه؟»

«هیچی ـــ فقط از شهادت و این جور چیزها حرف زد. از تو هم
تعریف کرد که مثلاً گریه نمیکردی.»

مریم آه دیگری کشید. او بعد از محسن متولد شده بود و آنها
همدیگر را بطور استثنائی و عجیبی دوست داشتند. با هم بزرگ شده
بودند، بهم نزدیك بودند، اسرارشان همیشه پیش هم بود. مریم با

صدای آهسته‌تری گفت: «دلم می‌خواست همین الآن پهلوش بودم، کمکش می‌کردم.»

«دیوونه شدی؟ تو دختری!»

«باشه. مگه چیه؟ من از هیچی نمی‌ترسم.»

«محسن چی؟»

«اون برای من میترسه. برای همین بود که نیومد پیش من.» بعد گفت: «میدونستی داداش محسن و داداش مصطفی با هم هیچ «ارتباطی» در سازمان نداشتند؟ یعنی هر کدوم «رابط» جداگانه‌ای داشتند؟»

«نه. تو اینها رو از کجا میدونی؟»

«میدونم دیگه!»

«د... از کجا میدونی؟»

«از توی مدرسه. تمام بچه‌های مدرسه حالا فقط از انجمن اسلامی و مجاهدین و چریکها حرف میزنن. منم خودم میخوام برم پیش اون.»

پسرک گفت: «یا دیوونه شدی ـــ یا نمی‌دونم چی که این جور حرف می‌زنی!» از حرفهای مریم یکه خورده بود. فکر کرد اگر عزیز و اوس‌عبدالرضا این حرفها را بشنوند جا به جا سکته می‌کنند.

مریم چند ثانیه ساکت ماند. فقط توی دماغش نفس بلندی کشید و به ستاره‌ها خیره شد. بعد گفت: «نه دیوونه‌شده‌م، نه هیچی. تو هنوز خیلی مونده چیز بفهمی.» باز کمی ساکت به آسمان نگاه کرد. «دو تا از داداشهای من شهید شده‌ن... یکی دیگه‌شون هم زندونه.»

«تو هم داری مثل اونا حرف میزنی ـــ اما اونا پسرن!»

«من از هیچی نمی‌ترسم.»

«پس تقصیر من نیست اگه بابا گرفت با سگگ کمر زد له و لورده‌ت کرد.»

«نمیزنه. اون پدر اونام هست. میدونه اونا برای چی مبارزه میکنن. اونم دلش میخواد انتقام خون اونارو بگیریم. فقط تو نمیفهمی ــ چون جقله و عزیزدردونه‌ای...» بعد با لحنی آهنگ‌دار و آزارنده گفت: «جه‌قه‌له... حالالا لای‌لای‌لا!... دور-دو-نه... حالالالای‌لالای کن.»

پسرک سرش را تکان داد. «تو راست راستی دیوونه شدی! من به عزیز و به بابا میگم!» صدایش حالا از زمزمه بلندتر شده بود.

اوس‌عبدالرضا به طرف آنها برگشت. گلویش را صاف کرد و گفت: «شما دوتا امشب چیه دارین هی وزوز میکنین. مگه نمیبینین آدم داره دعا میکنه؟ چرا این چیزها سرتون نمیشه؟ چرا نمیگیرین کپهٔ مرگ بذارین؟»

بعد برگشت سر دعایش و بچه‌ها ساکت شدند. مریم کنار پسرک دراز کشید، اما رو به ماه چنبره زد. حیاط تقریباً تاریک و همه جا ساکت بود. فقط از خانهٔ آملی‌ها همسایه‌شان صدای موسیقی می آمد ــ اول عارف، بعد گوگوش. آن سالها سال ترانه و رقص و آواز هم بود. سال گوگوش بود. سال عارف بود. سال گلپایگانی بود. سال «شکوفه نو» بود. سال فیلم فارسی و عشقی و رقص و بزن بزن بود. سال بهروز وثوقی بود. سال بیک‌ایمانوردی بود. سال فروزان بود. سال هویدا و گل ارکیده بود. سال ودکای بالزام و پیروزه و اسمیرنوف بود. سال شراب کاگور بود. سال آبجو شمس و مجیدیه بود. سال فستیوال پشت فستیوال بود. سال ارکستر فیلارمونیک تهران بود. سال رفتن به امریکا و اروپا بود. سال دانشگاه صنعتی آریامهر بود. سال صنعت پتروشیمی بود. سال جشنهای دو هزار و پانصد سالهٔ شاهنشاهی بود... سال کیف و عشق و خوشی بود ــ ولی نه برای خانوار ستمدیدهٔ نبوی.

گرمای شب تابستانی روی سر پیرمرد عبوس و صورت دو بچهٔ در خانه باقی مانده‌اش نشسته بود. امشب خانهٔ کوچک آنها، وسط محلهٔ

درخونگاه زیر آسمان بزرگ و ستارگان و ماه درخشان، توی خودش خزیده و به خواب رفته بود. از حیاط توسری‌خورده فقط صدای جیرجیر سوسکها از لای دیوارها می‌آمد. آن دورها، سگی پارس می‌کرد.

مریم باز زمزمه‌وار گفت: «تو حالا حالاها خیلی مونده اصلاً چیزی بفهمی—» انگار با خودش حرف می‌زد. اما لحنش محکم بود. چشمانش به قرص کامل ماه جذب شده بود. «یه روز...» اما ساکت ماند.

«یه روز چی؟»

«اَه... تو چی میفهمی؟ تو هم مثل عزیز می‌ترسی. تو هم انگار میکنی خدا دخترها رو ساخته که گوشهٔ خونه کپک بزنن. دختر باهاس توی خونه ور دل مادر بمونه، عاقل باشه، صبر کنه، میوهٔ رسیده بشه، ترشیده بشه، یا چشم بسته بره خونهٔ شوهر... خوب، اون زمونها دیگه گذشته.»

«چی داری میگی؟»

«گفتم تو هم هیچی نمیفهمی. یه روز من خودم یه مجاهد میشم.»

«چی؟» صدایش مثل داد بلند شد و سکوت حیاط را پاره کرد. سینهٔ خودش هم مثل اینکه تیری از تویش گذشته باشد به درد افتاد.

پدر باز برگشت و گفت: «لا اله الا الله. شما دو تا امشب چه درد بی‌درمونی گرفتین؟ چی با هم زرزر میکنین. اگه گذوشتین نماز به کمرم بزنم. داشت چی می‌گفت به تو؟ هان؟»

مریم فوراً گفت: «هیچی... خودشو زده به خل‌بازی.»

پسرک گفت: «نه خیر!» و داشت می‌گفت «مریم میگه میخواد—» اما مریم از زیر لحاف ران او را آنچنان نیشگونی گرفت که پسرک آهش درآمد.

اوس‌عبدالرضا با انگشت به پسرک اشاره کرد: «تو هم!...».

پسرک بند دلش پاره شد. «درست گوشهاتو واکن. اگه یه دفعهٔ دیگه ببینم یا بشنوم با اون دخترهٔ جلف دبنگ حرف بزنی میدونم باهات چکار کنم.»

پسر مات به پدرش نگاه می‌کرد. رانش هنوز جزجز می‌کرد.

«اگه یه دفعهٔ دیگه باهاش حرف زدی، زبونتو از بیخ می‌برم.»

«اون خودش اومد با من حرف زد، من پهلوی عزیز نشسته بودم.»

اوس‌عبدالرضا داد زد: «تو غلط کردی جوابش‌و دادی! چرا جوابش‌و دادی؟ اگه دیگه حتی به حرفهاش گوش کنی جفت گوشهات رو از بیخ می‌برم. دیگه‌م باهاشون هر جا بودند لام تا کام حرف نمی‌زنی!»

«چشم.»

«نفهم!» مدتی باز سکوت کرد، بعد گفت: «اونا که هیچکدوم قباحت و زشتی سرشون نمیشه. دختر به اون گندگی رو با یه «روسری نازک آوردن سر خاک شهید. گناه و معصیت سرشون نمیشه که! مادرشم غرق گناه و معصیته. مادربزرگشون هم حالا جدش کمرش بزنه تا خرخره غرق گناه و معصیته که توی اون خونه زندگی میکنه. استغفرالله ربّی. بچهٔ مسلمون باهاس این چیزها رو بفهمه. تموم اون خونواده‌ی فاسد و خدانشناسی که اون قدسی‌شون توش شوهر کرد، اونام همینطور؛ دنیاشون فاسده. از اون خسروی فاسد بی‌دین و ایمون چه انتظاری میشه داشت؟»

پسرک گفت: «خسروی بابای میترا نیست، بابا.»

اوس‌عبدالرضا با صدای بلند حرف او را قطع کرد: «ــ همه‌شون فاسد و بی‌دین و بی‌ایمونن ــ از سیر تا پیازشون. غرق شر و فسق و فجور و گناهن. خیر و شر سرشون نمیشه. دنیا و آخرت سرشون

نمیشه. حالام میخوان اون یکی دخترشونو هم نمیدونم به یه افسر دربار شوهر بدن!»

پیرمرد چند دقیقه به یک گوشه از سیاهی شب لعنت و دشنام فرستاد تا خسته شد.

پسرک مغشوش و گیج بود. از بیشتر حرفهای پدرش چیزی نمی‌فهمید. معنی «دنیای اونا» و تفاوت بین «خیر و شر» را نمی‌فهمید. هر وقت پدرش عاصی و عصبانی می‌شد خیلی حرفها می‌زد که فقط انگار خودش می‌فهمید. جواب کسی را نمی‌داد و نمی‌خواست کسی سؤال کند. کسی هم حق نداشت روی حرف او حرف بیاورد. پسرک درست نمی‌فهمید مقصود از «افسر دربار» کیست، یا اصلاً افسران دربار دقیقاً چه کسانی هستند. اهل خانهٔ مهری‌خانم از مادربزرگ میترا می‌شنیدند که می‌خواهند کتایون را به یکی از قوم و خویشهای خسروی که افسر گارد شاهنشاهی است شوهر بدهند... بعد شنیده بودند که خودش می‌خواهد به یک امریکایی شوهر کند. لابد پدرش وقتی گفت «اونا غرق شر و فسق و فجورن» مقصودش کتایون بود.

آهی کشید و ساکت ماند. آن روز اصلاً روز عجیب مغشوش‌کننده‌ای گذشته بود. و امشب هم او بیشتر مغشوش می‌شد. او کوچک و ساده و مریض بود، و دوست داشت همه چیز در سادگی و آرامش بگذرد. او برای این جور مغشوش‌شدنها ساخته نشده بود. چطور می‌شد اگر مردم به سادگی زندگی می‌کردند و می‌گذاشتند بقیه هم به سادگی زندگی خودشان را بکنند.

وقتی مهری‌خانم کار ظرف‌شستن را تمام کرد و آمد کنار او و قرص کورامین و یک فنجان شیر گرم برایش آورد، او سینه‌اش باز بطور بدی درد گرفته بود و تنگ‌نفس داشت. اما هنوز به میترا و حرف او فکر می‌کرد. من نمیخوام بمیرم. آدم باید زندگی کنه. این توقع زیادی یه؟ و بعد به فکر خواهر میترا بود ـ که می‌خواستند او را به یک

افسر دربار شوهر بدهند. آیا خواهر میترا هم مثل مریم خواهر خودش افکار و دنیایی دیگر داشت...

مهری خانم به صورت بچه‌اش نگاه نگاه کرد. حتی در سایه‌روشن مهتاب هم فهمید که او باز دچار بحران تازه‌ای از مرض کهنۀ قلبی‌اش شده است.

فصل هفتم

هفتهٔ بعد از چلهٔ علی، پسرک حالش بدتر شد. مهری‌خانم مطمئن بود که پسر کوچکش دچار بحران تازه‌ای شده. علائمش هم تماماً همان علائم قدیمی بود: همان دردهای دائمی قفسه سینه، همان بریدن گهگاهی ضربان قلب، همان تنگی نفس و همان دردهای شدید در مفاصل.

سه روز متوالی زن بیچاره صبح کلهٔ سحر بعد از نماز رفت توی صف جلوی بیمارستان رازی تا بالأخره شماره‌ای گرفت که دکتر قلب بیمارستان بچه‌اش را ببیند. پسرک در آنجا پرونده داشت. نزدیکیهای ظهر روز دوشنبه بود که بالأخره دکتر او را معاینه کرد و نوار تازه‌ای از قلب او گرفت. او هم بروز آنژین خفیف تازه و نارسایی را تأیید کرد، ولی گفت باید فقط استراحت کند.

دکتر، در آن موقع، در حضور چند دانشجوی پزشکی که دورش بودند از روماتیسم قلبی حرف می‌زد و واژه‌ها و اصطلاحات پزشکی به کار می‌برد. دربارهٔ دریچه‌های قلب حرف می‌زد که درست کار نمی‌کردند، و توضیح می‌داد که جوشهای ریزی در سطح قلب وجود دارد ـ که از علائم کلاسیک روماتیسم قلبی است. دانشجوها هر کدام

جلو می‌آمدند و با گوشیها قلب او را معاینه می‌کردند و حرفهایی
می‌پرسیدند. پسرک ساکت در میان آنها نشسته بود و مثل خوکچهٔ
هندی کوچک بی‌دست و پا ساکت می‌نشست تا او را معاینه کنند و از
دکتر حرف بپرسند. انگار دربارهٔ قلب یک موجود دیگر حرف
می‌زدند. اما آخر سر هم دکتر باز همان مداوای سنتی بیمارستان رازی
را تجویز کرد، قرص و شربت و ـ استراحت. بیمارستان رازی کار
دیگری از دستش برنمی‌آمد، بستریش هم نمی‌کردند. این بود که
پسرک در خانه ماند.

دو هفتهٔ تمام، روزها را ضعیف و بی‌حس گوشهٔ اتاق توی
رختخواب افتاده بود. فقط عصرها که هوا خنک می‌شد، مهری‌خانم نیم
ساعتی او را می‌آورد توی حیاط یا دم در. حوصلهٔ بازی با هیچکس و
هیچ چیز، حتی با کبوترهایش را هم نداشت. فقط همشاگردیش ممل
یکی از پسرهای نصرالله خان، که خانه‌شان توی کوچهٔ طباطبایی بود
گاهی می‌آمد با او حرف می‌زد. گاهی رحیم را هم که پسرک از او
خوشش می‌آمد با خودش می‌آورد. روی سکوی جلو در خانه
می‌نشستند و حرف می‌زدند. رحیم بچهٔ ریزه‌ای بود همسن و سال خود
پسرک، اما بی‌سرپرست و ول، و گوشهٔ مسجد پیش خادم مسجد لختی
بزرگ شده بود. بچه‌های درخونگاه رحیم را به خاطر ریزی و مفنگی
بودن و پای برهنه و دماغ آویزانش، رحیم ریقو صدا می‌کردند. کمی
هم ناقص‌العقل بود. مریم هم اگر خانه بود می‌آمد سر به سرشان
می‌گذاشت. اما مریم بیشتر وقتها با دوستان خودش بود که یا می‌آمدند
خانه توی اتاق آن طرف حیاط می‌نشستند و گپ می‌زدند، یا با هم پا
می‌شدند و چادر سرشان می‌کردند و می‌رفتند کتابخانهٔ پارک شهر.

در عرض این دو هفتهٔ بیماری، پسرک وقتی تنها بود، گاهی به میترا
و به آن روز توی امامزاده عبدالله فکر می‌کرد. به نظرش می‌رسید که
دیدن او واقعی نبوده... در آن بعدازظهر عجیب و داغ، ناگهان، در

سیارهٔ دیگری، در عالم دیگری، در زمان دیگری بوده ـ در یک ثانیهٔ
زودگذر غیرواقعی همدیگر را ملاقات کرده و حرف زده بودند و تمام
شده بود.

وضع خانه و زندگی مادر و پدرش هم مثل همیشه ناآرام و ناجور
بود. آنها بعد از چلهٔ علی، هیچ خبری از محسن نداشتند. مصطفی هنوز
در زندان بود. از رضا هم دو سال بیشتر می‌شد که اصلاً هیچ خبری
نیامده بود. رضا دو سال و نیم پیش با پاسپورت جعلی از راه جنوب
به کویت و بعد به فلسطین و جنوب لبنان و آنجاها رفته بود. در
عرض این مدت آنها فقط یک نامهٔ کوتاه به توسط یکی از دوستانش
دریافت کرده بودند ـ آن هم فقط یک نامهٔ نسبتاً کوتاه پیغام سلام و
سلامتی. چیزی که این روزها بیشتر باعث رنج و ناراحتی مهری‌خانم
و اوس‌عبدالرضا می‌شد اخبار و شایعات کشتن «تروریست»ها توسط
مقامات دولتی بود. آن روزها خبر مرگ یا اعدام گهگاهی زندانیان
سیاسی و خرابکاران را توی روزنامه‌ها چاپ می‌کردند یا به صورت
اعلامیه به در و دیوارها می‌زدند. در بیشتر موارد اسامی قربانیها را وقتی
پخش می‌کردند که آنها را یا کشته و دفن کرده بودند یا می‌خواستند
اجسادشان را به بازماندگانشان تحویل دهند. مریم هر روز مراقب
لیستهای تازه بود که به دیوارها می‌زدند، یا توی «کیهان» و «اطلاعات»
چاپ می‌کردند، تا اگر خبری از محسن یا مصطفی یا رضا پخش شد
آن را از مادر مخفی نگه دارد. آنها تلویزیون و حتی رادیو نداشتند.
اوس‌عبدالرضا اینها را هم منع کرده بود و می‌گفت آقا گفته حرام
است.

شبها که پسرک توی رختخواب افتاده بود، عزیز و پدرش را
می‌دید که هر کدام یک طرف سماور کز کرده‌اند، و معلوم نیست
منتظر چه هستند. مریم در یک گوشه چیز می‌خواند. اوس‌عبدالرضا
قرآن می‌خواند. مهری‌خانم ساکت بود، فقط هر چند وقت یک مرتبه

آهی می‌کشید و خدا را شکر می‌کرد.

اتاق کوچک و برهنه بود و بخصوص غروبها بیشتر عبوس و مظلوم و توسری‌خورده می‌نمود. جاجیمی که مهری‌خانم روی حصیر انداخته بود نخ‌نما شده بود و از سوراخهایش نخ می‌رفت. صندلی فلزی تاشوی ارج که اوس‌عبدالرضا برای روزهای روضهٔ اول ما خریده بود (که آقا روی آن بنشیند) پای بخاری گچی قرار داشت. سربخاری، تمثال بزرگ قاب‌کردهٔ حضرت امیرالمؤمنین و در لبهٔ پایین آن عکسهای ۶X۴ یا ۹X۱۲ بدون قاب پنج پسر غائب اوس‌عبدالرضا نصب بود: عکس فوری ۶X۴ داداش محمد، تنها عکسی که از او داشتند و چند سال قبل از شهادتش برای شناسنامه‌اش گرفته بود. عکس ۱۲X۹ داداش علی که در سالهای آخر دانشکدهٔ فنی گرفته بود. از رضا دو تصویر پایین قاب بود. یکی عکس چهارده سالگی‌اش، یادگار روزهایی که هنوز به مدرسهٔ مروی می‌رفت، با کت خاکستری رنگ و پیراهن سفید یقه‌باز روی کت؛ و دیگری عکسی که با عبا و عمامه از نجف فرستاده بود. از مصطفی یک عکس بود که در کوه از او گرفته بودند و مصطفی به نقطه‌ای نامعلوم نگاه می‌کرد. از محسن هم یک عکس ۴X۶ بود که برای کنکور انداخته بود.

اوس‌عبدالرضا با کت کهنه و شلوار پیژامهٔ بیرنگش چهار زانو پای صندلی نشسته بود و با خواندن قرآن بدنش مثل آونگی خسته به اینطرف و آنطرف می‌رفت. تنها کت خاکستری رنگش از میخ بالای سرش به دیوار آویزان بود. تنها اتاق دیگر خانه آنطرف حیاط فسقلی بود، که مال پسرهای بزرگتر بود، و حالا که هیچکدام نبودند، مریم آنجا می‌خوابید.

اما هفتهٔ اول شهریور که عمه نصرت آن پیغام کذایی را فرستاد، همهٔ اهل خانه یکهو ذوق‌زده و حتی شوکه شدند. عمه نصرت به وسیلهٔ

یکی از شاگردهای کله‌پزی سر درخونگاه که خانه‌اش جوادیه بود، پیغام فرستاده بود که «ناصر آقا را بفرستید» با «یک مشتلق حسابی» چون «خبر خوبی براتون دارم». این پیغام سربسته آنقدر واضح بود که مهری خانم بمحض شنیدن، با آنکه وضو گرفته بود تا نماز ظهر و عصرش را بخواند، نماز را ول کرد و چادر انداخت سرش و راه افتاد. از بس که ناصر اصرار و التماس کرد او را هم با خودش برد.

خانهٔ عمه نصرت آخرهای جوادیه بود. مهری‌خانم و پسرک از سر فرهنگ با یک دو طبقه آمدند تا میدان راه‌آهن، از آنجا هم با اتوبوس دیگری آمدند به میدانگاهی دخمه‌های معروف جوادیه. بقیهٔ راه را هم پیاده آمدند. مهری خانم آنقدر عجله داشت که گاهی مجبور می‌شد پسرک را بغل کند. «خانهٔ» عمه نصرت هم از آخرین آلونکهای ته بیابانی قنات پشت حسینیهٔ هاشمی بود.

عمه نصرت را سالها پیش، پدربزرگ پسرک، کربلایی ممدعلی زعفرانکار، بعد از اینکه از مزرعه‌اش رانده شد، در مشهد منزل اقوامش گذاشته بود. پس از اینکه اوس‌عبدالرضا و خانواده‌اش از سراب قائنات رانده و در درخونگاه مستقر شدند، بعد از مدتی عمه نصرت هم به تهران آمد و اول مدتی پیش برادرش و مهری‌خانم ماند. سالی که مهری خانم مصطفی را آبستن بود، عمه نصرت را به یک شاگرد گچکار گیلانی که پیش اوس‌عبدالرضا کار می‌کرد دادند. آنها بعد از عروسی به خانهٔ کپرمانندی در ته جوادیه رفتند. اما شاگرد گچکار گیلانی (که اسمش نورالله بود) سه چهار سال بعد از عروسی از بالای نردبان افتاد و مرد، و عمه نصرت را با دو پسربچه و یک شکم آبستن باقی گذاشت. بچه‌ها که اسمشان احمد و مرتضی بود بزرگ شده بودند و کسب و کار داشتند، بخصوص احمد آقا که این روزها می‌گفتند توی معاملهٔ پول و نزول بود. اشرف بچهٔ آخر هم به یک معلم دبستان شوهر کرده بود و چهار پنج بچهٔ قد و نیم‌قد داشت. آقامرتضی، پسر

دوم عمه‌نصرت در خیابان شاه‌رضا جلوی دانشگاه یک بساط فسقلی کتابفروشی توی راهروی یکی از ساختمانها داشت به اسم «انتشارات تاک». داماد عمه نصرت معلم اخراجی یک دبستان بود و می‌گفتند از آن «چپی»هاست.

اما پسرک عمه نصرت را دوست داشت چون عمه نصرت هم هر وقت او را می‌دید با شوق و حرارت بغلش می‌کرد، و چند ماچ آبدار از گونه‌هایش می‌گرفت. عمه نصرت (یا آنچه بعد از بیست و پنج شش سال تدفین در یک آلونک یک اتاقهٔ جوادیه از او باقی مانده بود) چیزی شبیه یکی از این شاه‌باجی خانمهای تمام چربی شده بود و پنجاه و خرده‌ای از سنش می‌گذشت. ناصر نمی‌توانست بفهمد چرا یک چشم عمه نصرت چپ شده بود. می‌گفتند در این چند سال این‌طوری شده و اوائل چشمهایش خیلی هم قشنگ بوده. عمه نصرت صورت بزرگ و پهنی داشت با غبغب دو طبقه و دهانی بزرگ و قهوه‌ای‌رنگ و دو سه دندان اینجا و آنجا، و صدایی زیر مثل جیغ. موهای سفیدش ریش‌ریش و بالای فرقش تقریباً طاس بود.

عمه نصرت گفت: «آخ الهی تصدقش برم، حال نازی قشنگم چطوره؟» ولی بجز ماچهای آبدار چیز دیگری برای پذیرایی از آنها نداشت. بشقاب حلوایی را که مهری خانم آورده بود گرفت و گذاشت سر تاقچه.

مهری خانم گفت: «حال نداشته بچهم. دوباره حالش بده.»

«وای الهی خدا منو دورش بگردونه. الهی درد و بلاش بخوره تو کاسهٔ سر عمه.»

مهری خانم شمه‌ای از عود کردن بیماری قلبی ناصر و دوا و درمان تعریف کرد. بعد پرسید: «حال آقا مرتضی چطوره؟»

«بد نیست، الهی شکر.»

«سر کاره؟»

«بساط کتابفروشی‌شو هنوز داره.»

«دیگه... کاریش نداشته‌ن ذلیل مرده‌ها؟»

عمه نصرت آهی کشید: «نه، گوش شیطون کر. خوبه، نه، شش ماهی هس که بزنم به تخته کاریش نداشته‌ن. کاری هم نمیکنه. میترسه مث سگ. اما ولشون نمیکنن. میخوان زهرچشم بگیرن. یکهو بیخود میریزن ده بیست‌تاشون‌و میگیرن و میبرن زندون. براشون پرونده‌سازی میکنن. کتکشون میزنن. عذابشون میدن. بعد ولشون میکنن. نوبتی‌یه. قمر بنی‌هاشم جیگرشون‌و بیاره پایین.»

«خدا ذلیلشون کنه... که بچه‌های مردم‌و تون به تون میندازن.»

پسرک یادش بود که پارسال می‌گفتند آقامرتضی را گرفته‌اند. ظاهراً کتکش زده بودند، شش ماه بدون جرم نگهش داشته بودند و بعد با کلیه‌ها و روده‌های آسیب دیده و خراب ولش کرده بودند ــ چون کتابهای ممنوعه می‌فروخته.

مهری خانم رو به اشرف خانم کرد: «آقا زمانی چطوره، اشرف‌جون؟ حالش خوبه به امید خدا؟»

اشرف خانم، زن‌ـبچه‌ای ریزه و لاغر بود، با صورتی رنگپریده، مثل لیموعمانی تو رفته‌ای که نیم‌قرن ته دکان عطاری مانده باشد. باور نکردنی بود که او فقط بیست و یک سال داشت ــ ولی هشت سال بود که شوهرداری می‌کرد و پنج شکم زاییده بود. الآن که جلوی آنها نشسته بود و بچه شیر می‌داد، یک پستان بی‌بار و آویزان به شکل بادمجان از جلوی پیراهن بی‌فرم و شکلش درآمده بود و نوزاد آن را با گرسنگی و ولع مک می‌زد. بچهٔ یکی دو سالهٔ دیگری کنار زانویش نشسته بود و پستانک می‌مکید.

در جواب مهری خانم گفت: «آره، خوبه، زنده‌س... به گمونم.»

«وا؟ خونه نمیاد؟»

«چه میدونم چی بگم.»

عمه نصرت آه دیگری کشید که: «مگه اصلاً خونه میاد؟ همه‌ش این‌ور اون‌ور دنبال کارها و دیوونه‌بازیهای خودشه. بگو سری به این زن و پنج تا بچه‌اش میزنه؟... بگو پولی میاره در خونه؟»

اشرف گفت: «کدوم پول؟ از وقتی گفتن بیرونش کردن پولش کجا بود؟ اون هفته یه شب اومد پنج تومن از من گرفت... که باید بشینم گدایی کنم. شما چطورین مهری‌خانم؟ خاک بر سرم کنن. نرسیدم بیام چلهٔ علی آقا. خدا مرگم بده. خدا ذلیلشون کنه. جزّ جیگر بزنن که بچه‌ها و جوونهای مردمو اینطوری نیست و نابود و آلاخون والاخون میکنن.»

عمه نصرت گفت: «وای! وای! چه جوونی! مهندس، جوون، قشنگ...»

مهری خانم باز گریه‌اش گرفت: «مشیّت خداس... خدا بزرگه و خودش میدونه. الهی شکر.»

اشرف گفت: «ایشالا غم آخرتون باشه. جداً باهاس مارو ببخشید.»

«خدا خودش همه رو ببخشه.»

«چه مصیبتی!»

مهری خانم گفت: «چه میشه کرد، مادر. چکار میتونیم بکنیم. فعلاً که دور دست اوناست. هشت سال پیش محمدمو کشتن. پارسال مصطفی رو گرفتن. امسال هم تن علی دسته‌گلمو سوراخ سوراخ کردن و تحویلم دادن... بیست سال بچه رو بزرگ می‌کنی، مدرسه می‌فرستی، دانشگاه می‌فرستی، بعدش چی؟... مفت مفت کشتن بچه‌مو.»

اشرف زد توی سینهٔ لاغرش: «چه مصیبتی! چه درد و بلایی... میدونم، من خودم پنج تا بچه دارم.»

مهری خانم با گوشهٔ چادر اشکهایش را پاک کرد: «چی بگم والله؟

چکار میشه کرد؟» بعد با ناراحتی تازه‌ای به طرف عمه نصرت سر برگرداند. یادش افتاد برای چه آمده است. «از اون دو تا بچهٔ دیگه هم خبری ندارم. دلم شور میزنه.» به چشمهای عمه نصرت نگاه می‌کرد.

عمه نصرت قبل از اینکه جواب بدهد، دوبچهٔ بزرگتر اشرف را که گوشهٔ اتاق نشسته بودند فرستاد بروند توی کوچه بازی کنند. رویش نشد ناصر را هم بیرون بفرستد. بعد به اشرف نگاه کرد. با صدایی شبیه پچ‌پچ خفه گفت: «اون چیزه رو کجا قایم کردی، اشرف؟ چیزه که ـ اسمش چیه ـ یارو آورده بود؟»

«پاکته؟»

«آره دیگه.»

«ترسیدم توی اتاق نگه‌دارم. پشت دیوار اتاق توی خرابه چال کردم. اینطوری که میریزن هر روز هر روز تموم خونه‌رو میگردن...»

عمه نصرت گفت: «چالش کردی؟»

«آره، اما جاش محفوظه. گذوشتم توی نایلون. جاش خوبه. خوب خطرناکه این کارها...»

پسرک به پچ‌پچ آنها گوش می‌داد و صورت ریز مادرش را هم نگاه می‌کرد و بدتر از مادرش هاج و واج مانده بود. انگار که داشتند دربارهٔ سر بریدهٔ کسی حرف می‌زدند. پرسید: «چیه مگه؟»

عمه نصرت گفت: «چشمت روشن زن داداش. یکی از دوستهای پسرت ازشون نامه‌ای براتون آورده.»

«نامه؟»

«آره، دوست یکی از دوستهاشون آورد در بساط کتابفروشی آقامرتضی. فقط نامه‌رو داده و رفته.»

«نامه؟»

«آره، نامه...»

«از کی؟ از محسن؟»

«نه. از آقا رضا! از خارج از کشور!»

«آخ ـ یا قمر بنی‌هاشم!»

«آره. یکی از دوستهای زمانی بوده... نمیدونم گفت از کجاها اومده.»

مهری خانم با بیصبری به لپهایش کوبید. «کجاست؟»

اشرف بچه را از زیر پستانش بلند کرد و داد بغل عمه نصرت و بلند شد رفت و چند دقیقه بعد نامه را آورد.

نامه توی یک پاکت کهنه و دستمالی شده پنهان شده بود و حالا بوی آشغال و خاکروبه و روغن گندیده می‌داد. اما نامهٔ رضا بود! پسرک خط را شناخت. مهری خانم آن را گرفت و با جان و دل بوسید، به سینه‌اش چسباند، و بعد همانجا توی سینهٔ پیراهنش قایم کرد. پسرک هم اگرچه با خوشحالی به بازوی مادرش چسبیده بود، اما در ته دل احساس شومی هم داشت.

مهری خانم گفت: «شکر خدا!... شکر امیرالمؤمنین!»

فصل هشتم

به خانه که رسیدند، همه چپیدند توی زیرزمین فسقلی. مهری‌خانم چفت در را بست. حتی پردهٔ ارمک پشت در را هم کشید. مریم لامپ برهنهٔ ۶۰ واتی وسط سقف را که از یک تکه سیم آویزان بود روشن کرد. بعد همه زیر لامپ جمع شدند. مهری خانم با دستهای لرزان نامهٔ رضا را از توی سینه‌اش درآورد و به مریم داد تا بلند بلند بخواند.

مریم نامه را گرفت، او هم خط رضا را شناخت، اول آن را ماچ کرد و چند لحظه‌ای به سینه‌اش چسباند. بعد خواند. از شدت احساسات صدایش می‌لرزید. مرتب آب دهانش را قورت می‌داد. مهری‌خانم دقیقه به دقیقه می‌گفت: «یواش‌تر ذلیل نمرده، صدات بیرون نره!» اما در صدای مریم هم شوق بود و هم غرور:

بسم الله الرحمن الرحیم

(قبل از هر چیز باید بگویم که این نامه را بعد از اینکه همه خواندند فوراً بسوزانید.)

(نَصْرُ مِنَ اللهِ وَ فَتْحُ قَریب)

عزیزان من:

این اولین نامهٔ من است به شما نورچشمانم. به مادر مهربان

و ارزشمندم. به پدر با ایمانم. به برادران قهرمانم. به خواهر محبوب و ملکوتی‌ام.

اَلّذین آمنُوا وَ هاجَروا وَ جاهَدوا فی سَبیلِ الله بِاَموالِهِم و اَنْفُسِهِم أعظَم دَرَجَة عِندَالله وَ اُولئِکَ هُمُ الْفائِزون.

«من حالا حالم خوب است، عزیزان من. و امروز که این نامه را می‌نویسم در یکی از اردوگاههای سازمان آزادیبخش فلسطین، در شهر نبطیّه هستم ـــ در اردوگاهی به نام حسن سلاله. هدف این اردوگاه آموزش دادن به مجاهدین از ممالکی است که مانند کشور ما در یوغ ستم و اختناق هستند. این مجاهدین در ضمن گاهی به میل خود در عملیات مبارزاتی خلق ستمدیده و محروم فلسطین نیز شرکت می‌کنند.

آموزشهای روزانهٔ ما از صبح خیلی زود با نماز جماعت شروع می‌شود. بعد ورزش و جودو. رئیس اردوگاه ما یک الجزایری است، ولی روحانی ارشد ما یک حجه‌الاسلام شیعهٔ لبنانی است. مربی جودومان هم از کره شمالی است. همه با نهایت اشتیاق و عشق کار می‌کنند ـــ و به نام الله.

آرمان و هدف نهایی همهٔ ما شهادت برای زنده نگه‌داشتن اسلام راستین است. ما نیز (منظورم من و چند تن از برادران ایرانی که اینجا هستیم.) آرمان و هدفی جز شهادت نداریم. ماه پیش ما می‌خواستیم همراه برادران و خواهران فلسطینی خود در عملیات چریکی علیه ملک‌حسین مزدور امپریالیسم شرکت کنیم. اما رهبرمان اجازه نداد که ما اینجا درگیر شویم و گفت ما جنگ خود را در پیش داریم، و باید برای آن آماده شویم.

اخباری که اخیراً از تهران می‌رسد بسیار غم‌انگیز و در عین حال تکان‌دهنده است. شنیدم که با چه طرز وحشیانه‌ای آنها علی

برادر عزیز و قهرمانم را شهید کردند. شنیدم که چطور سایر برادران و خواهران مجاهد و دیگر گروههای مبارز را قتل‌عام می‌کنند. من برای علی گریه کردم ولی در عین حال به فیض و سعادتی که نصیب او شده است حسد بردم. این یکی از دلائلی‌ست که من این نامه را می‌نویسم که به پدر و مادر قهرمان و شهیدپرورم تبریک بگویم. او خونش را داده است که درخت آزادی و اسلام رشد کند. اخباری که دربارهٔ مرگ قهرمانانه و حماسه‌وار او به اینجا رسیده است همه را جان تازه بخشیده است. آری این است برادرم علی.

ماه پیش سه تن از ما سفری به نجف کردیم. سفر خطرناکی بود ولی ارزش هر ثانیه‌اش را داشت. من در نامهٔ جداگانه‌ای بزودی دربارهٔ این فیض عظیم برای شما خواهم نوشت. به هر حال این سفر نقطهٔ مرکزی تمام چیزهایی است که ما در راه آن مبارزه می‌کنیم: هدف پیاده کردن حکومتی است که فساد، اختناق، جهل، و برادرکشی رژیم دیکتاتوری را براندازد. ما اکنون دولت شاه امریکایی را مجرم، مقصر و عامل تمام این چیزها می‌دانیم. فعلاً نمی‌گویم به فیض دیدار چه رهبر مجاهدی...

چهارده ماه پیش وقتی مصطفی را در تهران دستگیر کردند، در همان روزهای اول دستگیری (ای مادر عزیزم شجاع باش) همان روزهای اول، او را با وجود آنکه مجروح بود شکنجه دادند که دچار نابینایی چشم شد. بعد وقتی خون هم استفراغ و ادرار می‌کرد او را به بیمارستان شماره ۵ ارتش منتقل کردند. فکر می‌کنم هنوز آنجاست یا در زندان اوین. ظاهراً او حالا حالش خوب نیست. این اخبار را برادری که اخیراً از ایران فرار کرده به ما داد.»

وقتی خواندن نامه به اینجا رسید، مهری خانم با مشت توی سر و سینه‌اش کوبید و به گریهٔ دلخراشی افتاد. مریم هم که دستهایش می‌لرزید اشکهایش سرازیر شد و از خواندن باز ایستاد.

«من دیگه نمی‌خونم...»

مهری خانم گفت: «بخون...»

«اگه بخوای گریه کنی و خودتو بزنی دیگه نمیخونم...»

مهری خانم اشکهایش را با گوشهٔ چادر پاک کرد: «بخون... بخون ببینم دیگه چه نوشته. دیگه حالشون چطوره؟»

مریم گفت: «مگه ننوشته حالا حالش خوبه، خودشم خوبه، راحته؟»

مهری خانم باز با مشت توی سینهٔ خودش می‌زد و سرش را تکان‌تکان می‌داد. ناصر هم به گریه افتاده بود.

مریم به مادرش گفت: «چرا حالا توی سینه‌ت می‌زنی؟ قلبت وای میسّه. نمیخونم!»

«بخون!»

«در طول شبهای دراز و تنهایی در اینجا در اردوگاه، من اغلب در تاریکی دراز می‌کشم، و سعی می‌کنم به دلائل و ریشه‌ها و سیر وقایعی که بعضی از ما را به این نهضت کشید فکر کنم. من و صدها تن از بچه‌ها به مبارزه کشیده شدیم، درس کلاس و مدرسه را رها کردیم و به مخفیگاهها رفتیم. ما همه کم و بیش از خانواده‌های اسلامی و بی‌بضاعت و اغلب ستمدیده آمده‌ایم. خدا به پدر مؤمن و ستمدیده‌ام نصرت بدهد. جوانهای دیگری هم هستند با ایدئولوژیها و نقطه‌نظرهای دیگر. آنها هم دست به اسلحه برده‌اند. واقعهٔ سیاهکل را یادتان

هست. آنها بچههای مبارز بیگناهی بودند که شجاعانه جنگیدند و هیأت حاکمه به کمک ساواک دژخیمی آنها را سرکوب کرد یا در زندانها قتلعام نمود. عدهایشان هنوز در زندان اوین‌اند. بعد چه شد؟ آیا خاطرهٔ آنها نابود شد؟ نه. دو ماه طول نکشید که آنها فرسیو رئیس دادگاههای نظامی شاه را در ۱۸ فروردین به مسلسل بستند.

«رژیم روی پیشانی ما برچسب «خرابکار» و «تروریست» و «بی‌وطن» را زده است. ما را متهم می‌کنند که صلح و آرامش مملکت را برهم می‌زنیم. آیا این حکومت عدل الهی برای طبقهٔ محروم و بینوا است؟

«ما اکنون حوالهٔ ظالمان رژیم را به شمشیر اسلام می‌دهیم. اسلام مکتب ماست، و ما امروز از قرآن مجید درس خود را می‌آموزیم... ـ همانطور که الله نوید داده است آنها در دستهای ما عذاب خواهند دید. ذلیل خواهند شد و به قتل خواهند رسید. ای پدر عزیزم تو این آیهٔ قرآن مجید را در سالهای کودکی‌ام در گوشهای من زمزمه کردی ـ الله ترا نصرت دهد و نفس ترا گرم نگه دارد.

«درود بر برادران شهید من محمد و علی. درود بر برادران مبارزم؛ مصطفی و محسن و تمام برادران مجاهد مسلمان دیگر ـ که نوشیدن شربت شهادت برای آنها آرزوست و هدفشان سرنگونی رژیم دیکتاتوری محمدرضا شاه و فرح است.»

به شنیدن کلمات آخر نامه، مهری خانم از ترس توی سر خودش کوبید، و صورتش را چنگ زد: «وای! وای خاک عالم تو این فرقم... این حرفا خطرناکه. اگه بفهمن میدونی چه خونی به پا میشه؟» بعد گفت: «برو کبریت بیار... برو کبریت بیار این کاغذو بسوزون!»

صدایش گرفته و خفه بود و از فرط دستپاچگی معلوم نبود این حرف را به مریم می‌گوید یا به ناصر. یا اصلاً با خودش حرف می‌زند. «این کاغذو دست هر کی ببینن این خونه‌رو آتیش میزنن.»

اما مریم گفت: «نه ـ من میخوام دو سه روز نگهش دارم! بعد میسوزونم.»

مهری خانم آهش درآمد که: «یا قمر بنی‌هاشم! گفتم کبریت بیار بسوزون، دختر! خودش هم گفته فوری بسوزونین. وای خدا الهی مرگم بده! اگه باباش بفهمه این نامه توی دست و بال ما بوده خودش خون راه میندازه!»

«نه خیر. اون خودش هم همین حرفا رو میزنه.»

پسرک ساکت و مات به مریم و مادرش زل زده بود. او چیزی نمی‌فهمید، فقط می‌ترسید. مهری خانم جز می‌زد و مریم هم نامه را به سینه‌اش چسبانده بود. «محسن هم باید این نامه رو بخونه. مگه رضا ننوشته «وقتی همه خوندند بسوزونید.» من یه جای مطمئنی نگهش می‌دارم تا محسن هم بخونه.»

و پیش از آنکه مهری‌خانم بتواند نامه را از دست دخترش بگیرد مریم از زیرزمین فرار کرد.

فصل نهم

سحر، پسرک با کابوس بدی از مریم از خواب پرید.

در تاریکی هنوز صدایی توی گوشش می‌پیچید. از وسط یک مشت پر و خون صدای ضجه می‌آمد. انگار یک قناری زخمی بود. یا یک جغد زخم‌آلود. شاید هم صدای چیز بدتری بود. صدای باران بدی می‌آمد و مریم داشت برای او انگار انشاء می‌خواند.

از روزی که پسرک به دنیا آمده بود ـو مریم آن موقع حدود پنج سال داشتـ مریم او را مثل بچهٔ عروسکی خودش تقریباً توی بغل خودش بزرگ کرده بود. او را بیشتر از هر کس، شاید به اندازهٔ عزیز، دوست داشت. در تمام سالهای بچگی‌اش، مریم کنار او بود.

سحر هنوز سیاه بود. باد به پنجره می‌کوبید. خروس همسایه صدا می‌کرد. صدای اذان هم از مسجد لختی می‌آمد.

وسط سایه روشن اتاق، پدرش را دید که در همان کنج خودش، سر نماز نشسته. عزیز هنوز خواب بود. او و عزیز هم بعداً بلند می‌شدند و دو رکعت نمازشان را می‌خواندند. اما نماز و راز و نیاز اوس‌عبدالرضا مدتها و مدتها طول می‌کشید.

پسرک آهسته پا شد و پاورچین پاورچین از اتاق بیرون آمد. آمد

زیر باران آن طرف حیاط، و توی اتاق روبرو را نگاه کرد، که مریم می‌خوابید. چراغ کوچک اتاق روشن بود. مریم بیدار بود و داشت در کتابچه‌اش چیز می‌نوشت. موهای قشنگ و بلندش روی کتابچه ولو بود. پسرک خیالش راحت شد و برگشت آمد توی رختخوابش.

اوس‌عبدالرضا هنوز سر نماز و دعا بود. این روزها کم‌حرف‌تر و عبوس‌تر شده بود. خیلی توی خودش بود. و این عجیب بود. پسرک هرگز پدرش را اینطور ندیده بود.

هر شب پدرش قبل از اینکه به رختخواب برود، با همه خداحافظی می‌کرد. آهی می‌کشید: و یک «خب، ما رفتیم» می‌گفت. شاید از شوخیهای تلخ خودش بود. اما عجیب بود. به هر حال امسال پائیز اوس‌عبدالرضا این خیال توی کله‌اش رفته بود که یک شب خوابش می‌برد و می‌رود ــ مثل آخر و عاقبتی که برای پدر خودش، شب اول ورودشان به درخونگاه، روی داده بود. پدر خودش هم در خواب مرده بود. اوس‌عبدالرضا این روزها مرتب از مرگ حرف می‌زد، و آه و ناله می‌کرد. «انّا لِلّه و انّا الیهِ راجعون. بار الها، بگذر از گناهان ما، به داده‌ات شکر و به نداده‌ات شکر. خواست، خواست تو بوده و هست. همه چیز را به شمشیر تو حواله می‌کنیم...»

اما مریم، نه. مریم شور و نشاط زندگی داشت؛ پر از مایهٔ امید و حرکت بود. و ناصر دربارهٔ مریم چیزی را می‌دانست که پدرش و حتی عزیز، خبر نداشتند.

آنها هیچکدام از محسن خبر درستی نداشتند، ولی بعد از اینکه مدرسه‌ها از اول مهر باز شد، مریم گاهی عصرها، به بهانه‌ای، از راه مدرسه سری به محوطهٔ کتابفروشیهای روبروی دانشگاه می‌زد تا از محسن خبری بگیرد. محسن هنوز رسماً دانشجوی سال دوم دانشکدهٔ فنی بود. او و دوستانش گاهی سر و کله‌شان یواشکی آن طرفها پیدا می‌شد. دکه یا بساط کتابفروشی پسرعمه‌شان آقامرتضی نزدیک میدان

بیست و چهار اسفند بیشتر محل راندووی آنها بود. بیشتر آن راستهٔ خیابان، کتابفروشی بود و دستفروشیها هم کم‌کم پیدا می‌شدند. تمام روز و تا دیرگاه شب مردم، بخصوص تیپ دانشگاهی، توی پیاده‌رو ول می‌زدند.

گاهی اوقات مریم با یکی از دوستانش پیاده می‌رفت. از خیابان امیریه ــ که مدرسه‌اش آنجا بود ــ می‌انداختند طرف چهارراه پهلوی و بعد می‌پیچیدند توی شاهرضا. گاهی مریم ناصر کوچولو را با خودش می‌برد. اما به پسرک سپرده بود که چیزی به عزیز نگوید. می‌گفت بگو با هم رفته بودیم کتابخانهٔ پارک شهر. وقتی پسرک را با خودش می‌برد، اتوبوس سوار می‌شدند.

مریم این‌روزها خیلی دلش می‌خواست با محسن تماس بگیرد ــ بخصوص از روزی که نامهٔ رضا آمده بود و آنها آن حرفها و خطرهای عجیب را دربارهٔ دستگیری «خرابکار»ها توسط ساواک شنیده بودند.

آن روز سه‌شنبه که مریم به سراغ بساط آقامرتضی رفت، پسرک را هم با خودش برد.

آقامرتضی ریزه و لاغر بود، با موهای کثیف خیلی انبوه و فرفری که همیشه خشک و خاک خُلی به نظر می‌رسید. سبیل خیلی کلفت بلوطی‌رنگش از صورت همیشه دلخورش آویزان بود و تمام دک و دهانش را می‌پوشاند. دندانهایش قهوه‌ای‌رنگ بود و دهانش هم ــ وقتی با پسرک با سلام و علیک روبوسی می‌کرد ــ انگار بوی تخم‌مرغ گندیده می‌داد. می‌گفتند آقامرتضی کلیه‌ها و کبدش خراب است. خودش می‌گفت از بس در زندان ساواک کتکش زده‌اند کلیه‌ها و کبدش خراب شده. زندگی سخت توی جوادیه از یک طرف، و دوز و کلک و مخاطرهٔ فروختن کتابهای ممنوع یا نیمچه ممنوع و

سر و کله زدن توی دنیای پر زد و بند کتابفروشی جلوی دانشگاه از طرف دیگر، به آقامرتضی یک جور شخصیت دوپهلو داده بود..... معجونی از یک روباه خسیس بود با یک پز دنیای روشنفکری و کتاب. می‌گفتند آقامرتضی یک پایش توی بساط کتابفروشی است و یک پایش توی چاپخانه‌های کوچک و مشکوک پایین شهر؛ سرش برای چاپ تک و توک کتابهای کم‌ورق و ارزان «بودار» که «خوب فروش دارند» درد می‌کرد.

سالها پیش، اوائل که از جوادیه به شاهرضا آمد گوشهٔ میدان بیست و چهار اسفند خیار می‌فروخت، و بعد خرت و پرت، از قبیل چسب و ناخن‌گیر و خودکار و غیره. بعدها که دید بازار کتاب جلوی دانشگاه بهتر است، کتابفروش شد. اوائل اهمیت نمی‌داد که چه می‌فروشد، و بعدها که خودش هم بساط پهن کرد، اهمیت نمی‌داد چه چاپ می‌کند —مهم این بود که «فروش» داشته باشد. اما بعد از اینکه از طرف ساواک آمدند و گرفتندش و شش ماه بدون جرم نگهش داشتند و تا می‌خورد کتکش زدند و به قول خودش کبد و کلیه برایش نگذاشتند، وقتی بیرون آمد، حالا دست به عصا راه می‌رفت. بخصوص پاییز امسال که قرار بود زن بگیرد و این روزها داشت وسایل عروسی خودش را راه می‌انداخت. عمه نصرت اول مریم را برای آقامرتضی خواستگاری کرده بود. اما عزیز که تصمیم داشت مریم را به مهندس کمتر شوهر ندهد، گفته بود مریم حالا می‌خواهد درسش را بخواند.

جلوی بساط آقامرتضی شلوغ بود. و پسرک و مریم هم بعد از اینکه با آقامرتضی سلام و علیک کردند، مثل مشتریها ایستادند و مثلاً سرگرم نگاه کردن کتابها و ماهنامه‌ها و فصلنامه‌ها و جُنگها شدند. آقامرتضی هم خودش را مشغول کار نشان می‌داد. هم می‌دانست بچه‌های دائیش برای چه آمده‌اند، و هم می‌دانست مأمورین ساواک در هر لباس و هر سن و سال دور و بر می‌پلکند. به بچه‌ها زیاد محل

نگذاشت. فقط گهگاه، در حالی که چشمش دنبال مریم بود، حال و
احوال می‌پرسید. مریم هم سرسری جواب می‌داد. آقاجان چطورند؟
خانم جان عزیز خانم چطورند؟ آقاناصر خان چطورند، گل گلاب؟
ــ همه خوبن، مرسی.

آقامرتضی مدتی خودش را مشغول نشان داد، بعد گفت: «پس همه
خوب و سلامتند الحمدالله؟»

«بله، الحمدالله. عمه خانم اینها چطورند؟ اشرف خانوم؟ بچه‌ها؟»

«الحمدالله، شکر.»

دست آقامرتضی از روی بساط فسقلی جلو و عقب می‌رفت ــ و
چند جلد کتاب آویزان می‌کرد، یا برمی‌داشت می‌فروخت. شهرشب
اشعار نیمایوشیج، عادلها نوشتهٔ آلبرکامو، حل‌المسائل فیزیک، آداب
زناشویی، ماهی سیاه کوچولو...

مریم پرسید: «اوضاع چطوره آقامرتضی خان؟»

آقامرتضی سر تکان داد: «چه عرض کنم والله، مریم خانم. نه بهتر،
نه بدتر. همون گندی که بوده.»

«احوال دوستان و برادران چطوره؟ تازه چه خبر؟»

آقامرتضی دماغش را بالا کشید و با کتابها ور رفت: «چه میشه
گفت. خدا میدونه. همه مشغولن. هر کی یه جور مشغولیت داره.
مدرسه، رفت و آمد، بدبختی، اذیت. خبر تازه‌ای که نیست. فقط
بدبختی و اذیت. همه هم مشغولن... اوه، به‌به! سلام علیکم. این هم
شاه‌داماد عزیز ما... ستارهٔ سهیل... جناب آقای جعفرخان زمانی...
به‌به!»

هیکل دراز و سر و وضع شندرپندری و قیافهٔ همیشه عبوس ولی
جدی جعفر زمانی، با چشمهای کمی قناسش پشت سر ناصر و مریم
ظاهر شده بود. پسرک همیشه از چشمهای او می‌ترسید. تا آنوقت البته
بارها زمانی را دیده بود، اما زمانی هر دفعه از دفعهٔ پیش بیشتر توی

ذوق می‌زد.

همیشه یک جور پوزخند عجیب توی صورت لاغر و گودرفتهٔ زمانی تیک می‌کرد. زمانی پس از اینکه پوزخندش تیک کرد و ناپدید شد، دستش را پیش آورد و با مریم و پسرک دست داد. پسرک خودش را به مریم چسباند. دست دادن زمانی هم انگشتها و مچ و آرنج او را از جا می‌کند. زمانی ورزشکار نبود، اما دست طرف را همیشه خیلی پرزور و با حرارت می‌فشرد. یک نیم‌تنهٔ جین تنش بود، با لکه‌های خشک‌شدهٔ عرق و شلواری همرنگ از همان جنس، منتها کهنه‌تر و ساییده‌تر، با چند سوراخ اینجا و آنجا. پیراهن یقه‌بازی هم پوشیده بود که نه رنگش معلوم بود و نه عمرش. یک جفت پوتین نظامی هم داشت که از فرط خاک و گِل خشکیده بیشتر شبیه پاهای گنده‌ای از خاک رس بود تا کفش. گرچه بیست و پنج سال بیشتر نداشت، صورتش خشن و پیر و واخورده و خسته بود. موهای فلفل‌نمکی‌اش مثل پشم به جمجمه‌اش چسبیده بود و سفیدک زده بود.

پسرک و مریم داماد عمه نصرت، شوهر اشرف‌خانم، را دورادور می‌شناختند، می‌گفتند زمانی از آن خلهای تند چپی مارکسیستی است که هیچوقت توی خانه یا سر شغلی بند نمی‌شود. شغل معلمی‌اش را هم اخیراً از او گرفته بودند و پولی برای خرجی زن و بچه‌اش نمی‌داد.

نیش آقامرتضی باز شده بود. لابد از روی انزجار کهنه، و یا لابد از روی تمسخری که زمانی را شاه داماد عزیز و ستارهٔ سهیل خطاب کرده بود.

زمانی گفت: «سام علیک.» اما به آقامرتضی پوزخند نزد. به مریم و پسرک نگاه می‌کرد و حالشان را پرسید. بخصوص مریم را نگاه می‌کرد. پسرک از نگاههای او خوشش نیامد. و هنوز می‌ترسید.

زمانی از مریم پرسید: «شما خواهر محسن آقا هستین، درسته؟»
«بله. چند وقته ندیدیمش.»
«بابا و مامان چطورن؟ زنده و چاق و سلامتن انشاءالله؟»
«بله... حال شما چطوره؟»
«زنده‌ایم. این هم که ناصرخان رفیق کوچولوی خودمونه...» به سر پسرک دست مالید.
پسرک زیر لب گفت: «سلام.»
زمانی گفت: «زنده باشی.» پسرک او را نگاه می‌کرد. فکر کرد انگار زنده بودن یا زنده ماندن مهمترین کلمه‌ای است که از وجود زمانی بیرون می‌زد.
زمانی گوشهای خیلی بزرگی هم داشت که به چشمهای لوچ و عبوسش حالت تُخس‌تری می‌داد. حالا در تاریکی غروب نه‌فقط چشمها بلکه حتی سبیل درشت و بروس‌مانند و سیاهش که تک و توک سفیدی تویش دویده بود، بلاگرفته و شرور می‌نمود. پسرک به سبیل و دهان و بخصوص به فک پایین زمانی که یک‌وری بود زل زده بود ــ انگاری که چند سال پیش زمانی یک وقت سکتهٔ مغزی کرده و همین‌جوری فکش یک وری مانده بود.
مریم پرسید: «شما دیدینش؟... یعنی محسن‌رو؟» و امیدوارانه به او نگاه کرد.
او هم مریم را برانداز کرد و فقط گفت: «با این جشنها و اون جنغولک‌بازیها که سرهم کرده‌ن، نه. ریخته‌ن به جون بچه‌ها و به جون سازمانها و دارن حسابی همه و همه‌چی رو داغون میکنن، لت و پار میکنن، شهید میکنن.»
«آره، بچه‌ها دارن مثل برگ خزون میریزن.»
چشمهای مریم به صورت زمانی مات بود. پسرک هر دو آنها را نگاه می‌کرد. خودش مشکل می‌توانست از قیافهٔ زمانی چشم بردارد.

کلمات زمانی چپی اتوماتیک یک جور کوفت مطلق، یا یک حالت فاجعهٔ شوم نهایی را اعلام می‌کرد، و وقتی از طرف صورت او می‌آمد، نوعی مرگ سرد هم قاطیش بود.

مریم پرسید: «شما... ازش چیزی نشنیدین؟»

«خودم نه. ولی یکی از رفقام فکر می‌کنم دیده‌اش.»

«جدی؟ کی؟»

«یکی از بچه‌ها که مال دهاته.» گوشهٔ سبیلش را می‌جوید.

مریم گفت: «یه چیز مهمی هست، که ما باید... به محسن نشون بدیم؛ یه نامه که» ‌ـبعد حرفش را فوری قطع کرد. پسرک احساس کرد که خواهرش تکان خورد‌ـ انگار از گفتن این حرف پشیمان شده بود. خودش از وحشت می‌لرزید.

زمانی داشت لب زیرش را می‌گزید و به مریم بربر نگاه می‌کرد. فک یک‌وری‌اش منظرهٔ ورقلنبیده‌تری پیدا کرده بود. «یکی از رفقا ممکنه بتونه با او تماس بگیره.»

«کجاست؟»

«بیرون از شهر.» لحظه‌ای سکوت کرد. باز گوشهٔ سبیلش را گاز گرفت و سرش را خاراند. زیرچشمی به اطراف نگاه می‌کرد. معلوم بود که حتی به این دو بچه هم اعتماد ندارد ‌ـمطمئن نبود که ساواکی نباشند. مثل سگ لگدخورده‌ای که پوزه‌اش روی زمین باشد، از همه چیز می‌ترسید.

مریم پرسید: «بیرون شهر کجا؟ خواهش می‌کنم کمک کنید که ما با او تماس بگیریم.»

زمانی گفت: «والله راستش دقیقاً نمیدونم. دوستش اسمش آردکپانه. مال یکی از دهات اطراف ساوه‌س. اما شما نباید این مطلب رو پیش احدی به زبون بیارین. من خودم قسم می‌خورم نمیدونم دقیقاً کجاهاست.»

مریم گفت: «برای ما سؤال میکنین؟»

زمانی گفت: «باشه، میپرسم.» سرش را برگرداند.

«خیلی ممنون، واقعاً. اگه باعث زحمت میشه باید ببخشین. من فردا همین جاها هستم. ما اغلب روزها همین جاها هستیم. یعنی اگه فردا نشد، روز بعدش.»

«باشه بیا. اما مطمئن نیستم بشه خبر قاطعی بیارم.»

پسرک نمیتوانست بفهمد زمانی واقعاً ناراحت است یا دلش میخواهد با مریم تماس بگیرد. راستش نمیفهمید زمانی اصلاً دارد به طرف مریم نگاه میکند، یا به طرف او، یا به طرف بساط آقامرتضی. چشم لوچ زمانی حالا تیرهتر بود و معلوم نمیکرد به کجا نگاه میکند. اما بعد سرش را برگرداند و مستقیم به آقا مرتضی نگاه کرد. در چشمهای او چیزی قویتر و تلختر از ناراحتی و نارضایتی موج میخورد.

فصل دهم

در جادهٔ باریکی بودند که از جنوب شهرری و حضرت عبدالعظیم به
طرف قم می‌رفت. پس از گذشتن از پیچ پالایشگاه و دهکدهٔ خشک
باقرآباد، جاده افتاده بود وسط برهوت و نمکزار. هوای خشک
تابستانی صورت را می‌سوزاند. باد تند صحرا چشم درمی‌آورد. در
حدود سی چهل کیلومتر پایین‌تر از تهران، جایی بین کهریزک و
قاسم‌آباد، راه فرعی مالرویی بود که به غرب، به ده ولی‌آبادون، در
سمت دریاچهٔ نمک می‌رفت. مقصدشان آنجا بود.

در جادهٔ فرعی ولی‌آبادون خاک زمین خشکیده‌تر بود و نقطه به
نقطه سفت‌تر، چقرتر، ترک ترک و انگار متحجر. بی‌شباهت به
صحراهای دوران ماقبل تاریخ نبود. در نقاط دیگر، پوستهٔ زمین مثل
مخلوطی از خاک و آهک پخته بود و رسوبات نمک از هر سو توی
چشم می‌زد.

چند روز از ملاقات پسرک و مریم با جعفر زمانی جلوی دانشگاه
گذشته... امروز او و زمانی، با یاماهای کهنه‌ای که زمانی از یکی از
«رفقا» قرض گرفته، با سرعتی نه‌چندان تند می‌آمدند. اگرچه
ولی‌آبادون به قول زمانی بیش از سی چهل کیلومتر با تهران فاصله

نداشت، اما با سرعتی که او حالا توی خاک پیش می‌رفت، و مدت زمان زیادی که تاکنون طول کشیده بود، گویی داشتند به قلب صحرای لوت هجرت می‌کردند. ناصر کوچولوی مریض مهری خانم و اوس‌عبدالرضا، که تا آن روز بدون همراهی یکی از اعضاء خانواده از بازارچهٔ درخونگاه پا بیرون نگذاشته بود ــحالا پشت یاماهای زمانی مارکسیست نشسته بود و از ترس جان مثل خرچنگ منجمد کمر او را دو دستی چسبیده بود.

چند شب پیش، بعد از آنکه پسرک و مریم از طریق زمانی به محل مخفیگاه محسن پی برده بودند، و بعد از آنکه زمانی گفته بود حاضر است پنجشنبه یک موتور بگیرد و یکی از آن دو را برای رساندن نامهٔ رضا به محسن به آن مخفیگاه ببرد، پسرک و مریم با هم توی اتاق ته حیاط یک دعوای حسابی کرده بودند. کدام یک از آنها باید همراه زمانی برود؟

مریم تا آن موقع به هیچکس اطمینان نمی‌کرد؛ نامهٔ رضا را مثل شیشهٔ عمر توی لباسهایش قایم کرده بود. پس از مدتها بگومگو با پسرک، مریم اول تصمیم داشت بی‌آنکه حتی به عزیز بگوید خودش پنجشنبه صبح به جای رفتن به مدرسه همراه زمانی به مخفیگاه محسن برود. «کاری نداره. مگه چطور میشه؟ خون من که از خون برادرهایم رنگین‌تر نیست.» اما پسرک نمی‌خواست اصلاً این حرف زده شود، نمی‌توانست قبول کند و نمی‌گذاشت... می‌گفت نه و کار به داد و دعوا کشیده بود. اگر قرار بود یکی از آن دو نفر نامه را با جعفر زمانی ببرد، آن یک نفر او بود. او هم لجبازی بلد بود. اما مریم با شوخی مسخره‌اش کرده بود: «تو؟» به او خندیده بود: «تو ــبا این حال و وضعت؟» «بعله... من! من نمیذارم تو با اون زمانی بری بیرون شهر و اونجاها... به عزیز هم میگم! هر کاری هم می‌خواهی بکنی بکن!»

اما او خودش هم البته دلش برای این کار لک نزده بود. از این کارها

نفرت داشت. می‌ترسید، چون عزیز هم اگر می‌فهمید نفرت داشت و می‌ترسید. اما خوب... اگر مریم بی‌کله می‌رفت و اتفاقی برایش می‌افتاد چی؟ مریم دختر بود، شانزده سالش بود. اگر می‌رفت و مثلاً توی جاده موتورشان تصادف می‌کرد و خراب می‌شد چی؟ نمی‌توانست تصورش را بکند. نمی‌توانست تحمل تصور هیچ کاری را با مریم و زمانی بکند. جعفر زمانی، با آن قیافهٔ بدترکیب و سبیل کلفت، و یک چشم لوچ، توی بیابانها؟ اگر اتفاقی برای مریم می‌افتاد، چه می‌شد؟ عزیز چه می‌شد؟ محسن چه می‌گفت؟ بابا که خون به پا می‌کرد! هرچه بیشتر و بیشتر بگومگو کرده بودند پسرک بیشتر و بیشتر به وضوح می‌دید که چارهٔ دیگری نیست. به پاکت نامه‌ای که مریم توی سینه‌هایش قایم کرده بود نگاه می‌کرد، احساس می‌کرد که انگار، خواهی‌نخواهی، انجام این کار، مثل طالع نحس، روی پیشانی خودش حک شده است.

حالا که وسط بیابان، و با ترس و لرز پشت موتور یاماها کمر زمانی را محکم گرفته بود، و صورتش به کاپشن جین عرق‌کردهٔ او چسبیده بود، کم‌کم داشت قوهٔ احساسش را از دست می‌داد. باد داغ، کله و پشت گردن و یک گوشش را کرخ کرده بود. دست‌اندازها و چاله‌چوله‌های جاده و پرشهای موتور او را مدام به چپ و راست نوسان می‌داد، و هر بار که توی دست‌انداز بدتری پرت می‌شدند، او با وحشت یک یا علی می‌گفت و دل و رودهاش می‌خواست از حلقش بیرون بزند. این تکانها دستهای عرق‌کرده‌اش را مرتب لغزنده‌تر کرده بود، بطوری که دو سه مرتبه نزدیک بود عملاً از موتور پرت شود. انگار انگشتها و مچ دستهایش اصلاً دیگر جان نداشتند سینه‌اش هم درد می‌کرد و یک چیزی هم توی گلویش جزجز می‌سوخت.

پس از مدتی، وسط بیابان برهوت، زمانی یک جا نگه داشت و موتور را خاموش کرد. موتور به قدری سر و صدا داشت، و بطوری

تنها صدای تمام بیابان و دنیا بود که با بریدن صدایش انگار ناگهان صدای تمام زمین و آسمان و عالم هستی را بریده و خالی کرده بودند. زمانی با حرکتی کند و اخم‌آلود بادی از دهانش خارج کرد. و با آن عینک دودی گنده‌ای که زده بود و او را شبیه عقاب سیاه صحرا می‌ساخت، به این‌ور و آن‌ور نگاه کرد. پسرک وحشتش بیشتر شد. چیزی نمانده بود قالب تهی کند. آب دهانش را قورت داد.

«خراب شده؟»

زمانی گفت: «نچ... داغ کرده لامسب... باهاس چند دقیقه خاموش کنیم، صبر کنیم.» سرش را بلند کرده بود، انگار داشت با آفتاب و باد داغ صحرا حرف می‌زد. مثل اینکه می‌خواست پیاده شود.

پسرک با اکراه کمر او را ول کرد و گفت: «باشه. ترو خدا خراب مراب که نشده؟» هنوز به کمر زمانی چسبیده بود.

«نه بابا، از چی می‌ترسی... کهنهس سگ مسب، به روغن‌سوزی افتاده. برای همینه که داغ میکنه. میخوای چند دقیقه پیاده شو. تا منم پیاده شم.»

پسرک با اطاعت گفت: «باشه.» تلوتلوخوران آمد پایین. زمانی هم جفت زد پایین و شروع کرد به ورزش و تمدد عضلات و ورجه ورجه. مفاصل کمر و شانه‌های پسرک سفت شده و پاها و تمام پایین‌تنه‌اش بی‌حس شده بود. مات ایستاد به اطراف بهت زد.

زمانی غش‌غش زد: «چطوری، چریک؟»

گرچه او لفظ «چریک» را با شوخی و شاید هم با تمسخر، ادا کرده بود، اما پسر کوچک نفهمید، و خوشش نیامد. نا نداشت روی پاهایش بایستد. به هر حال این کلمه این روزها بخصوص بین بچه‌های مدرسه جوش و جذبۀ زیادی داشت. دولتیها، البته، به جای این کلمه از لفظ «خرابکار» یا «تروریست» استفاده می‌کردند.

«من چریک نیستم.» سعی کرد لبخند بزند.

«پس اون نامهٔ هذا و کذا چیه تو کفشهات قایم کردی؟ تو هم چریک هستی. همه‌مون هستیم.»

تنها کاری که نمی‌خواست بکند این بود که با جعفر زمانی وسط این بیابان بحث کند. دهانش خشک و پر از خاک بود. زیر لب پایین زمانی را کبرهٔ سفیدی گرفته بود. تفی انداخت و بعد از آنکه ورجه ورجه‌هایش تمام شد، گرفت روی زمین که مثل سفال بود نشست. زانوهایش را در بغل گرفت. سرش را بلند کرد و مدت درازی به آسمان خیره شد. بعد به این‌طرف و آن‌طرف چشم انداخت، انگاری که دنبال یک سیارهٔ گمشده بگردد. «میدونی رفیق کوچولو، در موقعیتی که این روزها مملکت ما هست، یعنی فعلاً قرار گرفته، چارهٔ دیگه‌ای نیست جز اینکه آدم بلند شه و کمر چی ببنده؟... کمر همت. پس باید کمر همت بست. مگه نه؟»

«نمیدونم...»

«... الآن، اینجا خلق محروم و گرسنه‌ست... در مقابل امپریالیسم. امپریالیسم خوک کثیف، که تا دندونم مسلحه... در مقابل چنین دشمنی، تنها راه نجات چیه؟ جنگ مسلحانه. باید یک گروه از یک جا شروع کنه ـ همانطور که حضرت آیت الله خمینی خودتون هشت سال پیش سعی کرد، ولی صدای قیام را خفه کردند. ما هم حالا داریم شروع می‌کنیم ـ و البته آخر سر، برای پیروزی کامل، چی لازمه؟ نابود کردن ارتش بزرگترین دشمن ما، یعنی ارتش طاغوتیِ در اطاعت کورکورانهٔ امپریالیستی شاهنشاهی ایران. مگه نه؟»

یک کلمه از این حرفها را به درستی نمی‌فهمید. خبر نداشت که ارتش شاهنشاهی ایران دشمن ملت ایران بوده. بخصوص خبر نداشت که دشمنی داشتند به اسم امپریالیسم، نمی‌فهمید که اطاعت کورکورانه اشاره به چیست. برای اینکه حرفی زده باشد، گفت: «ما باهاس ارتش شاهنشاهی رو نابود کنیم؟...»

«نه فقط باید تمام ارتش‌و نابود کنیم بلکه باید تمام نیروهای مسلح
رو که نوکر امپریالیسم امریکاست نابود کنیم. نیروی هوایی، نیروی
دریایی، و خود ارتش یعنی نیروی زمینی قصاب‌رو...»

«شما و داداشهای مسلمان من میتونین تمام قوای ارتش‌و نابود
کنین؟»

زمانی نگاه تندی به او انداخت. «نه....» او معلم بود و داشت درس
می‌داد، نمی‌خواست نامنصف باشد. «یعنی حالا نمیتونیم،» بعد با یک
فین دماغش را بالا کشید و یک ور صورتش را جمع کرد، بعد با
پشت انگشت سبابه زیر دوطرف سبیل گورکی‌وارش را لمس کرد.
«جنگ واقعی از سه چهار پنج سال دیگه شروع میشه. اما فعلاً ما
میتونیم خیلی کارها بکنیم. مثل چه کارهایی؟ مثل بسیج کردن نیروهای
خودمون... مثل مجبور کردن هیأت حاکمه به یک سری تصمیمهای
اصلاحی و بهبودبخش.»

باز مدتی به افق نگاه کرد. دوباره آرام آرام به دو طرف سبیلش
انگشت کشید: «... یعنی در عین حال باید رژیم‌و مجبور کنیم که یه
سری کارها و تصمیمهای اصلاحی‌رو جلو بندازه. یعنی ما میتونیم با
این تاکتیکها، مقداری عقب‌نشینی و شکست کوچک ولی سمبولیک
به رژیم وارد کنیم. این کارهای کوچک و مشخص‌رو در اصطلاح
میگیم چی؟ میگیم تاکتیک. تمام این تاکتیکها جزو یک نقشهٔ بزرگتر
و نهایی‌تره که به اون چی میگیم؟... میگیم استراتژی. پس این عملیات
کارهای کوچک و مشخص که امروز می‌کنیم چیه؟... تاکتیک. نقشهٔ
عظیم نهایی که بالأخره منجر به جنگ مسلحانه میشه چیه؟... استراتژی.»
تف دیگری توی بیابان خشک انداخت و بعد لب زیرش را گاز
گرفت. «آخرین حلقهٔ زنجیر استراتژی ما چیه؟...» برخلاف عادت
جواب دادن به جمله‌های سؤالی خودش، این یکی را مدتی بی‌جواب
گذاشت و مکث کرد ــ گویی از ادای جواب آن، حتی در این کویر

برهوت، ترس و واهمه داشت.

پسرک گفت: «نمیدونم...»

زمانی با زمزمهٔ بیصدا گفت: «سرنگونی دربار امریکایی!» یک انگشتش را توی هوا سیخ کرده بود. چشمانش هم درشت‌تر شده بود ـ حتی آن یکی که چپ بود و برق می‌زد. هنگام ادای این سه کلمه، اطراف کویر خالی را نگاه می‌کرد، مثل اینکه انتظار داشت یکهو دو مأمور ساواک از لای ترکهای زمین سوخته بیرون بپرند. «یک روز... یک روز خدمت آنها هم می‌رسیم...» صورت خشکیده‌اش را دوباره به طرف خورشید داغ بلند کرد و سبیلش را که گستاخ‌تر می‌نمود با پشت دستش لمس کرد، و ساکت شد.

پس از مدتی برگشت و به موتور و بعد به پسر کوچک نگاه کرد. پسرک هنوز همانجا مات ایستاده بود و نمی‌دانست با خودش چکار کند. برای اینکه حرفی زده باشد گفت: «چقدر مونده برسیم؟»

«به ولی‌آبادون؟ انقدری نیست... یه ربع ساعت. اما موتور باهاس خنک شه. بشین، رفیق جون. بشین خستگی درکن. مث اینکه خیلی خسته‌ای... بشین.»

خودش روی زمین بیشتر ولو شد و با دستش اشاره کرد پسرک بنشیند.

پسرک به ناچار گفت: «باشه.» نمی‌خواست بنشیند. دلش می‌خواست راه بیفتند و به محسن برسند. احساس می‌کرد داغی موتور بهانه بوده و زمانی می‌خواسته وقت بگذراند، درس بدهد، و به این زودیها هم ول‌کن نبود. و حالا به‌راستی در ته دل خدا را شکر می‌کرد که نگذاشته بود مریم بیاید. به هر حال، او هم نشست و به آسمان خشک که پر از هُرم و غبار خاکستری‌رنگ بود نگاه کرد.

خورشید در قلب آسمان بود، عظیم و بی‌حد و مرز و کورکننده.

در فاصله‌ای نه‌چندان دور، لاشخوری بالای سرشان می‌چرخید.

زمانی ناگهان گفت: نامه رو بده ببینیم چی نوشته داداشت...»
از این حرف اصلاً خوشش نیامد. می‌خواست نامه را به دست خود
محسن بدهد. اما چه کسی می‌توانست اینجا با زمانی مخالفت کند. به
احتمال زیاد اصلاً برای همین موتور را نگه‌داشته بود.

زمانی با دست دراز کرده منتظر بود.

با ترس نامه را از توی کفشش، از توی کیسهٔ پلاستیک در آورد و
به زمانی رد کرد. زمانی نامه را تندتند خواند. سرش را گاه به گاه با
تحسین پایین می‌آورد و می‌گفت: «حرفای خوبیه»، «حرفای داغی‌یه»،
«انقلاب آدمهایی مثل رضا لازم داره.»

پسرک به افق جلوش نگاه می‌کرد، که یعنی در این جریانات
نیست. بعد پرسید: «چه جور جاییه؟»

زمانی که خواندن نامه را تمام کرده بود و هنوز داشت آن را مرور
می‌کرد، پشت گردنش را خاراند. گفت: «کجا؟»

«دهی که محسن اینها هستند ـ ولی آبادون.»

«صفر... یعنی هیچی. حرفای معرکه‌ایه!»

«جای بزرگیه؟»

«نه بابا. یه مشت کپر خاکی دارن. کار و زندگی‌شون اینه که از آب
دریاچه نمک بگیرن، چس‌مثقال هم زراعت.»

«پس شلوغ هم نیست؟»

«نه بابا. دویست سیصد نفر روی هم رفته ـ سی چهل خانوار.» نامه
را به پسرک پس داد که او با خوشحالی آن را به جای اولش
برگرداند.

«محسن اونجا پیش کیه؟»

«پیش داداش یکی از دوستهای دانشگاهی‌ش، به اسم اکبر ـ که
پسرخالهٔ دسته‌دیزی‌یه به اصطلاح کدخدای آبادیه. یکی از داداشهای
اکبر هم امسال کشته شد. اسمش نبی بود. ساواکیها ریختند توی خونهٔ

تیمی اونها و اون و دوتا دیگه از بچه‌ها رو کشتند. من نبی رو خوب می‌شناختم. اهل مبارزه بود. جریان کشته‌شدنش حماسه بود. به بچه‌های تیم خودش گفته بود، گلولهٔ آخرو برای خودتون نگه‌دارین، که زنده گیر ساواکیها نیفتین. خودش هم همین کار رو کرد. آخرین گلولهٔ هفت‌تیرش‌و واسهٔ خودش نگه داشته بود ـ اما گلولهٔ لامسب توی هفت‌تیر گیر کرد. زخمی شده بود و از تمام تنش خون می‌رفت، اما نمی‌خواست زنده دستگیرش کنند. قبل از اینکه ساواکیها بریزن سرش، چاقوی جیبی‌ش رو درمیاره و تمام سینه و شکم خودش‌رو جر میده و روده‌هاشو چنگ میزنه، میریزه بیرون... تا زنده گیر نیفته.»

ترس تمام امعاء و احشاء پسر ک را چنگ می‌زد. سرش را برگرداند و به طرفی که ده ولی‌آبادون بود نگاه کرد. تنها خاک خشک بود که به انتهای افق رنگپریده می‌خزید. دوباره برگشت و به جعفر زمانی نگاه کرد که باز داشت به دو سر سبیلش دست می‌کشید و به افق خیره بود. باد تند و داغ، جلوی موهایش را کمی بهم می‌زد، همانطور که آن روز توی امامزاده عبدالله موهای محسن را بهم می‌ریخت. پسر کوچک مدتی او را نگاه کرد. بعد به افق پشت سرشان نگریست. به فکر میترا و موهای میترا افتاد... همان روز، توی همان قبرستان... همانطور که داشت به افق عقب نگاه می‌کرد، با اینکه هرگز پدر میترا را ندیده بود، سعی کرد زمانی را با او مقایسه کند که ظاهراً از لحاظ عقاید چپی کم و بیش مثل زمانی بوده. فکر کرد آیا مادر میترا با چنین موجود ناجور و عجیبی ازدواج می‌کرد؟ یعنی امکان داشت پدر میترا همچو موجودی بوده باشد؟ نه، پدر میترا باید مردی آرام و ظریف باشد. بخصوص چشمانش نمی‌توانست اینطور خنده‌دار باشد.

به زمانی نگاه کرد. امیدوار بود که بگوید موتور خنک شده و بهتر است بلند شوند. اما زمانی گفت: «جالبه... چیزی که نیم ساعت دیگه در ولی‌آبادون می‌بینی، جالبه.»

پسرک فقط نگاهش کرد و ساکت ماند. معلوم بود زمانی می‌خواهد مطلب تازه‌ای را تفسیر کند.

«چیزی که در ولی‌آبادون میبینی، رفیق کوچولوی من، یک ارتباط تیپیک بین دانشجو و پرولتاریای واقعی‌یه که تز خود لنین پیشنهاد میکنه. این ارتباط عالی و ایدئال برای بسیج کردن و بکار گرفتن دو قشر مهم جامعه‌ست. یعنی چی؟... یعنی روشنفکر جوان و پرولتر بیرون شهری محروم و ستمدیده ـ یعنی دانشجو و کارگر. در اثر این تماس و همکاری، به تدریج این ارتباط عمیقتر میشه، بعد همکاریشون وسعت پیدا میکنه، قوی‌تر میشه، اونوقت ما چی داریم؟... یک نیرو... نیرویی که یک انقلاب واقعی یه ـ نه مثل انقلاب کشکی سفید! انقلاب سفید یه حقهٔ درباری و امپریالیستی‌یه. یه دام مزورانه برای به زنجیر کشیدن توده‌ها و به نفع نهایی فئودالهاست، مبتکرش هم جان کندی‌یه. یک، معذرت میخوام، نجاستی که ریخته توی حلق هیأت حاکمه بدبخت. انقلاب سفید یعنی چی؟ انقلاب باید سرخ باشه، باید خونین باشه، باید مال محرومان باشه. انقلاب باید در پی انسجام یک «گاسودارستوا» یعنی یک دولت بلشویکی باشه، برای دولتی از پرولتاریا، برای دهقانها و کارگرا... نه در فکر جشنهایی برای خوش‌آمد بورژوازی... انقلاب رو مردم به پا می‌کنند، نه شاها، نه هیأتهای حاکمه. برای انقلاب در جامعه، قشرهای مختلف باید به حکم یک ضرورت اجتناب‌ناپذیر با هم پیوند بخورن. کدوم دو تا قشر به قول لنین از همه اساسی‌تراند؟ کیها و کیها؟... روشنفکر چریک شهری و کارگر محروم و ستمدیدهٔ بیرون شهری... مثل تجربهٔ چه‌گوارا در کوبا... و خیلی جاهای دیگه. ما هم باید با یه نیروی متحد از قشرهای ناراضی این مملکت بسیج بشیم. البته اولش نیروی کوچکی‌یه، ولی نیروی این موتور کوچک بالأخره قشرهای بزرگتر و ماشین بزرگ نارضایتی رو در مردم پرولتاریزه میکنه و کار میندازه...»

هر چه زمانی حرف می‌زد و کف سفید بیشتری گوشهٔ لبانش جمع می‌شد. پسرک او را نگاه می‌کرد و نمی‌توانست باور کند که این آدم خل زشت چپول، این سرگردان ژولیده که وسط بیابان نمک و چند روز قبل از جشنهای دوهزار و پانصدمین سال شاهنشاهی در ایران، دارد مثل دیوانه‌ها از سرنگونی رژیم شاهنشاهی و جانشین کردن آن با رژیم مارکسیست‌ـ‌لنینیستی حرف می‌زند، یک معلم اخراجی بیست و پنج شش ساله و صاحب پنج بچهٔ بیحال و گرسنهٔ شش ساله تا شش ماهه است که آخرین آنها را پسرک خودش چند روز پیش دیده بود ـ که می‌خواست پستان بی‌رمق و خشکیدهٔ شکل بادمجان کال اشرف دختر عمه‌نصرت را از جا بکند. بیشتر حرفهای زمانی را هم درست نمی‌فهمید. بعضی اوقات احساس می‌کرد که زمانی دارد یک متن حفظ‌شده را از بر می‌خواند، همانطور که برادران خودش آیه‌های قرآن را حفظ بودند و به سادگی از بر می‌گفتند. اما آنها معنی‌اش را هم می‌دانستند.

زمانی پرسید: «ببینم، توی مدرسه، یا توی کوچه‌تون، یا توی فامیل‌تون، هیچ رفیق یا آشنا ماشنای مارکسیست داری؟»

پسرک سرش را خاراند. «نه... من ـ‌نمیدونم. فکر نکنم....» بعد به یاد میترا و به یاد پدر او افتاد. اما اگر اسم پدر میترا را می‌آورد که توی نیاوران در خانهٔ همسر رئیس دفتر یکی از رؤسای وزارت زندگی می‌کرد، خیلی خریت و دیوانگی بود. «نه. نمیشناسم.»

«عیب نداره. به هر حال با دوستها و رفقات از این چیزها و انقلاب و مردم محروم و ستمدیده و کارگر و هیأت حاکمه و اینجور چیزا و چیزای دیگه حرف بزن. در آینده اینجور حرفها لازم و ضروری میشه. در جریان این ارتباط و اتحادی که من صحبتش‌و میکردم، تحت یک رهبری صحیح یا رهبریهای صحیح مردم محروم و ستمدیده بیشتر با هم متحد و پرولتاریزه میشن، مگه نه؟ به رهبرای خودشون ایمان

بیشتری پیدا میکنن، و کم‌کم مبارزه با هیأت حاکمه تبدیل به مبارزه با امپریالیسم میشه. بعد مبارزه با امپریالیسم تبدیل به مبارزه با سرمایه‌داری میشه. یعنی مبارزه با مالکیت در دست امپریالیسم جای خودشو به مبارزه علیه مالکیت در دست سرمایه‌داری میده. به این ترتیب یک جامعهٔ سوسیالیست بوجود میاد که اختلاف طبقاتی نداره. جنگ مسلحانه، هم فاصلهٔ بین پیشگامان مارکسیست ـ لنینیستی و خلق‌های ستمدیده را از بین میبره، هم اونا رو هرچه بیشتر و بیشتر بهم نزدیک میکنه؛ چه در تاکتیکهای مشخص و فوری، و چه در استراتژیهای نهایی و هدف که سرنگونی کی باشه؟... همون.» باز یک انگشتش را در هوا سیخ کرد، اما اسم آن کسی را که در ذهن داشت دیگر به زبان نیاورد.

پسرک هنوز مبهوت او را نگاه می‌کرد و از خستگی و تشنگی داشت از حال می‌رفت. بیخودی فقط گفت: «آره».

«پس تو هم موافقی؟»

پسرک سرش را آورد پایین.

«سرتو درد آوردم؟»

«نه... جالبه.»

پسرک سرش را تکان داد، بعد برگشت و به موتور نگاه کرد.

«خنک نشده؟»

زمانی خندید. «تو حاضری؟» باز خندید، ولی بلند شد. پسرک هم بلند شد. زمانی گفت: «فقط یه چیز یادت باشه. خوشبختی یعنی مبارزه...» بعد رفت سراغ موتور و روی زین نشست. دستهایش را گذاشت دوطرف فرمان. یک پایش را هم گذاشت روی پدال هندل. بعد برگشت به طرف پسرک نگاه کرد. «و میدونی این جمله رو کی گفته؟...» نفس عمیقی کشید. «خود کارل مارکس!» و با ادای این دو کلمه با فشار هندل موتور را آتش کرد.

فصل یازدهم

باز در دشت کویری پیش می‌رفتند و پسرک داشت کم‌کم به این فکر می‌افتاد که اصلاً هرگز دهی به اسم ولی‌آبادون در دهر وجود ندارد، که ناگهان مردکی دهاتی را دید که روی زمین دولا شده و توی جویی کم‌عمق، یا یک کرته، با بیل کار می‌کند. خیلی ریزنقش بود. از کمر به بالا لخت و برهنه بود. یک پاچهٔ شلوارش را هم بالا زده بود. چیزی شبیه بیل یا پارو دستش بود و از حرکات آهسته و پی‌درپی دستهایش معلوم بود که دارد آب یا گل یا چیزی را توی جوی، یا کرته، پیش می‌راند، یا راه آب باز می‌کند.

به ده که رسیدند صلات ظهر بود و پسرک دید که سرتاسر ولی‌آبادون نیز چیزی نیست جز تار عنکبوتی از این جوها و کرته‌های نمک در دور و بر یک مشت کپر گلی، که بعضی‌هاشان را با گچ سفید کرده بودند. اینجا و آنجا چند بزغاله به چشم می‌خورد، و تک و توک درخت و آثار جالیزهای خشکیده. در هوا بوی دود تاپالهٔ سوخته به مشام می‌رسید، که در فضای خشک ده با صدای بزغاله‌ها مخلوط می‌شد. تنها این چند کپر، با سقفهای کوتاه و مدور، که بزرگترینشان شکل یک مسجد را داشت، در پهنهٔ گستردهٔ کویر، بیشتر

شبیه لانه‌های بادکردهٔ مورچگان بودند که از زمین ورقلنبیده باشند. منظره‌ای بود! پسرک فکر کرد، صد رحمت به آلونک ته جوادیهٔ عمه نصرت.

زمانی موتورسیکلت را جلوی اولین کپر نگه‌داشت، اما خاموش نکرد، دو سه بار بوق زد.

«هی! حاجی! مشدی؟ سام و علیکم...»

اول تا مدتی هیچ‌کس نیامد بیرون. نیمدری چوبی کوتاه که توی خاک فرو رفته و کهنه و پوسیده بود، بسته ماند. کنار نیمدری، سینهٔ دیوار، یک حبانهٔ آب از دیوار آویزان بود که سرپوش حصیری پاره‌پوره داشت. باد دور کپر می‌پیچید. هُرم خورشید می‌تابید. پسرک حبانهٔ آب را نگاه کرد. فکر کرد نوشیدن آب از آن حبانه چقدر لذت دارد.

بالاتنهٔ یک مرد لخت و لاغر و قهوه‌ای از لای نیمدری پیدا شد. او هم مرد کوچکی بود. تکه‌چوبی را به شکل چوب زیر بغل یا اسلحه در دست داشت. چشمهای ریزش مثل گونه‌هایش گود رفته و خالی بود. با اسکلت چندان فرقی نداشت. وقتی جلوتر آمد، پسرک دید که فقط یک پا دارد. پسرک بیشتر به زمانی چسبید.

مرد دهاتی سرش را بالا نگه داشت و با لهجهٔ غلیظی گفت:

«چینه؟»

«حال شما خوبه. سلام و علیکم.»

«چی می‌گویی؟»

«شما مش‌چراغعلی هستی؟ مش‌چراغعلی؟»

دهاتی سرش را تکان‌تکان داد.

«ما دنبال مش‌چراغعلی می‌گردیم ـ کدخدا.»

مردک باز سرش را تکان داد. اما یک دست استخوانی قهوه‌ای‌رنگش را با چوب زیربغل بلند کرد و یک سو را نشان داد.

«خونه‌ی مش‌چراغعلی کدوم یکیه؟ یه لیوان داری یه چیکه آب بخوریم؟»

اما مردک غیبش زد، انگاری از دست طاعون فرار کند.

زمانی جلوتر رفت، و بعد از دو سه صحنه پرس‌وجو جلوی کپرهای دیگر، بالأخره کپر مش‌چراغعلی را پیدا کردند. زمانی که کفری شده بود، صدایش به تدریج بلندتر می‌شد. پسرک هم خسته بود، و از فرط تشنگی و خستگی رو به ضعف.

مش چراغعلی یک عرقگیر سفید رنگرفته تنش بود، با یک شلوار دبیت یزدی سیاه و خیلی گشاد.

«چی شده؟ بفرمائین. چی میخواین؟»

«می‌خواستیم پسرتون اکبر آقا رو ببینیم...»

«نیستن.»

«... با دوستش محسن آقا که اینجاست کار داشتیم.»

مش‌چراغعلی تندی گفت: «اینجا نیستن.»

«پسر دیگه‌تون جواد آقا ما رو فرستاده. خاطرتون جمع باشه. من امروز صبح جواد آقارو تو شهر دیدم. خیلی سلام رسوندند. گفت از قول من به آقام مش‌چراغعلی سلام برسون و بگو نشون به اون نشونی که خودم پریشب اومدم و یک کله‌قند آوردم، ما حالا یک پیغام برای اکبر آقا و محسن آقا آوردیم.»

مش‌چراغعلی با دهان باز زمانی و پسر کوچک را نگاه می‌کرد. «خب؟»

زمانی گفت: «خب به جمالتون... میشه اکبر آقارو ببینیم؟»

مش‌چراغعلی هنوز به آنها اطمینان نمی‌کرد. «عرض کردم که الآن اینجا نیسّن. دروغ عرض نکردم. نمیدونم کدوم سو رفته‌ن. خبر ندارم.» دور دهان چراغعلی هم یک جور کف خشک جمع بود که انگار سالها به خودش زحمت نداده بود آن را پاک کند. باد داغ هم که

توی صورتش می‌زد موهای سفیدش را که مثل الیاف پنبهٔ چرک شده بود تکان تکان می‌داد.

پسرک، پشت سر او، توی کپر را نگاه کرد. درون کپر سایه روشن بود و گود، و انگار با یک حصیر مثلاً مفروش شده بود. دو سه بچه کوچولوی قد و نیم قد کف کپر خوابیده بودند، فقط یکی از آنها پا شده و آمده بود جلو، از پشت‌پاهای چراغعلی سرکشیده بود و قبراق نگاه نگاه می‌کرد. زنی هم با چارقد، ته کپر تاریک، پشت به در، روی حصیر نشسته بود و انگار بچه شیر می‌داد. باد داغ به داخل کپر می‌زد و حبانهٔ آویزان آب را می‌لرزاند. ظاهراً از آب لوله‌کشی و از برق خبری و اثری نبود.

زمانی گفت: «ببین، مش‌چراغعلی. ما از رفقاشون هستیم، به قرآن مجید. ما میتونیم اونها رو ببینیم، خاطرتون جمع. ما غریبه نیستیم به امام حسین. این کوچولو داداش محسن‌آقا است. میگی نه از خودش بپرس. تو داداش محسن‌آقا نیستی؟»

پسرک گفت: «من واسه برادرم محسن‌آقا نامه آورده‌ام.» بعد فوری پشیمان شد که چرا بیخود حرف زیادی زده ــ به خودش گفت: پسر، عجیب ناشیگری می‌کنی.

مش‌چراغعلی گفت: «نومه؟ واسه داداشت؟» حرفهای پسر کوچک را تکرار کرد، انگاری که بخواهد معنی آنها را بفهمد. «بله آقا.»

پسرک فکر کرد آن مرد از او خوشش آمده، چون لابد قیافه‌اش مریض است، یا خنگ است، یا هر دو.

مش‌چراغعلی آمد بیرون. به اطراف نگاه کرد. دستش را گذاشت بالای ابروهایش، به افق جنوبی خیره شد.

«مظنه اونجو هستن... اون سو.»

پسرک و زمانی نگاه کردند.

«اونجو دارن کار میکنن.»

«کار میکنن؟»

مش‌چراغعلی جواب او را نداد. برگشت، سرش کرد طرف کپر. داد زد: «احمد!»

بچهٔ جقله‌ای که هنوز در کریاس در کپر ایستاده بود و قبراق نگاه می‌کرد، پرید و جفت زد بیرون. وقتی آمد جلو، و در روشنایی روز قرار گرفت ناصر دید که او پسربچه‌ای است همسن و سال خودش، ولی فقط یک چشم دارد. داشت از توی مشتش توت‌خشکه می‌خورد. پابرهنه بود و یک پیراهن بلند چلوار قهوه‌ای رنگ رفته تنش بود.

«احمد، این دوتا آیون‌و ببر پیش رسول و بقیه.»

«من؟»

«ها، برو.»

احمد ریزهٔ یک چشمی، ناگهان انگار جان تازه گرفت. ناصر او را نگاه می‌کرد. صورت کوچک و رنگ سبزهٔ روشن و یک چشم قهوه‌ای براقش جالب بود. خنده‌ای نیش احمد را گوش تا گوش باز کرد. ذره‌های توت‌خشکه لای دندانهایش بود. دیگر معطل نکرد. با خوشحالی پرید توی دشت و مثل قرقی به پرواز درآمد. صبر هم نکرد که شهریها موتورشان را راه بیندازند. او در دنیای خودش بود و آنها باید دنبالش می‌آمدند. زمانی به هر حال با آخرین سرعتش هم نمی‌توانست به قرقی برسد.

محسن را با دو جوان دیگر و یک دهاتی مسن، لب آخرین کرته‌های نمک پیدا کردند. چهار نفری پای دیوارک این کرتهٔ بزرگ نشسته بودند. ظاهراً خستگی در می‌کردند. یک کوزهٔ آب وسطشان بود. هر چهار نفر سیگار می‌کشیدند. یک پاکت اشنوویژه با کبریت لب دیوارک بود.

زمانی با موتور به دنبال احمد رفت صاف جلویشان. آنها هاج و

واج به موتور و تازه‌واردین نگاه می‌کردند. زمانی موتور را خاموش کرد. اول خودش لنگ درازش را از جلو از بالای فرمان موتور رد کرد آمد پایین. بعد پسرک پیاده شد. زمانی سلام کرد.

محسن فوری زمانی را شناخت، اما چشمانش از دیدن برادر کوچک خودش پشت موتور زمانی گرد شد و دهانش باز ماند. «امام حسین!»

«سلام، داداش محسن!»

«پسر، کی گفت تو بیای اینجا؟!» لحن صدایش نصف تشر و نصف محبت بود. شکل و قیافه‌اش هم همان‌طوری بود که پسرک آن روز توی قبرستان دیده بود، فقط آثار زخم گوشهٔ دهانش محو شده و ریشهایش بلندتر و صورتش تکیده‌تر شده بود.

«اومدم این نامه رو بیارم...» خواست نامه را از توی کفشش درآورد، اما بعد منصرف شد و صبر کرد. نمی‌خواست باز ناشیگری کند. زمانی رفته بود سراغ کوزهٔ آب.

«نامه؟»

«نامه داداش.»

«کی گفت تو نامه بیاری اینجا؟»

«مریم می‌خواست بیاره، من نذاشتم. ببخشین داداش، میدونم کار بدی کردم. اگه عزیز بفهمه ناراحت میشه.»

محسن آه پرغیظی کشید. بعد پرسید: «از رضاست یا از مصطفی؟» از صورتش معلوم بود که دلش می‌خواهد از مصطفی باشد.

«از داداش رضا.»

«بدهش ببینم.»

پسرک با احتیاط به چشمهای برادرش نگاه می‌کرد. به بقیه کاری نداشت.

«اشکالی نداره. کو نامه؟»

اما پسرک هنوز بی‌حرکت ایستاده بود. محسن فهمید و رو به بقیه گفت: «برادرها، این داداش کوچکم ناصره... گفته بودم که مریض بوده.» بعد رو به پسرک گفت: «اینها هم برادرهای من هستند، اینجا. اون اکبر آقاست و این رسول آقا، دو تا از پسرهای مش‌چراغعلی آردکپان.» بعد رو به دهاتی مسن کرد: «این برادر هم عموی پسرهاست.»

اکبر آردکپان یک دستش را روی ابرویش گذاشت و گفت: «سلام علیکم. آقاناصرخان، خیلی خوش‌اومدی.»

«سلام اکبر آقا.»

رسول آردکپان گفت: «سلام، ناصر آقای نبوی، صفا آوردی.»

«سلام رسول آقا.»

«دهاتی که با تسبیح نشسته بود، فقط سرش را تکان داد. محسن گفت: «مش جبار.»

«سلام جبار آقا.»

«ماشاالله. ماشاالله.» او زیر لب دعا می‌خواند.

محسن گفت: «اون کوچولو هم که دویید جلوتون اومد احمد آقا آردکپانه... از احمد فرزتر توی صحرا خودشه.»

پسرک باز به احمد آردکپان نگاه کرد و کوشید نیش باز او را با خنده جواب دهد.

«سلام احمد.»

«ها!» خندهٔ احمد آردکپان به پهنای تمام صورت ریزش بود. آنها با هم دوست می‌شدند.

محسن گفت: «میدونی آردکپان یعنی چی ناصر؟»

پسرک نمی‌دانست.

محسن گفت: «آرد که میدونی همون آرده. کپان هم یعنی کسی که با دست آرد خام میکپونه توی دهنش. اینجوری» یک دستش را

گود کرد و آورد جلوی دهانش و مثلاً کپاندن را نشان می‌داد. گفت: «روزهایی بوده ــ مثل قحطی و بی‌آبی و نبودی و اینجور چیزها ــ که اجدادْ اینها آرد می‌کپوندند.»

جعفر زمانی که آب خوردنش تمام شده و آمده بود جلو، در حالی که با دست لبهایش را خشک می‌کرد به شوخی گفت: «حالام اگه گیرشون بیاد میکپونن.» همه خندیدند. زمانی را بیشترشان می‌شناختند. اکبر از پاکت سیگار اشنوویژه به زمانی تعارف کرد. او ظاهراً رفیق صمیمی اکبر آردکپان بود.

محسن دست پیش برد و برادر کوچکش را با خنده بلند کرد و گذاشت قلمدوش خودش و دو سه بار دور خودش و وسط صحرا چرخید... بعد او را گذاشت زمین، و از او خواست تمام ماجرا را برایش تعریف کند. پسرک همه چیز را تعریف کرد از رفتن به منزل عمه‌نصرت و گرفتن نامه و اصرار مریم که خواسته بود خودش با زمانی بیاید. فقط به این دلیل بود که او بالاجبار به اینجا آمده بود. قسم خورد.

چشمهای محسن دوباره پر از اخم و اوقات تلخی شد. «عزیز سعی نکرد جلوش‌و بگیره؟»

«عزیز نمیدونست. هنوز هم نمیدونه. منم نمیدونه که اومدم اینجا.»

محسن سر تکان داد. «کار صحیحی نکردی. رسیدی خونه همه چی رو بهش بگو ــ یعنی به عزیز. فهمیدی؟»

«چشم.»

«نامه رو رد کن ببینم.»

نامهٔ رضا را از توی کفشش، از توی کیسه نایلونش درآورد و به دست محسن داد. محسن اول نامه را یک مرور کلی کرد، بعد خوب آن را برانداز کرد، و غرق خواندنش شد.

پسرک گفت: «مریم هم اینو خونده. میگه اونم میخواد یه مجاهد بشه.»

محسن انگاری چیزی کوبانده باشند پشت جمجمه‌اش، سرش را بالا آورد. مدتی به چشمهای برادر کوچکش نگاه کرد. بعد گفت: «یا سیدالشهدا.»

پسرک گفت: «باید شما بیاین باهاش حرف بزنین، داداش.»

«دیوونه‌س. بهش بگو نه! بگو داداش گفت نه.» بعد گفت: «گوش بده... خوب گوشاتو وا کن. خیلی جدی. مسألهٔ مرگ و زندگی‌یه. به مریم بگو ـ از قول من بگو ـ بگو محسن گفت هیچ کاری نکن، هیچ جایی نرو، هیچ حرفی نزن؛ بگو داداش محسن سلام رسوند و مرگ خودشو قسم خورد و خیلی محکم گفت، با هیچکس لام تا کام حرف نزن تا من بیام باهات حرف بزنم. می‌فهمی؟ بگو محسن چند دفعه حرفشو تکرار کرد ـ فهمیدی؟»

«آره، چشم.»

«بگو مرگ خودشو با قسم تکرار کرد.»

پسرک سرش را چند بار آورد پایین. بعد گفت: «یه انشاء هم نوشته.»

«انشاء؟!» اخمهای محسن بیشتر توی هم رفت.

«یک انشاء سیاسی ـ در بارهٔ ولخرجیها و حرفهای ملکه فرح در اروپا و از این حرفها. بیشتر جمله‌هاشو از نامه رضا آورده ـ»

«سر کلاسم خونده!؟»

«انشاء رو داده به خانم معلمشون که تمام انشاءهارو اول خودش میخونه بعد اجازه میده بچه‌ها سر کلاس بخونن. اما معلمشون انشای مریمو پس نمیده، دیگه پس نداده. معلوم نیست چکارش کرده. یه دفعه گفته پاره کرده ریخته دور. یه دفعه گفته گم شده. اما مریم تمام نامهٔ رضا رو تو کتابچه‌ش کپی کرده و برای دوستاش میخونه.»

محسن چیزهای نامفهومی زیر لب گفت، بعد گرفت نشست زمین و تمام نامه را حسابی تا آخر خواند. جا به جا سرش را تکان می‌داد. دستهایش می‌لرزید. در جایی که ناصر فکر کرد به موضوع شکنجهٔ مصطفی و عمل جراحی روی مصطفی رسیده است مدتی چشمهایش را بست، نفس در سینه‌اش حبس شد، بعد لعنت فرستاد و فحش داد.

«همه این نامه‌رو خونده‌ن؟»

«حالا بله. البته بجز مصطفی که زندونه.»

محسن به تبعیت از دستور برادرش رضا، کبریت زد و نامه را سوزاند و جزغالهٔ آن را توی مشتش خاک کرد و به باد دشت سپرد.

«گوش بده. به مریم بگو که هر جور رونویس یا هر چی از این نامه داره حتی اگه یه جمله‌ش رو یه جا نوشته، فوری و حتماً و حکماً همه چی رو نابود کنه. بگو این فقط به خاطر جون و زندگی خودش نیست، به خاطر رضاست، بخاطر باباست، بخاطر عزیزه، بخصوص بخاطر توئه که این نامه‌رو آوردی اینجا. این جور چیزها مخفی نمیمونه. اینهارو از قول من به مریم بگو. تمام اینها رو بهش بگو. همه رو بگو. فهمیدی؟...»

«آره داداش. چشم.»

«یه کاری کن خوب بفهمه، و به عزیز هم همه‌چی رو بگو... بگو هر کاری میکنه بکنه که مریم فقط بفهمه.» یک رگ گردن محسن سیخ شده بود و مثل لبهٔ یک چاقوی تیز بیرون زده بود.

پسرک گفت: «بله، می‌فهمم، داداش.» هرگز محسن را این چنین ترسیده و نگران ندیده بود.

«تو هم باید هرچه زودتر برگردی. خسته که نیستی؟»

«فقط تشنمه!» به لبهای خشکش دست زد. محسن خندید و او را به طرف کوزه آب برد. «بیا طفلک! اینهمه راه و اینهمه وقت، من به تو

یه چیکه آب هم ندادم... بیا.»

پس از مدتی همه با هم دست دادند و برای خداحافظی روبوسی کردند.

زیر آفتاب سوزان دشت نمک، پسرک آنها را نگاه کرد. همه را نگاه می‌کرد. برادرش محسن را. جعفر زمانی را. اکبر آردکپان را. رسول آردکپان را. مش‌جبار تسبیح به دست را. حتی احمد کوچولو را ــ که او هم با یک چشم ریز و سیاهش همه چیز را نگاه می‌کرد. به فکرش رسید چیزی در سینه‌اش می‌شکند. در یک برق زودگذر در مغزش، احساس عجیبی زیر پوستش موج زد که انگار این منظره را قبلاً جایی دیده، یا در خواب دیده، یا قرار است بعدها جایی یا در خواب ببیند. باد خشک، آسمان خالی، زمین ترک‌خورده، بچه‌های مریض، دشت کهنه، جوانهای ریشو، دهاتیهای گرسنه، مرد تسبیح به دست، مبارز پرنفرت، مجاهد پرترس و لرز و مغشوش.

آن شب، وقتی او و مریم توی اتاق آنطرف حیاط، روی گلیم اتاق ولو شده بودند و مشق می‌نوشتند، از نامهٔ رضا، از محسن، از برادرهای آردکپان، بخصوص از زمانی عجیب خیلی حرف زدند. این اتاق حیاط مال پسرهای بزرگتر بود، ولی حالا فقط مریم از آن استفاده می‌کرد. پسرک فقط برای مشق نوشتن و کمک گرفتن از مریم به اینجا می‌آمد. روی دیوارها پر از عکسها و نوشته‌های قابشده بود. یکی از آنها را مریم بیشتر از بقیه دوست داشت، و آن را بالای رختخوابش به دیوار زده بود. نمونه‌ای از خطاطی کوفی عالی رضا بود. در این کتیبه رضا بخشی از آیه‌ای از قرآن را با دو رنگ جوهر سیاه و قرمز قلم زده بود:

«سُبْحانَ الّذی اَسْریٰ بعَبْدَهُ لیلاً مِنَ الْمَسْجِدُ الحَرام اِلی الْمَسْجِد الاَقصیٰ الّذی بارکنا حَولَه مِن آیاتِنا اِنّه هُوَ السَمیعُ وَالْبَصیر.»

مریم می‌گفت نامهٔ خود رضا هم، در تاریکی، از سواحل دور دنیای اسلام و فلسطین و آنجاها آمده است... و پیام او را برای «خاصان خود» می‌آورد. مسجدالاقصی اولین کعبه مسلمانان است، یک مرحلهٔ انتقالی است. رضا خودش آنجاست. جنگ می‌کند. نوید پیروزی آینده را می‌دهد... رضا نبوی، در این تاریکی، پیام قرآن را حمل می‌کند. این حرفها مریم را به هیجان آورده بود، و او این آیه را روی تمام کتابهایش نوشته بود.

آن شب پسرک معنی این چیزها را نمی‌فهمید و درست نمی‌دانست مریم تا چه حد از رضا تأثیر گرفته و خودش هم حامل پیام شده و راه هم افتاده است. در حقیقت، با الهام از نامهٔ کذائی رضا، مریم موضوع آزاد انشائش را به تناقض خرجهای دولت و دربار در خارج از کشور و نادیده گرفتن محرومیتها و فقر و فلاکت مردم دهات و این‌جور حرفها اختصاص داده بود: «آیا لازم است؟»

آن شب، او چند جملهٔ آخر انشائش را برای پسرک خواند.

«قشنگ نیست؟»

پسرک شانه بالا انداخت و زیر لب گفت: «نمیدونم. اینهارو میشه سر کلاس خوند؟»

«ترسو نباش جقل‌جون. خانم دبیرمون روشنفکره، با منم خوبه.»

پسرک سرش را تکان تکان داد و باز شانه بالا انداخت و حرفها و اصرار اکید محسن را، مبنی بر اینکه او نباید دربارهٔ این چیزها حرف بزند، برای هزارمین بار تکرار کرد.

مریم گفت: «این فقط یه انشاءست.»

فصل دوازدهم

سحر که آمد لب حوض دستنماز بگیرد، مریم لب پاشویه ساکت نشسته بود. هیچ کاری نمی‌کرد. ماتش برده بود.

«چرا اینجا نشستی؟

«هیچی.»

«طوری شده؟»

«نه.»

«پس چرا دستنماز نمیگیری بری نماز بخونی؟ چرا اینجا نشستی؟ میچّای...»

«هیچی.» بعد زیر لب گفت: «خواب بدی دیدم...»

«خواب چی دیدی؟»

«ولش کن، حالا باشه»

در عرض سه هفتهٔ گذشته، شبها که او و مریم مشق می‌نوشتند، عزیز می آمد با مریم حرف می‌زد. نصیحت می‌کرد. مریم دختر فهمیده و نجیبی است و نباید خودش را داخل کارهایی کند که داداشهایش می‌کنند. همانطور که محسن خودش گفته. مریم نباید هیچ کاری بکند تا محسن خودش را به مخاطره بیشتر بیندازد و بیاید با او حرف بزند.

مریم هم حالا تقریباً قبول کرده بود و می‌گفت چشم، به عزیز قول داده بود به دلخواه او عمل کند. پسرک تمام حرفهای آنها را درست نمی‌فهمید. اما عزیز خیلی حرفها می‌زد. مریم باید یادش باشد که دختر است، یک دختر با آبروی ایرانی، با دین و ایمان حسابی. باید با احتیاط و از روی عقل و عفت عمل کند. احساسات جوانی یک طرف، شرف و آبرو یک طرف. همه چیز یک طرف، حیثیت و آبروی دختر یک طرف. تا بوده این توی خون هر دختر ایرانی بوده و باید باشد. اول پاکی و حیثیت دختر، بعد چیزهای دیگر. اول احتیاط بعد احساسات. ناصر فکر می‌کرد مریم هم این چیزها را می‌فهمد و حالا قبول کرده است. این بود که امروز صبح که ناگهان مریم را لب حوض مات و مبهوت می‌دید حالت او را به پای خواب بدی که می‌گفت دیده بود گذاشت.

سر ناشتای آن روز صبح هم پسرک همه‌اش بی‌جهت به مریم نگاه می‌کرد. به نظرش می‌آمد که از همیشه زیباتر شده است ــ شاید برای اینکه مریم موهایش را قشنگ شانه زده بود عقب، یا شاید برای اینکه ساکت بود و زیاد پاپیِ برادر کوچکش نمی‌شد.

قیافهٔ آن روز صبح مریم تا سالهای سال جلوی چشم پسرک ماند. رنگش از معمول پریده‌تر بود. موهای سیاه و بلندش هم صاف و خیس پشت سرش جمع شده بود و به او حالتی غمگین و پاک و طاهر می‌داد، شبیه چیزی که از حضرت مریم که تصویرش را گاهی اینجا و آنجا دیده بود. شاید هم کمی شکل میترا بود.

هفت و نیم بود که او و مریم مثل هر روز با هم از خانه بیرون آمدند. صبح آفتابی و قشنگی بود. معمولاً پیاده از کوچه می‌آمدند بالا و می‌انداختند توی درخونگاه، و بعد توی کوچهٔ باریک مجدالدوله. ته کوچهٔ مجدالدوله مریم او را می‌گذاشت مدرسهٔ عنصری

و خودش از ته کوچهٔ دباغخانه می‌انداخت توی خیابان شاهپور، بعد از خیابان فرهنگ می‌زد توی امیریه و مدرسهٔ دخترانهٔ ناموس. از خانه تا مدرسهٔ عنصری پنج دقیقه راه بود و تا دبیرستان ناموس، اگر مریم تند می‌رفت و جایی نمی‌ایستاد، یک ربع ساعت طول می‌کشید.

اما امروز، سرکوچهٔ خودشان، کمرکش درخونگاه، به دو مرد ژنده‌پوش برخوردند که شکل و قیافهٔ نوازنده‌های دوره‌گرد را داشتند ــ انگار لوطی انتری بودند. دست یکی‌شان یک جعبه ویلن بود. دست دومی یک دنبک بود. هیچ چیزی نمی‌زدند. اول آنکه دنبک دستش بود پسرک را صدا زد. یک تکه کاغذ هم در دست دیگرش داشت.

گفت: «اِ... ببخشید، آقاکوچولو... شوما این آدرس‌رو بلدین؟»

پسرک یکه‌خورد: «چی؟»

مرد دوم گفت: «خیلی باهاس ببخشین. معذرت میخوایم. شوما آدرس منزل اصغری‌رو بلدین؟»

«آقای اصغری؟ ــ» به مریم نگاه کرد.

مریم چیزی نگفت ولی از زیر چشم نگاهی به آن دو نفر که تقریباً جلویشان را گرفته بودند انداخت. روسریش را سفت کرد.

مرد دومی گفت: «بله، علی اصغری.»

عین جهودهای دوقلو لباس پوشیده بودند. پالتوهای بارانی کهنه و بی‌رنگ، کلاههای شاپوی خاکستری یک جور، شال گردنهای کهنه رنگارنگ، و کفشهای پاره پورهٔ قهوه‌ای... مرد قدبلندی که جعبه ویلن داشت، جوان بود. صورت چاقالوی مستطیل‌شکلی داشت، چشمهای درشت، ابروهای پیوسته، و رویهمرفته خوش قیافه بود. اما دومی، آنکه دنبک و کاغذ آدرس دستش بود، قیافه‌اش تخس بود و صورتی مثلث‌شکل مثل روباه داشت، با چانهٔ تیز و چشمهای زل، که توی ذوق می‌زد.

اولی گفت: «آره، جانم، آقای اصغری.» تمام مدت به مریم نگاه می‌کرد. حالا تکه‌کاغذ را گرفت و به دختر جوان نشان داد. «کوچه‌ی بناها، ته کوچه، دست چپ، در آخر.»

پسرک گفت: «اِ... ینجا که آدرس خونه‌ی ماس.»

مرد دومی گفت: «خونه‌ی کی؟»

«خونه‌ی ما. خونه‌ی اوس عبدالرضا. عبدالرضا نبوی قائناتی.»

مرد اول با مهربانی و پوزش‌خواهی گفت: «به... پس خیلی باید ببخشین. ببین، آدرس اشتباهی به ما دادند....» لبخند زد. «اگه خونه‌ی شماست پس نمی‌تونه خونه‌ی آقای اصغری ما باشه.»

مریم گفت: «نه‌خیر.» بعد تندی به پسرک گفت: «بیا بریم.»

مرد اولی گفت: «ببخشید، فقط یه سؤال دیگه. خانوادهٔ آقای اصغری قبلاً اینجا نبوده‌ن؟»

«نه. ما نمیدونیم.»

مرد دومی از پسرک پرسید: «شوما خودتون اینجا توی این آدرس زندگی میکنین؟»

سؤال‌هایش هم مثل چانه‌اش تیز و مستقیم بود، انگار بخواهد تیز و دقیق مطمئن شود.

پسرک گفت: «بله.»

«مستأجر ندارین؟ یعنی تو خونه‌تون همسایه ممسایه ندارین؟»

«همسایه؟ نه... ما اصلاً همسایه نداریم. فقط ما اینجا زندگی می‌کنیم.»

مرد اولی گفت: «بابا چرا متوجه نمیشی، شاه غلام. آدرس اشتباه‌س. اینها بچه‌های اوس عبدالرضا نبوی قائناتی هستند. نه بچه‌های علی آقا اصغری. بیا بریم... ببخشین.»

مرد دومی از مریم پرسید: «درسته همشیره؟»

مریم جواب او را نداد. داشت می‌لرزید.

پسرک به جای مریم جواب داد: «بله. بله درسته.»

مریم تندی آستین او را گرفت و با فشار کشید و برد ــ طوری که پسرک نزدیک بود بیفتد.

مرد اولی شروع کرده بود که از آنها تشکر کند، اما مریم حتی برنگشت او را نگاه کند و به پسرک گفت: «برنگرد! نگاهشون نکن!»

«چیه مگه؟»

«اصلاً اینها کی بودن؟»

«لوطی انتری بودن...»

«چرا بیخودی باهاشون حرف زدی؟ چرا جوابشون رو دادی؟ هیچوقت با هیچ کس بیخودی حرف نزن!»

«مگه چیه؟»

«هیچی! ساکت!»

تند تند رفتند طرف کوچه مجدالدوله. وقتی داشتند از درخونگاه می‌پیچیدند توی کوچهٔ مجدالدوله، پسرک سرش را برگرداند و نیم‌نگاهی به عقب انداخت. آن دو مرد هنوز آنجا ایستاده بودند. هنوز داشتند آنها را نگاه می‌کردند، و حرف می‌زدند.

مریم او را جلوی مدرسه ترک کرد و خودش تندتر از معمول به طرف مدرسه‌اش، به سوی کوچهٔ دباغخانه سرازیر شد. پسرک چند ثانیه‌ای تنها جلوی در مدرسه ایستاد و او را از پشت سر تماشا کرد. سر پیچ دباغخانه مریم قبل از اینکه محو شود سر برگرداند و برادر کوچکش را نگاه کرد. پسرک را جلو در مدرسه دید. برای او تندی دست تکان داد. اما این علامت خداحافظی همیشگی نبود. انگار فقط می‌گفت: «برو تو.» و خودش فوری در راه مدرسه غیب شد.

فصل سیزدهم

نیمه شب، تلخ و عبوس در خانهٔ درخونگاه فرود آمده بود ‫-ولی
اوس عبدالرضا و مهری‌خانم و حتی پسرک هنوز بیدار بودند. پسرک
کنار مادر کز کرده بود، هم خوابش می‌آمد، هم چشمانش اشک‌آلود
بود. مادر سینهٔ دیوار نشسته بود و هنوز زارزار گریه می‌کرد. اوس
عبدالرضا گوشهٔ دیگر اتاق چمباتمه زده بود، تسبیح به دست، به یک
نقطه زل زده بود.

ساعتی پیش خسته و بی‌نتیجه از جستجو دنبال مریم برگشته بودند.
پسرک ته دلش احساس می‌کرد که حالا عزیز و پدرش مطمئن‌اند که
مریم را احتمالاً از طرف ساواک گرفته‌اند... بخصوص بعد از اینکه
پسرک موضوع برخورد آن روز صبحشان سر کوچه و آن دو تا مرد
در لباس مطربهای دوره‌گرد را توی کوچه درخونگاه تعریف کرده و
گفته بود که آن دو دنبال خانه‌ای می‌گشتند اما آدرس خانهٔ استاد
عبدالرضا را می‌دادند.

بعد از اینکه تا ساعت پنج و شش مریم از مدرسه برنگشت، عزیز
که نگران شده بود، همراه پسرک راه افتاد و اول پرس و جو را از خانهٔ
یکی از دوستانش ته کوچهٔ دباغخانه شروع کردند. بعد رفته بودند

مدرسه‌اش. فراش مدرسه گفته بود مریم نبوی نیم ساعتی بعد از زنگ آخر توی کتابخانه بوده بعد تنها رفته بود ـ حدود چهار و نیم. بعد حتی جلوی دانشگاه سری به کیوسک کتابفروشی آقامرتضی زده بودند. پسرک حتی خودش تنهایی با دوچرخهٔ یکی از بچه‌های کوچه به خانهٔ عمه‌نصرت رفته و سراغ گرفته بود. زمانی آنجا نبود، و کسی هم از مریم خبر نداشت. عمه‌نصرت هم از ناپدید شدن مریم به گریه افتاده و حدس زده بود گرفته بودندش و نذر و نیاز کرده بود. ساعت هشت و نه شب پسرک حتی به کله‌اش زده بود که به ولی‌آبادون برود. اما وسیله نداشت و فکر هم نمی‌کرد راه را درست بلد باشد. به هر حال، حتی احتمال اینکه مریم بدون خبر و اجازهٔ مادرش به ولی‌آبادون رفته باشد بعید بود. بعید بود تنهایی به آنجا رفته باشد، لااقل نه بدون اینکه به پسرک چیزی گفته باشد.

ساعت ده و نیم یازده شب، بالاخره به کلانتریهای سر امیریه و کالج رفته بودند. گم شدن مریم را اطلاع داده بودند. در این دو مرکز پلیس هیچگونه خلافی یا بازداشتی یا تصادفی دربارهٔ مریم نبوی گزارش نشده بود، ولی گفتند به هر حال تحقیق خواهند کرد. اسم و آدرس استاد عبدالرضا را گرفتند، و چون پیرمرد عبوس با آنها با دعوا و مرافعه و توپ و تشر حرف زده بود، با سوءظن براندازش کرده، بعد ولش کرده بودند. اوس عبدالرضا «آنها» را مسئول این بدبختی می‌دانست. سرشان داد زده بود که آنها و دستگاه و تشکیلاتشان باعث تمام این بدبختیها هستند.

اما اثری از مریم نبود ـ دختر بیگناه در راه مدرسه انگار آب شده و به زمین فرو رفته بود ـ همانطور که سال پیش مصطفی، یک روز، به سادگی با دوستانش از خانه رفته بود بیرون، و دیگر خبری از او نشده بود، تا اینکه پنج ماه بعد پدر و مادرش فهمیدند که او را در زندان اوین نگه داشته‌اند ـ و اتهامش خرابکاری بوده: می‌خواستند

هویدا و بقیه وزراء را در مسجد سپهسالار با بمب منفجر کنند، و مصطفی هنگام دستگیری و مقاومت در مقابل مأمورین زخمی و دستگیر شده بود.

گوشهٔ اتاق تاریک، در حالی که مادرش گریه می‌کرد، پسرک به فکر حرفها و تعریفهای کارهایی افتاده بود که شنیده بود ساواکیها می‌کردند... دستگیری توی کوچه‌های خلوت... بازپرسی... و شکنجه... بازداشتگاه کمیته مشترک... زندان اوین... ته دل دردمندش تقریباً احساس قوی داشت که آنها مریم را گرفته بودند. خودش را می‌کشت نمی‌توانست جلوی افکار مغز خودش را بگیرد که الان مریم کجاست، که آنها کجا و چه وقت دستیگرش کرده بودند، و چه کارهایی با او کرده بودند. چه کارهایی می‌توانستند بکنند. با مریم!

شنیده بود دخترهای خوب و بیگناه را به زندان کمیته یا به زندان قصر یا زندان اوین می‌برند. شنیده بود آنها را به نیمکت می‌بندند و با شلاق کتک می‌زنند. از بچه‌های مدرسه شنیده بود که ناخنهای دست و پایشان را می‌کشند، یا آنها را روی اجاق برقی می‌نشانند!

در فکر دو مطرب ژنده‌پوش و عجیب هم بود که آن روز صبح وسط درخونگاه از آنها سؤال و جواب کرده بودند و آخر سر دیده بودشان که به طرف دهنهٔ درخونگاه و سر بوذرجمهری می‌رفتند.

لابد ماشینشان را همان جاها نزدیک پمپ بنزین بوذرجمهری پارک کرده بودند. شنیده بود که همیشه به صورت گروه سه نفری کار می‌کردند و مواظب هم بودند. لابد نفر سوم با لباس شخصی یا با یونیفرم افسری پلیس، آن طرف خیابان روبروی پمپ بنزین مواظبشان بود و به هم علامت می‌دادند. لابد دو مطرب ژنده‌پوش علامت مثبت داده بودند. لابد ژنده‌پوش جعبهٔ ویلن به دست علامت داده بود که مأموریت تمام است. حتماً توی جعبهٔ ویلن یک مسلسل داشت!

شنیده بود آنها توی ماشینهاشان سوئیچ بی‌سیم داشتند و از آن با مرکز و با منشیهای خودشان در دفترشان تماس برقرار می‌کردند... بعضی از واژه‌ها و کارهاشان را از زمانی و از آقامرتضی و از خود محسن شنیده بود. لابد گزارش کار شناسایی مریم در درخونگاه را به صورت تلفن‌گرام رد کرده بودند و بعد پیگیری کرده بودند. «یک فرم قرار بازداشت فوری» پر کرده بودند و به مافوقشان رسانده بودند ــ پروژه مریم فرزند سید عبدالرضا، شهرت نبوی قائناتی، ساکن تهران، درخونگاه، کوچه بناها، دست چپ در آخر، دانش‌آموز سال چهارم دبیرستان ناموس، خواهر محمد نبوی قائناتی، مقتول در تظاهرات خیابانی ۱۳۴۲/۳/۱۳، خواهر علی نبوی قائناتی، مقتول در تیراندازی به مأمورین و مقاومت هنگام دستگیری مورخ ۱۳۵۰/۴/۱۰، خواهر رضا نبوی قائناتی، تحت تعقیب ساواک و شهربانی و به قرار اطلاع خارج از کشور در جنوب لبنان، خواهر مصطفی نبوی قائناتی، در بازداشت در زندان اوین، اتهام اقدام به بمب‌گذاری و تیراندازی و قتل عباس جلالی مأمور ساواک مورخ ۱۳۴۹/۵/۱۶، خواهر محسن نبوی قائناتی، تحت تعقیب ساواک و به قرار اطلاع اکنون در تهران یا حومه، با رابطه‌هایی در شیراز، مشخصات فعالیتهای او نامعلوم، ولی مورد احتیاج فوری... پروژه به جرم نوشتن انشاء و متون دیگر برخلاف مصالح رژیم سلطنت مشروطه، به تاریخ امروز بازداشت... و کسب اطلاعات دربارهٔ دو برادر فراری‌اش!

در حالی که این فکرها از مغز پسرک می‌گذشت، گریهٔ عزیز هم مرتب سوز بیشتری پیدا می‌کرد... صدای دعا و الله‌اکبر گفتن اوس‌عبدالرضا هم به مرور تلخ‌تر و بلندتر می‌شد. پسرک سعی می‌کرد فکر کند مریم تمام روز در مدرسه چه حالی داشته؟ زنگ اول ادبیات داشت بعد ریاضی و بعد از زنگ تفریح تعلیمات اجتماعی. آیا از برخورد صبح زود سر کوچه‌شان با دو ناشناس ژنده‌پوش و مرموز

دلشوره داشت؟ آیا به خاطرش خطور نکرده بود چه بلایی در انتظارش است؟ او معمولاً ناهار را می‌برد مدرسه و در کتابخانه مدرسه با دوستانش می‌خوردند. ساعت حدود چهار، چهار و نیم بعد از ظهر از دبیرستان بیرون آمده بود. گاهی با اجازهٔ محتاطانهٔ عزیز این روزها، نیم ساعت بعد از وقت مدرسه می‌ماند تا به کارهای کتابخانهٔ انجمن اسلامی که این روزها در مدرسه محبوب شده بود، و دوست داشت، رسیدگی کند. اگر به عزیز نگفته بود بعد از مدرسه به جایی می‌رود، همیشه پیاده به خانه برمی‌گشت، که ربع ساعت راه بود. از امیریه می‌پیچید توی خیابان فرعی و خلوت حاج شیخ هادی. لابد یک جا وسط همین خیابان فرعی خلوت بوده که «آنها» با یک یا دو اتومبیل ریخته بودند جلو راهش و با خشونت یا بی‌خشونت دستگیرش کرده و برده بودند!

شنیده بود به روال معمول، کسانی را که دستگیر می‌کردند، اول به کمیته مشترک شهربانی-ساواک می‌بردند، گرچه نمی‌دانست کجاست. آیا مریم را هم به آنجا برده بودند؟ یا چون او خواهر سه مجاهد اسلامی بود او را از همان محل دستگیری به زندان اوین انتقال داده بودند؟ ــ خودش هم که انشاء علیه رژیم سلطنتی نوشته بود، و دربارهٔ «مخارج بی‌رویهٔ دربار» انتقاد کرده بود!

آیا حالا داشتند از او بازجویی می‌کردند؟ چه جوری بازجویی می‌کردند؟ شکنجه می‌دادند؟ باز به خودش لرزید.

وقتی گریهٔ مادرش به هق‌هق افتاد، پسرک در عالم بچگی از عزیز پرسید آیا نمی‌توانند به مادربزرگ میترا مراجعه کنند؟... شاید آنها بتوانند کمک کنند. اما اوس عبدالرضا به شنیدن این حرف بلند شد آمد و چنان سیلی محکمی توی گوش پسرک زد که او از کنار زانوی مادرش پرت شد وسط اتاق. ضربه‌ای سخت و بی‌معنی بود، و صدایش در اتاق ماتمزده پیچید.

عزیز گریه‌اش بدتر درآمد که «چرا بچهٔ مریض‌رو اینجوری می‌زنی؟»

«خفه شه!»

«چه عقلش میرسه؟ میخواد کمک کنه.»

«تا اون باشه که اسم اون حروم‌لقمه‌های معصیت‌کارو نیاره.»

«خب، این بچه چه میفهمه این حرفها چیه. این بچه میخواد به خواهرش کمک کنه. اونا خیلی‌ها رو می‌شناسن.»

«تو هم خفه شو، زن! من بهتر میدونم یا تو؟ ترجیح میدم سر اون دخترو بذارم لب باغچه ببرم و اسم و آبروش به دست اونها لکه‌دار نشه...»

بعد ساکت شد. مهری‌خانم هم دیگر ساکت ماند، از اتاق بیرون رفت. توی راهرو پشت در حیاط توی تاریکی نشست. پسرک بلند شد آمد کنار مادرش روی زمین نشست. «عزیز، گریه نکن...»

اما عزیز آن شب تا نزدیکیهای سحر همانجا توی راهرو پشت در حیاط به انتظار نشست و گریه کرد و توی سینه‌اش زد. پسرک مدتی همانجا روی زمین ماند، تا اینکه با اصرار مادرش مجبور شد بلند شود برود توی رختخوابش دراز بکشد. مهری خانم خودش می‌خواست پشت در بنشیند تا اگر کسی آمد هوشیار باشد. پسرک به خاطر او رفت توی رختخواب، اما خوابش نبرد.

پدرش هم پس از مدتی بلند شد رفت لب حوض، کنار پاشویه چمباتمه زد. هر چند دقیقه به چند دقیقه، یک مشت آب به سر و صورتش می‌زد، و لااله الا الله می‌گفت، که خواب از سرش بپرد. پسرک می‌دانست آنها منتظر چه هستند. نمی‌دانست منتظر مریم‌اند یا منتظر ساواک؟ خودش تمام اندرون و سینه‌اش دیگر از شدت درد منگ بود، و بیشتر از ترس بود که خوابش نمی‌برد. او هم هر چند وقت یک بار بلند می‌شد می‌آمد مادر و پدرش را نگاه می‌کرد، یا

گوشش را به دیوار کوچه می‌چسباند.

منظرهٔ پدرش در تاریکی حیاط لب حوض غمناک‌تر از منظرهٔ مادرش در ظلمات زمین راهرو، پشت در کوچه نبود. هیچ‌وقت پدرش را اینطور زبون و مغلوب ندیده بود. از دست دادن دو پسرش یک طرف، زندانی و فراری بودن سه پسر دیگرش هم یک طرف... اما ناگهان ربوده شدن تنها دخترش مریم به دست ساواکیها... این درد دیگری بود... چطور ممکن بود مردی مثل او که حتی حاضر نبود اسم و آبروی دخترش را پیش قوم و خویشهای وابسته به رژیم ذکر کند، طاقت بیاورد که دخترش در چنگال گرگهای بی‌اسم و صورت گرفتار باشد؟

یک بار که وسط تاریکی شب ناگهان صدای ضربه‌های شرق شرق شرقی از توی حیاط بلند شد، پسر کوچک پرید آمد پدرش را از پشت شیشه تماشا کرد. پیرمرد داشت می‌زد توی صورت و توی پیشانی و توی سر طاسش... اول ضربه‌هایی که می‌زد با کف دست، شل ولی پرصدا بود، و تقریباً ریتم ملایمی داشت. انگاری که دارد نوحه می‌خواند. بعد کم‌کم ضربه‌ها صدای محکم‌تر و تندتر و خشک‌تری پیدا کرد، و ادامه یافت. بعد شروع کرد با دو مشت کوبیدن توی سر و گیجگاه و دماغش ــ مثل اینکه در دل این شب سیاه و بد، مجنون‌وار، بخواهد دشمن نامرئی خودش را به قصد کشت بزند. تا پسرک و عزیز بیرون دویدند که جلوی پیرمرد را بگیرند، سر و صورت و دماغ و مشتهای اوس عبدالرضا غرق خون بود. حتی دستهای پسرک هم که سعی کرده بود جلوی مشتهای پدرش را بگیرد، خون‌آلود کرد.

فصل چهاردهم

آن شب هیچکدام نخوابیدند.

دمدمه‌های سحر، پس از آنکه اوس‌عبدالرضا بالأخره بلند شد و رفت توی حیاط، دم پاشیر حوض وضو گرفت و رفت نماز استغاثه‌ای را بخواند، انگار آرامتر و عقلانی‌تر شده بود. اما هنوز هم وامانده و بدبخت به نظر می‌رسید. پسرك او را نگاه می‌کرد. بعد از نماز، از همان سر سجاده، پدرش سربرگرداند، و در حالی که به طرف دیواری که زنش هنوز پای آن چمباتمه زده بود گفت:

«میگم... فعالیت معالیتی چیزی نداشت که به شوما گفته باشه؟»

مهری‌خانم آه سکسکه‌واری کشید که «من چه میدونم؟ مگه با من حرف میزنن؟ با اون کارهاشون و با اون حرفهاشون... بچه‌م‌رو ذلیل کرده‌ن.» بعد سر برگرداند. چشمانش را خشك کرد، و به طرف تاقچه نگاه کرد. به تمثال قابشدهٔ حضرت امیرالمؤمنین خیره شد، و آهی از ته سینه‌اش کشید.

اوس‌عبدالرضا گفت: «یعنی میگم، این بچه هیچوقت حرفی نزد، چیزی از دهنش در نیومد که سر نخی باشه؟»

مهری‌خانم گفت: «نه... فقط نامهٔ رضا بود که وقتی اومد چند دفعه

خوند... بعد هم داد که ناصر ببره بده به داماد نصرت. اونم برد برای محسن و بعد هم گفت محسن کاغذو خونده و سوزونده.»

آنها همه رازهای کوچک خودشان را داشتند. مهری‌خانم به شوهرش نگفته بود که ناصر همراه داماد عمه نصرت به ولی‌آبادون رفته. پسرک موضوع انشاء مریم را به عزیز نگفته بود، چون خود مریم نگفته بود، و پدر و مادرش هنوز از انشاء کذایی چیزی نمی‌دانستند. پسرک باز هم چیزی نگفت، چون هنوز فکر نمی‌کرد چیز مهمی باشد، و حالا چشمانش هم باز نمی‌ماند.

پدرش گفت: «اگر چیز دیگری بود... اقلاً به شوما می‌گفت... پس چیزی نبوده.»

مهری خانم آه بلندتری کشید. «... من چه میدونم؟»

«اونم که نمیدونه داداشهاش دقیقاً کجا هستن. اینها چیزها و اطلاعاتی‌یه که اونها میخوان. مریم که نمیدونه. رضا که خارجه، مصطفی هم که توی زندون خودشونه، محسنم که هیچکدوم از ما نمیدونیم کجاست.»

پسرک از ترس لرزید. می‌دانست محسن کجاست. مریم هم تقریباً می‌دانست. ولی آیا می‌گفت؟ فکر کرد خدا به داد مریم برسد اگر آنها بفهمند که او چیزهایی می‌داند و نمی‌خواهد بگوید... و به داد خودش!

*

در یک لحظهٔ چُرت سحری خواب دید مریم را به اتاقی زیرزمینی آورده‌اند که در آن فقط یک صندلی و یک میز دراز و سیاه بود. ژنده‌پوشهای لوطی انتری، حالا با لباسهای شیک و کراوات، مریم را روی صندلی نشانده بودند. دستهایش را پشت سرش طناب پیچ کرده بودند. مردک ویلن به دست حالا شلاق دستش بود. آن یکی که قیافهٔ شغال داشت باتون دستش بود. این یکی چشمهای ترسناک و ران

گشادی داشت. او به مریم نزدیکتر بود. بعد نزدیکتر و نزدیکتر رفت...

پسرک با آه حلقوم بدی از خواب پرید.

فصل پانزدهم

چشمانش را که باز کرد، نماز و دعای صبح اوس‌عبدالرضا تمام و حرفهایش هم با عزیز قطع شده بود. پدر و مادرش، ساکت و مبهوت، او را بربر نگاه می‌کردند. او هنوز خودش کم‌وبیش منگ کابوسش بود. انگار آنها هم خواب و کابوس وحشتناک او را دیده بودند. بعد پدرش داشت به او می‌گفت پاشو نمازتو بخون، که او ناگهان تصمیمی داشت.

تا چند سال پیش، او خانهٔ قدسی‌خانم اینها را تا وقتی هنوز توی خیابان روزولت می‌نشستند بلد بود. او و محسن چند بار برای «خاله خانوم بزرگ» شله‌زرد نذری برده بودند. اما بعد از آنکه آنها از خانهٔ خیابان روزولت بلند شدند و به خانهٔ بزرگ جدیدشان در نیاوران رفتند، بچه‌ها دیگر هیچ‌وقت هیچکدام به آنجا نرفته بودند، آنها هم نیامده بودند، فقط گه‌گاه خاله‌خانم. ارتباط تقریباً قطع شده بود ــ‌یعنی قطع شده بود تا آن مراسم کذایی چلهٔ علی.

قبل از اینکه به مدرسه برود، به مادرش گفت ناهار را باید در مدرسه بماند.

ولی به مدرسه نرفت. یک ساعتی را به یافتن آدرس دقیق خانهٔ

مادر میترا گذراند. نشانی آنها را از کمال پسر سیدنصرالله خان گرفت. سید نصرالله مستخدم خانهٔ آنها بود، و پسرک با بچه‌های سید نصرالله آشنایی داشت، چون خانهٔ سید نصرالله نزدیکیهای خانهٔ آنها در کوچهٔ طباطبایی بود و سه پسر کوچکتر سید نصرالله‌خان، کمال و جمال و مِمل، با پسرک هم‌مدرسه‌ای بودند. او دروغی به کمال گفت که می‌خواهند برای آنها نذری ببرند. تصمیم داشت مادر میترا را ببیند، یا خود میترا را ببیند و از مادرش ــ که می‌دانست بسیاری از آدمهای بالا بالا را می‌شناخت، کمک بخواهد.

پیاده آمد تا سبزه‌میدان و باب همایون. کمال گفته بود آنجا خط اتوبوسی هست که از راه جاده قدیم مستقیم به تجریش می‌رود. پول بلیت نداشت، اما چون خیلی ریزه و جقله بود یواشکی دنبال یک زن چادری رفت بالا. اتوبوس هنوز خیلی شلوغ نشده بود. رفت ته ماشین، گوشهٔ یک صندلی کنار پنجره نشست. اول نمی‌ترسید. اما بعد از اینکه اتوبوس راه افتاد و از میان بحبوحهٔ ترافیک صبح توی خیابانهای شلوغ پلوغ آمد بالا، کم‌کم ترس برش داشت. نمی‌دانست اصلاً دارد چه غلطی می کند. هنوز به تنهایی حتی به مدرسه نرفته بود، و اگر گم می‌شد، مادرش تا شب از غصه تلف می‌شد. اما مریم را گرفته بودند، و او باید از مادر میترا کمک می‌خواست، که او را آزاد کنند... به هر حال بابا و عزیز هم قرار گذاشته بودند این در و آن در دنبال مریم بروند. وقتی اتوبوس توی خیابانهای ولنگ و باز بالای شهر افتاد، پسرک بطورکلی این احساس را داشت که دنیا گم شده است.

اما خود را نباخت. کنار او یک مرد کراواتی نشسته بود که بوی ادکلن یا عطر می‌داد و داشت روزنامهٔ آیندگان می‌خواند. گلوش را صاف کرد و مؤدبانه پرسید:

«آقا شما هم تجریش پیاده میشین؟»

مرد کراواتی جواب داد: «آره، جونم.»

پسرک از او تشکر کرد و به خود گفت هر جا مردک پیاده شد، او هم پیاده می‌شود. کمی دلش قرص شد و به تماشای منظرهٔ خیابانهای شمالی شهر پرداخت که آن روزها به مناسبت جشنهای دو هزار و پانصد سالهٔ شاهنشاهی آذین‌بندی و چراغانی مفصل شده بودند. به صندلی تکیه داد و از اتوبوس سواری بدش نیامد.

روزنامه‌ای هم که مرد کراواتی می‌خواند صفحهٔ اولش پر از اخبار جشنها بود ــ و خبرهای دیگر. شاهنشاه آریامهر به نایب صدر هیأت رئیسه خلق چین پیام تبریکی فرستاده بود؛ مجلس سنا به کابینهٔ جدید هویدا نخست‌وزیر با اکثریت قریب به اتفاق آراء رأی اعتماد داده بود؛ خط آهن بین‌المللی بین ایران و ترکیه افتتاح شده بود؛ قرارداد معاملاتِ بیشتری با امریکا به امضاء رسیده بود؛ علیاحضرت شهبانو فرح به مناسبت جشنهای دوهزار و پانصد ساله، بجای اسراف در هزینه‌های گزاف، پیشنهاد کرده بودند دو هزار و پانصد مدرسه، دوهزار و پانصد بیمارستان، دوهزار و پانصد پارک تفریح و دو هزار و پانصد کتابخانه برای کودکان بسازند!

اما هرچه سفر با اتوبوس خوب بود، بعد از اینکه پیاده شد، از میدان تجریش پیاده رفتن و پرسان‌پرسان پیدا کردن خانهٔ آنها در نیاوران مکافاتی از آب درآمد، و سه ساعت بیشتر طول کشید ــ بطوری که بالاخره وقتی جلوی در آهنی ویلای بزرگ آنها رسید، ساعت نزدیک یک بعد از ظهر بود. از خستگی و ضعف دیگر رمق نداشت. ویلای بزرگ به قدری مجلل و عظیم به نظر می‌آمد که پسرک خود را در مقابل آن مانند پشه‌ای ناچیز احساس می‌کرد. نمی‌توانست آن را با خانهٔ درخونگاه مقایسه کند، چه برسد به آلونک عمه‌نصرت ته جوادیه، یا کپر بچه‌های آردکپان در ولی‌آبادون. از آمدنش پشیمان شد. ولی به هر حال چون این همه راه را آمده بود، دل

به دریا زد و با ترس و لرز دست دراز کرد و دکمهٔ زنگ را فشار داد، و خدا خدا کرد اقلاً سگ نداشته باشند.

کسی که پس از مدتی در را باز کرد، خود سید نصرالله از آب درآمد با همان صورت گنده و آبله‌روی کذایی.

سید نصرالله سالها باغبان ونوکر منزل قدسی‌خانم‌اینها بود ــ از روزگارانی که قدسی‌خانم و مادرش تازه از مشهد به تهران آمده بودند. سید نصرالله‌خان که اصلاً قمشه‌ای بود، در کوچهٔ طباطبایی روبروی درخونگاه خانه داشت. اول مادربزرگ بچه‌ها بود که او را پیش قدسی خانم فرستاد. سیدنصرالله هم مثل پسرهایش همیشه قیافه و حرکات نحس و دعوایی داشت. اما امروز پسرک از دیدن او خوشحال شد، و فکر کرد سید هم او را شناخته. سید نصرالله‌خان سرش را یک‌وری نگه داشت و او را بربر نگاه کرد و بعد انگاری که کسی عوضی در زده باشد، لعنتی گفت و خواست باز در را ببندد، اما پسرک با التماس دستش را بالا آورد و گفت:

«صبر کنین!»

«چی میخوای؟»

«با خانوم بزرگ کار داشتم.»

«چی شده، سندهٔ موش؟»

«باهاشون کار دارم سید نصرالله‌خان؛ به امام رضا.»

«اسم منو از کجا میدونی؟»

با نفرت او را نگاه می‌کرد. پسرک توضیح داد که از درخونگاه آمده و از اقوام مادر قدسی خانم است. بعد گفت می‌خواهد اگر زحمت نباشد «خانوم بزرگ» را ببیند.

سید نصرالله با نفرت و بیحوصلگی آهی کشید و گفت: «برو... برو گمشو، انچوچک.»

اما او از رو نرفت. «من میخوام فاطمه‌سادات خانوم‌رو ببینم. از اقوامشون هستم... اقوام دورشون.» نگفت خانم‌بزرگ خالهٔ مادرش است؛ ترسید سیدنصرالله بزند توی سرش.

«تو؟... تو از اقوامشونی؟»

«من پسر اوس‌عبدالرضا و مهری‌خانم هستم که با خانم‌بزرگ قوم و خویش هستن. میگی نه برو از فاطمه‌سادات خانوم خودشون بپرس.»

«داره خنده‌م میگیره.»

پسرک به صورت آبله‌روی مردک خیره بود، که مثل آبکشهای مسی سوراخ‌سوراخ بود.

«تو چند سالته؟»

«نُه سال.» اگر درستش را می‌گفت که دوازده سال، حتماً خیال می‌کرد دروغگو است.

«تو از درخونگاه تا اینجا تنها اومدی؟»

«بله.»

«با خانوم چیکار داری؟»

پسرک فوراً گفت: «باید با خودِ خانم‌بزرگ صحبت کنم... خواهش میکنم.»

سید نصرالله گفت: «خونه نیستن.» بعد تف کرد زمین. تفش از نزدیکی گوش پسرک رد شد.

پسرک گفت: «خیلی مهمه... اگه لازم باشه من همین جا میشینم تا برگردن».

سید نصرالله داد زد: «یالاّ برگرد، بزن به چاک ببینم. برگرد همونجا که اومدی. کثافت. مگه اینجا مسجده که بگیری بست بشینی؟»

«من همین جا اون‌ور خیابون وای میستم تا خانوم بزرگ برگرده. خانون بزرگ منو میشناسن. چند روز پیش اومده بودن چلهٔ برادر بزرگم. میترا خانم او را به من نشان داد. این‌رو میتونین از میترا خانم

بپرسید.»

سید نصرالله در حالی که یک انگشتش را توی صورت پسرک تکان تکان می‌داد گفت: «برگرد برو درخونگاه تا نیومدم بیرون جفت گوشهات‌و از بیخ ببرم. بزن به چاک جعده! دخترشون مهمون دارن. مهمون مهم. آخه شوما ملت چقدر خر و نفهمین. تا کی میخواین خر و نفهم بمونین؟ شومارو به اینجاها چه کار؟! یه مشت خر!...»

و در را محکم توی صورت پسرک بست و رفت.

اما او جم نخورد.

بعد از چند دقیقه، باز صدای پاهای بیشتری آمد، و وقتی در بزرگ باغ دوباره باز شد، پسرک قامت ریزه و لاغر و هفتاد هشتاد سالهٔ فاطمه‌سادات خانم را دید. سیدنصرالله پشت سرش بود. پیرزن پیراهن بلند سادهٔ خاکستری رنگی به تن داشت، با جورابهای بلند سیاه، و البته چادری از وال سفید گلدار. صورت چروکیده و آبرفته‌اش روشن و کمی توالت‌کرده و آرام بود. تا همین چند وقت پیش در خانهٔ درخونگاه بچه‌ها او را از زبان مادرشان «خاله خانوم» صدا می‌کردند. او تنها عضو خانوادهٔ گذشتهٔ مادرشان بود که با آنها ارتباط داشت و گهگاهی به نزدشان می‌آمد. «خاله خانوم» تا بچه‌ها کوچک بودند با آنها و مادرشان خوب بود، اما از بزرگترها که «حرفهای گنده‌تر از دهنشان» می‌زدند بدش می‌آمد. آمد جلو.

با لبخند و در عین حال با اخمهای توهم رفته به پسرک نگاه کرد. بعد او را به اسم صدا کرد و پرسید: «ناصر؟... تو ناصر پسر مهری هستی؟ خودتی؟»

«بله، خاله خانوم.»

«آره، ترو یادمه که روز چلهٔ علی با میترا حرف میزدی...» بعد به جای ماچ و بوسه دستی به سر پسرک کشید و خوش‌وبشی کرد و گفت: «بیا تو ببینم چی میخوای، شوماها همیشه دردسرین.» این حرفها

در مقابل رفتار سید نصرالله نفرت‌انگیز، موهبتی بود.

اما خاله‌خانم هم پسرک را همان گوشهٔ باغ نگه داشت و پرسید: «بگو ببینم چی میخوای؟ چطور شده، جونم؟» پسرک، وقتی دید سید نصرالله به سر کارش برگشته و آنها تنها هستند، تا آنجا که می‌توانست، کم‌کم و دست پا شکسته جریان را برای خاله خانم گفت. گفت که خودش و به تصمیم خودش آمده است؛ تعریف کرد که مادرش دچار چه اضطراب و مصیبتی است. موضوع ناپدید شدن مریم را از دیشب تا آن موقع، و کارهایی را که کرده بودند، و احتمال اینکه به وسیله ساواک دستگیر شده باشد، همه را تعریف کرد. از نامهٔ رضا و انشاء مریم چیزی نگفت. اما هرچه بیشتر و بیشتر تعریف می‌کرد خاله‌خانم کمتر و کمتر دلسوزی نشان می‌داد. بطوری که بتدریج نه‌تنها «وای خاک عالم، وای خاک عالم» نمی‌گفت و نچ‌نچ نمی‌کرد، بلکه آخر سر دیگر به پسرک نگاه هم نمی‌کرد. حتی کمی هم عقب‌تر رفت ـ انگاری که او مرضی مسری یا چیزی فقط هزار درجه بدتر از طاعون را با خود به آن خانهٔ بزرگ و شیک آورده است. رو برگرداند و به ساختمان ویلا نگاه کرد و سر تکان داد. بعد دوباره با چشمان خالی به پسرک نگاه کرد، انگاری که او عمل خلاف و نادرستی کرده بود که پا شده بود و دردسرهای احمقانهٔ خودشان را پیش اهل این خانهٔ ساکت و بیگناه آورده بود.

«والله چه میدونم، چی بگم؟»

پسرک گفت: «عزیزم حالش خیلی بده. من امیدوار بودم که شما ـ»

«گوش کن جونم. الآن که خونه نیستن. فقط کتایون خانوم خونه‌س که اون‌هم مهمون داره. مهمون خیلی مهم. یک آقای آمریکایی. من ماشین قدسی‌خانوم‌رو نمی‌بینم. حتماً رفته‌ن بیرون. دیرم هست. لابد رفته مدرسه دنبال بچه‌ش. بعد هم که امشب انگار

میخوان برن باشگاه. اینه که تو بهتره بری یه موقع دیگه یه روز دیگه برگردی. هفتهٔ دیگه—»

پسرک پرسید: «دختر کوچیکشون خونهست؟»

«کی؟»

«میترا خانوم؟»

خاله خانم با نخوت دماغش را کشید بالا. «نه... گفتم نیستن. هیچ کس نیست. برو خونه‌تون. سلام برسون.»

پسرک کم‌کم حرفهایش را باور نمی‌کرد. مطمئن بود دارد او را از سر باز می‌کند. اما خودش هم بدجوری گیر کرده بود. نمی‌دانست چه بگوید و چکار کند. از سید نصرالله هم خبری نبود. خاله‌خانم هم ظاهراً انتظار داشت پسرک درخونگاهی فوری برگردد و برود بیرون. گفت: «خب جونم. از قول من به عزیز و بابا سلام برسون. بگو قدسی‌خانوم خونه نبود. بگو خاله‌خانوم هم گفت که از دستم کاری—»

«عزیزم نمیدونه من اومدم اینجا.»

«خب... سلام برسون. من کتری‌م رو اجاقه، می‌ترسم بسوزه. خدا خودش حافظ همه باشه. وقتی رفتی در رو پشت سرت بکش ببند... با احتیاط برو، نری زیر ماشین فردا برامون هزار جور حرف دربیارن.»

برگشت و پاکشان به طرف پشت ساختمان بزرگ رفت، آنجا که اتاقهای خودش قرار داشت، و پسرک را تنها گوشهٔ باغ باقی گذاشت.

او آهی کشید و به اطراف نگاه کرد. باد وسط سروهای بلند و چنارها و بید مجنونهای قشنگ باغ درندشت می‌پیچید. ابرهای سیاه آسمان پایین بودند و با مرمر سفید نمای ساختمان بلند جنگ داشتند. هوا انگار می‌خواست طوفانی بشود و باران بیاید.

بعد بی‌آنکه واقعاً بداند دارد چکار می‌کند، مثل یک روح گمشده، آهسته آهسته، بطرف پله‌های جلوی ساختمان راه افتاد. شاید بتواند

میترا را در خانه پیدا کند. باز به خودش و جد و آباء خودش لعنت
فرستاد که اصلاً به این خانهٔ نامأنوس آمده است و انتظار کمک دارد.
اما حالا که تا اینجا آمده؟... نمی‌خواست بدون دیدن میترا برگردد.
کاش فقط می‌توانست یک دقیقه با میترا حرف بزند، شاید بتواند
موقعیت وحشتناک مریم را به گوش آنها برساند. شاید هم از طریق
خواهر میترا؟... که گفتند خانه است.

رسید جلوی ساختمان. دو اتومبیل خارجی پای پله‌های نیمدایره
پارک شده بودند. یک بنز شکاری قرمز و یک فورد بزرگ سیاه، که
شمارهٔ سرویس سفارت امریکا را داشت. پسرک از پلکان مرمر سفید
بالا رفت. در جلوی ساختمان قفل نبود، بنابراین بعد از آنکه دو سه
مرتبه میترا را به اسم صدا زد وارد شد.

به یک هال گرد بزرگ مفروش قدم گذاشت که در اتاقهای دیگر
به آن باز می‌شد. این هال به سالن نشیمن بزرگتری منتهی می‌شد. چه
جایی! مبلمان عجیب و غریب و تابلوهای نقاشی بزرگ همه جا به
چشم می‌خورد. هیچ کس هم هیچ جا نبود. فقط از طبقهٔ بالا صدای بلند
موزیک تند خارجی می‌آمد.

بعد از چند لحظه مکث تصمیم گرفت به طبقهٔ بالا برود. در عمرش
پلکان مارپیچی ندیده بود، چه برسد به آنکه حالا از یکی که مفروش
به کناره‌های نفیس کاشان یا کرمان بود بالا برود.

در طبقهٔ دوم، هال نه‌چندان پهن و سه‌راهی شکلی بود که انگار اقلاً
هزار در داشت. کف هال با قالیچه‌های فیروزه‌ای مفروش بود و تابلوها
و گلدانهای خیلی گنده و عجیب و غریبی هم داشت. باز چند بار میترا
را به اسم صدا زد. چند بار سرفه کرد. خبری نشد. در نیمه بازی که
صدای موسیقی از آن بیرون می‌زد در طرف راست بود، طرف
پنجره‌ای که رو به باغ باز می‌شد. آهسته آهسته به آن سمت رفت.
در چوبی و دو لنگه‌ای بود، با رنگ قهوه‌ای اعلا و منبت‌کاری

ظریف، مثل کارهای عتیقه، ولی شیک. صدای موزیک جاز امریکایی از آنجا مثل انفجارهای پشت هم می‌زد بیرون. رفت جلو و چیزی نمانده بود در بزند که از لای در، دو نفر را توی اتاق روی کاناپه دید. هیچکدام از آنها نبودند.

نفسش برید. فقط برگشت و دوید. آنقدر تند می‌دوید که یک جا مثل بچه‌آهوی بی‌دست و پائی به زمین افتاد. بلند شد و باز دوید. توی سینه‌اش، دلش گرمپ و گرمپ صدا می‌کرد. آنقدر دوید تا به بیرون ساختمان رسید. فقط جلوی پایش را نگاه می‌کرد و می‌دوید.

اما پایین پله‌های مرمر با میترا سینه به سینه شد ــ که با لباس مدرسه شیک و کتابهای زیربغلش از ماشین بیرون آمده بود و می‌خواست از پله‌ها بیاید بالا. مادرش و راننده‌شان هم کمی عقب‌تر پشت سرش بودند. میترا همان ثانیهٔ اول او را شناخت، و حیرت‌زده غافلگیر و مات شد. طوری به پسرک نگاه می‌کرد که انگار یک پنگوئن دیوانهٔ رم‌کرده دیده که دارد از باغ وحش فرار می‌کند.

با حیرت داد زد، «ناصر!..»

پسرک نفس بریده چند لحظه ایستاد و به او نگاه کرد.

«تویی، ناصر پسر مهری خانوم؟» اما پسرک از جلوی او هم فرار کرد و باز دوید.

«صبر کن ناصر، ترو خدا... وایستا.»

اگر راننده پسرک را نمی‌گرفت، تا درخونگاه می‌دوید. جلوی دستهای راننده ایستاد. برگشت و به طرف میترا نگاه کرد. امیدوار بود میترا فکر نکند او آمده است دزدی.

«ناصر، تویی؟»

«اوهوم..» بعد گفت: «مادر بزرگت منو راه داد.»

«موضوع چیه؟ چطور شده؟ کی اومدی اینجا؟ چرا داری اینجوری میدویی؟ از چیزی ترسیدی؟»

پسرک سعی کرد نفس عمیقی بکشد. فقط گفت: «هیچی... اومده بودم شماها رو ببینم... خاله‌خانوم منو راه داد تو... دیدم نیستین، داشتم می‌رفتم...».

میترا هاج و واج بود. رو به مادرش گفت: «مادر، این ناصره. پسر مهری‌خانوم، که برای شما تعریفش‌رو کرده بودم.» بعد رو به پسرک گفت: «خوب کردی اومدی، بیا تو.»

«ـ دیره باید برگردم...»

و دوباره خواست بدود.

میترا گفت: «صبر کن.» به طرف پسرک آمد و دستش را دراز کرد. «یک دقیقه صبر کن. مادر، بگو صبر کنه. بگو یه دقیقه بیاد تو.»

قدسی خانم که از دخترش بیشتر متعجب و خودش هم حتی مغشوش و حتی عصبانی بود، لبخندی زورکی زد. «خب... چه عجب... بیاد تو اگه میخواد.» اولین بار بود که پسرک چشمش به مادر زیبا و افسانه‌ای میترا می‌افتاد. فقط گفت: «سلام، خانم.»

«علیک سلام، چی شده؟ بیا تو.»

میترا هم گفت: «بیا. میای؟»

اما او داغون بود. فقط سرش را بلند کرد و یک لحظه به میترا نگاه کرد. میترا درست همانطور بود که تمام آن یک ماه توی فکر و حافظه‌اش مانده بود. همان صورت سفید، همان عینک، همان چشمها، همان موهای پسرانه.

اما نمی‌دانست چکار کند، یا چه جوابش را بدهد. هنوز صحنهٔ آن بالا خونش را می‌سوزاند. منظره‌ای بود.

گفت: «دربارهٔ... دستگیری خواهرم آمده بودم...» اما بغضش ناگهان ترکید. گریه راه گلویش را بست. برگشت و دوباره دوید.

فصل شانزدهم

نزدیکیهای غروب که پیچید توی کوچه، جمعیت زیادی را دید که ته
کوچه جمع شده بودند و داد و قال می‌کردند. یک جا آتش گرفته
بود. انگار از خانهٔ خودشان دود بلند می‌شد! اول سر جایش خشک
شد. از ماشین آتش‌نشانی خبری نبود. اما همسایه‌ها از هر طرف با سطل
و دیگ و لگن آب به طرف ته کوچه می‌دویدند، و وارد خانهٔ آنها
می‌شدند. مثل تیر شهاب پرید و از میان مردم دوید جلو. بیشتر مردم
«اونها» را فحش می‌دادند، نفرین می‌کردند، لعنت می‌فرستادند.
«پدرسوخته‌ها...» «ببین چی به سر مردم بیچاره میارن...» «خدا
عذابشون بده....» «الهی جزّ جیگر بزنن..» دو پاسبان و یک افسر
شهربانی در لباس شق و رق هم آنجا بودند و پاسبانها سعی می‌کردند
مردم را متفرق کنند، یا آرام کنند.

فقط به فکر مادرش بود... دوید طرف در خانه و داشت از وسط
جمعیت به جلو می‌پرید که یکی از پاسبانها که سبیل کلفتی داشت یقهٔ
کتش را از پشت گرفت و هول داد عقب.

«نیا جلو بچه...»

«میخوام برم تو! خونه‌مونه!»

«نمیشه بزمجه! برو گمشو.»

«می‌خوام برم پیش مادرم. ول کن...!» با چشمهای اشکبار با پاسبان کلنجار رفت ــ گرچه زیر دستش قد یک بره بود.

«این خونهٔ ماس، لامسّب!»

به شنیدن این حرف، پاسبان دومی با سوءظن نگاهی به پسرک انداخت.

«بذارین برم تو! مادرم اونجاست...» باز به هیکل گندهٔ پاسبان فشار آورد و زور زد. اما پاسبان سبیل کلفت کوبید توی صورت او و پرتش کرد عقب. پسرک اهمیت نداد و باز با پاسبان کلنجار رفت و داد زد: «عزیز! مادر!»

«عقب وایسا تا ننداختمت توی کامیون ببرمت طویله پهلو بقیه‌شون.»

«عزیز!» بعد با التجاء از همسایه‌ها پرسید: «مادرم کجاست؟ کسی مادرمو ندیده تو خونه‌س؟»

فحش و نفرین و لعنت مردم شدت گرفت: «بابا این بچه‌رو بفرستین پیش مادرش.» زنها با حسرت و ترحم توی سر و لپ خود می‌زدند. دوستش رحیم ریقو و خواهرش خدیجه خله گوشهٔ دیوار گریه می‌کردند.

ناگهان سر و کلهٔ مهری خانم جلوی در خانه پیدا شد، انگاری که صدای بچه‌اش را شنیده باشد. پسرک از زیر دست و پای پاسبان فرار کرد و پرید توی بغل مادرش.

«عزیز، عزیز، چی شده؟»

عزیز فقط گفت: «هیچی. نترس ننه!»

«خونمون آتیش گرفته؟»

«آره، آتیش زده‌ن.»

«کیا؟»

افسر شهربانی به مهری‌خانم چشم‌غره رفت. «حرف دهنتو بفهم، مادر.»

مهری خانم به پسرش گفت: «هیچی نیست. نترس.» بعد او را برانداز کرد و چادرش را مرتب کرد. «تو کجا بودی ذلیل نمرده انقدر دیر کردی؟ دلم هزار جور شور زد.»

«مریم پیدا نشد؟»

مهری خانم سرش را با حسرت و مصیبت تکان داد.

همسایه‌ها جسته و گریخته حرفهایی می‌زدند: «ذلیل‌مرده‌هایی که این کارو کردن... دوتا لباس شخصی بودن... اتاق دخترشون‌و گشتن و کاغذها و کتابهارو بردن و رفتن... یکی‌شون آب رو قطع کرد... یکی‌شون برقهارو قطع کرد... خدا ذلیلشون کنه... دستی آتیش زدن... با پیرمرد بیچاره دیگه چیکار داشتن؟»

یکی از پاسبانها داد زد: «دیگه خاموش شده. آیون متفرق بشین. خانوما متفرق بشین. بفرمائین.»

پسرک از عزیز پرسید: «بابا کجاست؟»

مهری خانم گفت: «چیزی نیست، درست میشه.»

«بابا رو بردن؟»

«نترس مادر، ولش میکنن.»

«چرا خونه‌رو آتیش زدن؟»

افسر شهربانی به سر پاسبانها داد زد که مردم را متفرق کنند. «همه چی کنترل شده.»

مهری خانم گفت: «چه میدونم. داشتم غذا می‌پختم، سه فتیله برگشت. پاشون خورد به سه فتیله... یا لگد زدند به سه فتیله... نمی‌دونم.»

همسایه‌ها هنوز با دیگ و لگن و سطل آب می‌آوردند و بقیه در شلوغی و تاریکی تنگ غروب به «اونها» فحش و لعنت می‌فرستادند.

پسرک هنوز گیج بود و نمی‌دانست چه فکری بکند. نمی‌فهمید چرا پدرش را برده‌اند.

«بابا که کاری نکرده؟»

مهری خانم گفت: «میدونم... دلنگرون نباش. برای همینه که گفتم ولش میکنن.»

«پس چرا شما گریه می‌کنی؟»

«گریه نمی‌کنم... دود رفته توی چشام... برو اونجا بشین، کنار دیوار دود نره تو چشات. هیچی نیست.»

رفت کنار دیوار پیش رحیم ریقو و خدیجه نشست تا همسایه‌ها آتش را خاموش کنند.

همسایه‌ها همه شهرستانیها یا دهاتیهایی بودند که آن سالها سیل‌آسا به تهران سرازیر می‌شدند. همسایه‌های قدیمی به نقاط شمالی شهر نقل مکان کرده بودند. آنها که مانده بودند از همه جا رانده و اینجا وامانده بودند ـمثل خانوادهٔ استاد عبدالرضا.

بعد که همه چیز تمام شد، پسرک و مادرش رفتند توی خانه. خانه تاریک و ظلمانی بود. هر دو اتاق سوخته و دود گرفته و تقریباً خالی بود. حتی دیوارها و پنجره‌ها هم سوخته یا دود گرفته بودند. از اتاق آنطرف حیاط هیچ چیز باقی نمانده بود، جز خاکستر و دود. در اتاق اینطرف ضایعات کمتر بود. فقط پرده‌ها و پشتدریها جزغاله شده بود. از باقی‌ماندهٔ الیاف کزکردهٔ جاجیم کف اتاق هنوز دود بلند بود. بستهٔ رختخوابهای سوخته را پرت کرده بودند توی حوض. تمام عکسها را از سر بخاری برده بودند ـو تمثال حضرت امیرالمؤمنین افتاده بود زمین شیشه‌اش شکسته بود. عکس کوچک قابکرده آیت الله خمینی را برده بودند. جانماز ترمهٔ مهری‌خانم گوشهٔ اتاق جزغاله شده بود. چیز زیادی برای نجات نداشتند، و هیچ چیز هم نجات نیافته بود.

حتی قناریهای عزیز اوس‌عبدالرضا هم توی قفس جزغاله بودند.

فصل هفدهم

اتاق خالی بود، و کف سمنتی آن سرد. مهری‌خانم از رفتن به خانهٔ عمه‌نصرت یا همسایه‌ها امتناع کرده بود و تصمیم گرفته بود در خانهٔ سوختهٔ خودش بماند. این خانهٔ او بود. خانه‌ای بود که او با شوهرش زندگی کرده بود. خانه‌ای بود که او در آن تمام بچه‌هایش را زائیده و بزرگ کرده بود. خانه‌ای بود که او می‌خواست در آن بمیرد. اولین و آخرین پناهگاه او بود.

سینی محتوی کمی آش و برنج و نان، که همسایهٔ روبرویی آورده بود، هنوز دست‌نخورده روی زمین بود. لحاف و تشک مندرسی که یکی دیگر از همسایه‌ها آورده بود گوشهٔ اتاق بود. چراغ نفتی کوچک و خاموشی هم کنج اتاق بود.

برای انگار هزارمین بار آه بلندی کشید، فقط گفت:

«بچه‌م! دخترم!... چکار کنم؟» حتی سوختن خانه و زندگی و دستگیری و زندانی شدن شوهرش، فکر مریم را از سر او بیرون نبرده بود.

پسرک سرش را از روی بالش کوچکی که مادرش برایش دست و پا کرده بود بلند کرد و به صورت رنجبار او نگریست. نور ماه از

پنجره‌های شکسته به درون می‌آمد، و مستقیم به صورت تکیده و موهای سفید و سیاه، و اندام ریزهٔ او زیر چادر گلدار می‌تابید. زن نگون‌بخت انگار ناگهان بیست سال پیر شده بود.

فکر پسرک هم فقط نگران حال مریم بود. «عزیز، باهاشون چکار میکنن؟»

«نمیدونم... پتورو بکش رو سینه‌ت.»

باد سرد، نیمدری سوختهٔ اتاق را با فشار به دیوار می‌کوبید و چراغ نفتی را خاموش می‌کرد، و بعد از آنکه این کار چند بار تکرار شده بود، مهری خانم دیگر چراغ را روشن نکرده و تسلیم به تاریکی، در گوشه‌ای، کنار لحاف تشک همسایه، کنار پسرش چمباتمه زده بود.

«هان؟ باهاشون چکار میکنن؟ با مریم و با بابا؟»

«نمیدونم... چی بگم؟... نه، با اون چکار میتونن بکنن؟»

«با مریم که کاری نمیکنن؟»

«چه میدونم... یا فاطمه زهرا!»

مهری خانم اشکهایش را پاک کرد. بعد گفت: «فاطمه زهرایی هست، حسینی هست، امیرالمؤمنینی هست، محمدی هست، شفاعت و خدایی هست، هست، و من بچهم رو صحیح و سالم از اونها میخوام!... من تنهام، پیرزنم، چکار میتونم بکنم؟» با زاری ولی بیصدا گریه می‌کرد. «یا فاطمه.»

پسر کوچک دستش را دراز، و لرزان صورت و سر مادرش را لمس کرد. «عزیز، گریه نکن.»

«گریه نمی‌کنم، ناراحت نشو.»

«من ازت نگه‌داری می‌کنم...»

«میدونم... تصدقت برم.»

«از مریم هم نگه‌داری می‌کنم.»

مهری خانم ساکت ماند.

هوهوی باد سرد در حیاط می‌پیچید. از میان پنجره‌های شکسته تنها چیزی که در حیاط دیده می‌شد اسکلت داربست مو و شاخه‌های خشکیده و سیاه‌شدهٔ روی داربست بود که معلوم نبود با چه معجزهٔ جنون‌آمیزی از دست آتش اتاقها سالم باقی مانده بودند. ماه روی لاخه‌های درهم پیچیدهٔ کابوس‌وار آنها می‌تابید.

پسرک گفت: «عزیز—»

«چیه؟»

«اگه...» صدایش می‌لرزید.

«اگه چی؟ چرا می‌ترسی؟»

«اگه کسی به مریم دست دراز کنه، قسم می‌خورم که خودم اونو بالاخره می‌کشم.»

مهری‌خانم فقط آهی کشید.

«قسم می‌خورم!»

مادر مدتی ساکت ماند. بعد گفت: «کاش رضا اینجا بود.»

«رضا که خارجه.»

«اون می‌تونست کاری برای بچه‌م بکنه. یا کاش اقلاً میدونستم بچه‌م‌رو کجا برده‌ن. یا دست کی‌هاست...»

«هر کس باشه، هر جا باشه، اگه مریم رو اذیت کنه من می‌کشمش...»

مهری خانم دماغش را که از شدت گریه متورم شده بود بالا کشید. در سایه روشن اتاق مصیبت‌زده به صورت و اندام ریزهٔ بچهٔ کوچک و مریضش نگاه کرد. سرش را تکان‌تکان داد:

«این جوری حرف نزن. مگه یکی دو تا هستن؟... اگه تو رفتی اون پدرسوخته‌ای رو که روی مریم دست بلند کرده کشتی، یک پدرسوختهٔ دیگه فردا جای اون‌و میگیره. اینها کارشون اینه. یا فقط مگه بچه‌های من یکی هستن؟... اگه بچه‌ی من رو ول کرده‌ن، بچهٔ یک

بدبخت دیگه‌رو میگیرن، بعدم بچهٔ یکی دیگه رو. اگه خونهٔ ما رو نمیسوزوندن، خونهٔ یک بدبخت دیگه‌رو میسوزوندن. این آتیش به جون و زندگی همه افتاده. این آتیش به جون بچه‌های ما افتاده. خدا الهی باعث و بانی‌اش رو ذلیل کنه. این پدرسوخته‌های از خدا بی‌خبر هم که حالیشون نیس. هر کس فکر خودشه... فقط میزنن، میسوزونن، داغون میکنن، نابود میکنن. خدای ابوالفضل و امام حسین ذلیل و خوارشون کنه، نابودشون کنه.» دوباره آه کشید و صدای آه بلند در گلویش شکست. پسرک هم گریه‌اش گرفته بود، اما سعی می‌کرد اشکهایش را از مادرش پنهان کند.

مهری خانم پتو را کشید روی سینهٔ بچه‌اش. «امشب برای تو هم دوا ندارم....»

«من حالم خوبه، عزیز... این قرصای مزخرف به چه درد میخوره؟»

«سینه‌ت درد نمیکنه؟»

«نه...» راستش را نمی‌گفت.

«... چه کنیم، یا قمر بنی‌هاشم؟»

پسرک سر برگرداند و رو به دیوار سیاه چمباتمه زد. سینه‌اش بد جوری درد می‌کرد. قفس قناریهای مرده هنوز گوشهٔ اتاق بود. آنها هم مغلوب به نظر می‌رسیدند. او آنها را هنوز نگه داشته بود. از عزیز خواهش کرده بود اجازه بدهد فقط یک شب مردهٔ آنها را نگه دارد. در تاریکی آهی کشید و جدا شدن بدون خداحافظی را دوست نداشت. در تاریکی و سرمای اتاق به فکر میترا افتاد، که چطور آن روز عصر خودش او را بدون خداحافظی، با سکوت اشمئزازآور، ترک کرده و دویده بود. امروز عصر بود، یا هزار سال پیش؟ خستگی و خواب مجال فکر میترا را به او نمی‌داد. یا فکر مریم نمی‌گذاشت.

فصل هیجدهم

در تاریکی شب سرد، به مریم فکر می‌کرد. می‌دانست که او هرگز کلمه‌ای از وضع برادرهایش به آنها نخواهد گفت. پس با او چه می‌کردند؟ یا چه کرده بودند؟ با پدرش چه می‌کردند؟ یا چه کرده بودند؟ آیا پهلوی هم بودند؟ با آنچه که دربارهٔ زندانهای ساواک از این و آن شنیده بود، مدام در این عذاب و دغدغهٔ درون بود که آیا مریم را کتک زده بودند یا نه؟ شکنجه‌اش داده بودند یا نه؟ چه جور شکنجه‌ای داده بودند؟ آیا توانسته بودند «قوای روحی» او را بشکنند؟

از جعفر زمانی شنیده بود که ساواکیها برای گرفتن اعتراف از یک زندانی که از او اطلاعات می‌خواستند، پس از دستگیری، اگر به آسانی به آنان اعتراف نمی‌کرد، با سیستمهای تازه او را شکنجهٔ روانی هم می‌دادند: لگنی از بول و غایط خودش را به او می‌دادند و مجبورش می‌کردند آن را بخورد. اگر زندانی امتناع می‌ورزید، آنها بزور مقداری در حلقش فرو می‌کردند، و بقیه را روی سر و صورتش می‌ریختند. بعد تمام آن روز، ساعت به ساعت به سراغ او می‌آمدند و می‌خندیدند و تمسخر می‌کردند، و سرکوفتش می‌زدند، بعد تهدید

به کتک و شکنجه. شنیده بود حتی نگهبانها و سایر خدمتکاران زندانهای «کمیته مشترک» و «اوین» هم مجبور بودند در انجام وظائف خود وقتی به متهمین نزدیک می‌شوند به آنها فحش بدهند و لعنت بفرستند و اعتراض کنند که چرا مجبورند به این «کمونیستهای متعفن» یا «مجاهدهای گندزده» نزدیک بشوند.

پسرک نمی‌خواست بخوابد و سعی می‌کرد تا می‌توانست خوابش نبرد. چون بمحض اینکه به خواب می‌رفت، باز مثل دیشب، خواب مریم را در زندان و در دست شکنجه‌گرها می‌دید. اما در سیاهی شب دراز چشمانش باز نمی‌ماند. نمی‌دانست چکار کند. امشب هم بمحض اینکه خوابش برد، یکی از دو مرد ژنده‌پوش را دید که وارد سلول تاریک مریم شد. او امروز کت و شلوار و فکل کراوات داشت. اول خشونت نکرد. گفت: «گوش کن دخترم، این آخرین بازجویی من از توئه. از این به بعد ترو تحویل مأمورین شکنجه زندان اوین میدیم تا تو به آنها بگویی محسن و رضا کجا هستند. اما من... به تو قول شرف میدم و قسم میخورم، اگه به من بگی، همین امشب برمیگردی خونه. امشب! ما اتهام انشاء کذایی ترو هم کان‌لم‌یکن میذاریم. من خودم جلوی چشم خودت پروندهٔ ترو با دست خودم پودر میکنم.» به تخم چشمهای مریم نگاه می‌کرد. مریم سرش را بلند کرد.

پسرک در خواب غلت زد. از ته حلقوم گفت نه. از یک بلندی داشت می‌افتاد، سقوط می‌کرد، اما به هیچ جا نمی‌رسید، به زمین نمی‌خورد.

مرد ویلن به دست بدجوری به مریم نگاه می‌کرد. لحن صداش مثل دفعهٔ پیش نرم و دوستانه بود. لباسش امروز اسپرت بود، صورتش قشنگ و تراشیده و ادکلن‌زده و جوان. زیر آفتاب روشن پاییزی که از پنجره می‌تابید در زمینهٔ آبی آسمان، و صدای پرندگان، ظاهرش با کارهایی که می‌کرد، و کرده بود، اصلاً جور درنمی‌آمد.

پرسید: «محسن کجاست؟»

مریم ساکت ماند.

«نامهٔ رضا را کی برای محسن برد؟»

پسرک در خواب نالهٔ دیگری کرد و غلت زد. دلش می‌خواست بیدار شود، اما انگار او را هم ته چاه کابوس زنجیر کشیده بودند. دهانش خشک و تلخ بود.

مریم سکوت کرده بود ـ اما با این سؤال لرزید.

«تو میدونی! کی برد؟»

«نامه‌ای نبود.»

«دروغ نگو، پدرسگ!»

سکوت.

مردی که آن روز دنبک‌زن بود، یواشکی از سایه روشن ته اتاق جلو آمد. اطوارهایی درآورد. مریم سرش را با شرم انداخت پایین. دنبک زن گفت: «لیاقتش لابد همینه.»

ویلن‌زن هنوز مریم را نگاه نگاه می‌کرد. در نگاهش حال شومی محسوس بود.

دنبک‌زن گفت: «هنوز هم شاید دیر نشده باشه. هنوز هم میتونه باکره از این در بره بیرون.»

پسرک باز به خود پیچید و نالهٔ حلقوی دیگری کشید.

ویلن‌زن سرفه‌ای کرد و گفت: «دستور میدم تمام خونواده‌ش و بیارن اینجا بدن دست شکنجه‌چیا... میفهمی، مریم نبوی؟ بخصوص اون داداش کوچولوت‌رو. پس روتو به دیوار نکن، به منم دروغ نگو! اگه به خودت رحم نمیکنی شاید عقل به کله‌ت بیاد و به اونها رحم کنی. اگه خودت میخوای بمیری ما اینجا تغار تغار شربت شهادت برای شوماها داریم... فقط فکر اون پسربچه و مادرت‌رو هم بکن. به همون سادگی که ترو آوردیم اینجا، اونهارو هم میتونیم بیاریم.»

با درد و عذاب لرزید... این نمی‌توانست کابوس نباشد. تمام تن و بدنش سفت و کرخ شده بود.

دنبک‌زن گفت: «ولش کن، بریم... این به ما هیچی نمیگه. بیا بریم داداش کوچیکش رو بیاریم. اون همه‌چی رو به ما میگه ـ البته بعد از اینکه به فیض شکنجه رسید!»

ویلن‌زن خطاب به مریم گفت: «میخوای بریم داداش کوچولوت رو بیاریم؟ هان؟ اسمش ناصره، درسته؟ میخوای بریم ناصرو بیاریم اینجا؟...»

مریم فقط گفت: «اون یه بچۀ صغیره.» اما سرش را برگرداند و با حال التماس به آنها نگاه کرد.

ویلن‌زن به چشمهای گودرفته و خون‌گرفتۀ دختر زندانی خیره بود. در چشمان هر دوی آنها موجی از احساس تلخ بود. مرد می‌توانست افکار و ترسهای او را بخواند. گفت: «نگاه کن، مریم نبوی قائناتی. من میدونم الان داری چه فکرهایی میکنی. داری فکر میکنی اوه، یا قمر بنی‌هاشم! یا ابوالفضل! گیر افتادم. نکنه اصلاً رفتهن ناصر و مادر و پدرم همه‌رو آورده‌ن اینجا... و الان همین جا توی اتاق پشتی هستن. نکنه از اونها اقرار گرفته‌ن و حالا فقط میخوان با کلک از منم اقرار بگیرن؟ اگه اونهارو آورده باشند و جلوی شکنجه‌چیا انداخته باشند چی؟ من ممکنه هرچی میدونم برای این پدرسوخته‌ها تعریف بکنم برای هیچی... اما اینطور نیست. اونها هنوز آزادند. قول میدم.»

پسرک باز از این دنده به آن دنده غلت خورد. اما کابوس ادامه داشت.

مریم ساکت بود. گریه می‌کرد. سرش پایین بود. یک ثانیه کهکشانی آتش‌فشانی بیصدا بود. اما درد بود. کابوس بود.

ویلن‌زن گفت: «مریم نبوی، گوش کن. تو با اون انشاءت مقالۀ خطرناک نوشتی. و کارهای رژیم‌رو تحریف کردی. این یعنی جنایت

علیه شهبانوی ایران که نیابت سلطنت این کشور را دارند. طبق قانون اساسی، این کار تو اهانت به نظام، مسخره کردن نظام، مبارزه با حکومت و سلطنت و دولت مشروطه است. گوش کن، ترو به خاطر این اهانت میتونن محاکمهٔ نظامی کنن. اگه محاکمه کنن ممکنه یکی دو سال زندان واسه‌ت ببرن. ممکن هم هست آزادت کنن. اما جرم برادرهای تو چیز دیگه‌ست. اونها اتهام توطئه دارند. اونهام باید محاکمه و مجازات بشن. من این کارها رو دوست ندارم ولی وظیفهٔ شغلی من و همکارام اینه که اونها رو بگیریم، پرونده‌شون رو تکمیل کنیم و بفرستیم دادگاه. همین. بعضی از همکارام رفتار و روشهاشون جور دیگه‌س. خو و خصلتشون بده. همه جا همه جورش هست. این چیزها رو بفهم! من هم از مهره‌های این مملکتم... با شکنجه‌چیا فرق دارم. من به کارم افتخار میکنم. من سیاست و خط‌مشی و ایده‌آل دارم. همینطور که تو هم غرور داری و برادرهای تو هم غرور دارند و ایدآل دارند. این چیزهارو بفهم مریم. خواهش میکنم بفهم. حفظ نظام شاهنشاهی وظیفهٔ ماهاست و ما بهش افتخار میکنیم. دولت شاهنشاهی ایران اولین و طولانی‌ترین سیستم کشورداری دنیاست. هفتهٔ آینده، توی تخت‌جمشید بیشتر از شصت نفر از پادشاهان و رؤسای جمهور کشورهای جهان جمع میشن که دو هزار و پانصدمین سالگرد این شاهنشاهی‌رو به شخص اول این مملکت تبریک بگن. به این چیزها فکر کن. خواهش میکنم. وظیفهٔ شغلی من کمک به نگهداری این سیستمه. من خودم شخصاً به این نوع حکومت بزرگ، تا روزی که خوب کار کنه، احترام میگذارم، و بهش اعتقاد دارم. من هم به خاطر اعتقاد و احترامم به این حکومت حاضرم بمیرم، شهید بشم. وقتی آدم به خاطر هدف و ایدآلش کشته میشه، زندگی ارزشی نداره. تو باید این را خوب بفهمی. ما حالا هم قدرتش‌و داریم و هم اراده‌ش‌رو، تا هر جور مخالفت و اغتشاش رو بکوبیم، نابود کنیم، ریشه‌کن کنیم.»

پسرک دمرو شده بود، به خودش می‌پیچید، بین خواب و بیداری ناله می‌کرد، و به تشک چنگ می‌زد، خودش را پیش مریم، زیر دست مردان شکنجه‌گر می‌دید.

مریم ساکت بود. گریه می‌کرد. سرش پایین بود.

دنبک‌زن با لگدی او را به روی زمین انداخت. از جیب بغلش یک باتون برقی درآورد، و جلوی صورت مریم تکان‌تکان داد. گفت: «این باهاشون بهتر صحبت میکنه...»

مریم ضجه‌ای کشید.

«محسن کجاست آبجی؟»

ضجهٔ مریم در حلقوم پسرک هم در کابوس شب پیچید.

وقتی مریم جواب نداد، دنبک‌زن شروع کرد. با باتون چند ضربهٔ محکم از روی دامن خون‌آلود به لمبرهای او زد. مریم به ضجه و گریهٔ شدیدتری افتاد. پاهایش از پایین خونریزی داشت. زیر لب به خواندن دعا پرداخت.

«مجبورت میکنم حرف بزنی، پدرسگ. هنوز اشهد گفتن زوده.» آمد جلوتر.

مریم ضجهٔ دیگری کشید. «یا امام حسین شهید!»

دنبک‌زن گفت: «حرف بزن.» دستش را به طرف دامن او دراز کرد.

مریم ضجه زد: «چشم! میگم! میگم! هر چی بخواین میگم.»

«محسن کجاست؟»

«یکجا ــ توی یک ده، توی راه قم، یا ساوه. نمیدونم.»

«کدوم ده؟ اسمش چیه؟»

«نمیدونم. والله نمیدونم. به خدا نمیدونم. من تا حالا نرفته‌م.»

«اسمش رو بگو لکاته! کی رفته؟ کی میدونه؟»

«نمیدونم... به قرآن... از دیشب تا حالا منگم!»

دنبک‌زن با باتون توی سر او زد.

«نکن! خدا! کمک!...»

«اسم ده چیه؟ کوشک نصرت؟»

«نه...»

«قاسم آباد؟»

«نه...»

«پس چی؟ نکنه رفته شیراز؟...»

مریم فقط ضجه و ناله می‌کرد.

«حرف بزن!» آمد جلوتر، جلوتر، جلوتر.

پسرک با ضجه‌ای از بین خوابهای شکسته و تکه‌تکه و روح‌خراش پرید.

فصل نوزدهم

صبح فردای خانه‌سوزی و دستگیری استاد عبدالرضا، مهری خانم پسرک را برداشت و به «کمیتهٔ مشترک شهربانی و ساواک» رفت. نگذاشت به مدرسه برود. ته‌تغاری مریض و کوچولو حالا تنها بچه و تنها کس و کاری بود که زن بیچاره در این دنیا برایش مانده بود. نمی‌خواست این یکی را حتی لحظه‌ای از جلوی چشمش دور کند.

صبح خیلی زود اول رفتند جلو دانشگاه، دم بساط کتابفروشی آقا مرتضی، تا از او کمک بگیرند. آقامرتضی کمیتهٔ مشترک و آنجاها را «خوب» بلد بود، چون تا حالا به قول خودش چند بار او را «خواسته» بودند، و یک مرتبه هم که او را اصلاً گرفته و زندانی کرده بودند.

آقا مرتضی تازه داشت بساط را می‌چید که آنها رسیدند. صبح سردی بود و فضای نزدیک میدان بیست و چهار اسفند تازه داشت کم‌کم شلوغ می‌شد. اتوبوسهای بنز و دوطبقه با دود و سر و صدا مسافر خالی و پر می‌کردند و در حاشیهٔ میدان جمعیت زیادی برای سوار شدن تاکسی به همه طرف هجوم می‌بردند. دکانها باز کرده بودند و پیاده‌روی مقابل دانشگاه لملمه بود.

مهری خانم پس از سلام و علیک با آقامرتضی بی‌معطلی قضیه

دیشب و آتش‌سوزی و دستگیری شوهرش، دایی آقامرتضی را
تعریف کرد. پسرک اول درست نفهمید چرا آقامرتضی آنقدر وحشت
کرد. با عجله شروع کرد به گذاشتن کتابها و دم و دستگاه توی
جعبه‌های کهنه و رنگ و رو رفته‌اش و بردن آنها به ته پاساژ. رنگش
مثل گچ سفید و لهجهٔ شمالی‌اش غلیظ‌تر شده بود و چشمهایش دودو
می‌زد. پس از مدتی با مهری‌خانم و پسرک آمد.

مقداری از راه را پیاده رفتند. بعد با یک تاکسی که به مسیرشان
می‌خورد به میدان فردوسی رسیدند و بعد باز پیاده به طرف خیابان
سوم اسفند و شهربانی سرازیر شدند. در تاکسی آقامرتضی حرف نزد،
اما پیاده که می‌رفتند، کم‌کم برای مهری‌خانم تعریف کرد که ترس و
ناراحتی‌اش از چیست. گفت دیشب آمده بودند دنبال زمانی. معلوم
بود مقصودش چه کسانی است. گفت ریخته‌اند توی خانهٔ عمه‌نصرت،
و تمام زار و زندگی لکنتوی اشرف بیچاره و عمه نصرت را (به هوای
جستجوی کتاب و کاغذهای زمانی) کن‌فیکون کرده‌اند. هنوز به محل
بساط آقامرتضی نیامده بودند، اما ظاهراً آقامرتضی خوف و انتظارشان
را داشت. بعد آقامرتضی چیزهای دیگری هم گفت، که مهری‌خانم و
حتی ناصر دلیل اضطراب و گوگیجه خصوصی‌اش را بهتر فهمیدند.

آخر همین هفته قرار بود مراسم عقد و عروسی خودش برگذار
شود ـــ(با دختر یکی از کامیون‌دارهای میدان ترهبار پایین شهر.) حتی
کارتهای دعوت را هم پخش کرده بود. تمام وسائل و اسباب عقدکنان
و جشن را هم خریده و کرایه کرده بودندـــ با پول قرضی. کارت
دعوت دایی و خانواده را هم که هنوز در جیبش بود درآورد به
مهری‌خانم داد. مهری‌خانم آن را غریزتاً با خوشرویی و خنده و
تبریک گرفت، ولی در چنگش نگه داشت. به هر حال، آقامرتضی
خیلی ترس‌خورده بود و ته دلش خالی. نمی‌خواست با آنهمه خرج و
برج و هزینه‌هایی که روی دستش بود اتفاقی برای عقدکنان و

عروسیش بیفتد.

در خیابان سوم اسفند پیچیدند به قسمت کمیتهٔ مشترک.

اول که اصلاً راهشان نمی‌دادند. بعد هم که به هزار خواهش و تمنا داخل شدند، دو سه ساعت توی کریدورها و پشت درهای بسته آلاخون والاخون و سردرگم بودند. هیچکس سرنخ درستی به دستشان نمی‌داد. هیچ جا هیچ کس جواب نمی‌داد که عبدالرضا نبوی و مریم نبوی کجا هستند، کی هستند، یا اصلاً وجود دارند. «باید برین اتاق ۱۰۳ آگاهی.»، «باید برین زندان قصر»، «باید برین کلانتری محل»، «باید برین اوین...»... اگر احیاناً خبری یا شایعه‌ای می‌شنیدند از مراجعین دیگری بود که آنها هم دنبال کس و کارشان می‌گشتند. می‌گفتند که بیشتر دستگیرشدگان را به یکی از زندانها می‌برند یا در زندان موقت شهربانی نگه می‌دارند. در تشکیل پرونده و اعزام به دادگاه عجله‌ای نبود. می‌گفتند این هفته هفتهٔ «داغی» است و دارند همه را مثل مور و ملخ می‌گیرند و نگه می‌دارند تا جشنهای شیراز تمام شود.

بعد از چند ساعت که همراه مادرش و آقامرتضی وسط کریدورها علاف بودند، در یک لحظه، وقتی آقامرتضی رفته بود بیرون دم در تلفن بکند، پسرک یکهو قیافهٔ یک کوتولهٔ کراواتی را دید و به نظرش رسید او را همین یکی دو روزه یک جا دیده است. اما این مرد امروز سر و وضع خیلی شیک و پیک داشت. صورتی مثلثی شکل و کمی عین روباه داشت، اصلاح‌شده و ادکلن و کرم‌زده بود، با چشمهای زل و چانهٔ تیز. بعد یادش افتاد. این مطرب دنبک‌زن کذایی آن روز سر کوچه‌شان توی درخونگاه بود. خودش بود! کوتولهٔ کراواتی از یک جا، از دری آمد بیرون، و رفت پشت در اتاق دیگری غیب شد. پسرک فوری جریان را به مادرش گفت. مهری‌خانم تکانی خورد و گفت: «وای! کوش کجا رفت؟... انگار در شبی تاریک بارقهٔ امیدی

ناگهان مانند یک ستارهٔ دنباله‌دار سوسو زده بود. اما آنها را به آن اتاق راه ندادند، ورود ممنوع بود، و مهری‌خانم تصمیم گرفت همانجاها با پرروئی و التماس یک گوشه دم در بمانند. یک جا سینهٔ دیوار نشستند.

بعد از حدود نیم ساعت صورت مثلثی از آن اتاق خارج شد. اول پسرک او را دید و با فشار آرنج او را به مادرش که توی چرت بود نشان داد. مهری‌خانم بلند شد چادرش را مرتب کرد، دوید جلو آستینش را کشید، و با التماس او را نگه‌داشت. سلام کرد، عرض ادب نمود، و مختصراً موضوع شوهرش و دخترش مریم نبوی را توضیح داد، و از او خواهش کرد به آنها کمک کند. در تمام این مدت، مرد با چشمهای زل بربر آنها را نگاه می‌کرد، به حرفهای زن بدبخت گوش می‌داد. پسرک را هم ظاهراً شناخته بود! مهری‌خانم آخر سر گریه‌اش گرفت و با قسم و آیه به مقدسات اسلام و جد و آباء همه از وی استمداد کرد که به او خبری بدهد.

صورت مثلثی اول، بعد از سرفه و گلوصاف کردن و به اطراف نگاه کردن، به زن دردمند گفت که معذرت می‌خواهد چون مطلقاً کاری از دست او ساخته نیست. از وجود چنین موضوعی اصلاً خبر نداشت و دست او نبود... در ضمن از راه دلسوزی به آنها یواشکی گفت بروند بیرون جلوی در خروجی عقب، کوچه پشت پستخانه، منتظر او بشوند... شاید بتواند کاری برای آنها دست و پا کند. در لحن و صدایش حالتی بود که بخواهد از راه دلسوزی مطلبی را به آنها بگوید، ولی آنجا جایش نبود. بعد دوباره حرکت کرد و باز پشت یک در غیبش زد.

مهری خانم دیگر منتظر برگشتن آقامرتضی نشد. آقامرتضی خیلی وقت بود رفته بود تلفن کند و شاید هم برگشته بود سر بساطش. یا شاید رفته بود بقیهٔ کارتهای عروسیش را پخش کند. دست پسرک را

گرفت، با هم رفتند جلوی در خروجی، جایی که صورت مثلثی گفته بود. (توی کوچهٔ پشت پستخانه،) ایستادند و منتظرش شدند.

دو ساعت زیر آفتاب منتظر شدند. از در آهنی عقب زندان، که روبرویشان بود، ماشینهای پلیس، یا جیپها و کامیونهای ارتشی می‌آمدند و می‌رفتند. از رادیو ترانزیستوری یک سیگارفروش صدای موسیقی می‌آید و یک خانم تصنیف «این دل دل و دل کشت منو» را می‌خواند. عدهٔ دیگری هم مثل مهری‌خانم و بچه‌اش، پشت در زندان سرگردان و منتظر بودند ــ اما نه‌چندان زیاد. پسرک آنها را نگاه می‌کرد. آنها هم قیافه‌های خسته و وامانده و شب نخوابیده داشتند، یا پسرک اینطور به نظرش می‌آمد. درد سینه‌اش شروع شده بود اما به مادرش چیزی نگفت. مهری‌خانم یک بسته بیسکوئیت ویتانا برای او خریده بود، که هنوز نصفش توی دستش بود. حوصلهٔ خوردن نداشت.

ساعت دو درِ آهنی کمیتهٔ مشترک را بستند، بدون اینکه اثری از صورت مثلثی بشود، اما وسط در بزرگ آهنی، حالا یک نیمدری تنگ و کوچک باز شده بود که گهگاه یک نفر از آن بیرون می‌آمد. دو نگهبان پلیس هم با مسلسل و کلاهخود از نیمدری کوچک پاسداری می‌کردند. مهری‌خانم و پسرک رفتند جلوتر، کنار دیوار ایستادند، و چشمانشان را به نیمدری تنگ دوختند. انگار نصف ابدیت و روز قیامت را منتظر ماندند.

وقتی بالاخره پس از مدتها انتظار سر و کلهٔ آن مرد پیدا شد، مهری‌خانم پرید و رفت جلو. اما او حالا برعکس آن دفعه که توی کریدور با آنها خوب حرف زده بود، خسته و بی‌حوصله به نظر می‌رسید. بیشتر شبیه یک مار در حال حرکت بود، که دهانش را برای قورت دادن یک گنجشک باز کرده باشد. پس از اصرار و التماس مهری‌خانم، ایستاد و به آنها اطلاع داد که پس از تحقیق فهمیده

زندانیهای آنها ــ یعنی استاد عبدالرضا و مریم ــ اینجا در زندان موقت نیستند، و آنها خودشان هم بهتر است دیگر هرگز به اینجا نیایند. چون برای خودشان هم خطر داشت. گفت شنیده است آنها را در زندان دیگری نگه داشته‌اند، و دارند بازجویی می کنند. نگفت کدام زندان. بعد صدایش را آورد پایینتر. گفت او کسی را که مسئول بازجویی آنهاست می‌شناسد. گفت متأسفانه او از آن پدرسوخته‌های دل‌سخت و طمع‌کار است. گفت ولی شاید بشود کاری کرد. مهری‌خانم به لبهای او چشم دوخته بود، و کلماتش را می‌بلعید. پسرک هم به صورت او زل زده بود. نمی‌فهمید مقصود آن مرد از کلمات دل‌سخت و طمع‌کار چیست. ولی مادرش ظاهراً می‌فهمید.

گفت: «ما که چیزی نداریم، آقا...»

«دیگه چی عرض کنم؟»

«ترو به قمر بنی‌هاشم، بفرمایین ما باید چکار کنیم. محض رضای خدا.»

«اگه نصیحت منو میخواین، اولاً که دیگه اینجا پیداتون نشه. برای جفتتون خطرناکه.»

«این آقا که فرمودین چی؟ ممکنه کمک کنین ما با او تماس بگیریم؟»

صورت مثلثی مدتی دربارهٔ اینکه خودش هم بچه دارد و این ناراحتیها را می‌فهمد دربارهٔ اینکه زمانه خراب شده، دربارهٔ قحطی آدم پاک و با ایمان صفحه گذاشت، بعد وارد اصل مطلب شد: «همان‌طور که گفتم این بابا آدم دل‌سخت و خوش اشتهائی‌یه.»

«ترو قرآن سعی کنین کمک کنین.»

«باشه. ممکنه لازم باشه پدرسوخته رو راضیش کنیم. باید دهانش‌رو شیرین کرد ــ».

«چشم. یعنی چه جوری؟»

«یعنی دهانشون با کاسه شله‌زرد شیرین بشو نیست. یادتون باشه بین ما این حرفا باب نیست. ما شکممون سیره. اما بعضی‌ها اون‌تو هستند که چشم و دلشون واسه هرچی میدوئه.»

«چشم. مقصودتون چیه؟ چقدره؟ هزار تومن خوبه؟»

«اگه بخواین مسخره‌بازی در بیارین، یعنی اگه بخواین خودتون رو بزنین به نفهمی و گدابازی، فایده نداره، خداحافظ.»

«نه، نه، ببخشین. پس چقدر، آقا؟»

«من چیزی نمیخوام. این باهاس تو کله‌تون فرو بره. اسم پول‌و جایی به زبون آوردین، حساب جفت زندونیتون با کرام‌الکاتبینه. این تو کله‌تون باشه. یه نفر دیگه میخواد. اسم او و اسم پول هم نباید بیاد.»

«چشم. چقدر؟...»

«از ده برابر اون مبلغ کمتر اصلاً نگاه نمیکنه.»

مهری خانم با گوشهٔ چادرش اشکهایش را پاک کرد: «اما... ما که نداریم، آقا. ما خونه و اثاثیه‌مون سوخته. شوهرم هم که زندونیه.»

«خوب تقصیر من چیه، خواهر؟ اگه تقصیر منه بگو تقصیر توئه. من خواستم کمک کرده باشم. من که تعهدی نکردەم. مگه من تعهدی کردەم؟ شما از بنده تقاضای کمک کردین، گریه کردین، من دلم سوخت. بنده هم سعی کردم از طریق کسان دیگه آنطور که میشه راهی بگذارم جلوی پاتون. تقصیر منه؟ من دارم حیثیت و آبروی اداری خودم رو به خطر می‌اندازم. معلومه که شما اینهارو نمیشناسین... خداحافظ.»

مهری خانم گفت: «صبر کنین. خواهش می‌کنم. هر کاری شما بفرمایین ما می کنیم...»

«بیخودی هم دیگه اینجا نیاین.»

مهری خانم گفت: «محض رضای خدا... هر کاری شما بخواین

می‌کنیم... خونه رو می‌فروشم، گرو میذارم.»

«پس خداحافظ، فعلاً. هر وقت داشتی، وردار بیار. همین—»

حرفش را قطع کرد و به سرعت به طرف ماشین آریایی که یک راننده از یک جا آورد، رفت و سوار شد. ماشین با گاز و دود و زور و سرعت زیاد حرکت کرد.

همراه مادرش به طرف درخونگاه راه افتاده بودند که سر و کلهٔ آقامرتضی پیدا شد. آقامرتضی هم خشک و خسته به نظر می‌رسید، و زیر سبیلهایش در دو گوشهٔ دهان کف جمع شده بود. اول با داد و گله‌گذاری گفت: «بابا شوماها کجا رفتین، زن‌دایی؟ ما رو دو ساعت علاف کردین؟... چهار ساعته دارم دنبالتون می‌گردم. به امیرالمؤمنین. از تمام زار و زندگی وا افتادیم.»

مهری خانم گفت: «ما همین جا بودیم.» اما با خوشرویی از او معذرت خواست و قربان‌صدقه‌اش رفت. بعد قضیه برخوردشان را با مأمور کذایی برای آقامرتضی تعریف کرد.

آقامرتضی گفت: «یا ابوالفضل! ندیها.»

«این کارو نکنم چکار کنم؟ بهش می‌دم.»

«از کجا میاری، زن‌دایی؟ شوما میخواین ده هزار تومن جرینگی به این نسناسها بدین؟»

مهری‌خانم آهی کشید: «... نمیدونم. شاید بتونم از داداشت احمدآقا قرض بگیرم... نزولی قرض می‌کنم. قباله خونه‌رو پهلوش گرو میذارم.»

«زن‌دایی، خام نشو. اون از این پدرسوخته‌ها زالوتر و بدتره. نمیده.»

مهری خانم گفت: «به ما میده، دائیش‌و دوست داره.»

«بابا اون گرفت مادر خودشو واسه صد و پنجاه تومن کتک زد.

حالام تو خونه‌ش راه نمیده.»

«بچه‌های منو دوست داره، میده.»

«نمیده... تازه، چه اطمینانی داری که این پدرسوخته‌ها به قولشون عمل کنن؟ اینها دروغگو و پدرسوخته‌ن.»

مهری‌خانم دیگر نمی‌شنید. گفت: «خونه‌رو پیشش گرو میذارم. اگرم خورد، خورد. بچه‌م واجبتره یا خونه؟»

آقامرتضی گفت: «نمیشه، زن‌دایی، والله نمیشه، به قرآن نمیشه.» و سرش را تکان داد.

مهری خانم نفس بلند و تلخی کشید: «بچه عزیزتره یا اون خشت‌خرابه؟»

فصل بیستم

مهری‌خانم، با وجود حرمت ربا دادن و ربا گرفتن، تصمیم گرفت که،
اگر آسمان هم به زمین بیاید، هرچه زودتر، هر طور شده برای نجات
مریم پولی قرض بگیرد، دم دست داشته باشد. مطمئن بود خداوند درد
و سوز دل او را می‌فهمد و خودش بخشنده و مهربان است. یک گوشهٔ
دیگر دل مهری‌خانم به او می‌گفت این ساواکیها نمی‌توانستند پولکی
باشند ـــ با این همه که دولت به آنها پول می‌داد و شکمشان سیر بود.
اما از طرف دیگر می‌دانست آدمیزاد سیرمونی نداشت. زن بیچاره
تصمیم داشت به هر حال پولی را دم دست داشته باشد، تا ببیند خدا چه
می‌خواهد و مشیت خودش چیست.

تنها کسی که احتمال داشت، از فامیل و دوست و آشنا، به او پولی
قرض بدهد، احمدآقا، برادر بزرگتر آقامرتضی بود. احمدآقا آدمی
بددهن و پشت هم‌انداز بود و در این چند سال اخیر با دوز و کلک و
قلچماقی و زد و بند پول و دم و دستگاهی بهم زده بود. خانه و زمین
و ماشین می‌خرید و می‌فروخت، پول نزول می‌داد و خلاصه می‌گفتند
این روزها خیلی خرش می‌رود. بقول آقامرتضی، پول و ملک و
مالش مدام ری می‌کرد.

به اصرار مهری‌خانم، آنها از همان جلوی کمیته مشترک به خانهٔ احمدآقا رفتند. آقامرتضی اکراه داشت از اینکه همراه مهری‌خانم و پسرک برود، چون او و برادر پولدارش با هم کارد و پنیر بودند، و بجز در موارد خاص، رفت و آمد زیادی با هم نداشتند. (در حقیقت احمدآقا با بیشتر فامیل بخصوص با مادرش قهر بود و نه او دیگر به آلونک مادرش در جوادیه رفت و آمد داشت و نه نصرت خانم اجازه و جرأت داشت که به خانهٔ مجلل احمدآقا برود.) اما آقامرتضی به هر حال با آنها رفت. یکی به دلیل این که خانهٔ جدید احمدآقا را به آنها نشان دهد، چون درست بلد نبودند، و دیگر این که می‌خواست، برای حفظ صورت ظاهر هم شده، کارت دعوت عروسی خودش را به احمد آقا بدهد ــ گرچه می‌دانست او صد سال نخواهد آمد.

بعد از مقداری پیاده‌روی بالاخره تاکسی پیدا کردند و به انتهای خیابان بهار رسیدند و بعد باز پیاده آمدند تا انتهای فرح جنوبی و از آنجا سه‌تایی چپیدند توی یک تاکسی‌بار و آمدند بالا نزدیکیهای خیابان عباس آباد. تاکسی‌بار تره‌بار زده بود، و راننده‌اش هم ترک بود و گفت هر چه میخواید بدید. آقامرتضی پنج تومان از مهری خانم پول خرد گرفت و به راننده داد. خیابان اندیشهٔ ۴ کمی سربالا بود و آنها با هن و هن بالاخره رسیدند جلوی خانه. می‌گفتند خانهٔ بزرگ احمدآقا خیلی خیلی می‌ارزد، و ناصر کوچولو می‌دید که در مقایسه با خانهٔ فسقلی و سوختهٔ خودشان در درخونگاه، یا با بیغولهٔ یک اتاقهٔ عمه نصرت ته جوادیه، انگار مقری در کهکشان هفتادم این عالم بود ــ اگرچه آن حالت اشرافی و شکوه و ظرافت خانهٔ مادر میترا را نداشت. آقا مرتضی زنگ زد و پس از مدتی، بعد از آنکه احمدآقا از توی اف. اف. پرسید کیه، خودش آمد و یک لنگهٔ در را باز کرد. با دیدن آنها کمی با اخم و تعجب دهانش باز ماند و چشمهای ورقلنبیده‌اش زل زد. احمد آقا برخلاف آقامرتضی خیلی درشت

هیکل بود، با صورتی سرخ و سفید و چاق، خوب خورده، خوب خوابیده، خوب اصلاح شده، خوب توالت کرده. زلفهای نرم و روغن‌زده‌ای داشت که فرق و دالبرهای دوطرف مو انگار با خط‌کش پرگار تنظیم شده و با اطوبرقی صاف شده بودند. یک جفت سبیل قیطانی باریک و نازک هم داشت که ظریف و تمیز بودند. اما چشمهای درشت و بی‌اعتماد احمدآقا چیز دیگری بود، و وقتی عصبانی می‌شد و به آدم زل می‌زد، زهره آب می‌کرد. ناصر از او می‌ترسید. بخصوص از صدایش که وقتی بلند می‌شد گوش فلک را کر می‌کرد. اگرچه می‌گفتند فشار خون دارد، قلبش نارسایی دارد، آسم و تنگی نفس دارد، سنگ کلیه هم دارد، اما مثل کرگدن کوه‌پیکر و سر و مر و گنده به نظر می‌رسید. یک لباس خانهٔ بلند چهارخانه از جنس مخمل یا ماهوت خارجی با کمربند منگوله‌دار روی پیراهن و کراوات و شلوار پیژامه به تن داشت، که به هیکلش هیبت بیشتری می‌داد. می‌گفتند این مرد سی و هفت هشت ساله در این ده دوازده ساله از راه پول نزول دادن حدود بیست ملیون روی هم گذاشته است. چند سال پیش، او که برای خودش تصدیق ششم ابتدایی جور کرده بود، با هزار دوز و کلک خود را در یکی از شعبه‌های بانک صادرات وارد کرده بود. اما پس از مدتی که خودش وارد «پول» شده بود به قول خودش دین و ایمان و خدای خود را پیدا کرده بود، هنوز شغل بانکی‌اش را در ظاهر نگه داشته بود و می‌گفتند با بیشتر رؤسای بانکها و کارچاق‌کنها رفیق است. توی خانه هم برای خودش دفتر و دستک و گاوصندوق داشت.

وقتی آنها وارد شدند، پسرک حدس زد احمدآقا وسط پول شمردن بوده است، چون از لای در اتاق دفترش دید که در گاوصندوق نیمه‌باز است و دسته‌های اسکناس هم همه جا ولو است. یک ماشین حساب روی میز کار قرار داشت. احمدآقا آنها را توی هیچکدام از

اتاقها نبرد، و توی سرسرا نگه داشت ــ که تازه آنجا هم با فرش و مبل و مخدههای عجیب و گرانبها مزین بود.

مهریخانم به جای نشستن روی مبلهای چرمی، یا تکیه دادن به مخدهها، همان جا کنار در، سینهٔ دیوار نشست. پسرک هم به تبعیت از مادرش یک گوشه کنار مهریخانم روی پارکتهای کف راهرو دو زانو نشست. او و مادرش، مثل آقامرتضی، قبل از این که وارد سرسرا شوند کفشهایشان را درآورده بودند.

زن احمدآقا خانه نبود و احمدآقا گفت رفته آرایشگاه. دو پسر احمدآقا، مهرداد و ارژنگ، از یک جای خانه آمدند جلو و به مهری خانم سلام کردند، اما احمدآقا آنها را با تشر به اتاقهایشان پس فرستاد تا با اسباببازیهایشان بازی کنند.

در چار پنج دقیقهٔ اول، احمد آقا به ناصر و مهری خانم اعتنایی کرد. میدید شلهزرد یا نذری نیاوردهاند، و حس ششم به او میگفت برای کاری آمدهاند که احتمالاً به نفع او نخواهد بود. فقط با آقامرتضی، با شوخی و دعوا از شخص دیگری که احمدآقا به وساطت آقامرتضی به او پول قرض داده بود حرف زد.

گفت: «اما من چکهاشو نقد کردم، ارواح پدر دیوثش. ساعت سهٔ صبح رفتم در خونهش ــ با شوفر عباس آقا و داداشش میتی. سهتایی با هم رفتیم. جلوی زن و بچه و همسایههاش آنقدر بد و بیراه بهش گفتم و آنقدر آبروشو ریختم که گریهش گرفت. به ابوالفضل! فهمید با کی طرفه!»

بعد مدتی به کارت دعوت برادرش خیره شد و چیزهایی منمن کرد به این مفهوم که فکر نمیکند بتواند بیاید و کار دارد، ضمن اینکه آقا مرتضی را هم به خاطر کوچک بودن کارت و مایهٔ آبروریزی بودن دعوتنامه سرکوفت زد و ساعت یک بعد از ظهر را هم برای جشن عقد به باد مسخره گرفت.

احمد آقا برای مرض آسم و تنگی نفسش یک تلمبهٔ کوچک خارجی اسپری اکسیژن هم دستش داشت که هر چند دقیقه یک مرتبه آن را از توی جیب لباس خانهٔ مجللش درمی‌آورد و توی حلقوم و گلویش می‌زد. بعد دستش را روی قلبش می‌گذاشت و نفسهای عمیق می‌کشید.

آقامرتضی بالاخره به «عرض اصل مطلب» آمدن مهری خانم به آنجا پرداخت. حوادث اخیر دایی و وضع اسفناک مهری‌خانم را تشریح کرد و توضیح داد که او به ده هزار تومان پول احتیاج دارد ـ‌احتیاج خیلی حیاتی و ضروری که به منزلهٔ مرگ و زندگی برای نجات دایی اوسا عبدالرضا و بخصوص برای نجات مریم است. و در همان نفس همچنین توضیح داد که مهری‌خانم می‌تواند قول‌نامه یا تعهدنامه پیش احمدآقا بگذارد و خانهٔ درخونگاه را پیش احمد آقا وثیقه قرار دهد ـ‌اگرچه بعضی از اسناد خانه فعلاً سوخته و از بین رفته است. ناصر می‌دید که هرچه آقامرتضی بیشتر حرف می‌زند احمدآقا بی‌علاقه‌تر می‌شود، و به حرفهای آقامرتضی کمتر گوش می‌دهد و اگرچه حیرت و تعجبش از وقوع این حوادث بیشتر می‌شود، اما حوصلهٔ نبودیش هم از درگیری با آنها به سرعت کمتر می‌شود.

بالاخره فقط یک کلمه گفت: «چک.»

آقامرتضی فهمید. برگشت به مهری خانم نگاه کرد: «میتونین به احمدآقا چک بدین؟»

مهری خانم پرسید: «چک؟»

احمدآقا رو به برادرش گفت: «من فقط با چک معامله میکنم ـ‌تو که میدونی.»

مهری خانم گفت: «اما ما که چک نداریم.»

«یعنی دایی دسته‌چک نداشت؟ حساب پس‌انداز یا سپرده نداشت؟»

«نه...»

«وضع پول مولش چه جوری میگذشت؟»

مهری خانم گفت: «همین جوری... برای حاج عبدالله خان معمارکاری میکرد. روزانه کار میکرد و یه چیزی میگرفت. بنّاست دیگه.»

«یعنی یه حساب بانکی نداشت این بشر؟»

«نه... میگفت بانک حرومه. میگفت آقا گفته شرعی نیست.»

احمدآقا با خنده‌ای که نیشش را تا بناگوش باز می‌کرد برگشت به آقامرتضی نگاه کرد و سرش را تکان تکان داد. با بی‌حوصلگی آنچه را می‌خواست دربارهٔ خریت و نفهمی غیرقابل انکار اوس‌عبدالرضا بدبخت بگوید به زبان نیاورد. در گذشته احمدآقا برای اوس‌عبدالرضا که دایی بزرگ خودش محسوب می‌شد، احترام زیادی قائل بود. مهری خانم می‌دانست که اوس‌عبدالرضا چندین بار به احمدآقا پنجاه تومان و صد تومان دم در خانه پول قرض داده و اکثراً هم از او پس نگرفته بود. دست آخر احمد آقا رو به آقا مرتضی کرد و بادی به غبغب انداخت که:

«خب، پس تو میخوای به جای دایی چک بدی؟»

«من؟...»

«یادت باشه؛ ده هزار تومن، تومنی دوزار که نرخ فعلی‌یه، علف خرس نیس. هر چیزی رسم و روشی داره. دیگه دور، دور نظم و قانونه. گذشت اون موقعی که هر پدرسوخته و شارلاتانی می‌تونست به هر بدبخت فلکزده‌ای زوربگه. دیگه مملکت صاحاب داره. شوما خودتم تازه الان اون پنج هزار تومنی رو که واسهٔ خرج این جریانها گرفتی باهاس تا پنج ماه دیگه قسط بدی.»

آقا مرتضی زورکی خندید: «نه بابا... ما چک چی داریم؟... ما آه نداریم با ناله‌مون سودا کنیم، اخوی. عرض کردم با خودشونه. ما که

کاره‌ای نیستیم! فقط آوردیمشون خدمت شوما اینجا چون راه رو بلد نبودن... و کسی رو نداشتن.»

احمد آقا سرش را انداخت پایین.

آقا مرتضی ادامه داد: «زن دایی خانوم میفرمان هر کاری از دستشون برمیاد میکنن. حاضرن کاغذ محضری بدن، تعهدنامهٔ محضری بدن، یا هر چی شوما بخواین بدن خدمتتون. ولی فقط خونه‌شون هست. مشکلی هم که داره اینه که شناسنامه‌هاشون همه سوخته. منزلشون که گفتم اتفاق بدی افتاده به اصطلاح همه‌چی سوخته. خلاصه، شوما باید مردانگی بکنین این وسط، باید هر جوری هست، کارشونو راه بندازین. تا دایی خودش وقتی به امید خدا اومد بیرون تمام پولو یکجا میارن تقدیم کنن. با سود و نزولش و همه‌چی.»

احمد آقا پشت سرش را خاراند. ناصر او را نگاه می کرد. یادش بود چند سال پیش یک روز احمد آقا به خانهٔ آنها آمده و به اوس‌عبدالرضا گفته بود عمه کمردرد دارد و باید برایش تختخواب بخرند، اما پول ندارند. اوس‌عبدالرضا فوری صد و پنجاه تومان جور کرده و به او داده بود تا از سر حسن‌آباد یک تختخواب دست دوم بخرد. منتها تختخواب هرگز خریداری نشد. امروز، پس از شنیدن حرفهای مادرش و آقامرتضی، ناصر به خودش گفت الان است که احمد آقا صدای نخراشیده‌اش را ول کند، اما احمد آقا تا حدی خودداری کرد و فقط رو به مهری خانم گفت: «من فعلاً که ندارم به قمر بنی‌هاشم. یعنی تو خونه ندارم. دستم تنگه.»

آقا مرتضی گفت: «من خودم اگه داشتم به جان خودم همین الآن بهشون می‌دادم. ثواب داره.»

مهری خانم گفت: «خدا اجر میده... دختر نازنینم رو گرفته‌ن. حالا باباشون که هیچی. اون یارو که گرفته‌شون گفت باید پول ببرم تا نمیدونم کی‌اک‌رو راضی کنه. چکار کنم؟ گفت ده هزار تومن کمتر

کارشون رو راه نمیندازه.»

احمد آقا سرش را بلند کرد. «اگه داشتم، به امام حسین، به جد خودت، به پیغمبر، دو دستی تقدیم می‌کردم... ده هزار تومن چیه؟ چاشت یه بنگی. اما الآن، امروز هیچی تو دست و بالم نیست به جون بچه‌هام. دریغ از ده هزار تا صناری، به ابوالفضل. من خودم مریضم و برای پول دوام دیروز صبح از معاون بانک دویست‌تومن دستی گرفتم.»

آقامرتضی گفت: «احمد جون، شوما میتونی واسه‌شون درست کنی. جان مهرداد، جان ارژنگ، درست کن واسه‌شون. ثواب داره.»

احمدآقا بالاخره صدایش را ول کرد: «گفتم که، ندارم. شومام دیگه لفتش نده. از این لقمه‌هام دیگه واسه ما نگیر.»

«بابا بیچاره‌ن... احتیاج دارن.»

پسرک احساس کرد کله‌اش داغ می‌شود. از بس سفت روی دوزانو روی پارکت سفت نشسته بود حس کرد پاهای لامسبش هم خواب رفته و دارند جزجز می‌کنند. پاهایش را جابجا کرد و چهارزانو نشست و امیدوار بود که این کارش برای آسم احمدآقا بد نباشد، یا پارکتها را خراب نکند. بعد به مادرش نگاه کرد و دید که او هم نزدیک است بغضش بترکد.

احمدآقا با صدای بلندتری گفت: «بابا چیکار کنم؟ ندارم. گاو نیستم که بلند شم خودمو بدوشم. مگه ندارم سرتون نمیشه؟ من ننهٔ خودم چند روز پیش پیغوم فرستاده بود هزار تومن میخواست، واسه دوا و دکترش، نداشتم بهش بدم، ندادم! من که واسه مادر خودم ندارم، از کجا میتونم ده هزار تومن بیارم به شوماها بدم؟ دِهه. مگه نمیفهمین. فعلا دستم خالیه. دوم از اون ــ والله، به امام حسین، خریته که آدم پول نازنین و بی‌زبون رو ورداره ببره بده دست یه مشت پدرسگ بی‌ناموسی که شوما اصلاً نمیدونین کی هستن کی نیستن. نفهمی‌یه.»

آقا مرتضی با نیشخند ابلهانه‌اش گوش می‌کرد. گفت: «احمد جون، اگه شوما بخوای میتونی کمکشون کنی...»

احمد آقا داد زد: «گفتم بسه دیگه. تموم شد.» بعد چند سرفه کرد و از تلمبه توی حلقوم خودش اسپری زد.

مهری خانم تکانی به خودش داد و ناصر کوچولو فوری بلند شد و به عزیز نگاه کرد. «عزیز، داره دیر میشه!»

مهری‌خانم آهی کشید. چادرش را با اکراه جمع و جور کرد که از جا بلند شود. او هم به اندازهٔ کافی دروغ و تحقیر شنیده بود. وقتی بلند شد چادرش را جلوی صورتش گرفت تا کسی اشکهایش را نبیند.

احمدآقا دنبال آنها از اتاق بیرون نیامد. وقتی آنها آمدند بیرون، توی حیاط، پسرک هم به گریه افتاد و با لگد زد به سپر عقب ماشین گنده خارجی احمدآقا، اما فقط پای خودش درد گرفت.

مهری خانم گفت: «نکن، ننه. این کارها چیه؟»

آقامرتضی گفت: «غصه نخورین، بالأخره درست میشه زندایی. خدا بزرگه!»

«چی بگم... دیگه چکار کنم؟»

آقامرتضی گفت: «متأسفم که اینجا نشد.»

در هوای خشک و سرد، پیاده آمدند تا سر خیابان تخت‌جمشید و بعد پیچیدند و از روزولت آمدند سر شاهرضا. حرف زیادی نداشتند بزنند. از آنجا آقامرتضی با اتوبوس رفت طرف میدان مجسمه. پسرک و مادرش پیاده آمدند طرف میدان فردوسی.

هر دو گرسنه بودند، از دیشب تا حالا هیچکدام یک چیز حسابی از گلویشان پایین نرفته بود. دست همدیگر را گرفته بودند و می‌آمدند.

برغم درد و اضطراب آنها، شهر غرق در جوشش و شادی به نظر

می‌رسید. خیابانها به مناسبت برگزاری جشنهای دو هزار و پانصد ساله
شاهنشاهی چراغانی شده بودند. سینماها باز بودند و فیلمهای شاد و
کمدی و عشقی نشان می‌دادند. رستورانها و مغازه‌های بزرگ و
سوپرمارکتها همه جا باز و شلوغ و آکنده از هر نوع مواد زندگی
خوب و مرفه بودند. از یک مغازهٔ نوارفروشی صدای موسیقی بلند
ایرانی و آواز گوگوش بلند بود. پسرها و دخترها دسته دسته در
پیاده‌روها می‌پلکیدند. همه خوشحال به نظر می‌رسیدند با هم می‌گفتند
و می‌خندیدند. پسرک بیشتر در این فکر بود که مریم کجاست؟ با او
چکار می‌کنند؟ پدرش حالا کجاست؟ با او چکار می‌کنند؟ رضا حالا
کجاست، چکار می‌کند؟ میترا حالا کجاست و چکار می‌کند؟ یاد میترا
حواسش را بیشتر پرت کرد، بطوری که وقتی از خیابان عبور
می‌کردند از مادرش عقب افتاد و تقریباً ول شد. مهری‌خانم فوراً
برگشت دست او را گرفت و از وسط خیابان عبور داد. «وا! من حواسم
پرته، تو حواست کجاست مادر... میخوای بری زیر ماشین؟»

از خیابان فردوسی که انداختند پایین، باد سرد و تندی توی
صورتشان می‌زد.

مهری خانم انگار که با خودش حرف بزند گفت: «انگار مجبوریم
با دایی تماس بگیریم... نمیدونم. شاید اون بتونه کاری بکنه.»

«دایی فیروز؟ اون که یزده؟»

«میدونم. بیا.»

فصل بیست و یکم

در سیاهی دل شب، باز خواب دید دو مطرب ژنده‌پوش در زندان وارد سلول نیمه‌تاریک شدند. نمی‌دانست چند شبانه‌روز از دستگیری مریم گذشته است. مریم گوشهٔ سلول، روی تخت آهنی بی‌تشکی بسته شده بود. صورتش بطرف زمین و دستها و پاهایش به چهارگوشهٔ تخت طناب‌پیچ بود. گریه می‌کرد. پشت دامنش لکه‌های خون خشکیده داشت. مریم به آنها هیچ چیزی نگفته بود، امروز هم نمی‌گفت. می‌دانست بزودی زیر دست آنها خواهد مرد. چیزی هم نخورده بود. کاری هم نکرده بود، جز اینکه در چشمهای تک‌تک آنها تف انداخته بود. پسرک در خواب، خودش هم انگار توی سلول بود، گریه می‌کرد.

خدمتکار عاقله‌زنی، با روسری و روپوش رنگ نظامی شبیه یک جور یونیفورم آمده و برای او چای و یک تکه نان آورده بود. اما او لب نمی‌زد. حتی به سینی نگاه نمی‌کرد. خدمتکار انگار جنوب شهری بود و ظاهراً با دختر بیچاره همدردی داشت. مردک بلندقد، که آن روز ویلن زن بود، قرآن کوچکی از جیبش درآورد. «به این قرآن مجید، و به جان بچهم، روی این قرآن میزنم، تا باور کنی! منم بچه

دارم. میفهمم. بفهم. به من بگو آزادت میکنم.»

مریم جواب نداد. سرش را برگرداند.

«از قرآن رو برنگردون، دخترم. با همین اطمینانی که من الان میدونم روز روشنه، میدونم تو از نامهٔ رضا یه چیزهایی میدونی!»

مریم گفت: «من هیچی نمیدونم... یعنی هیچ چیز دیگهای نمیدونم.» صداش گرفته و دردناک بود.

«خام نباش دختر... اگه خامی و خیرهسری بکنی، بلاهای خیلی بدی سرت میاد. هزار بار بدتر از این که تا حالا اومده... تو بیگناهی!...»

مریم سرش را بلند کرد و نگاه نفرتباری به مرد شکنجهگر انداخت.

«آره، بیگناهی.»

«اگر بیگناهم پس آزادم کنین برم! باشرفها.»

«رژیم این روزها دو تا برادرهای ترو میخواد... میخواد اونها رو بندازه زندون تا این جشنهای دوهزار و پونصدساله و رویدادها بگذره. به نفع برادرهات هم هست، و تو میتونی کمک کنی ما اونها رو بندازیم زندون، تا به عنوان خرابکار تو خیابونها کشته نشن.»

مریم سرش را پایین انداخت. صورت و تمام تنش لاغر و تکیده شده بود، عین اشباح طاعونزده ـبخصوص با موهای کثیف و ریشریش درازش که توی صورتش میریخت. بوی تعفنی هم انگار از او متصاعد بود. دو زخم کثیف هم روی گردنش بود، چرک و آماسکرده.

پسرک در خواب غلطی زد و ناله کرد... دلش میخواست بیدار شود، اما کابوس ادامه داشت. صحنهها تکهتکهٔ کابوس میآمدند و محو میشدند. اما سمج و پیوسته بودند... فقط هم مریم و زندان و ساواک...

انگار روز دوم دستگیری پدرش بود... اوایل بعد از ظهر بود. صورت مثلثی ژنده‌پوش قدکوتاه، که چشمهای تخس داشت، به سراغ مریم آمده بود. او هم امروز فکل کراوات داشت. یک ظرف چلوکباب با خودش آورده بود که آن را جلوی مریم گذاشت. دستهای مریم را باز کرد تا غذا بخورد. حتماً حقه‌ای در کار بود. اما مریم بجای غذا خوردن، مثل برق چنگال توی سینی را برداشت و به قصد خودکشی توی گلوی خودش ضربت زد.

پسرک نالهٔ حلقومی کابوسناکی کشید. از این دنده به آن دنده شد.

از گلوی مریم خون می‌آمد.

مرد فکل کراواتی چنگال را از دست مریم درآورد، اما به زخم گلوی او اهمیت نداد. فریاد زد: «پس میتونی فقط انقدر بگی محسن و رضا شیرازند یا نه؟»

مریم سرش را تکان تکان می‌داد. گلویش خون می‌آمد.

«شیرازند یا نه؟»

مریم سرش را انداخت پایین. «من نمیدونم... من نمیدونم!»

مرد شکنجه‌گر نفس بلندی از خشم و بی‌حوصلگی کشید.

«خیلی خب، نگو. خیلی خب، لجبازی کن! اما بعداً نرو به ما اتهام بزن که به تو فرصت ندادیم. خدا به سر شاهده که تو همه جور فرصت لااقل از دست ما گرفتی.»

تلفن را برداشت، و یک شماره گرفت. «الو... به ممد بگو زندانی تازه‌ش رو بیاره اینجا پیش من. آره، نبوی‌رو... آره، همین الان.»

مریم ناگهان و حشتزده سربلند کرد.

پسرک نالهٔ کابوسناک دیگری کشید و به پهلوی دیگر غلت زد....

مرد شکنجه‌گر با پوزخند پیروزی، هول و هراس مریم را تماشا

می‌کرد. «حدس میزنی کیه؟»

«مصطفی؟» صدای او خفه شده بود.

«غلط فهمیدی!»

«یا خدا...» با دو دست توی صورت خود زد و تقریباً جلوی چشمانش را گرفت. گفت: «یا فاطمهٔ زهرا، فقط ناصر نباشه. یا فاطمهٔ زهرا!»

وقتی در باز شد، اول آن یکی مرد شکنجه‌گر آمد تو، پشت سرش قامت خمیده و نحیف پیرمردی را هل دادند تو. پیرمرد از پشت دستبند داشت.

مریم فوری پدرش را شناخت! و ناله‌ای کرد. تمام صورت پیرمرد هم از فرط زخم و ورم در اثر کتک، سیاه بود.

پسرک با ضجهٔ بلندی از خواب پرید. پا شد نشست و در تاریکی صورتش را وسط دستهایش گرفت و فشار داد ــ هم خواب گیج و منگش کرده بود، و چشمهایش باز نمی‌شد، هم نمی‌خواست بخوابد. و نمی‌خواست بنشیند گریه کند، یا بلند شود برود توی حیاط و مادرش را هم ناراحت کند. کابوس هم ول نمی‌کرد. بمجرد اینکه سرش را دوباره زمین گذاشت، پدرش را روی زمین دید که دعا می‌کرد. «بِسْمِ اللهِ المُنتَقِم. قُلْ اَعوذ بِربّ النّاس. مَلِکْ النّاس. اِله النّاس. مِنْ شَرِّالوَسْواسَ الخناس ــ»

مرد کراواتی اول با لگد توی سر پیرمرد زد که «خفه شو!»

مریم خودش را روی اوس‌عبدالرضا انداخت. «بابا!...»

مرد به او هم لگد زد.

استاد عبدالرضا گفت: «پناه به خدا ببر دخترم! هیچی نگو!»

دو مرد به هم اشاره کردند. اولی لگد تازه‌ای با نشانه‌گیری بهتر به لمبر پیرمرد کوفت، بطوری که قربانی چماله شد. گریهٔ مریم شدیدتر شد.

«خفه اوسّا!...» مرد لگدی توی کمر مریم هم زد. «خفه دختر.»

پدرش اشهدش را گفت و بعد به خواندن سورهٔ التّوبه پرداخت ـ سوره‌ای که تمام عمر شب و روز خوانده بود و به بچه‌هایش هم آموخته بود ـ اما امروز انگار حتی این سوره نیز او را تنها گذاشته بود. یکی از مردها به مریم نزدیک شد.

«حالا حرف میزنی دختر؟ یا میخوای اونو به کشتن بدی؟»

مریم به گریه شدید و سوزناکی افتاده بود. «بابا! بابا! من چیزی نگفته‌م... من چیزی نمیدونم. به قرآن... ترو به فاطمهٔ زهرا نجاتم بده.»

پیرمرد سر به دیوار کوبید و به خواندن سورهٔ التوبه ادامه داد. مریم، روی زمین، کنار پدرش، در میان گریه به او نگاه می‌کرد و سرش را تکان تکان می‌داد. پیرمرد هم در میان دعا گریه می‌کرد و صورت گریان و آش و لاشش را به طرف سقف بلند کرده بود.

دو مرد شکنجه‌گر مریم را بلند کردند، او را روی تخت بستند. پاهایش از هم باز بود. بعد هر کدام یک سر تخت را گرفتند، آن را از روی زمین بلند کردند و راست به دیوار تکیه دادند.

مرد اول برگشت، رو به پیرمرد نگاه کرد، که هنوز روی زمین دعا می‌خواند. گفت: «ببین چی واسه‌ت ساختم، اوسّا!» مردهای توی اتاق خندیدند ـ بجز پیرمرد که فقط سرش را با درد بلند کرد و نگریست.

«حالا بنال، اوسّا!...»

پیرمرد التّوبه را ادامه داد.

مریم از شرم سرش را برگردانده بود. مرد کوتاه قد با صورت تخس به مریم نزدیکتر شد. نزدیکتر و نزدیکتر رفت.

پسرک با ضجهٔ حلقومی بدتری از خواب پرید، باز بلند شد نشست. خوشبختانه مادرش خواب بود. چند لحظه‌ای سر جایش مات و

منگ باقی ماند. بعد یواشکی بلند شد توی تاریکی رفت توی حیاط،
لب حوض. به صورتش آب زد. هنوز تمام بدنش می‌لرزید. سعی کرد
به خودش بگوید اینها خواب است، واقعیت نیست. شاید فقط شکنجهٔ
روانی می‌دادند.

فصل بیست و دوم

بقیهٔ آن شب، گوشهٔ اتاق، زیر پتو کهنه، بیدار ماند و سعی کرد به دنیای دایی فیروز و حرفهای او فکر کند، که مادرش حرف او را پیش کشیده بود. پسرک بیشتر حرفهای دایی فیروز را هیچوقت درست نمی‌فهمید. «باید اندیشه کنیم.» دایی می‌گفت... «هر وقت خواستیم کاری بکنیم، باید اول اندیشه کنیم. باید نیکی و بدی آن کار را در نظر بگیریم و بسنجیم، بعد تصمیم بگیریم... با پندار نیک... گفتار نیک... کردار نیک. باید سر هر امر خداوندگار یکتا را در نظر داشته باشیم. از او بپرسیم... و فکر کنیم اگر به صدا می‌آمد چه جواب می‌داد.» دایی در دنیای دیگری بود. او مُهرهٔ گمشده یا وصله ناجور خانواده بود.

واقعاً می‌شد روی دایی حساب کرد؟

در تمام فامیل، به استثناء عزیز، پسرک خودش احتمالاً تنها موجودی بود که از دایی «نفرت» نداشت. در حقیقت او از دایی فیروز خوشش می‌آمد، چون دایی به کشورهای مختلف رفته و به مدارج عالی و گوناگون رسیده بود. پسرک در اوایل تمام ماجرا را نمی‌دانست، و عوامل چی به چی و کجا به کجای کارها و زندگی دایی را نمی‌فهمید، همانطور که هیچکدام از افراد فامیل دایی را درست

درك نمی‌کردند. به هر حال تصویری که در اوایل از دایی در ذهن پسرك نقش بسته بود، این بود که دایی خُل و لامذهب شده است.

دایی فیروز، تنها برادر کوچک مهری‌خانم، و تنها بازماندهٔ فامیل او در قائنات و آن طرفها بود. در خانهٔ آنها، پذیرفتن یا حتی فکر وجود آدمی مثل دایی فیروز کار ساده و آسانی نبود. اولاً یک چشمه از کارهای دایی فیروز این بود که به دین زرتشتی علاقه پیدا کرده و جذب بود. اسمش را هم عوض کرده بود، و از مجتبی گذاشته بود فیروز. به قول اوس عبدالرضا، «ولش کنین... انتر رفته حاجی فیروز شده!»

اما دایی سرگذشت و داستانی هم داشته که پسرک جسته و گریخته در طول سالها شنیده بود. وقتی دایی شش ساله بوده و آنها هنوز در دهستان سراب شهرستان قائنات خراسان بودند، یک واقعهٔ وحشتناک برای او اتفاق می‌افتد. (این واقعه به سال بعد از ازدواج مهری‌خانم و استاد عبدالرضا برمی‌گردد، سالی که آنها از قائنات و از مزارع زعفرانشان بیرون رانده شده بودند.) در آن واقعهٔ وحشتناک تمام اعضاء خانوادهٔ روحانی خوشنام دایی، یعنی خانوادهٔ حاج حسن آقا شریف قائناتی واعظ در آتش‌سوزی خانه‌شان (که ظاهراً به دست سربازهای رضاشاه بر پا شده بود) از بین می‌روند. فقط دایی فیروز که آن موقع کوچولو بوده از مرگ در آتش نجات پیدا می‌کند... به اینصورت که مادرش در آخرین لحظات زندگی خود، با یک تلاش مذبوحانه برای نجات جان بچه‌اش، بچه را پرت می‌کند روی پشت بام خانهٔ خالی و متروکهٔ همسایه، و سرش فریاد می‌زند که «برو یک گوشه قایم شو!» پسر کوچک مجروح، ترسیده و بی‌خان و مان و تنها... بدون اینکه فکرش درست کار کند، فرار می‌کند و روزها و شبها در هر گوشه‌ای قایم می‌شود ــو قوهٔ تکلم خود را از دست می‌دهد.

سه سال آزگار از این دهکده به آن دهکده ویلان و آواره

می‌شود. در عرض این سالها، لال و سرگردان و گمشده، بدترین عذابها و جراحتها و تمسخرها را می‌بیند ـ که تعریفها داشته.

در آخر تابستان سال ۱۳۲۰، دایی بالأخره در مشهد، به خانهٔ قوم و خویشهایش می‌رسد و پناهگاهی پیدا می‌کند ـ در خانهٔ فاطمه سادات خانم مادربزرگ میترا. سال بعد که فاطمه سادات خانم با دخترش قدسی به تهران می‌رود دایی را هم ـ که آن موقع هنوز اسمش مجتبی بوده ـ همراه خودش به تهران می‌آورد. در تهران دایی مدتی در خانهٔ جدید قدسی‌خانم زندگی می‌کند، بعد او را در مدرسهٔ کر و لالها می‌گذارند که یک مدرسهٔ خیریه بوده، و به وسیله بنیاد نیکوکاران وابسته به کتابخانهٔ حرم مطهّر اداره می‌شده. در اینجا دایی بزودی نه‌تنها قوهٔ بیان و صدایش را باز می‌یابد و حس اعتمادش به مردم دنیا مجدداً تأمین می‌شود، بلکه علائمی از هوش و استعداد عجیب و نیروی فهم و ادراک غیرعادی، و حتی ماوراء طبیعی، از خودش بروز می‌دهد. بطوری که دو ساله تمام دروس ابتدایی و متوسطه را تمام می‌کند. در این دو سال او هنوز در خانهٔ قدسی‌خانم زندگی می‌کرده ـ و گاهی هم به درخونگاه پیش خواهرش مهری‌خانم و بر و بچه‌هایش می‌آمده. آن سالها، البته سالها پیشتر از تولد میترای قدسی‌خانم و ناصر مهری خانم بود.

بعد او را از طرف بنیاد نیکوکاری به خارج، به دانشگاهی در گُجرات هندوستان می‌فرستند. آن سال یک آقای دکتر میرعماد راشد نامی که از دوستان خسروی، شوهر قدسی‌خانم، و رایزن فرهنگی ایران در هند و ساکن بمبئی بوده، به توصیهٔ خسروی به دایی کمک می‌کند، یعنی دایی را اول پیش او می‌فرستند. دایی اول مدت کوتاهی با دکتر راشد هست، بعد می‌رود تنها توی دنیا و زندگی خودش... بچه‌های مهری خانم، هیچکدام از تمام چند و چون زندگی دایی در هندوستان و آنجاها و درجه‌های دانشگاهی و سالهای تدریس او چیز زیادی

نمی‌دانستند، اما یکی از جزئیات معروف این بود که دایی اسمش را عوض کرده، درویش و عارف عوضی شده!...

مهری خانم و بچه‌هایش فقط بطور گهگاهی از کارهای دایی از طریق مادربزرگ میترا با خبر می‌شدند، یا وقتی دایی خودش گاهی به ایران می‌آمد، و به آنها در درخونگاه سر می‌زد. هر وقت دایی برای دیدن تنها خواهرش به خانهٔ درخونگاه می‌آمد، صبحهای وسط هفته بود که بابا و داداشها احتمالاً خانه نبودند. اوس‌عبدالرضا و بچه‌های بزرگتر البته برای او نه فقط ارزش و حرمتی قائل نبودند، چون نماز نمی‌خواند بلکه نمی‌خواستند سر به تنش باشد ـبخصوص که دایی شاهدوست هم بود!

اما زندگی دنیوی دایی فیروز هم فقیرانه و ساده بود ـعین یک درویش دیوانه. می‌گفت: خانه‌اش در هندوستان است، یعنی در جامعهٔ گُجرات نزدیک بمبئی. می‌گفت آنجا هنوز در حدود صد هزار اهل سنن خیلی قدیمی ایرانیها زندگی می‌کنند. می‌گفت اینها بازماندهٔ ایرانیها و پارسیهایی هستند که از شروع حملهٔ «تازیان» به ایران هزار و سیصد سال پیش و استیلای آنها در کشور ما به تدریج از ایران مهاجرت کردند و در هندوستان مقیم شدند. وقتی دایی در هندوستان بود احساس تنهایی و درد غربت می‌کرد، احساس می‌کرد که متعلق به این سرزمین نیست. وقتی هم که به ایران می‌آمد بعد از مدتی احساس دلتنگی می‌کرد و احساس می‌کرد که متعلق به اینجا هم نیست. (بخصوص وقتی می‌آمد درخونگاه!) اولین باری که پسرک دایی را دید چهارساله بود. آن روز در مغز او حک مانده. بعد از ظهر یکی از روزهای بهاری بود، حدود یک ماه بعد از عید، و دایی مثل همیشه سرزده آمد. برای عزیز مقداری شیرینی و زولبیای هندی آورده بود. یک دست کت و شلوار گاباردین کرم‌رنگ تمیز هم تنش بود، با پیراهن سفید و بی‌یقه. یک جفت هم گیوه به پا داشت، کمی هم مست

بود. و دایی همیشه فقط همین بود.

این سالها وضعیت دایی فیروز در سن نزدیک چهل و چند سالگی فرق نکرده بود، جز اینکه انگار دیگر مسافرت و درس و دانشگاه را کنار گذاشته و بیشتر مست بود. شاید مست کتابهای زرتشتی‌اش. کم‌کم بکلی از نظرها غائب بود، و بیشتر در یزد، در یکی از پیرانگاه‌های قدیمی گوشه‌نشینی می‌کرد. انگار خودش هم داشت کتابی می‌نوشت. حالا فقط سالی یک بار به تهران می‌آمد، یا نامه‌ای برای مهری‌خانم می‌نوشت. در خانه فقط مهری‌خانم گاهگاهی از او یاد می‌کرد، آن هم طوری که آدم از یک مرده یاد می‌کند.

امشب، سرشب، مهری‌خانم همه‌اش حرف دایی را زده بود. اگرچه مطمئن نبود که می‌توانستند از دایی کمک بگیرند یا نه. پسرک هم دلش می‌خواست دایی بیاید و کمک کند ــ نه آنقدر بخاطر مریم و بابا ــ بلکه به خاطر خود عزیز که بدجوری دغدغهٔ خاطر داشت و در ناامیدی و چه کنم چه نکنم فرو می‌رفت. آنها هیچوقت به یزد پیش دایی نرفته بودند. فقط آدرسی از دایی داشتند. ولی تلفن نداشتند. پسرک گوشهٔ اتاق تاریک و دلمرده فکر می‌کرد شاید می‌توانست برای دایی نامه‌ای بنویسد، یا تلگرافی بفرستد.

صبح فردای آن که پنجشنبه بود، بعد از ناشتا به تلگرافخانهٔ سر خیابان خیام رفتند. او به کمک عزیز چرکنویس یک تلگراف را اول با مداد نوشت و بعد با خودکار پاکنویس کرد ــ «برادر عزیزم. مریم و پدرش زندانی‌اند. بچه‌های بزرگتر نیستند. حال خودم خوب نیست. منتظرم.»

اطمینان نداشتند که این تلگراف به دست دایی برسد.

فصل بیست و سوم

بعد از ظهر همان روز مهری خانم از روی ناچاری و بی‌پناهی تصمیم گرفت برای گرفتن کمک به خانه قدسی‌خانم هم برود. پسرک را هم البته با خودش برد. ولی آنها خبر نداشتند که آن روز، در ویلای نیاوران قدسی‌خانم، روز نامزدی و «بله برون» کتی خسروی با سرگرد جهانگیر است.

از اوایل بعد از ظهر، در سالن پذیرایی قدسی‌خانم، علاوه بر اعضاء خانوادهٔ خودش، هفت هشت مهمان «کله گنده» حضور داشتند. بین مردان، مسعود خسروی رئیس دفتر وزیر دربار شاهنشاهی، مقامش به اصطلاح در ظاهر از همه ساده‌تر به نظر می‌رسید. مهمانان دیگر عبارت بودند از: جناب وزیر دربار، جناب دکتر رضا همت سناتور انتصابی و خانمش، تیمسار معاونت ستاد ارتش که تنها بود و از دوستان پدر مرحوم سرگرد جهانگیر محسوب می‌شد. تیمسار رئیس ساواک و همسرش که از دوستان مشترک خانوادهٔ خسروی و خانوادهٔ جهانگیر بودند. جناب تیمسار معاون ساواک و بانو، که از دوستان نزدیک خانواده جهانگیر بودند. مادر و خواهر سرگرد جهانگیر. البته سرکار

خانم هما انصاری، منشی مخصوص سرکار علیه بانو فریده دیبا، مادر شهبانو، هلن همسر جدید مسعود خسروی، و دو سه مهمان دیگر که اکثراً افسران بلندپایه ارتش شاهنشاهی و همسرانشان بودند. سرگرد جهانگیر هنوز خودش به این محفل نیامده و ظاهراً در التزام شهبانو برای افتتاح یک کتابخانه در پارک کودک جنوب شهر رفته بود. قرار بود پس از پایان مراسم، با کسب اجازه، بزودی خود را برساند. جناب وزیر آن روز زیاد نمی‌ماند. اما تنها همان پنج دقیقه حضورش در مجلس نامزدی کتی خسروی و سرگرد جهانگیر مؤید این حکم ننوشته بود که دربار این نامزدی را تأیید می کند. گذشته از او و تیمسار ریاست ساواک و مسعود خسروی، تعداد دیگری از مهمانها نیز به نحوی وابسته به دفتر شهبانو بودند، و حضور آنها هم بیشتر و بطور عجیبتری، مؤید این واقعیت بود که دفتر شهبانو مصراً خواستار سرگرفتن این نامزدی است. مسعود خسروی و سناتور همت همدیگر را از سالها پیش خیلی نزدیکتر و صمیمی‌تر می‌شناختند– از سال ۱۳۳۶ که هر دو جزو هیأت ایرانی در انعقاد بزرگترین قرارداد نظامی و اقتصادی بین ایران-امریکا بودند، که در آنکارا به امضاء رسیده بود.

حدود ده دوازده پیشخدمت و مترون، که در لباسهای شیک و زرق و برق‌دار بطور مستقیم از وزارت دربار فرستاده شده بودند، مسئولیت تشریفات پذیرایی و بار و سایر سرویسها را به عهده داشتند.

در سالن پذیرایی و هال آن روز هزاران هزار گل عملاً همه جا را غرق کرده بود –حلقه‌های گل، زنجیرهای گل، و تاجهای گل، که از صبح همان روز از طرف مهمانها و یا غیاباً از طرف آشنایان فرستاده شده بودند. بیشتر گلها با پروازهای بین‌المللی، همان روز صبح یا شب قبل، از هلند و پاریس و لندن رسیده بود. یکی از بوکه‌های گل را خواهر کتی از لوس‌آنجلس فرستاده بود.

البته طلا و جواهرات معتنابهی را نیز مهمانها اهداء کرده بودند.

نفیس‌ترین هدیه متعلق به خود سرگرد جهانگیر بود که علاوه بر حلقه و انگشتری برلیان نامزدی، یک گردنبند الماس هم فرستاده بود. این گردنبند را سرگرد آن سال تابستان در یکی از سفرهایی که در التزام رکاب شهبانو به پاریس می‌رفت تهیه کرده بود. گردنبند در اصل کارجواهرفروشی «تیفانی» در نیویورک و شامل سی و سه دانه الماس بود که روی سی و سه قالب ظریف لوزی شکل در زنجیری از طلای بیست و چهار عیار سوار شده، و مهمانها آن را بسیار تحسین نمودند.

میترا کوچولو در پیراهن کربدوشین نوی صورتی و کفشهای تنگ سفید که او را آزار می‌داد در گوشه‌ای نشسته بود و همه را تماشا می‌کرد و به حرفهای آنها گوش می‌داد. بعد از رفتن جناب وزیر، صحبتها هنوز در سطح خصوصی بود و هر که در عالم خودش. همه ظاهراً منتظر بودند تا سرگرد از التزام شهبانو مرخص شود و بیاید.

گرچه بیشتر صحبتها این روزها در ایران، بخصوص بین طبقه اشراف، اطراف موضوع جشنهای دوهزار و پانصدساله شاهنشاهی در تخت‌جمشید دور می‌زد، و بیشتر مهمانهای حاضر در سالن قدسی‌خانم هم تا سه چهار روز دیگر برای شرکت در جشنها به جنوب رهسپار می‌شدند، اما در سالن ویلای قدسی‌خانم، صحبتها امروز نه در بارهٔ جشنها بود، و نه دربارهٔ نامزدی کتی خسروی و سرگرد جهانگیر. ارتشبد حقی داشت با سناتور همت دربارهٔ ملکی که تازه همت در بورلی هیلز لوس‌آنجلس خریده بود حرف می‌زد ــ از طریق همان آژانسی که برای والاحضرت اشرف و ملکه مادر در همان ناحیه املاکی خریداری کرده بودند. ملک جدید سناتور همت یک ویلای پانزده اتاق خوابه بود که قبلاً به دین مارتین خواننده و هنرپیشهٔ سینما تعلق داشت. اما سناتور همت می‌گفت در نظر دارد آن ویلا را خراب کند،

چون این ویلا چشم‌انداز ویلای ۲۵ اتاق خوابهٔ دیگری را که سناتور در مجاورت آنجا داشت خراب کرده بود. همت می‌خواست زمین ویلای جدید را تبدیل به زمین گلف و استخر نموده و ضمیمهٔ ویلای اولش نماید. اما تیمسار حقی می‌گفت او به زندگی در امریکا علاقهٔ زیادی ندارد... همان زوریخ را ترجیح می‌دهد.

کتی خسروی، با هلن خسروی، زن سویسی و زیبای خسروی، یعنی نامادری جدید خودش حرف می‌زد و حظ می‌کرد. آنها به انگلیسی حرف می‌زدند. هیچکدام زبان مادری دیگری را بلد نبود. امروز جورشان با هم جور بود.

خسروی و تیمسار ریاست ساواک مدام با تلفنهای اتاقهای مجاور صحبت می‌کردند. یا تلفن آنها را می‌خواست. تیمسار در فاصلهٔ تلفنها ساکت بود. ولی خسروی می‌آمد و محفل را می‌آراست و با همه خوش و بش می‌کرد. می‌رفت ــ بیشتر با خواهر جوان و خوشگل سرگرد جهانگیر خوش و بش می‌کرد. این کار او تیر نگاه هلن خانم را متوجهٔ او می‌کرد. قدسی‌خانم ظاهراً چشم و گوشش آکنده از این لاس زدنها بود.

قدسی‌خانم و سرکار خانم منشی مادر ملکه (که دو دختر کوچک در مدرسه‌های شبانه‌روزی در لی‌لاندز، کنت، در انگلستان داشت) با هم از مدرسه‌های شبانه‌روزی انگلستان و سویس حرف می‌زدند و میترا با خشم و نفرت به حرفهای آنها بیشتر گوش می‌داد، چون مستقیم یا غیرمستقیم به او مربوط می‌شد. مادرش مدتی بود به صرافت افتاده بود که او را به خارج، به یک مدرسهٔ شبانه‌روزی انگلیسی بفرستد.

پس از رفتن جناب وزیر دربار، مرکز توجه و اهمیت در میان تمام مهمانها، تیمسار ریاست ساواک بود. گو اینکه ایشان ساکت و تودار بود، وقتی قدسی‌خانم با هما انصاری از وضع و خرج مدرسه شبانه‌روزی برای دختر کوچکش صحبت می‌کرد، تیمسار با دقت

گوش کرد و گفت که اگر خدمتی از دست او برمی‌آید ملاحظه نفرمایند.

در مورد قبول نامزدی از طرف کتی نیز تفاهم کلی بر این بود که او «نه» نگفته، ولی در حقیقت رسماً هم قبول نکرده بود. کتی گاهی ابراز علاقه کرده بود که برای ادامهٔ تحصیلات به خارج برود، و گاهی هم می‌گفت که می‌خواهد در تهران پیش مادرش باشد. جلسهٔ امروز نیز، ظاهراً در اثر فشار از همه طرف و بیشتر برای راضی کردن او قطعی کردن نامزدی او با جهانگیر بود. بنابراین وقتی سینیهای بزرگ گیلاسهای شامپانی را آوردند و حاضرین (به استثنای قدسی‌خانم) همه گیلاسی برداشتند، این سناتور همت بود که خواستگاری را در حقیقت عنوان کرد:

«به نام نامی اعلیحضرت همایونی و علیاحضرت شهبانو، با کسب اجازه از سرکار علیه بانوان حاضر، و به‌ویژه از سرکار علیه خانم منشی مادر شهبانو و جنابان تیمساران و جناب خسروی.» دستش را به طرف تیمسار ریاست ساواک اشاره نمود و ادامه داد: «بنده و تیمسار به عنوان دوستان قدیمی خانوادهٔ جهانگیر و جناب مسعود خسروی و به وصایت از طرف مرحوم تیمسار جهانگیر پدر سرگرد خسرو جهانگیر که از جان‌نثاران ابدی شاهنشاه بودند، پیشنهاد می‌کنم این جام را به سلامتی زندگیهای تازهٔ دو تن از نسل جوان خودمان بنوشیم... یعنی خانم کتایون خسروی و سرگرد خسرو جهانگیر» حاضرین با ذکر کلمه‌ای یا جمله‌ای احسنت گفتند و موافقت کردند.

جناب سناتور ادامه داد: «جناب سرگرد جهانگیر که جزو گارد مخصوص و مورد نظر خاص علیاحضرت هستند، در سالهای آینده از دفتر علیاحضرت شهبانو جدایی‌ناپذیرند... و بودن در کنار ایشان، یعنی افتخار خدمت مستقیم زیر نظر علیاحضرت شهبانو ــ نیابت سلطنت

ایران و این افتخاری است که کتی خانم خسروی هم بتوانند در التزام
شهبانو سفرهایی به چین، به پاریس، به مسکو، به افریقا، به امریکا، به
تمام نقاط دنیا بکنند ـ چون علیاحضرت شهبانو یکی از رهبران
محبوب امور خیّریه بین‌المللی هستند.»

مهمانها دست زدند، و بعد شامپانی نوشیدند.

جناب سناتور، که خود از دوستان پدر شهبانو و نزدیک به دفتر
شهبانو بود، آنگاه به کتی رو کرد که: «خوب، نظر شما چیه کتی
جان؟» و همه به او نگاه کردند.

کتی خسروی سرخ شد. جلوی رئیس دفتر شاهنشاه و رئیس
سازمان امنیت و اطلاعات کشور شاهنشاه چه کسی می‌توانست با
تأییدات دربار مخالفت کند؟ گفت: «باعث افتخاره...»

همه با شدت بیشتری کف زدند، و ظاهراً این گفتهٔ کتی را نشانهٔ
موافقت و رضایت کلی قلمداد کردند.

کتی سرش را پایین انداخت.

او امروز با عناد و لجبازی درونی، یک لباس محلی قدیمی زنهای
سرخپوست امریکایی را پوشیده بود: پیراهن شورانگیزی از پوست
خام بوفالو، که همرنگ پوست کرم رنگ تن خودش بود، با یالهای
طلایی و منجوق‌دوزی... سربند سبزش، رنگ چشمهای سبزش را
تشدید می‌کرد، و پر دراز سرخ آتشی رنگی که به سرش زده بود
موهای بور مایل به صورتی او را هیجان‌انگیزتر جلوه‌گر می‌ساخت.

زن جناب سناتور گفت: «اگر اون چشمهایی که کتی خانم داره،
دربار رو بهم نریزه خیلی‌یه.»

قدسی خانم گفت: «چشمهاش بد نیست اگر نذر چشمم براش
بدی.»

تیمسار معاونت ساواک گفت: «پس دیگه باید حتماً بیایند در
خدمت شهبانو و شاهنشاه. همانطور که همهٔ ما میدونیم شخص

اعلیحضرت نیز نظر کردۀ حضرت رضا علیه‌السلام هستند.»

این بار کف زدنها ملایم‌تر بود، ولی با احترام مخصوصی برگذار شد.

سرکار خانم انصاری، منشی مادر شهبانو، سرفه‌ای کرد و ظاهراً آمادۀ نطق از طرف مافوق خودش شد. «بسیار خوب... بنده مأموریت دارم این حرف را در اینجا بزنم. سرکار علیه خانم دیبا شخصاً به من دستور دادند که به اطلاع برسانم که علیاحضرت نظر لطف دارند که این امر خیر صورت بگیره. بنده البته عین کلمات علیاحضرت را نمی‌دانم، کاش شنیده بودم، اما این عین مفهومی است که سرکار علیه از قول شهبانو به بنده فرمودند.» مستقیماً به طرف کتی خسروی نگاه کرد، و در نگاهش تحقیر و تهدیدی هم داشت، بخصوص لابد به خاطر طرز لباس پوشیدن کتی. «سرکار علیه خانم دیبا فرمودند که علیاحضرت البته اینگونه مسائل را نظر و خواست خصوصی هر دختر و پسر می‌دانند. نسل جوان خودشان باید راه و خط مشی زندگیشان را انتخاب کنند، چون زندگی خود آنهاست. ما دیگر در دوران جاهلیت زندگی نمی‌کنیم، الحمدلله. شهبانو میل دارند، یعنی آرزو دارند، که تمام جوانان این مملکت از فقیر و غنی، در همه جا، در همه چیز، خوشبخت و خوشحال باشند، راضی باشند... اما در این خصوص علیاحضرت علاقه دارند، و به قول مادر گرامیشان دعای مخصوص دارند، که این امر خیر سر بگیره، چون هم جناب سرگرد را می‌شناسند و به سعادت زندگی و آیندۀ ایشان فکر می‌کنند، هم خانواده و شخصیت خانم قدسی و کتایون خسروی را می‌شناسند و به سعادت زندگی و آیندۀ ایشان فکر می‌کنند. علیاحضرت امیدوارند که این امر خیر سبب تحکیم زندگی هر دوی این جوانهای برومند و ارزشمند برای دربار بشود....»

و در این ثانیه، انگار که موی سرگرد جهانگیر را آتش زده باشند

او در آستانهٔ در ظاهر شد. در ضمن صحبتهای سرکار خانم منشی مادر شهبانو، میترا که دور از همه کنار پنجره نشسته و بیرون را نگاه می‌کرد، ماشین طلایی‌رنگ سرگرد را دیده بود که به درون باغ خروشید، و پس از چند لحظه، سرگرد جوان با طمطراق در یونیفرم پرزرق و برق وارد اتاق شد، و بدین ترتیب کف‌زدنهای دنبالهٔ نطق خانم محترم با شور بیشتری تبدیل به کف زدنهایی برای داماد آینده گردید.

سرگرد، و به دنبالش دکتر راشد، که از دوستان قدیمی خانواده خسروی بود و سابقهٔ وابستگی به دفتر هنری شهبانو را نیز داشت، به سالن وارد شدند.

جهانگیر کلاهش را برداشت، و آن را با افتخار روی دستش روی سینه‌اش نگه‌داشت، و با ظرافتی ملکوتی با حرکت سر، و با کلماتی کوتاه، به حاضرین سلام و عرض ادب کرد. موهای قهوه‌ای مایل به بور، و صورت روشن و سفید و سبیلهای گستاخش به او حالت مرغ افسانه‌ای بهشت را داده بود، که در اوج ملکوت در پرواز باشد. همهٔ حاضرین بلند شدند، با او دست دادند، مردها او را بوسیدند، و به او تبریک و تهنیت گفتند. حتی کتی هم با نگاهی تحسین‌آمیز با او دست داد... بعد همه نشستند، و برای بار دوم سینی گیلاسهای شامپانی دور چرخید.

میترا که با ترشرویی این صحنه‌ها را نگریسته بود، اکنون در خیال خودش در این فکر غوطه می‌خورد که اینها کدامشان «تیمسار ایکس» دوست مادرش هستند... بعد مانند اینکه حس ششمی، یا یک حس ماوراءالطبیعی سرش را تکان داده باشد، ناگهان سرش را برگرداند و به طرف باغ نگاه کرد ـو در این لحظه جلوی در بزرگ ورودی خانه، چیزی دید که هزار سال انتظارش را نداشت. بلند شد و سراسیمه از اتاق بسوی باغ بیرون دوید.

فصل بیست و چهارم

پسرک هم میترا را دید. میترا سراسیمه از پله‌های سفید مرمر جلوی ساختمان پایین دوید و به طرف آنها آمد. به نفس‌نفس افتاده بود که جلوی در باغ رسید. دست پسرک را گرفت.

«ناصر!... مهری خانم! بفرمائین تو!»

«مامانت خونه‌س؟»

«آره، البته که خونه‌س. تو اتاق تالارن. بفرمائین. سلام! خوش اومدین!»

مهری خانم پرسید: «مهمون دارین، تصدقت برم؟»

«آره...» بعد گفت: «بفرمائین تو مهری‌خانم. چه عجب، خانم! بفرمائین.»

مهری خانم گفت: «وای خاک عالم. این همه ماشین مهمون. انگار خیلی مزاحم شدیم.»

«نه، نه. بفرمائین.»

«خاله خانوم هستند؟»

«بله، ایشونم هستن. بفرمائین.» بعد گفت: «من دیروز با سیدنصرالله اومدم درخونگاه، در خونهٔ شما... شما منزل تشریف نداشتین.»

مادر و پسر با چشمهای مات او را نگاه می‌کردند.

«ساعت پنج بود....»

مهری خانم گفت: «رفته بودیم خونهٔ یکی از قوم و خویشها ـ پول قرض کنیم.»

«متأسفم که ندیدمتون.» تقریباً رو به پسرک حرف می‌زد. «خاله خانوم موضوع مریم‌رو به من گفتن. وحشتناکه!»

پسرک به میترا خبر داد که حالا پدرشان را هم گرفته‌اند.

میترا با ناباوری و حیرت سرش را تکان تکان داد: «وحشتناکه. چرا؟»

«نمیدونیم.»

«بیایید تو... به مامان و به یکی از تیمسارها که اینجا هستند میگیم. یه کاری میکنن.»

«نه! مزاحم نمیشم... امروز نه. یه روز دیگه.»

«بیاین تو. اتاقهای خاله خانوم اون تهی باغه.»

میترا آنها را به اصرار، و به کمک نصرالله خان، از میان انبوه نگهبانها و راننده‌ها وارد باغ کرد و به طرف اتاقهای خاله خانم در پشت ساختمان اصلی رفتند. پسرک لازم نبود دلیل آمدنشان را برای میترا زیاد توضیح دهد. خودش دهانش خشک بود. سینه‌اش هم درد می‌کرد. میترا هم از شنیدن جریانهای پیچیده و خانه‌سوزی سخت ناراحت شده و رنگش پریده بود.

وارد اتاق خاله خانم شدند. مهری خانم و خالهٔ بزرگ داشتند با حالت هاج و واج با هم سلام و علیک و احوالپرسی می‌کردند که میترا آنها را آنجا گذاشت و خودش با عجله سراغ مادرش دوید.

مهمانان قدسی‌خانم در سالن مجلل به مناسبتی مشغول کف زدن بودند. میترا دوید آمد و کنار مادرش ایستاد. دست مادرش را گرفت و یواشکی کشید. اما مادرش دست او را فشار داد و وادار به سکوتش

کرد. حالا موقع بیرون رفتن از تالار نبود.

دکتر راشد بلند شده بود و حرف می‌زد. او همیشه آکادمیک و فرهنگی و شاعرانه بود. و حالا با ژست دراماتیک دادِ سخن داده بود. داشت می‌گفت که شاعر بزرگ هند، رابیندرانات تاگور شعری دارد که «در حقیقت یک سونات» است، و ذکر آن، امروز در اینجا، در این جشن عزیز، که زندگی و تقدیری در لبهٔ جاودانگی است، بی‌مناسبت نیست... می‌گوید:

«خوابیدم و در رؤیا،
زندگی لذت بود.
بیدار شدم و در بیداری،
زندگی وظیفه بود.
انجام دادم و... شگفتا...
وظیفه لذت بود!

جناب سناتور گفت: «به‌به، واقعاً نغز و زیباست.»

«احسنت... براوو.»

«عالی است، جناب راشد. بسیار بجا!»

«احسنت.»

قدسی خانم گفت: «بابا! کف بزنین.» و خودش شروع کرد.

میترا باز سر آستین لباس شیک مادرش را گرفت و کشید. «مامان، بیا بیرون یه دقه...»

«چیه؟» هنوز داشت می‌خندید، دست می‌زد.

«بیا بیرون... کارت دارم.»

«حالا نمیشه.»

«الآن!»

مهمانها اول توجهی نکردند که مادر و دختر کوچولو بگومگو دارند. تنها کسی که متوجه شد تیمسار ریاست ساواک با چشمهای تیز

و با نفوذش بود. دیگران زیاده از حد شنگول و مست بودند که توجهی به دختر کوچک داشته باشند.

قدسی خانم با قیافه‌ای نیم‌عصبانی و نیم‌زورکی خندان، یواشکی به دختر کوچک سمجش گفت: «حالا وقتش نیست، باید صبر کنی. هرچی هست باشه بعد.»

میترا در گوشی، ولی بلند، گفت: «ناصر پسر اوس‌عبدالرضا و مامانش از درخونگاه اومده‌ن، ته باغ‌ن. دردسر بدی دارن. کمک میخوان.»

«وای! کی؟» زنگ خطر و نگرانی مشهودی در صدای قدسی خانم دوید.

میترا حرفش را تکرار کرد.

«حالا کجان؟»

«گفتم ته‌ی باغ. توی اتاق خانمجون.»

قدسی خانم نفس نسبتاً راحتی کشید. گفت: «خیلی خب تصدقت برم. همونجا باشن. بعداً میام باهاشون حرف می‌زنم.»

میترا با صدایی که دیگر درگوشی نبود گفت: «همین الآن، مامان!»

مادرش گفت: «عزیزم، تصدقت برم.»

میترا پایش را هم به زمین می‌کوفت، و این حرکات تا حدی توجه یکی دو نفر دیگر از مهمانها را هم جلب کرد. خسروی نگاه تندی به طرف زن سابق و نادختری‌اش انداخت. اشارهٔ او قدسی‌خانم را مجبور کرد بلند شود، و پس از آنکه با خنده و خوشرویی از مهمانهای بغل دستش عذرخواهی کرد، برای چند دقیقه از سالن بیرون آمد.

مادر و دختر از پله‌ها پایین آمدند و از میان ماشینهای لیموزین بزرگ و نگهبانها و اسکورتها و راننده‌ها و خدمه به طرف عقب باغ رفتند.

وقتی میترا و قدسی‌خانم به آپارتمان دو اتاقهٔ خانم بزرگ ته باغ وارد شدند، پسرک و مادرش روی کف زمین آشپزخانه کوچک نشسته بودند. مهری‌خانم از رفتن توی اتاق نشیمن خاله‌خانم و نشستن روی مبل یا صندلی امتناع کرده بود. اصلاً نمی‌خواست زیاد بماند، زیاد مزاحم باشد. اینجا جای او نبود. حتی ناصر کوچولو هم کنار دلهٔ آشغال نشسته بود. احساس می‌کرد این روزها خودش هم کم‌کم یک تکه آشغال بد شده است. خاله‌خانم روبروی آنها ایستاده بود و با سماور ورمی‌رفت، انگار که نمی‌دانست در آن موقع با خودش یا با مهمانان ناخوانده‌اش چکار کند. وقتی قدسی خانم با لباس فاخر و جواهرات وارد شد، مهری‌خانم بلند شد ایستاد و چادرش را مرتب کرد و سلام کرد. انگار نه فقط کوچک و دستپاچه بود، بلکه حتی مقهور و گمشده به نظر می‌رسید.

قدسی خانم اول با توپ و تشر و خشم گفت: «ترو به قرآن مجید اینجا چه خبره؟» نگاه و غیظش بیشتر به طرف مادر خودش بود، تا به مهری‌خانم و بچه‌اش. «کسی شعور نداره بفهمه من اون بالا از طرف شاه و ملکه مملکت مهمون دارم؟ حالا سرنوشت دختر بیچاره‌م به کنار.»

خاله‌خانم گفت: «هیس، زیاد ناراحت نشو... فدات شم.»
بعد شروع کرد به مجملاً توضیح این که مهری‌خانم ناراحتی‌اش چیست.

قدسی خانم حرف او را قطع کرد: «خیلی خوب. نمیتونین صبر کنین تا مهمونهای من بیچاره برن ـ نمیتونین یه ساعت صبر کنین؟ مثلاً روز نامزدی و بله‌برون دختر بیچارهٔ منه. این برای کسی اهمیت نداره؟ نمی‌فهمین؟»

روی تشرش بیشتر با میترا هم بود و در حقیقت داشت مستقیم به میترا نگاه می‌کرد.

مهری خانم با ناراحتی باز چادرش را مرتب کرد و گفت: «خانوم، من خیلی معذرت میخوام... تقصیر ما بود... سرزده اومدیم.» پسرک ساکت نگاهشان می‌کرد.

قدسی‌خانم گفت: «ملاحظه‌م خوب چیزی‌یه. هیچ روز هم نه و امروز!»

مهری خانم گفت: «اگر میدونستیم امروز چه خبره اصلاً مزاحم نمی‌شدیم. والله به کلام‌الله مجید.»

قدسی خانم گفت: «آخه دختر بیچارهٔ نازنین من چه گناهی کرده؟»

با شنیدن این کلمات مهری‌خانم بغضش ترکید. به گریهٔ بدی افتاد. بعد چشمانش را پاک کرد.

خاله خانم رو به دخترش گفت: «مادر، شما برو بالا پیش مهمونا... من پیششون هستم، بعد از رفتن مهمونا بیا و هر کاری میخوان بکن.»

قدسی خانم گفت: «فکرم خوب چیزیه!» باز به میترا نگاه کرد. میترا به گریهٔ مهری‌خانم و سکوت غمناک ناصر نگاه می‌کرد.

خاله خانم گفت: «برو مادر... شما برو.»

میترا به میان حرف مادر بزرگش دوید: «نه، مامان.»

«نه، چی؟»

«الآن باهاشون حرف بزن. باید الآن یه کاری بکنی.»

«وای! ببین چه مصیبتی گیر کرده‌م. خاک عالم!»

میترا گفت: «خسروی هست. اون آقاها و افسرها و همه اینجا هستند. ازشون بخواه یه کاری بکنن.»

«وا!...» قدسی خانم زد پشت دست خودش: «خاک بر سرم. مگه خرین شماها! من برم وسط مجلس جشن با اونها حرف بزنم؟»

«پس با خسروی تنها حرف بزن. اون بعداً باهاشون حرف میزنه.»

قدسی خانم باز زد پشت دست خودش: «خدایا، خدایا... هیچ روزم نه و امروز!»

«مامان!... فقط پنج دقیقه وقت ترو میگیره... برای اونهام که فقط یه آب خوردنه. یه تلفن کردنه. اینها مسئله و بدبختی دارن. مگه نمی‌بینی؟...»

خودش هم حالا به گریه افتاده بود. پسرک به تمام این صحنه مات نگاه می‌کرد. مهری خانم هم باز به هق‌هق افتاده بود. پسرک دستش را روی زانوی مادرش گذاشت: «عزیز... بهتره بریم.»

میترا داد زد: «نه!»

«ما نمیدونستیم...»

میترا گفت: «مامان... بهشون قول بده.»

قدسی خانم آهی کشید. «من که نگفتم نه. مگه من گفتم نه؟»

«الآن قول بده امشب براشون درست کنی ـ یالّا.»

«خیلی خب، خیلی خب، خیلی خب!... حالا خواهش می‌کنم صداترو بیار پائین، و ساکت شو...» بعد دو سه قدمی با اکراه به طرف مهری‌خانم رفت و گفت: «خانم، من معذرت میخوام، به قرآن ناراحتم که این مسائل برای شماها پیش اومده... همین جا بشینین، تا ببینم چکار میشه کرد...»

گریهٔ بی‌صدای مهری‌خانم زیادتر شده بود. اشکهایش را پاک کرد و گفت: «ما اول پناه به خدا برده‌ایم، و بعد حالا به شما. یه بچهٔ دیگه‌م هم قبلاً زندان بوده...»

قدسی خانم با بی‌صبری گفت: «دیگه کدوم بچه؟»

«مصطفی‌م.»

«خب، خانوم، چیزی نیست... بچه‌ها بزرگ میشن، عقل تو کله‌شون میاد، مثل بچه‌های من. درست میشه، غصه نخورین.»

زن دردمند گفت: «چه میدونم چی بگم والله. من مهم نیستم. دخترم‌رو گرفته‌ن انداخته‌ن توی زندون. اون کاری نکرده. فقط یه انشاء نوشته. بچه‌س.»

«خب، درست میشه... من باهاس برگردم پیش مهمونام، تا گندش در نیومده.»

«شما تشریف ببرین به مهموناتون رسیدگی کنین، ما رو سیاهیم، باعث شرمندگی‌یه، به قرآن.»

قدسی خانم که به طرف در اتاق راه افتاده بود، گفت: «این حرفها چیه؟ همین جا تشریف داشته باشین تا من برگردم. میترا جون پهلوی شما هست تا من برگردم...» امیدوار بود که میترا پیش آنها بماند.

مهری خانم گفت: «انشاالله به حق صدیقهٔ کبری بچه‌هاتون سالم و تندرست باشن. نمیدونم چرا به دلم بد برات شد.» انگار تنها بود و با خودش حرف می‌زد.

قدسی خانم با بی‌حوصلگی گفت: «همین جا صبر کنین تا من برگردم. میترا جون، شما هم پیش این آقاکوچولوی خوب باش... اون باید ناصر باشه... که شنیده‌م روماتیسم قلبی داره...»

مهری خانم گفت: «بله... فقط این برام مونده. اگه بیان این بچه‌م رو هم ببرن، چه خاکی به سرم بریزم؟ خون گریه می‌کنم و می‌میرم.»

قدسی خانم با عجله راه افتاده بود. در حالی که سر و آرایشش را درست می‌کرد گفت: «هیچکس نمیاد اونو ببره. همین جا باشین... تا من برگردم. باشه؟»

مهری خانم و پسرک آنقدر ته باغ صبر کردند تا غروب شد و بالأخره همهٔ مهمانهای قدسی‌خانم کم‌کم با ماشینها و نگهبانها و اسکورتها و راننده‌هایشان باغ را ترک کردند... مهری‌خانم مدام برای مریم و برای شوهرش زیرلب آیت‌الکرسی می‌خواند. پسرک و میترا

هم کنار او نشستند. حرف زدند و منتظر شدند. خاله خانم دوبار برایشان چای و کیک آورد. مهری خانم لب نزد.

بعد از اینکه بالاخره تمام مهمانها رفتند، قدسی خانم برگشت. نشست سیگار کشید و بی‌عجله و بی‌صرافت با مهری‌خانم حرف زد و جزئیات واقعه و ناراحتی را پرسید. اسم و مشخصات مریم و استاد عبدالرضا و سایر جزئیات را روی کاغذی که آورده بود یادداشت کرد، و قول داد همان شب انشاالله بتواند با خسروی صحبت کند. از مهری خانم خواست که اولاً زیاد ناراحت نباشد، و ثانیاً به احدی نگوید که او، یعنی مادر میترا، برای آنها کاری کرده یا با کسی حرفی زده. دست آخر خواست که مهری‌خانم برود خانه، یک چیزی نذر ابوالفضل و امام رضا کند، و منتظر باشد. زن بیچاره چه کار دیگری می‌توانست بکند؟

وقتی از خانه بیرون می‌آمدند، مهری‌خانم چشمانش پراشک بود. میترا هم با آنها تا دم در آمد. پسرک از سوز باد و بوران پاییزی می‌لرزید. چشمهای او هم پر از اشک شده بود. چشمهای میترا فقط غمگین ولی خشمگین بود. او به گریه عادت نداشت و نمی‌توانست کسی را هم در حال گریه ببیند.

فصل بیست و پنجم

آن شب، پسرک باز لاینقطع خوابهای بد زندان کمیتهٔ مشترک و زندان اوین و آن سلولها را می‌دید. با آنچه که از این و آن و حالا بیشتر از زندان و کارهایی که با زندانیان می‌کردند شنیده بود مغزش از کار نمی‌افتاد.

یک سرپاسبان مریم را به اتاق آن مأمور ساواک آورد. زیر بغلش را گرفته و تقریباً حمل می‌کرد. مأمور ساواک سرش را بلند نکرد. سرپاسبان او را روی صندلی نشاند.

مریم روپوش خون‌آلود مدرسه‌اش تنش بود. موها و صورتش را انگار با دستمال تر شسته بودند. سرپاسبان خندید و مریم را روی یک صندلی وسط اتاق نشاند. پاشنه‌ها را بهم زد و سلام داد. بعد به دستور مأمور ساواک بیرون رفت. در را هم پشت سرش بست. مأمور همان مرد کوتول ژنده‌پوش آن روز بود. امروز پاپیون داشت. اسلحه‌ای روی میزش بود، اما سرش پایین بود. بیرون پنجره باد و طوفان بود و شیشه‌ها را می‌لرزاند.

مأمور بدون اینکه هنوز حرف بزند، دست دراز کرد اسلحه را برداشت. بلند شد، جلوی مریم ایستاد. اسلحه را روی پیشانی مریم

گذاشت. «حرف بزن.»

پسرک در خواب غلتی زد و ناله‌ای در گلویش پیچید.

بعد یک شب دیگر بود و دو نفر دیگر بالای سر مریم بودند.

مریم سرش را بلند نمی‌کرد.

مأمور داد زد: «حرف بزن!»

مریم سرش را بلند نکرد، اما لرزید.

«شلیک میکنم‌آ، حرف بزن.»

مریم سرش پایین بود، می‌لرزید.

مأمور به آهستگی از یک تا سه شمرد. یک... دو... سه... ماشه را کشید. اسلحه خالی بود. فقط کلیک مرده‌ای کرد. مریم ضجه‌ای کشید و بیشتر لرزید.

پسرک هم در خواب نالهٔ دیگری کرد و باز از این دنده به آن دنده غلتید. اما کابوس ول نمی‌کرد.

صدای طوفان پشت پنجرهٔ خودشان هم در حیاط درخونگاه بلند بود.

مریم روی تخت بسته شده بود.

امشب آن یکی مأمور قدبلند بالا سرش بود. از گوشهٔ لب مریم خون می‌آمد. بیرون پنجره باز هوا طوفانی و رعد و برقی بود.

مأمور اولی گفت: «تو، من و از خودت مأیوس کردی، مریم‌جان... آن روز صبح توی درخونگاه در آن ثانیهٔ اول که من چشمم به تو افتاد، فکر کردم تو یه چیز ویژه، یه دختر با شخصیتی، و با بقیه فرق داری. فکر کردم دختر حساس و زرنگی هستی. اگر همون شب اول که آوردندت اینجا، همه‌چی رو گفته بودی، اگه همون ساعت اول، مشخصات و محل داداشهات رو به ما داده بودی، همون شب رفته بودی خونه. پیش مادرت، و پیش پدرت. پیش داداش کوچکت... اما تو این کارو نکردی. تو لجبازی کردی. تو با سرنوشت و زندگی خودت

بازی کردی. تو، منو مأیوس کردی... تو نشون دادی بی‌ارزشی. کثافت.» توی صورت مریم تف انداخت. بعد ادامه داد: «کثافت و بی‌ارزش. شماها همه‌تون کثافت و بی‌ارزشین. همه‌تون. تو خودت میخواستی، فهمیدی؟ تو خودت میخواستی که این کارهارو با تو بکنن.»

مریم از حال رفت.

مأمور آمد جلوتر، بالای سرش ایستاد. اول چهار پنج ثانیه با نگاههای موذیانه او را نگاه کرد. به طرف در اتاق رفت و آن را از داخل قفل کرد. بعد آمد از کشوی میزش یک حلقه چسب نایلونی پهن درآورد. برگشت کنار مریم زانو زد. صدای جر دادن چیزی در سلول پیچید. معلوم نبود صدای کشیدن نوار چسب است، یا جر دادن پیراهن یا کفن.

فصل بیست و ششم

این مرتبه ضجهٔ مادرش در دل سیاه شب، پسرک را از خواب پراند.

آنچه از گلوی مهری‌خانم درآمده بود، ناله یا شیون و یا حتی جیغ نبود، که آدم را از خواب می‌پراند. صدایی بود ضجه‌وار که وقتی ضربهٔ محکمی توی شکم آدم کوبیده می‌شود، از ته سینه با اعماق حلقوم و نای و ریشه‌اش بیرون می‌زند. زن بدبخت با دهان باز و دستهای چنگول‌وار روی سینه‌اش، از زمین بلند شده بود، و توی تاریکی نشسته بود و می‌لرزید... بعد ساکت شد و ماتش برد. صدای باد و طوفان بدی بیرون اتاق بلند بود.

پسرک مات و ترسخورده پرسید: «چیه عزیز؟ شمام خواب دیدی؟»

مهری خانم مبهوت و مات مانده بود. فقط لبهایش تکان می‌خورد.

«فیروز بود....» انگار با خودش حرف می‌زد.

«دایی فیروز؟»

«دیدم از اون در سوخته اومد تو، یک چیزی هم با خودش آورده بود. نمیدونم چی بود. هر چی بود اونو توی چادرنماز کهنهٔم پیچیده بود. بغلش بود.»

صدای باد و باران پشت پنجره خیلی بلندتر شده بود.

پسرک رفت جلوتر و دست انداخت دور گردن مادرش.

«به من گفت آرام باش... گفت هنوز...» زد زیر گریه.

بغض پسرک هم داشت توی گلویش می‌ترکید.

«عزیز، چرا گریه میکنی؟...»

او به سر بچه‌اش دست کشید، آه بلندی از ته سینه بیرون داد. «بگیر بخواب... غصه نخور. هیچی.»

بیرون آسمان برق زد و صدای رعدی تمام خانه را لرزاند. توی نور برق صورت سفید و وحشت‌زده و چشمهای اشک‌آلود مادرش را بهتر دید و واقعاً ترسید.

صدای در حیاط بلند شد. یک نفر داشت در را از جا می‌کند. پسرک ترسان به طرف مادرش نگاه کرد. او هم سرش را با وحشت برگرداند. همانطور گیج و مات بلند شد و چادرش را انداخت سرش. به پسرک اشاره کرد همان جا باشد و خودش به طرف در حیاط رفت. به چراغ احتیاجی نبود، راهرو و حیاط کهنه را مثل کف دست و بخت خود می‌شناخت.

پس از چند ثانیه، پسرک هم بلند شد و آمد.

به دم در که رسید، از پشت سر مادرش، از لای در، هیکل چاق و چادرنماز عمه نصرت را زیر باران شناخت. چادرنماز گل باقالی‌رنگ و لچ آب عمه نصرت از روی کله‌اش مثل پرچم همیشه مغلوب آویزان بود.

مهری خانم گفت: «وای نصرت خانم!... این وقت شب. بیا تو.»

اما عمه نصرت نمی‌خواست برود تو. حتی نمی‌خواست زیاد بماند. با وانت‌بار یکی از همسایه‌ها آمده بود که سرکوچه معطل ایستاده بود که او را برگرداند.

از صورت خیسش معلوم نبود که گریه کرده باشد. چیزهایی

می‌گفت که پسرک درست نمی‌فهمید. چیزهایی در بارهٔ بهم خوردن مجلس عقدکنان و انگار دستگیری آقامرتضی تته پته می‌کرد.

آن روز عصر حدود ساعت سه آمده بودند آقامرتضی را گرفته بودند ـ درست همان موقعی که داشته می‌آمده توی مجلس عقدکنانش. عقدکنان را توی خانهٔ همسایه انداخته بودند. صبر کرده بودند تا امروز سر مجلس عقدکنان آمده بودند و او را برده بودند. اول گفته بودند می‌خواهند دربارهٔ زمانی از او چند تا سؤال بکنند. بعد سوار ماشینش کرده بودند و رفته بودند. معلوم نبود به کجا. مجلس عقد و عروسی و مهمانی با اون همه خرجها و همه‌چی بهم خورده بود.

مهری خانم سعی کرد دلداریش دهد. اما عمه نصرت توی سر و کلهٔ خودش می‌کوبید. «من واسهٔ اینا نیومدم اینجا... ناصر کوچولو کجاست؟»

«ناصر؟... ناصر همین جاست.»

پسرک از پشت سر مادرش آمد بیرون و عمه نصرت با دیدن او آهی از تسکین کشید. «خدا رو صد هزار کرور شکر... همین یک ساعت پیش... اومدند در خونه، زمانی رو هم گرفتند بردند. اولین شبی بود که خیر سرش پس از نمیدونم چند ماه اومده بود یه سر به زن و بچه‌هاش بزنه. شنیده بود که عقدکنون بچهم مرتضی هم هست. هنوز نیم‌ساعت نبود که اومده بود. یکهو ریخته‌ن توی خونه.»

مهری خانم زد پشت دستش، و از ته دل لعنت فرستاد.

از سر کوچه وانت‌بار برای عمه‌نصرت چند بوق زد.

«دیگه باید برم، خواهر. وای! چی بگم.» حالا صداش مثل کلاغها هنگام فرار شوم و ترسیده بود.

مهری خانم گفت: «چی میخوای بگی؟ چی شده؟»

«... قبل از اینکه ببرنش... قبل از اینکه زمانی رو ببرن، وقتی داشت

ــوای ببین قلبم چه جوری میزنه‌ــ وقتی داشت خداحافظی میکرد، در گوش من گفت به شما بگم ناصرو قایم کنین.» بعد خودش را کمی کنترل کرد و گفت: «حالا بچه‌م خودش هم وایساده داره گوش میکنه. اما نترس تصدقت برم.»

مهری خانم با وحشت گفت: «چی؟...»

عمه نصرت گفت: «همین... گفت بگو ناصرو قایم کنن.»

«دیگه چرا ناصرو؟»

«چه میدونم. میدونی دیگه. لابد مربوط به اون روزی‌یه که این بچه اومد با اون زمانی پدرسگ لعنتی رفت و اون نامهٔ لعنتی رو نمیدونم کجا بردند.»

«یا فاطمهٔ زهرا!»

«دیگه باید برگردم. خوب، خواهر. مواظب بچه‌ها باش. مواظب خودت هم باش. خدا نگه‌دار. قمر بنی‌هاشم خودش به همه رحم کنه. هم به بچهٔ تو... هم به بچهٔ من بدبخت. خوب، خداحافظ. دست علی همراه همه‌شون باشه. یا امام حسین... یا قمر بنی‌هاشم...»

فصل بیست و هفتم

تنگ غروب روز بعد، مهری خانم رفته بود بیرون، و پسرک در خانه تنها بود، که صدای در او را از جا پراند. سردرد بد و عجیبی داشت. رفت لای در را باز کرد. تازه باز باران گرفته و تمام کوچه را هم مه و تاریکی فرا گرفته بود. از لای در قامت دختری را دید. بعد قامت آمد جلوتر. دلش هرّی ریخت. فکر کرد مریم است. هیکل مردی هم پشت سر دختر بود. مرد را شناخت. هیکل گندهٔ سیدنصرالله نوکر قدسی‌خانم‌اینها بود. بعد او را هم شناخت.

«سلام.»

«سلام، شمایی میترا؟»

«حالت خوبه؟»

«آره، آره.»

هنوز به عقلش نرسیده بود که تعارف کند او بیاید تو، یا اقلاً در را برایش حسابی باز کند. پرسید: «میخوای بیای تو؟»

«من اومدم ترو ببینم، و عزیزت رو.»

«عزیز رفته مسجد زیر بازارچه. الآن برمیگرده. گفت دلش شور میزنه. دیشب خواب بدی دیده بود. ما هر شب خوابهای بدبد می‌بینیم.

عزیز رفت دم سقاخونه شمع روشن کنه. الآن میاد». موضوع آمدن عمه نصرت و هشدار او را نگفت. نخواست این دختر را نگران کند. «دوست مامانت تلفن کرد؟ کاری انجام داده؟...»

«هنوز نمیدونم.» به در نیم‌سوخته و دیوار دودزده نگاه کرد. «پس این خونهٔ شماست...»

سید نصرالله از زیر باران رفته بود عقب به دیوار حیاط روبرویی‌ها چسبیده بود و حرفی نمی‌زد.

پسرک از میترا پرسید: «خبری شده؟»

میترا گفت: «نمیدونم. فکر میکنم. آره. برای همینه که من اومدم. مامان با خسروی حرف زد. خسروی هم با مقامات حرف زده.»

«جدی؟...»

«آره. دو سه ساعت پیش خسروی زنگ زد و گفت نمیدونم با کی حرف زده و موافقت شده. مامان میگفت خسروی گفته آزادشون میکنن.»

«کی؟»

«نمیدونم. امروز و فردا... فوقش دو سه روز دیگه.»

«امروز و فردا؟...»

«مامان گفت توافق شده... قول دادن همه‌شون رو آزاد کنن.»

«هر سه‌شون رو؟»

«آره، هر سه، همه. دو سه روز دیگه.»

«نگفت کجا هستند؟ زندونشون کجاست؟»

«نمیدونم. اما خسروی به مامان قول داد که حتماً حتماً یکی دو روز دیگه آزادشون میکنن.»

«امام حسین! کاش عزیز اینجا بود اینها رو از دهان تو میشنفت. خیلی متشکرم، میترا.»

«تشکر نکن. اصلاً از اول نباید اونا رو میگرفتن. پدرسوخته‌ها.»

«به هر حال متشکرم که اومدی. حالا از زیر بارون بیا تو، الآن عزیز برمیگرده.»

«من جداً باید فوری برگردم. وگرنه مامان دیگه اجازه نمیده. اما من برمیگردم تا ببینم نتیجه چی شده.»

پسرک گفت: «ممنون! باور نمیکنم این خبرهای خوب درست باشه! دلم میخواد گریه کنم.»

«نه... از قول من به عزیز سلام برسون. متأسفم که خبرهای بهتری نیاوردم.»

«همین قدرم خیلی زحمت کشیدی.»

«خداحافظ. داری گریه میکنی؟»

«نه!...»

«همه‌چی درست میشه.»

آمد بیرون و رفتن او را زیر باران به طرف سرکوچه تماشا کرد. سیدنصرالله هم دنبالش می‌رفت. هر دو توی تاریکی و مه سر کوچهٔ درخونگاه محو شدند.

نزدیک ظهر روز بعد، شصت و هشت تن از شاهان، رهبران و سران کشورهای جهان، به دلائل گوناگون، به دعوت شاه ایران گردن نهاده و در تخت‌جمشید، گرد آمده بودند: سیزده پادشاه، پانزده رئیس جمهور، سه ولیعهد، دو همسر ملکه، چهار شاهزاده، نه امیر عرب، پنج معاون ریاست جمهوری، یک صدر هیأت رئیسه، سه نخست‌وزیر، چهار رئیس مجلس، دو فرماندار کل، چهار وزیر، دو فرستادهٔ ویژه، و یک گراند دوک... در میان پادشاهان بودئن پادشاه بلژیک و ملکه فابیولا حضور داشتند، فردریک نهم پادشاه دانمارک و ملکه اینگرید، هایله سلاسی امپراتور اتیوپی و دخترش، ملک حسین پادشاه اردن و ملکه مونا، اولاف پنجم

پادشاه سوئد، ماهندرا بیکرام دورا پادشاه نپال و ملکه، کنستانتین پادشاه سابق یونان و ملکه، پرنس رنیه از موناکو و پرنسس گریس، تونوکو عبدالحلیم عظیم پادشاه مالزی و ملکه، و سلطان هومن کوهه برولونو پادشاه اندونزی و ملکه. در میان رؤسای جمهوری ممالک جهان، مارشال جیوسپ بروز تیتو و بانو حضور داشتند، همچنین ژاکوپوس جوهانوس، رئیس جمهور آفریقای جنوبی و بانو، ژنرال آغامحمد یحیی خان رئیس جمهور پاکستان و بانو، آقای جودت سونای رئیس جمهور ترکیه و بانو، ژنرال اسوبودا رئیس جمهور چکسلواکی، آقای نیکولای چائوشسکو رئیس جمهور رومانی و بانو، آقای لئوپولد سدارسنکو رئیس جمهور سنگال و بانو، آقای حبیب بورقیبه رئیس جمهور تونس و بانو، آقای واسیو گلونن رئیس جمهور فنلاند و بانو، آقای فردیناند مارکوس رئیس جمهور فیلیپین و بانو، آقای پال لوشونجی رئیس جمهور مجارستان و بانو، آقای سلیمان فرنجیه رئیس جمهور لبنان و بانو، و آقای وی‌وی گری رئیس جمهور هند و بانو... از بستگان بلافصل سلاطین جهان دون خوآن کارلوس ولیعهد اسپانیا بود و همسرش، پرنس کارل گوستاو ولیعهد سوئد و همسرش، مولای عبدالله ولیعهد پادشاهی مراکش و همسرش، پرنس فیلیپ همسر ملکه انگلستان همراه پرنسس آن، پرنس برنهارد شوهر ملکه هلند، والاحضرت بلقیس خواهر پادشاه افغانستان و همسرش، پرنس میسکایا برادر امپراتور ژاپن و پرنسس میشیکا، امیر نواف ابن عزیز برادر ملک فیصل پادشاه عربستان سعودی، پرنس ژوزوف دوم و همسرش از پادشاهی لینختشتاین... در میان شیوخ و امیران شیخ‌نشینهای خلیج فارس، شیخ صباح السالم الصباح امیر کویت شرف حضور داشت، و شیخ احمد ابن علی ثانی، امیر قطر، شیخ محمد

بن صمد آل شرقی امیر فجیره، شیخ قابوس سعید، سلطان عمان، شیخ راشد بن حمید النعیمی، امیر عجمان، شیخ محمد القاسمی، امیر شارجه، شیخ سقر بن محمد القاسمی، امیر رأس الخیمه، شیخ راشد بن سعید آل مکتوم، امیر دوبی، شیخ علی ابن سلمان آل خلیفه، امیر بحرین، و شیخ راشد بن علی آل مصلی، امیر ام‌القوین... از کشور اتحاد جماهیر شوروی آقای نیکولای پادگورنی صدر هیأت رئیسه شورایعالی حزب کمونیست و بانو و از ایالات متحد آمریکا آقای اسپیرو اگنیو معاون ریاست جمهوری و بانو افتخار حضور داشتند. از کانادا آقای رونالد میچر و بانو، از استرالیا آقای پال هلسوک و بانو، از سویس آقای فردیناندو هلون معاون ویژه ریاست جمهوری و بانو، و از لوگزامبورگ گراند دوک ژان و بانو... از میان نخست‌وزیران ممالک عمدهٔ جهان آقای ژاک شاباش دلماس نخست‌وزیر فرانسه و بانو شرف حضور داشتند، و ژنرال بائویاندا یوکالا نخست‌وزیر تایلند و بانو، و آقای ژان پیل کپو نخست‌وزیر کرهٔ جنوبی... در میان سایر معاونین ریاست جمهوری کشورها، آقای کارل ترینوکوف معاون ریاست جمهوری بلغارستان و بانو حضور داشتند، و پروفسور هیوسلاو هوما سوسکی معاون ریاست جمهوری لهستان و بانو، و آقای حسین الشافعی معاون ریاست جمهوری مصر... از وزرایی که نمایندگی دولتهای خود را عهده‌دار بودند آقای مصطفی اشرف معاون نماینده ویژه نخست‌وزیر دولت الجزایر افتخار حضور داشت، دون دوکاپیوس وزیر جهانگردی دولت آرژانتین و بانو، دون وبی مانوئل باتریسیو وزیر امور خارجه دولت پرتقال و بانو، و دکتر آنتونیو ماریو یلاواسی وزیر امور خارجه دولت ونزوئلا و بانو... و در میان رجال و سیاستمدارانی که نمایندگی پارلمان کشورهای خود را به عهده

داشتند سناتور دکتر فن هامل رئیس مجلس سنای آلمان غربی بود، سناتور برتونیار تلاونوسی رئیس مجلس سنای برزیل و بانو، سناتور آنتونیوتلا رئیس مجلس سنای ایتالیا و بانو، و آقای ریچارد هریس، رئیس مجلس لیبریا و بانو...

مهمانان در لژهای ویژه، زیر آفتاب خشک و گرم مهرگان تخت‌جمشید، در ردیفهای دراز قرار گرفته بودند. شاه ایران، در یونیفرم آبی نیروی هوایی ارتش شاهنشاهی ایران، در حالی که پنج افسر ارشد نیروهای مسلح ارتش هر کدام یک قدم پشت سرش بودند، به بنای آرامگاه کوروش نزدیک شد.

وقتی در مقابل میکروفنها ایستاد، سر بلند کرد، و با عینکی که روی دما غ همچون نک عقابش، زیر نور آفتاب می‌درخشید، با صدایی بلندتر از معمول، و همچو هنرمندی با احساس و نقش‌آفرین فریاد زد:

«کوروش! شاه بزرگ، شاهنشاه ایران! شاه هخامنشی! از من، شاهنشاه ایران، و از مردم من، درود بر تو!

در این لحظهٔ باشکوه تاریخ ایران، من و تمام مردم ایران، که بازماندگان این شاهنشاهی بزرگ هستیم که تو آن را دو هزار و پانصد سال پیش بنیان گذاشتی، در برابر آرامگاه تو، بر تو درود می‌فرستیم، و خاطرهٔ پرافتخار ترا گرامی می‌داریم. امروز که ایران پیمان خود را با شاهنشاهی بزرگ گذشته تجدید می‌کند، ما ترا قهرمان ابدی کشور ایران، بنا نهندهٔ کهن‌ترین شاهنشاهی جهان، آزادیبخش بزرگ، و فرزند شایستهٔ بشریت، اعلام می‌کنیم و بر تو درود می‌فرستیم!

...

کوروش! ما در اینجا، در برابر آرامگاه تو گرد آمده‌ایم که به تو بگوئیم آسوده بخواب. چون ما بیداریم، و بیدار خواهیم

ماند....»»

در سالن پزشکی قانونی شیراز، دکتر مسئول، پس از معاینه و بررسی جمجمهٔ متلاشی شدهٔ خرابکار محسن نبوی علت مرگ را «تصادم با شیئی سخت، احتمالاً لبهٔ دیوار، حین فرار از دست مأمورین، ضمن عملیات خرابکاری در فرودگاه» تشخیص داد.

شب تاریک و بیم موج و گردابی چنین حائل
کـجا دانند حال ما سبـکباران سـاحلها

دفتر دوم

ساعت چهار و نیم بعد از ظهر مراحل «انتقال» بچه‌ها را از زندان اوین انجام دادند. نُه زندانی ـ همه‌جوان. کلیه اسناد و کاغذها و فرمهای انتقال رسمی آماده و مهر و امضاء شده و حاکی از این بود که نُه زندانی متهم باید به زندان دادرسی ارتش در پادگان سلطنت‌آباد منتقل شوند ـ و مصطفی نبوی یکی از آنها بود.

زندانیان را با دستبند از پشت و با چشمهای بسته، از سلولهای انفرادی‌شان بیرون آوردند و سوار یک کامیون نفربر ارتشی کردند. نُه عضو ساواک نیز حاضر بودند ـ نه کمتر نه بیشتر.

شش نفر از آنها نیز سوار کامیون شدند. یک نفر راندن کامیون را به عهده گرفت. دو نفر دیگر با جیپ دیگری دنبال کامیون حرکت می‌کردند. روی صندلی، پشت سر آن دو، چهار قبضه یوزی قرار داشت. درون کامیون نفربر هم تمام مأمورین با اسلحه‌های کشیده ایستاده بودند. بوی گند مشروب آنها کامیون را پر کرده بود. کامیون بجای اینکه از

در ضلـع جنوبی زندان خارج شود، از راه باریک پشت زندان بالا انداخت و وارد تپه‌های محافظت‌شدۀ دور زندان گردید.

آفتاب پاییزی اوین رو به غروب بود. فراتر از دامنۀ تپه‌ها، در سمت شمال و شمال شرق، کوههای زیبای البرز با قلل برف پوشیده سر به فلک کشیده بودند. از فراز تپه‌ها باد سردی می‌وزید. آخرین پرتوهای خورشید فضای پاییزی دره را زیر نور شفق سرخ و طلایی‌رنگ خود شستشو می‌داد.

در وسط تپه‌ها کامیون از کوره راه خارج شد و پس از مدتی، سرعتش را کم کرد. راننده دستش را از پنجره بیرون برد، و به جیپ علامت داد که جلو بیفتد. یکی دو دقیقه بعد هر دو وسیله نقلیه ارتشی به حال ایست درآمدند.

زندانیها را که علاوه بر دستها و چشمهای بسته، پاهایشان هم دو به دو بهم زنجیر شده بود، از کامیون پایین انداختند. مردان ساواک اسلحه‌های خود را در دست داشتند. بیشتر زندانیها احساس کردند که نقشۀ هولناکی در کار است. با فریاد و گهگاه شعارهای تند، اعلام موجودیت و دادخواهی می‌کردند و توضیح می‌خواستند.

«خفه‌شون کنین... مجبورشون کنین زانو بزنن، تا براشون توضیح بدیم!»

زندانیها جملگی در یک خط کج و معوج جلوی صفی از مردان مسلح قرار گرفتند.

در مدتی کمتر از سی ثانیه همه چیز تمام شد. رگبار مسلسلها و کلتها خاموش شد. قربانیان همه در خاک و خون غوطه‌ور و ساکت شدند. فقط ناله‌ای اینجا و آنجا.

تمام لباسها و حتی چشمبندهایشان غرق خون بود.

اجساد را لخت کردند و در کامیون گذاشتند، تا به
بیمارستان ببرند.

فصل بیست و هشتم

اواخر تابستان دیگری بود، در قبرستان دیگری. او و میترا کنار قبر دیگری ایستاده بودند، زیر یک درخت اقاقیای زیبا و خزان‌زده، در باغ زیبای آرامگاه خصوصی ظهیرالدوله در شمال تجریش، پای کوههای البرز ـــ قبرستان قدیمی شمال تهران.

آسمان کمی ابری و گرفته بود و خورشید گهگاه از لای ابرها بیرون می‌زد. درختهای سرو و کاج و بید و اقاقیا و چنار فراوان بود و از دیوارهای بلند دور باغ شاخه‌های یاس و پیچ امین‌الدوله آویخته. زمین و قبرها تمیز و شسته رفته بودند و گل و گلدان و دسته‌گل و تاج گل همه جا به چشم می‌خورد. درختهای خزان‌زدهٔ زرد و قرمزرنگ پاییزی وسط نسیم وقار و حزن دیگری داشتند. برای پسرک باور کردنی نبود که کسی بتواند در این محیط زیبا و تمیز بمیرد و به زیر خاک برود ـــ بخصوص کتی خسروی خواهر جوان و زیبای میترا...

در حدود پنجاه شصت نفر «عزادار» از فک و فامیل و دوستان و آشنایان مادر میترا دور قبر جمع بودند. آنها یا خانمهای آراسته و سیاهپوش بودند یا مردهای موقر سیاهپوش و افسرهای رشید با

یونیفرمهای پرزرق و برق. روی قبر پوشیده از دو تکه فرش نفیس، دسته‌گلها و تاج گلهای بیشمار بود. کتی خسروی همسر جوان سرهنگ جهانگیر افسر گارد مخصوص شهبانو، دوسه سال پس از ازدواج، چهل روز پیش خودکشی کرده بود.

عزادارها خیلی موقر و خیلی ساکت بودند. پسرک می‌دید که برعکس روز چلهٔ برادرش علی، سه سال پیش توی امامزاده عبدالله، هیچکس ناله و زاری و شیون دلخراش نمی‌کرد، یا توی سر و سینه‌اش نمی‌زد ــ حتی قدسی‌خانم مادر کتی. این کارها مال فقیر فقرای بیچاره بود. حتی قرآنخوانها و روضه‌خوانها هم اینجا موقر و با ادب‌تر بودند و صداهایشان طمطراق بیشتری داشت.

پسرک تنها آمده بود. میترا ماشین فرستاده بود دنبالش. مهری‌خانم مریض و بی‌حال و حوصله بود و هرگز از خانه بیرون نمی‌رفت. میترا در این سه سال به کرات به دیدن آنها می‌رفت، بیشتر با مادربزرگش «خاله خانم» ــ بخصوص بعد از اینکه مرگ مریم و محسن را ــ اولی را در زندان و دومی را در پزشکی قانونی شیراز ــ به آنها خبر داده بودند. بعدهم مرگ استاد عبدالرضا پس از آزادیش از زندان اتفاق افتاده، و بالاخره مریضی مهری‌خانم شروع شده بود. میترا ماهی یکی دوبار را رفته بود. بعدها، بخصوص بهار آن سال، اغلب تنها می‌آمد، چون حالا خودش بزرگتر شده بود... حالا هر دو چهارده پانزده ساله بودند. و هر کدام به نحوی وصلهٔ ناجور خانواده‌هایشان: میترا تنها دختر یک شاعر سوسیالیست بود که در یک خانهٔ بورژوایی بالاشهری بُر خورده و کشته شده بود، ناصر بچه‌ای با روماتیسم قلبی و رشد غیرطبیعی. هیچکس البته علاقهٔ میترا به پسر کوچک و مریض مهری‌خانم بیوهٔ مرحوم استاد عبدالرضا در درخونگاه را جدی نمی‌گرفت. پسرک هنوز یک پسربچهٔ مریض و جقلهٔ فقیر بود و از یک فامیل قدیمی. در خانوادهٔ اعیان و اشرافی قدسی‌خانم، احساسات

میترا برای پسرک مریض اوس‌عبدالرضا جدی گرفته نشده بود و نمی‌شد. توجهٔ میترا فقط جنبهٔ «ترحم» احساس می‌شد و بس.

زیر اقاقیای خزان‌زده، کمی دورتر از دیگران ایستاده بودند، و حرف می‌زدند.

«شوهر کتی کدومه؟ اینجا نیست؟»

میترا گفت: «نه. اون اینجا نیست.»

«چرا؟»

«گم شه.» از او بدش می‌آمد.

«کجاست؟»

«ملازم رکاب.»

غارغار کلاغهایی که بالای یک درخت چنار بودند، مثل صدای غارغار همان کلاغهای روز چلهٔ علی بود، و توی صدای قرآنخوان می‌پیچید. پسرک در بین تمام رجال و امراء حاضر، قیافهٔ هیچکدام را نمی‌شناخت.

«چطور شد کتی خودکشی کرد؟»

میترا آهی کشید و شانه بالا انداخت. «گفتند قرصهای خواب‌آور زیادی خورده.»

«عجیب نیست؟»

«مسخره‌ست.»

«سرهنگ سعی نکرد نجاتش بده؟»

میترا گفت: «اون موقع جناب سرهنگ فرانسه بود، با شهبانو. شاه و فرح رفته بودند فرانسه. شاید یادت باشه. اولهای تابستان بود و شاه و فرح رفته بودند به دیدار رسمی ژیسکاردیستن که تازه رئیس جمهور شده بود.»

ناصر خواست بگوید «طفلک بیچاره» اما یاد روزی افتاد که رفته بود خانهٔ میترا اینها، و تصادفی کتی و آن مرد امریکایی را دیده بود که

داشتند با هم عشق می‌کردند. این یکی دیگر از هزارها رنگ زندگی اینها بود، که او نمی‌فهمید.

پرسید: «واسه اینکه تنها می‌گذاشتنش خودکشی کرد؟»

میترا گفت: «شاید. من فکر میکنم دوز و کلکی هم هست. وسط این جمع همیشه دوز و کلک هست.»

«نمی‌گذاشتنش بره خارج؟»

«یک سفر همراه شوهرش رفت امریکا ــ بعد وقتی برگشت، دیگه نمی‌گذاشتند از خونه بره بیرون.»

«باور نکردنی‌یه.»

«کتی تقریباً یک محبوس بود.»

«گفتی امسال بهار بود که... بچه‌ش رو انداخت؟»

«آره. سه ماهه آبستن بود. یعنی وقتی لوس آنجلس کورتاژ کرد. داد سرهنگ دراومد. اون کتی رو خیلی دوست داشت. یعنی هنوزم داره، انتر. بچه‌ش رو هم میخواست. اما نه میتونست انقدر که میخواست پهلوی کتی باشه، و نه میتونست کتی رو هر جا میره با خودش ببره. کتی هم اگه عقل تو کله‌ش بود، باید دیگه از لوس آنجلس برنمی‌گشت. بعد از اینکه برگشت و دیگه نمیذاشتند از خونه بره بیرون، و تنها بود، زندگیش یه جور دیگه شد. نمیدونم چه جوری بگم. همیشه میترسید.»

«از چی میترسید؟»

«نمیدونم. اما انگار واهمه داشت، از همه. همیشه میترسید که انگار مدام تحت نظره. انگار مراقبش هستند.»

«عین داستانهای جنایی‌یه.»

«عین تراژدیهای کاراکترهای دبنگه.»

صدای فریاد مانند قرآنخوان تازه‌ای با طنین «یا ایها الذین...» بلند شد، و دو پرستویی که سر آن درخت شاه‌توت نشسته بودند، پرواز

کردند.

پسرک پرسید: «تو که نمیترسی؟»

«از چی بترسم؟ من که کتی نیستم. مراقب ندارم. از چی بترسم؟»

«نمیدونم. خیلی چیزها هست.»

«نه. من از هیچی نمیترسم.» بعد گفت: «بجز شاید از یک چیز.»

صدای قرآنخوان در سکوت باغ خزان‌زده می‌پیچید.

«از چی؟»

«نمیخندی اگه بگم؟»

«نه.»

میترا گفت: «بگو ببینم. تلاوت بلند قرآن ترو یاد چی میندازه؟»

«من توی سوره‌های قرآن و تلاوت قرآن بزرگ شده‌م. همینطور هم داداشهای من، و بیشتر دوست و رفیقهای من... هیچی. برای من مثل نفس کشیدنه.»

میترا گفت: «... شاید چون من بدم از تلاوت قرآن میترسم. میدونی منو یاد چی میندازه؟ یعنی اولین چیزی که به مغز من میاد ـعزاداری‌یه، و مراسم مرگ. چون فقط اینجور وقتهاست که من قرآن رو شنیده‌م. مثل الآن.»

پسرک برگشت به چشمان او نگاه کرد. باد چند رشته از موهای پیشانی‌اش را از زیر روسری سیاه می‌لرزاند. حتی زیر عینک دودی‌اش، تخم چشمهایش یک جور حالت دور و تلخ داشت.

زیر لب گفت: «... کتی بدبخت و بیچاره...»

پسرک نمی‌دانست چکار کند. یا چه حرفی بزند. بالاخره گفت: «ببین، زیاد ناراحت نشو، میترا. باشه؟ تو که مثل عزیز دل نازک نیستی. هستی؟»

گفت: «نه، باشه.» در چشمانش کمی اشک جمع بود.

پسرک آهی کشید. وقتی دوباره حرف زد، درد و تلخی دیگری در صدایش بود. «هیچکس دلش نمیخواد خواهرش بمیره. اما... خواهر آدم میمیره. و کاری هم نمیشه کرد.»

«مثل مریم شما؟» برگشت به پسرک نگاه کرد.

«آره، مثل مریم ما.» سرش پایین بود.

«متأسفم...» میدانست او چقدر مریم را دوست داشت. و میدانست خودش برای او بیشتر از هر چیز جانشین مریم شده بود.

مدتی بهم نگاه کردند. بعد میترا گفت: «مریم چه جوری مرد؟ من هیچوقت جرأت نکردم بپرسم. امروز مثل اینکه فرق میکنه.»

پسرک لرزید: مدتی ساکت ماند.

میترا هم سرش را انداخت پایین. «جوابم را نده، اگه برات ناراحت کنندهست ـ جوابم را نده.»

«... ما هنوز درست نمیدونیم. البته زیر شکنجه و هزار کوفت دیگه مرد. جنازه‌ش رو شش ماه و نیم، هفت ماه توی سردخانه نگه داشته بودند. گفتند خودکشی کرده.»

«حرومزاده‌ها... آره، خودکشی! یه روز تقاص پس میدن.»

«شاید.»

«بخاطر مرگ مشکوک پدر هم تقاص پس میدن.»

استاد عبدالرضا سه روز بعد از آنکه با مشاعر از دست رفته آزادش کرده بودند مرده بود. صبح سه روز بعد از آزادی‌اش از زندان، توی خیابان بوذرجمهری، جلوی درخونگاه، هنگام عبور به آنطرف خیابان، یک ماشین به او زده بود و گریخته بود.

«میخوای حرفش رو بزنی؟»

«نمیدونم... ما چیزی هم نمیدونیم. وقتی بابا آزاد شد فکرش درست کار نمیکرد. مثل دیوونه‌ها حرف میزد. همه‌ش دربارهٔ یه پیرزن نظافتچی حرف میزد... دو سه روز بعدش هم که توی تصادف کشته

شد... مثل پدر تو.»

میترا آهی کشید. «آره، مثل پدر من.» نگاهش حالا به وسط جمعیت بود.

پسرک برای اینکه حرفی زده باشد، گفت: «آنها حالا با هم هستند. توی بهشت... با هم محشورند.»

«اگه بهشتی باشه.»

«هست... مگه میشه بهشت نباشه؟!»

میترا نگاه درازی به چشمان پسرک انداخت. «فعلاً بهشت مال این حکام و پدرسوخته‌هاست.» بعد نفس بلند و کینه‌داری کشید، و گفت: «یه روز... ناصر، یه روز مکافات این کارهاشون رو پس میدن. مکافات این کارهایی که دارند با خلق خدا میکنند، خونهایی که میریزند، حقهایی که از مردم میگیرند، پس میدن.»

باد حالا تند شده بود و وسط شاخه‌های درختان می‌پیچید. قاری داشت دعای ختم را می‌خواند. لفتش می‌داد.

میترا پرسید: «حال عزیز چطوره؟ از بس حرف توی حرف اومد یادم رفت بپرسم... حالش خوبه؟»

«آره. هست.»

«سرفه و کمردردش چطوره؟ بهتره؟»

«نمیدونم. سرفه‌ش که هست. کمردردش هم مال کلیه‌هاشه. سه سال پیش که یکهو همهٔ اون بدبختیها با هم سرش اومد، اگه دایی فیروز نیومده بود و مدتی پیش ما نمونده بود، عزیز هم رفته بود.»

«من فردا میام به دیدنش.»

«ممنون، لازم به زحمت نیست. من بهش میگم که احوالش و پرسیدی.»

«نه ـ میخوام بیام. مامی حالا کمی سختگیری میکنه، اما من با سید نصرالله میام. تا موقعی که خانمجون خدابیامرز زنده بود آسونتر بود.

با اون میومدم. تا میگفتم خانمجون بلندشو بریم درخونگاه پیش مهری‌خانم، پا میشد چادرشو مینداخت سرش. حاضر بود. اما فردا خودم حتماً میام. میخوام خودم ببینم حال مادری که چهارتا از شش تا پسر و تنها دختر و شوهرش رو این وسط از دست داده چطوره، چه فکری میکنه.»

پسرک، با صدای پایین‌تر، گفت: «تنها چیزی که حالا فکر و ذکر عزیزه، اسم رضاست ــ تنها برادر من که زنده مونده و در غربته.»

«نیومده تهرون؟»

«میاد و میره، فکر میکنم. مخفی‌یه. شنیده‌م این روزها تهران یا قم، همین جاهاست. بین خودمون باشه.»

«البته. شما نمیبینیش؟»

«نه، هیچوقت نمیاد طرفای خونه.»

میترا ساکت شد. بعد به چشمهای پسرک نگاه کرد. «خودت چطوری؟ قدت بلندتر شده، اما هی داری لاغرتر میشی.»

سرش را انداخت پایین. به شوخی گفت: «من بدردبخور نیستم.»

«بهتر که هستی. یعنی روماتیسم قلبی و اون داستانها و ظاهرت که بهتره؟»

سرش را بلند کرد و به میترا نگاه کرد. «هنوز زنده‌م ــو جزو غازورات.»

میترا به طرف قبر خواهرش نگاه کرد.

پسرک گفت: «برای کتی متأسفم.»

«بیچاره‌ش کرده‌ن.»

«چند دقیقه پیش می‌خواستی یه چیزی بگی.»

«چه چیزی؟»

«نمی‌دونم. گفتی گفتند قرص خواب‌آور خورده». صدایش را باز هم پایین‌تر آورده بود.

میترا گفت: «من خواهر ناتنی‌م رو، هم دوست داشتم و هم دوست نداشتم. کتی یه جور آدم دیگه‌ای بود. برای خودش افکار و دنیای خوشی داشت. زندگی دیگه‌ای داشت. من با خیلی کارهاش موافق نبودم. اما دوستش هم داشتم. اونم انسان بود. حق زندگی در این دنیا را داشت. حق داشت در این دنیا زنده باشه، راه بره، نفس بکشه، عشق و امید داشته باشه.»

«چی میخوای بگی؟»

«کتی رو مجبور کردند با اون مرد عروسی کنه، که اون مرد خیالش راحت باشه، آروم باشه. بعد کتی مجبور بود که مدام از شوهرش جدا باشه، یا جدا بشه، چون شوهرش کارهای واجب‌تری داشت. یعنی اون باید ششدونگ فکرش پیش وظیفه‌ش باشه. خلاصه این دو سال و نیمی که کتی شوهردار شده بود، واقعاً و به تمام معنی کلمه بیچاره و اسیر و زندونی شده بود ــ هیچکس هم نه و کتی خسروی! تو که یادت هست چه جور زندگی لوکس و اشرافی و به‌اصطلاح بین‌المللی داشت...»

او هنوز داشت با حیرت به صورت میترا نگاه می‌کرد، که ختم مراسم چله را برچیدند. قاری برای شادی روح مرحومه مغفوره، از خداوند تبارک و تعالی و پیغمبر اسلام آمرزش و رحمت طلبید و برای حفظ سلامت و بقای سلطنت شاهنشاه و علیاحضرت ملکه و خاندان جلیل سلطنت دعا و راز و نیاز کرد.

میترا با چشمک فین کرد، نگاهی به پسرک انداخت و لبخند زد.

فصل بیست و نهم

آن شب که روی پشت‌بام فسقلی دراز کشیده بود، به میترا فکر می‌کرد. به دوست داشتن فکر می‌کرد، و به مهربانی. و امشب همچنین مثل بیشتر اوقات یکی دو سال اخیر، به دایی فیروز فکر می‌کرد، که حالا بیشتر به دیدنشان می‌آمد... و به دایی فیروز فکر می‌کرد که همیشه برای او از خوبی و مهر حرف می‌زد.

«باید مهر‌ـ‌بان بود». این حرف سالهای اخیر دایی فیروز بود. امسال عید هم که به دیدن آنها و کمک به آنها آمده بود، باز این حرف را به پسرک زده بود. باید مهر‌ـ‌بان بود، باید از نفرت و کینه دوری جست!... پندار نیک!

یکی دو روز قبل از تحویل سال نو آمده بود و تا چهارم فروردین مانده بود. با خودش شیرینی و شراب «هوم» هم آورده بود. باید مهر‌ـ‌بان بود. و مهر‌ـ‌بانی نه به معنای دلسوزی و ترحم، بلکه به معنای نگه‌دارندهٔ مهر بود.

دایی هیچوقت توضیح نمی‌داد، برای همین هم بود که گاهی حرفهایش، در فکر پسرک یک جور جنون قشنگ و آتش نامرئی داشت، و او را شبها توی تاریکی و تنهایی به فکر و به رویاها می‌برد.

دایی می‌گفت باید از درخونگاه بیرون رفت. آدم باید از خود بیرون می‌آمد، دنیا را می‌دید، و باز به دنیای اول برمی‌گشت و مهر-بان می‌شد. مهر-بانی همهٔ دردها را شفا می‌داد ــ حتی احتمالاً درد کم‌خونی و درد روماتیسم قلبی را!

تا چهارم پیش آنها مانده بود، و بعد باز به یزد برگشته بود تا برای روز ششم فروردین که می‌گفتند یکی از روزهای مراسم زرتشتی است در آتشکده باشد.

فردای چلهٔ کتی، میترا به قولش وفا کرد و به درخونگاه آمد، به دیدن مهری‌خانم.

یک بلوز ملوانی آبی‌رنگ ساده پوشیده بود، با کاپشن جین و شلوار جین تمیز، و کفشهای صندل سفید. برای مهری‌خانم چندشاخه گل سرخ قشنگ آورده بود، و می‌گفت آنها را از توی باغشان کنده است.

حدود ساعت چهار بعد از ظهر وسط گرما بود که وارد شد. با سیدنصرالله و راننده‌شان آمده بود، ولی گفت که آنها را از سر درخونگاه پس فرستاده که بروند. از مادرش اجازه گرفته بود که تا نزدیکیهای غروب بماند. بعد آنها می‌آمدند دنبالش. او یک چهارده پانزده سالهٔ فهمیده بود که از سن خودش بیشتر، و خیلی هم مصمم‌تر، نشان می‌داد.

گوشهٔ اتاق گرم و کوچک و چسبناک، با هُرم قلب شهریور خشک تهران، نشسته بودند و میترا لیوان شربت سکنجبین را به لب می‌برد و با بادبزن دستی که عزیز به او داده بود خود را باد می‌زد و معلوم بود که خوشحال است. حتی بیشتر از خوشحالی ــ انگار به هیجان آمده بود. انگار اصل و ریشه‌های خودش را اینجا می‌دید، توی

بازار و جنوب شهر، وسط مردم فقیر و رنجدیده ــ شاید هم در دهستان سراب قائنات که شنیده بود اجداد مادریش آنجا بودند. شنیده بود که حتی پدر خودش هم در همین محلات جنوب شهر و خیابان فرهنگ و آنجاها ریشه داشته.

مهری خانم با عشق و با دلتنگی، به دختر قشنگ و با محبت فامیل دور خود نگاه کرد. پرسید: «مامانت چطوره، عزیزم؟...»

میترا گفت: «خوبه... یعنی اونقدر که حالا میشه انتظار داشت... اما خوبه.»

«خدا الهی به حق پنج تن و به حق خود امام رضا صبر بده.»

میترا گفت: «مامی ــ یعنی مادرم از میان سه تا دخترهاش ــ یعنی پریسا و کتی و من ــ کتی رو بیشتر از همه دوست داشت...» بعد با خنده اضافه کرد: «و من تنه‌لشو از همه کمتر.»

عزیز گفت: «نه، الهی قربون شکل قشنگت برم. مادر هیچوقت بین اولاد فرق نمیذاره.»

«بعضیها میذارن.»

«نه، تصدقت بشم...» به سرفه افتاد. «من چقدر معذرت میخوام نتونستم برای چلهٔ اون دختر بیام. دیگه نمیتونم اصلاً از خونه بیرون برم. دیگه پا و کمر ندارم. این سرفه‌م که نمیذاره نفس بکشم.»

«خواهش میکنم، عزیز. از این حرفها نزنین. این حرفها چیه؟ ما دُم‌کلفتهای بی‌صفت بودیم که باید به دیدن شما می‌اومدیم ــ یعنی مامی و اینها باید می‌اومدند. خب، من و خاله‌خانم گاهی می‌اومدیم. اما اصل کاری مامی‌یه. ما بدیم و بی‌صفتیم... شما خوبید.»

عزیز گفت: «تو خیلی مهربون و فهمیده‌ای تصدقت برم. تو با مهر و محبتی، با وفایی. تو خودت پاک و خوبی که همه رو خوب میبینی. اما من به فاطمهٔ زهرا وقتی خبر کتایون خانمو شنیدم، این بچه‌م شاهده که چقدر گریه کردم. من میدونم مادرت هم باید چه حالی داشته باشه.»

به گریه افتاد. چشمهایش وسط چروکهای گودافتادهٔ پوستش جمع شده بود، و یکی از آنها تقریباً بینایی‌اش را از دست داده بود.

«البته که شما میدونید و میفهمید... اما ناراحتی مادر من کجا و دلشکستگیها و عذابهای روحی شما کجا؟... مگه قابل مقایسه‌ست؟ خانوادهٔ من و امثال ما همه به شما بد کردیم. ما نباید هرگز آرزوی طلب بخشایش شمارو داشته باشیم.»

مهری خانم با گوشهٔ چادر چشمهایش را خشک کرد. «نه، تصدقت برم. من با اینها، با این اشکها، دلشکستگیهام رو شستم، و گذوشتم کنار. از کسی گله و شکایتی ندارم. تنهایی من، گوشهٔ این خشت خرابه برام بسه...»

میترا گفت: «شما ناصر رو دارید. آقا رضا هم که هستن.»

عزیز آهی کشید و گفت: «اون بچهم رو که سال تا سال نمیبینم.»

میترا گفت: «بزودی میبینید، عزیز. بزودی همه چیز درست میشه. من به شما قول میدم که بزودی یه روز میرسه که وضع برای تمام خلق خدا خوب میشه... من خوابی دیدم...»

مهری‌خانم گفت: «خدا ترو نگه‌داره خانم کوچولو... به حق پنج‌تن.» بعد به طرف حیاط خالی و سوت و کور نگاه کرد. آهی کشید. گفت: «اما نه برای من، تصدقت برم. من دیگه خواب هم نمیبینم. برای من دیگه خواب مرگ، خواب سعادته... آیا مریم من برمی‌گرده؟ یا اون چهارتا پسرم و دختر نازنینم و شوهرم برمیگردن؟ بچهم مریم نموند که شباب شانزده سالگیش‌رو ببینه... ممد من برمیگرده؟ علی من برمیگرده؟ مصطفی من برمیگرده؟ محسن من برمیگرده؟ شوهرم که زیر ماشین کشتندش هیچی...»

پسرک گفت: «عزیز... گریه نکن.»

مهری خانم گفت: «گریه نمیکنم... تصدقت برم. چشمام آب

ازشون میاد.»

میترا گفت: «شما از زنهای بزرگ این مملکت هستین، عزیز. دخترتون و چهارتا پسرتون در راه هدف‌شون جان خودشون رو فدا کردند.»

مهری‌خانم آه تلخ دیگری کشید و سرش را تکان‌تکان داد. گفت: «کدوم مادر میخواد بچه‌هاش بمیرن، حالا که توی مملکت صلح و صفاست؟ چه میدونم چی بگم. بچه‌های من بچه‌های شادی بودند... نمی‌خواستند بمیرند. کدوم بچه‌ست که بخواد بمیره؟ همه‌ش تقصیر اون خدابیامرز پدرشون بود که به اون‌جور کارها سوقشون می‌داد. اون بود که تمام بچه‌ها رو به این جور کارها می‌کشوند. مگه بچه‌های مردم نیستند که مثل دسته‌ی گل راه میرن؟ مگه بچه‌های من با بقیهٔ بچه‌های کوچه فرق داشتن؟ بچه‌های مردم راحت مدرسه‌هاشون رو رفته‌ن، بزرگ شدن، کار گرفته‌ن، حالا هم رفته‌ن خونه و زندگی دارن، زن و بچه‌دار شده‌ن، صاحب همه چی شده‌ن... اما پدر اونها، نه. از شب تا صبح، از صبح تا شب یادشون می‌داد که باید با دستگاه جنگ و مبارزه کنن. باید علیه ظلم جهاد کنن. زمینهای خودش‌رو در سراب قائنات رضاشاه ازشون گرفته بود، پدر خودش‌رو هم همونها آلاخون والاخون کرده بودند، تا اینجا توی تهران، توی این بازارچه لعنتی، توی همین اتاق مرد. من یادم نمیره. از همون شب اول همین جا نشست، بالای جنازهٔ پدر خودش گریه کرد، قرآن خوند، لعنت کرد، و انتقام خدا را از دربار و شاه به دل گرفت ــ چی بگم... الهی نور به قبرش بباره. سید اولاد پیغمبرم بوده.»

پسرک گفت: «عزیز، عزیز...»

مهری خانم گفت: «خب، ناراحت نمیشم... شماها لابد حالا بهتر می‌دونید.»

میترا گفت: «نه... شما... شما همه‌چی رو خوب میبینین، روح و

عقل همهٔ ما هستین.»

مهری خانم گفت: «خدا به شما عمر و روزگار خوش بده، عزیزم... که چقدر دلت پاکه.»

فصل سی‌ام

از بعدازظهرهای گرم و خشک و غبارگرفتهٔ تابستانی درخونگاه بود و آنها از دهنهٔ بازارچه، از میان دکانها و کسبهٔ اهل محل و زنهای چادری و بچه‌های جقله و دوره‌گردها و گداها آمدند بیرون و از بوذرجمهری رد شدند، بعد زدند توی کوچهٔ طباطبایی و آمدند طرف پارک شهر. یک جفت همبازی غیرعادی بودند... این اولین باری بود که با هم تنها بیرون می‌آمدند و میترا گهگاه برمی‌گشت به پسرک نگاه می‌کرد، احساس می‌کرد او از اینکه دختری سربرهنه همراهش از توی کوچهٔ شلوغ و از میان بچه‌های محله می‌گذرد، خجالت می‌کشد. قدش هم از پسر کوچک بلندتر بود، و نه تنها سربرهنه بود، بلکه فقط همان بلوز ملوانی با کاپشن تنش بود، شلوار جین و صندل، بدون جوراب.

«میخوای من دفعهٔ دیگه روسری سرم کنم؟ یا چادر سرم کنم؟»

پسرک نگاهش کرد. «هر جور دلت میخواد.»

میترا پرسید: «میخوای یا نه؟»

پسرک گفت: «تو از روسری و چادر بدت میاد.»

«اگه تو بخوای سرم میکنم...»

«آدم نباید کاری‌رو که بهش اعتقاد نداره بکنه... خودت که همیشه

میگفتی..»

«من هر کاری که تو بخوای یا تو بگی میکنم...» به او نگاه نمی‌کرد، اما لحن حرف‌زدنش گرچه مثل همیشه بود، حالا یک جور حالت مطلق داشت، و انگار مدتی آن را تمرین کرده است.

«من نمیدونم چی میخوام. بیشتر وقتها حتی اصلاً نمیدوم چی دارم میگم..»

میترا گفت: «من میخوام تو دوست من باشی..»

«باشه..»

«و با هم باشیم و یکی باشیم..»

هنوز بعضی حرفهای او، و بخصوص رک بودن او، تکانش می‌داد.

برگشت و به میترا نگاه کرد. او نیز از نگاهش فهمید که این حرفها را درست نمی‌گیرد، یا گیجش می‌کند.

کمی موضوع را تغییر داد. «احمد شاملو یه شعر داره به اسم «پریا»، یه جاش میگه (چیزی ز شب نمونده. ز سوز و تب نمونده. الان پریا واستادن. که مشعلها رو وردارن. بزنن به قلب شب... قلعه رو داغونش کنن.. دیوه‌رو بیرونش کنن...)» بعد اضافه کرد: «بهم رسیدن ما اون موقع‌ست..»

پسرک نگاهش کرد. نمی‌فهمید، اما بدش نمی‌آمد.

محوطهٔ ولنگ و واز و پردرخت پارک شهر، خشک و گرد و خاک گرفته و نامنظم بود. مردم خیلی زیادی همه جا ولو بودند، بخصوص بچه‌های فقیر مثل پسرک، و جوانهای تجدیدی که مثلاً درس حفظ می‌کردند. آنجا که چمن و باغچهٔ گل بود، کم‌آبی و بی‌دقتی همه چیز را کمی خشک و خاک‌خورده نشان می‌داد، و در جاهای دیگر که مثلاً نهالستان بود، شاخه‌های شکسته و حتی درختهای شکسته توی هم غش کرده بودند. اینجا و آنجا یک نفر شیر یا شلنگ

آب را ول کرده بود توی پیاده‌روها و همه جا را غرق آب و گل ساخته بود. هوای گرم و دم‌کرده، با دوده و زغال خطوط اتوبوسهای متعددی که به توپخانه و بازار منتهی می‌شدند کثیف و ثقیل بود.

میترا پرسید: «از داداشت رضا چه خبر؟ گفتی هیچوقت برای دیدن تو و عزیز نمیاد؟...»

«فقط گاهی پیغام میفرسته.»

«میخوای بشینیم روی اون نیمکت؟ یا میخوای قدم بزنیم.»

«قدم میزنیم.»

«ببینم، حالا رضا یکی از مجاهدین اسلامی‌یه؟»

«نمیدونم... نه، نمیدونم چیه. فقط میدونم مُرید آیت‌الله خمینی‌یه که در عراقه...» بعد گفت: «اون و داداش علی با بقیهٔ داداشهام فرق داشتند.»

«چه جوری؟»

«نمیدونم. یعنی اونها تیپ دانشجوها و روشنفکرها نبودند. اونها مثل بابا مذهبی و مسجدی-سنتی هستند. بقیهٔ داداشهام جزو انجمن اسلامی دانشگاهها رفتند.»

«چند سالشه؟»

«رضا؟ فکر میکنم بیست و هفت هشت سالشه...»

«زن گرفته؟»

«زن داشت.»

«طلاقش داد؟»

«نه هه... سال اولی که رفته بود جنوب لبنان و اونجاها زن گرفت. زن بهش دادند. یه بچهٔ سه سالهم داره. اما وقتی اون دفعهٔ اول برگشت ایران و ساواک گرفتش و خلاصه همانطور که نمیدونم لابد شنیدی توی بیمارستان ساواک باهاش اون جراحی‌رو کرده‌ن...»

میترا گفت: «آره، یه دفعه برام تعریف کردی. پدرسگا. خب، از زن

گرفتنش تعریف کن.»

«خیلی وقت پیش بوده.»

میترا پرسید: «بستنی چوبی بخوریم؟»

«آره، خوبه.»

هر کدام یکی گرفتند، میترا پولش را داد.

«خب، از زن گرفتن رضا تعریف میکردی...»

«داداش رضا اونجا مبارز بود. اما خوب زنم می‌گیره. همه می‌گیرن. هر مرد، بالاخره هر جا، زن می‌گیره.»

پسرک هم خنده‌اش گرفت، اما خجالت می‌کشید. «میترا... این جوری حرف نزن.»

میترا گفت: «همین جوری بوده دیگه، تقریباً... مگه نه؟»

«تقریباً...» داشت به نرده‌های ضلع غربی پارک و خیابان شاهپور نگاه می‌کرد. یک تکه سنگ برداشت و پرت کرد به قسمت سنگی زیر نرده‌ها.

میترا پرسید: «حالا زن و بچه‌ش کجان؟ پهلوشن؟»

«نه. ما هم نمیدونیم. انگار قم زندگی میکنن، البته مخفی. زنش یه دفعه اومده خونهٔ ما، بچه‌ش رو هم آورد. من دیدمش. خیلی برای رضا احترام قائله. خوبه.»

میترا پرسید: «عزیز ازشون خوشش اومد؟»

«فکر نکنم... ولی باهشون مهربونی کرد.»

«حدس می‌زدم.»

از در ضلع غربی پارک که به خیابان شاهپور باز می‌شد آمدند بیرون و گفتند بیندازند توی امیریه و از امیریه بزنند بالا طرف خیابان پهلوی. میترا هنوز یکی دو ساعتی وقت داشت. پرسید: «ناصر، من یه چیزی رو میخوام بپرسم، جرأت نکرده‌م.»

«چی؟»

«هیچوقت جرأت نکردم جلوی عزیز سؤال کنم. مریم واقعاً چطوری... کشته شد؟» با این مکث مدتی ساکت ماند. بعد گفت: «شماها میدونین؟ میدونم خیلی دوستش داشتی و برات دردناکه ازش حرف بزنی. اگه نمیخوای نگو.»

پسرک خودش با شنیدن اسم خواهرش چیزی مثل سنگ توی سینهش سنگینی میکرد. «... نه. ما هنوز نمیدونیم. توی زندون ـمرد... شش ماه و نیم، هفت ماه بعد از مرگش، یعنی حدود نزدیک هفت ماه بعد از دستگیریش، ما جنازهشو از پزشکی قانونی تحویل گرفتیم. گفتند در زندان خودکشی کرده بوده. در گزارش نوشته بودند سرشرو کوبیده به جرز دیوار خودکشی کرده.»

«هیچ خبر دیگهای ندارین؟...»

«نه. یه زن نظافتچی توی زندون بوده که فکر میکنم اون به بابا ـکه بابا هم مدتی در همان زندان بودهـ یه چیزهایی گفته بود. اما بابا وقتی از زندان اومد بیرون، مثل دیوونهها بود و به هیچکس هیچی نمیگفت.»

«جزو مجاهدین بود؟»

«کی؟»

«مریم؟»

«نه بابا... اون طفلک فقط یه انشاء نوشت. بخاطر داداشهام گرفتندش...»

«یه موقع بالاخره معلوم میشه قاتلش کیه... همونطور که معلوم میشه قاتل پدر من کیه.»

«فکر نکنم. این جوری که اینا حالا قوی و مسلط هستن.»

«خیلی ناراحت شدی؟»

«مردن مریم عزیزو داغون کرد.»

«یادم هست.»

«بدبختی اینجا بود که مرگ او و بقیه، یعنی مصطفی و بابا، بعد محسن و بالاخره مریم، همه در کمتر از یک سال، در مدت شش ماه چپ و راست مثل ضربه‌های تیر غیب به پیکر عزیز خورد. من که خودم از ترس داشتم میمردم. هر شب میگفتم امشب عزیز میمیره. اگه دایی فیروز نیومده بود، عزیز حتماً مرده بود. دایی فیروز تهرون پیش ما موند تا جنازه‌ها تکلیفشون روشن شد. همه‌رو تحویل دادند، و همه رو خاک کردیم. اما با هر جنازه‌ای که خاک میکردیم انگار یک تکه از تن عزیزرو میبریدیم و جدا میکردیم و با جنازه چال میکردیم...»

«خیلی دوستش داری. مگه نه؟»

«اون تنها کسی‌یه که من دارم.»

«کاش من هم توی فامیل خودم کسی‌رو داشتم که ــ که می‌تونستم با این شدت دوستش داشته باشم. اینطور که تو عزیزو دوست داری حسودیم میشه.»

«آدم مادرش‌و دوست داره دیگه.»

«من نه... نه مثل تو.» به پسرک نگاه کرد. بعد گفت: «دوست داشتن تو یه چیز مطلق و تمام و کماله.»

«من پسر مادرم هستم. باید دوستش داشته باشم.»

«رضا هم پسر مادرته. اما سالهاست که ترکش کرده.»

«اون دنبال چیزهای دیگه‌ست.»

«تو خودت چطور؟ تو توی دسته و سازمانی نیستی؟»

«نه هه! من هرگز عزیزو برای دنیا ترک نمیکنم.»

«حتی برای هدف اسلام و قرآن؟»

سرش را خاراند. بعد گفت: «بابا... من ریقونه‌رو چه به این کارها.»

از امیریه به چهارراه پهلوی می‌رسیدند. میترا گفت: «تو عجیبی.»

«چه جوری عجیبیم؟ چون گفتم عزیزو دوست دارم؟»

میترا گفت: «بچه‌های ایرانی همه خیلی تحت تأثیر پدرهاشون هستن. اما تو نیستی... من خودم که عاشق پدرم بودم، و هستم. گرچه اون، وقتی من خیلی کوچک بودم مرد.»

«پدر من تأثیر خیلی زیادی روی برادرهام داشته ــ بخصوص روی برادر بزرگم، تا اونجا که من یادم هست ــ علی. او قرآن و قانون و احکام اسلام‌رو از سه سالگی توی روح ماها انگار، نمیدونم چه جوری بگم، انگار ریخته‌گری میکرد. هر شب و هر روز هم ما دوباره ذوب میشدیم و از نو ریخته‌گری میشدیم.»

«شماها رو کتک هم میزد؟ مقصودم فضولی نیست‌ها. همین جوری می‌پرسم.»

«من یکی رو نه زیاد... بقیه‌رو خیلی. رضا که اصلاً یک چشمش دیگه نمیبینه. بابا با مالهٔ بنایی زده توی صورت رضا. مصطفی‌رو هم زده بود قلم یک پاش‌رو معیوب کرده بود، چون یه دفعه صبح زود که دیرش شده بود، بدون نماز رفته بود کوه... من چون مریض و مفنگی بودم مرا زیاد نمیزد. کاری هم نمیکردم. من هیچوقت هیچ کاری نمیکردم. من قناری کوچولوی توی قفس بودم.»

میترا خندید. دست او را گرفت. «دستت رو بده من، قناری کوچولو.» رفتند آنطرف خیابان.

او باز خجالت کشید.

از چهار راه پهلوی هم انداختند بالاتر. از این قسمت به بعد خیابان پهلوی عریضتر و پر زرق و برق‌تر و مدرن‌تر می‌شد. حرف زدند و حرف زدند. آمدند طرف میدان ولیعهد. حرف مرگ کتی و حرف مرگ مریم را می‌زدند، و آنها را با هم مقایسه می‌کردند.

وسط میدان ولیعهد، یک پیکان سفید نو را وسط باغچه بزرگ به زنجیر بسته بودند که توی آن پر از اسکناس بود! جایزهٔ ممتاز بلیتهای بخت‌آزمایی آن چهارشنبه! از این صحنهٔ پول و چرب و چیلی رژیم

خنده‌شان گرفت.

چون کم‌کم داشت غروب می‌شد با تاکسی آمدند سر سه راه شاهپور و بوذرجمهری، بعد پیاده طرف درخونگاه. هنوز می‌خندیدند. سر کوچه، سید نصرالله با ماشین و راننده منتظر میترا بود.

فصل سی و یکم

و ناگهان، زیباترین پائیزها بود.

آخر هفته‌ها و روزهای تعطیل، اغلب پیش هم بودند. بیشتر میترا به درخونگاه می‌آمد. کتابچه‌ها و دفترچه‌های مشق و تکالیفش را هم می‌آورد. و دلتنگیهای پدر مرده‌اش را. با هم «درس» می‌خواندند. میترا کتابهای دیگری را هم می‌آورد که یواشکی گیرش می‌آمد. می‌نشستند با هم می‌خواندند ـ کتابهای «ممنوعه»! گوشهٔ آفتابی حیاط روی یک تکه جاجیم می‌نشستند و حرف می‌زدند و می‌خواندند.

این روزها یکی از کلفتهای قدسی‌خانم، که اسمش فاطی بود و از بچگی میترا را بزرگ کرده بود، با میترا می‌آمد. پسرک به ندرت به خانهٔ میترا می‌رفت. فضای قصرمانند خانه، و مبل و وسائل خارجی، به او، و لاجرم به میترا، یک جور احساس بد بیگانه بودن می‌داد ـ حتی وقتی که توی اتاقهای ته باغ عقب مرحوم خاله‌خانم می‌نشستند. در آنجا، پسرک احساس می‌کرد که وصله ناجور است. ولی میترا در درخونگاه، در خانهٔ فقیرانه مهری‌خانم، احساس غریبی نمی‌کرد. گوشهٔ حیاط خانهٔ درخونگاه بهتر بود. و حرفهایشان بی‌پایان.

«توی مدرسهٔ ما یه دختره هست که کتاب «فاطمه فاطمه است»رو

داشت ــ مال دکتر شریعتی. ناظم ازش گرفت.»

«توی مدرسه شما؟ توی نیاوران؟»

«این که چیزی نیست. یکی‌شون یه انشاء دربارهٔ مادر ماکسیم گورکی نوشته بود که اونو از دفتر خانم مدیر خواستند و توبیخ کردند.» بعد تندی گفت: «معذرت میخوام این حرف‌رو زدم.» پسرک آهی کشید. «انجمن اسلامی هم دارین؟»

«نه، جمع کرده‌ن.»

«مال ما کتابخونه‌شو جمع کرده‌ن. حالا منتقل شده خونهٔ یکی از معلمها.»

«وضع شما بهتره.»

«انجمن اسلامی ما قسمتهایی از کتابهای شریعتی و مطهری رو پلی‌کپی میکنه میده به بچه‌ها.»

توی حیاط روی جاجیم کهنه نشسته بودند و کتابها و کتابچه‌ها جلوشان ولو بود. مهری‌خانم و فاطی هم توی اتاق چای می‌نوشیدند، اختلاط می‌کردند. ناصر در ریاضی و علوم به میترا کمک می‌کرد و میترا در انگلیسی و انشاء. میترا شلوار مخمل بژ پوشیده بود، با یک بلوز یقه‌باز سفید، و رویش هم یک چیز بافتنی جلیقه مانند به رنگ لیمویی. حالا عینک دودی با شیشه‌های طبی خیلی کلفت می‌زد. موهایش هنوز همانطور مثل پسرها کوتاه بود و مجعد، و فرقش را هم همانطوری از سمت چپ باز می‌کرد.

از توی یکی از کتابچه‌هایش، شعری از خسرو گلسرخی را می‌خواند، که دوست داشت. گلسرخی از دوستان بیژن صدر بود.

«باید دوست بداریم، یاران

فریادهای ما اگرچه رسا نیست

باید یکی شود

باید که چون خزر بخروشیم

...
باید که تپیدنهای قلب
سرود پرچم ما باشد.»

از پسرک پرسید: «خوشت میاد؟»

«نمیدونم.»

«عالیه...»

«اما میترا ــ کی اینجا تو درخونگاه ــ به این جور چیزها اهمیت میده؟ یا میفهمه؟»

میترا گفت: «من... توی درخونگاه هستم.» سرش پایین بود. «من اهمیت میدم. تو هم توی درخونگاه هستی. تو هم میفهمی. و تازه ما متعلق به دو دنیای مختلف هستیم. میدونی ایدئولوژی چیه؟»

پسرک یاد حرفهای جعفر زمانی آن روز توی جادهٔ ولی‌آبادون افتاد. گفت: «من ایدئولوژی میدئولوژی ندارم...»

میترا گفت: «تو مسلمان هستی. اسلام اصل واقعی، رهبری کردن در همه چیز جامعه بوده. این یه ایدئولوژی‌یه. برادرهای خودت مجاهدند، شاهدند. یعنی شهیداند. بقول دکتر شریعتی: شهید قلب تاریخ شیعه است.»

«من در یک خانوادهٔ مسلمان به دنیا اومدم، اما خیلی مسلمون اون جوری نیستم. یه بچه‌مدرسه‌ای مریضم. سیاست‌بازی نمیکنم ــ جهادم بلد نیستم.» نمی‌دانست چرا این حرف را زد. شاید به دلیل اینکه با میترا حرف می‌آمد توی حرف. یا شاید به دلیل اینکه این جواب ساده‌ترین و واقعی‌ترین چیزها بود: «من نمیخوام جنگ و دعوا باشه.»

میترا گفت: «هیچکس نمیخواد جنگ و دعوا باشه. تو نمیخوای جهاد کنی... من هم نمیخوام جنگ کنم. اما وقتی مردم دارند با یک رژیم مبارزه میکنن، و رژیم داره متلاشی میشه، همه تحت تأثیر قرار میگیرن، زندگی همه تغییر میکنه ــ همه.»

«رژیم داره متلاشی میشه؟»

«فشار روی رژیم زیاد شده. رژیم هم فشارش زیاد شده. هر کس با تکیه به اسم شاهنشاه آریامهر و شهبانو فرح هر کاری بخواد میکنه. دزدی و بخوربخور یه عده، فقر و گرسنگی یه ملت. اختناق که چه عرض کنم. گروههای مذهبی و بچه‌های مسلمان و مجاهدین خلق هم هستند... فدائیان یا مارکسیست-مذهبیها که به کنار...»

«مجاهدین و فدائی‌ها چند تا هستند؟» سؤال او به عنوان اعتراض نبود. حتی کنجکاوی هم نبود. فقط حرف بود.

میترا گفت: «تعداد سازمان‌یافته‌شون زیاد نیست، اما حمایت و همدردی و دست‌کم توجهٔ تیپ جوون و بچه‌ها را دارن... و تحریک می‌کنند، جالبن، هیجان‌انگیزن. تعدادشون هم کم‌کم داره مثل قارچ زیاد میشه. بچه‌های مذهبی‌م که البته بیشترند.»

گفت: «آره.» مجبور بود موافقت کند. یاد مرگ برادرهای خودش در سال ۵۰ بود ــ خشم و شوری که شهادت آنها در محله ایجاد کرده بود...

میترا ادامه داد: «و این خیلی خوبه، مگه نه؟ یعنی این ایده که بچه‌های اسلامی مدرسه‌ها و بچه‌های دانشگاهها توی مبارزه کشیده بشن. بچه‌ها و جوونها بهترین مایهٔ دست‌ند. سال به سال جاشون پر میشه. احساساتی‌ن. زود هم تحریک میشن. در تمام دنیا انقلابها از دانشگاهها شروع میشه. بخصوص اگر مرگی وسطشون اتفاق بیفته، که دیگه هیچی...»

پسرک نگاه تازه‌ای به او انداخت. گفت: «تو این چیزهارو قشنگ حلاجی میکنی و حرف میزنی، بلدی ــ من چرا انقدر گوساله‌م؟»

میترا خندید: «نیستی ــ فقط من بیشتر تو دورم. من هم بالا بالاهارو می‌بینم و هم پائین‌پائینهارو. شاه توی یکی از آخرین مصاحبه‌هاش گفته اگر ده هزار تا مجاهد و چریک هم باشند کاری نمیتونن بکنن.

این کوری یک دیکتاتوره.»

«میتونن یه کاری بکنن؟ قوی هستن؟»

میترا گفت: «اسلام بزرگترین و قویترین حزب ریشه‌دار در ایرانه. هر کاری میتونه بکنه. شاه اینو نمیبینه و دست‌کم میگیره. کور و کره. کوری و کری هم برای بزرگان بد دردی‌یه. خطرناکه.»

«عزیز از این حرفا خوشش نمیاد.»

میترا صداش را آورد پایین: «صدای مارو که نمیشنفن، میشنفن؟»

«توی اتاق، نه.»

میترا گفت: «شاه، هیچ گزارش درستی از دست آدمهای درست بهش نمیرسه. اگه هم برسه سرش انقدر گرمه که کاری نمیتونه بکنه. بهش گفته‌ن یه مشت مرد و بچهٔ خرابکار هستن که با دزدی از بانکها و بمب‌گذاری توی سینما شلوغ کرده‌ن، ولی رژیم محکم مثل کوه ایستاده. امریکا هم پشتش ایستاده.»

پسرک دماغش را کمی فین کرد.

میترا ادامه داد: «خوب وقتی رژیم بچه‌های مسلمان خودش و شعرای خودش‌رو میکشه، اونوقت هر اشتباه احمقانه اجتناب‌ناپذیره دیگه، مگه نه؟ بیگناهها از هر طرف و در هر سطح اجتماع قربانی میشن، مگه نه؟»

«یعنی مثل سرهنگ جهانگیر و کتی شما؟»

میترا سرش را آورد پایین. بعد گفت: «آره. کتی هم طفلک یه قربانی فساد بود. سرهنگ خودشم یه قربانی دیگه‌ست. اون که یه قربانی بدبخته ــ که هنوز دارند از او استفاده میکنن، و معلوم نیست کی بندازنش. میدونی وقتی فرانسه بودند چه اتفاقی افتاد؟»

«نه.»

میترا گفت: «تو پاریس، جهانگیر که جزو ملتزمین رکاب ملکه بوده، یه شب توی هتل خودکشی میکنه...»

«خودکشی واقعی؟»

«آره، سرهنگ قرصهای خواب خیلی زیاد میخوره. اما سایر محافظین بهش می‌رسن و دکتر هتل شانسی نجاتش میده. صداش‌رو هم در نمیارن. جهانگیر خودش که اومد به مامان گفت.»

«به مامان تو؟»

«آره. خیلی خونهٔ ما میاد، و با مامی حرف می‌زنه. دیگه زن نگرفته. به یاد عشق کتی هنوز میاد خونهٔ ما و میره. بعد از خودکشی، فرح چهار نفرو در پاریس میذاره که مواظب جهانگیر باشند.»

«اون بدی نکرده.»

«نه؟ میتونی حدس بزنی الآن سرهنگ کجاست؟»

پسرک گفت: «تو خیلی بدخیالی، میترا... پس گفتار نیک، پندار نیک چی؟... بقول دایی من نیک فکر کن.»

«من عشقی فکر میکنم.»

«میترا... خواهش میکنم.» می‌دانست او هنوز بعضی از اداهای دخترهای بالاشهری را دارد.

سرش را انداخت پایین، ولی باز لبخند زد، بعد کتابچه‌اش را ورق زد، و میترا خواند:

«مردی که آمد از فلق سرخ...
مردی که آمد از فلق سرخ
در این دم آرام خواب رفته
پریشان شد...»

داشت غروب می‌شد. در گوشهٔ حیاط کوچک‌رو به ویرانی، در درخونگاه... امروز همه چیز آرام و روشن و ساده بود و مثل آب سبز حوض زیر داربست موی خشکیده، بی‌موج. فقط از حیاط همسایه، صدای آهنگ تصنیف «عشق و سرمستی» هایده، از رادیوی دختر عباس آقابنا از پشت دیوار، طنین‌انداز بود.

فصل سی و دوم

آذرماه آن سال، اخبار و پیغامهای تازهای از رضا نبوی به پسرک و
مادرش رسید. رضا در تهران بود و ظاهراً فعالیتهایی داشت. پسرک
یک بار با پیغام و کمک احمد آردکپان به دیدن او رفت. بعدها
موضوع این ملاقاتش را برای میترا تعریف کرد، که خیلی خوشحال
شد، ولی به پسرک گفت به کس دیگری نگوید. او نگفته بود ـ حتی
به مادرش. فقط خودش میدانست و احمد.

احمد آردکپان، قرقی دشت ولی‌آبادون، یکی دو سال بود که با
مادر و دو برادرش آمده بودند تهران. در محلهای ته جادهٔ آرامگاه
نزدیک شهر ری زندگی می‌کردند. اما احمد به‌خاطر ارتباطی که قبلاً
برادرانش با برادران ناصر داشتند به درخونگاه می‌آمد. دو پسر هم که
قبلاً خودشان در ولی‌آبادون با هم آشنا شده بودند، حالا با هم دوست
بودند. یکدیگر را زیاد می‌دیدند. یک بار احمد حتی میترا را در خانهٔ
درخونگاه دیده بود و آشنا شده بودند. احمد یک دایی هم داشت که
از خدام و زیارتنامه‌خوانهای حرم شاهزاده عبدالعظیم بود. از طریق این
دائیش و دیگران بود که احمد رابط بین رضا و درخونگاه شده بود.

یک روز هم پسرک و میترا با هم یواشکی برای دیدن رضا

رفتند.

رضا نبوی، از پر نفوذترین و با دوامترین برادران ناصر بود ــ و به جهاتی مرموزترین آنها. طی سالهای غیبت رضا از درخونگاه، نام رضا و حتی موجودیت رضا، در گوش و مغز پسر کوچک با اهمیت، با احترام می‌نشست. این اواخر که گهگاه ناگهانی می آمد و ناگهانی غیبش می‌زد، ولی همیشه بود، و با کارهای عجیب و غریبی که می کرد، وجود او در حالتی از رعب و ترس و نابودی و راز و رمز پیچیده شده بود. مرحوم اوس‌عبدالرضا تا زنده بود رضا را نظرکرده می‌دانست، و چیزی بالاتر از اینها... رضا را ناجی زندگانی ستمدیدهٔ خودش می‌دانست، و بعد از آنکه رضا از کشور خارج شد، عقیده داشت که رضا رفته بود کربلا و نجف و آنجاها تا صدای ظلم و ستمی را که بر تمام زندگانی آنها وارد شده بود به گوش سیدالشهداء برساند و از او شفاعت بخواهد. مهری‌خانم هم در سالهای آخر زندگی امید و آرزو و نور چشمش تنها به خاطر یک بار دیگر دیدن رضا سوسو می‌زد...

رضا در روز عاشورای سال ۱۳۱۸ در خانهٔ درخونگاه به دنیا آمده بود. از هفت سالگی به دبیرستان عنصری رفته و از ده‌دوازده سالگی هم در چهارسوی کوچک بازار تهران در نجاری اوس‌ماشاالله از دوستان پدرش مشغول کار شده بود و از سیزده سالگی به دلخواه خودش در مسجد جامع طلبگی می کرد، چون علاقه داشت. بعد تا چند سال روزها کار می کرد و شبها درس می‌خواند. رفته رفته با جمعیتهای ریشه‌دار اسلامی، نزدیک شده بود.

پس از «اعدام انقلابی» نخست‌وزیر منصور، و روی کار آمدن کابینهٔ امیرعباس هویدا و شدت عمل نیروهای امنیتی رژیم، رضا نیز غیاباً به اعدام محکوم گشته بود، ولی به کمک دوستانش از کشور فرار کرده و با پاسپورت جعلی به عنوان تحصیل عازم نجف شده بود.

طی سالهای رفت و بازگشتش بین ایران و عراق و لبنان، رضا چهار بار نام عوض کرده و چهار مرتبه گذرنامه‌های مختلف گرفته بود ــ یکی هم با عکسی در لباس روحانیت.

در سال ۱۳۴۶ رضا به ایران آمده ولی طولی نکشیده بود که، وقتی در یک نجاری در قم کار می‌کرد، مورد شناسایی ساواک قرار گرفت، این بود که از قم به تهران آمد و در مدرسه‌ای در چیذر به عنوان معلم عربی مشغول کار شد. همانطور که پیش از این گفته شد، رضا در نبطّیه در مرز اردن و لبنان، با یک دختر لبنانی فارسی‌زبان ازدواج کرده و یک پسر داشت. در آن تاریخ خیلی میل داشت زن و فرزندش را هم در ایران نگه دارد، ولی خودش پائیز آن سال، پس از درگیری مسلحانه، به دست مأمورین ساواک افتاد. چندی بعد، در اثر عمل «جراحی فتق دوطرفه» که در بیمارستان شهربانی روی او انجام دادند و به مقطوع‌النسل شدن او منجر شد، هنگام انتقال از بیمارستان، دوستانش بار دیگر او را فرار دادند.

آن روز ــ روزی که پسرک با میترا به دیدن احتمالی رضا می‌رفت ــ اول محرم بود. یکی از رابطهای مطمئن پیامی آورده بود: فلان ساعت، برای شنیدن وعظ حاج آقا سنجر بیا مسجد جامع. پسرک با اشاره‌ای که در پیام بود احساس می‌کرد رضا آنجاست. میترا که آن روز عصر بر حسب تصادف به دیدن مهری‌خانم و ناصر آمده بود، چادری از مهری‌خانم قرض کرد و همراه پسرک رفت. گفت می‌خواهد با ناصر به بازار بین‌الحرمین توی مسجد شاه برود و مقداری لوازم‌التحریر بخرد.

بعد از ظهر تازه باران‌ریزی شروع شده بود که از پله‌های مسجد شاه پایین رفتند. پله‌های سنگین خیس و لیز شده بود و آنها خودشان هم داشتند خیس می‌شدند. هیچکدام حتی فکر باران نبودند و اهمیت

نمی‌دادند.

پسرک در واقع از آمدن میترا خوشحال نبود، ولی میترا از هیجان و احساس خطر ملاقات با رضا، مسلمان مجاهدی که با چریکهای الفتح رابطه داشت، به ذوق عجیبی آمده بود. بخصوص که امروز بدون اجازهٔ مادرش، از راه مدرسه آمده بود و اولین چادرش را هم در زندگی سرش کرده بود.

بعد از آنکه از پله‌های عریض آمدند پایین و از حیاط پر از دکان جلوی مسجد هم عبور کردند، از داخل راهروی بلند طاق منحنی‌دار هم رد شدند. از صحن اصلی هم گذشتند و به سمت چپ، پیچیدند توی بازار تنگ و دراز بین‌الحرمین ــ که مرکز دکانهای کوچک نوشت‌افزار و کاغذ و کتاب بود.

وسطهای این بازار، سر یک کوچهٔ فرعی، روی سکوی یک سقاخانه بود که ناصر هیکل فسقلی احمد را دید. احمد آردکپان با یک چشم ریز و قشنگش، چمباتمه نشسته بود و ظاهراً گدایی می‌کرد. ولی منتظر بود.

امروز، وقتی احمد چشمش به میترا که با پسرک آمده بود افتاد، جا خورد. با سوء ظن او را بربر نگاه کرد. چشم ریز و دانه تسبیحی‌اش به دو دو افتاد. پسرک با چند کلمه به او اطمینان داد که اشکالی ندارد، میترا محرم است، از فامیل است، و همیشه با اوست.

احمد، به هر حال، در عین قهر، بدون اینکه دیگر حرفی بزند، جلو رفت و آنها را از یک کوچه تنگ دنبال خودش برد. پس از چند لحظه، وارد بازار بزازها شدند و دور زدند. وقتی رسیدند جلوی مسجد جامع، احمد برگشت و نیم‌نگاهی به اطراف انداخت و بعد خودش وارد شد، و ثانیهٔ بعد پسرک نفهمید او چطوری یکهو غیبش زد.

از بچگی مسجد جامع را بلد بود. اول یک حیاط کوچک بود با

یک حوض کوچک و حجره‌های دربسته، و بعد که داخل می‌شدید این حیاط به صحن بزرگتری منتهی می‌شد که در دو سمت دارای دو ورودی زنانه و مردانه بود. دهها بار با برادرهایش برای نماز جماعت، مجلس تلاوت قرآن، عزاداریهای دههٔ محرم، یا شبهای قدر و ماه مبارک رمضان به اینجا آمده بود. حالا داشت به دور و بر نگاه می‌کرد، و به میترا دربارهٔ اینکه احمد کجا غیبش زده بود چیزهایی می‌گفت که احمد، همانطور که ناگهان غیبش زده بود، دوباره پشت سرشان ظاهر شد.

«هی، کجا رفتی؟»

احمد گفت: «گوش کن. حاج آقا گفت باید برگردین.»

«کی؟ داداش؟»

«گفت زود برگردین.»

«مگه نگفتی ناصر اومده؟»

«چرا... گفت بگو زود برگردن.»

«مگه نگفته بود میخواد منو ببینه؟»

«گفت زود برگردین. گفت بگو فوری از بازار برن بیرون.» خودش هم الان جلسهٔ فوری داره. گفت فقط بگو هرچه زودتر برن. چند دفعه تکرار کرد.»

پسرک به میترا نگاه کرد.

میترا گفت: «حیف...» بعد پرسید: «مگه میخواد خبری بشه؟ خبری شده؟»

احمد گفت: «زود حرکت کنین.»

پسرک او را نگاه کرد. دو دل شده بود.

«اونها تا عاشورا هستن، شاید هم بیشتر.»

«نمیشه من خودم تنهایی فقط یه دقیقه ببینمش؟»

«گفت بگو فوری برگردن... ممکنه شلوغ بشه.»

«فقط نیم‌دقیقه. یک ثانیه فقط ببینمش. به خاطر عزیز.»

«نمیدونم. میخوای برم بپرسم؟ اما ممکنه بدش بیاد.»

باز به چشم احمد نگاه کرد. نمی‌خواست برادرش از او عصبانی
شود.

«خیلی خب. همین جا صبر کن، اما ممکنه بدش بیاد.»

پسرک رو به میترا کرد: «میخوای برگردیم. تا خبری نشده؟»

میترا گفت: «نه. برو داداشتو ببین. میخوای من میرم بیرون دم در
مسجد توی بازار می‌ایستم.»

درست در همین ثانیه، پسرک گوشهٔ صحن مسجد، مرد هیکل‌داری
را با عبا و عمامه و عینک طبی دید که اول چند قدمی به طرف آنها
آمد، بعد ایستاد و انگار با حرکت تند دست به طرف آنها اشاره کرد.
پسرک اول او را نشناخت.

احمد ناگهان عقب‌گردی کرد و گفت: «آقا رضاست... میگه بیاین
جلو.»

پسرک گفت: «آره، داداشه.»

احمد گفت: «بریم جلو.»

رضا خودش هم عقب‌گرد کرد و زیر هلال یکی از حجره‌ها محو
شد.

بچه‌ها دنبال او جلوتر رفتند، و وارد صحن بزرگ و عمومی مسجد
شدند. فوارهٔ آب وسط حوض بزرگ کار می‌کرد. صحن وسیع مسجد
آرام بود. کبوترها از بالای درختهای بلند پرواز کردند و به حفره‌های
زیر گنبد و مناره‌ها رفتند. نمی‌شد باور کرد که وسط غلغله و لملمهٔ
بازار بین‌الحرمین چنین جای بزرگ و آرامی با درختهای بلند و
حوض آب قشنگ یافت شود. و رضا هم اینجا بود! پسرک می‌دانست
که برادرش این روزها توی قم و شاهزاده عبدالعظیم یا همین جا توی
بازار مخفی است ـ اما خبر نداشت که لباس طلبه‌ها را می‌پوشد.

قلبش از شادی لرزید.

هنوز کاملاً داخل یکی از حجره‌های نیمدایره شکل نشده بودند که ناگهان سینه به سینهٔ رضا برخوردند، که او هم مثل احمد مرتب غیب می‌شد و ظاهر می‌شد. عمامه‌اش را برداشته بود و پسرک صورت او را بهتر شناخت ــ ولی هنوز عینکش را داشت.

جواب سلامشان را نداد. پرسید: «این خواهر کیه؟»

پسرک گفت: «میتراست... نوه‌ی خاله‌خانم... تا وقتی خاله‌خانوم زنده بود با او میومد دیدن عزیز، حالا گهگاه خودش تنها میاد.»

میترا گفت: «سلام.»

رضا دیگر به میترا نگاه نکرد، به پسرک نگاهی انداخت و گفت: «بد وقتی اومدین.» بعد گفت: «فوری برگردین بیرون.»

«شما؟... شما چطورید، داداش؟»

رضا گفت: «نه، من نیستم. باید زود برگردین، همین الآن. شما هم برو ــ هر کی هستی. بدون معطلی. راه بیفتین، از اونطرف که اومدین نه. از همین طرف برین. توی بازار سلطانی درمیاد. یالا. اینجا امروز جای شماها نیست.» با سوءظن از زیر عینک به طرف میترا نگاهی انداخت.

رضا پیر شده بود. پسرک او را نگاه نگاه می‌کرد. ریش توپی سیاه و سفید و نیمدایره‌شکلی که داشت و زخم خشکیده‌ای که توی صورتش بود، ده سال پیرتر و شکسته‌تر نشانش می‌داد. در واقع کمی شکل پدرشان شده بود. از حیث موی سر، فقط کمی موی سفید و سیاه دو طرف سرش باقی مانده بود، که رضا یک دستهٔ آن را روی طاق جمجمه‌اش پهن کرده بود.

«زودتر.»

پسرک پرسید: «پیغامی برای عزیز ندارین، داداش؟ عطّیه خانم و بچه کجا هستن؟»

رضا داد زد: «شما منو ندیدین! یالاّ راه بیفتین.»

«چشم، چشم.»

رضا گفت: «ندویین... یواش راه برین... تهٔ بازار، دست چپ، راه هست.»

خودش به احمد اشاره‌ای کرد و بعد هر دو برگشتند و از طرف مخالف راهی که نشان داده بود، تقریباً دویدند.

در همان لحظه از پشت در مسجد صداهای درگیری مردم با مأمورین، بعد صدای پای فرار و دویدن جمعیت از جلوی صحن مسجد بلند شد. پسرک و میترا برگشتند نگاه کردند. مردی که پیراهن سیاه سینه‌زنی جلوباز تنش بود دوان دوان آمد تو و به طرف یکی از شبستانها رفت.

«آقا چه خبره؟» پسرک سعی کرد چیزی بپرسد.

مرد پیراهن سیاه مکث کرد. در حالی که رنگش پریده بود، جواب داد: «هیچی. دسته‌ها رو بهم میزنن، میگیرن میبرن. بی‌دینهای لامسب... میرم به آقا بگم.»

«حمله کرده‌ن؟»

گفت: «نه ــ یه مشت آژان شیره‌ای‌ن.» بعد گفت: «برین خونه‌تون. برین، وانایستین اینجا. خطر داره. میگیرنتون.» رفت.

پسرک و میترا به سرعت به طرف ته گذرگاه تاریکی که رضا نشان داده بود، و آن مرد سینه‌زن هم دویده بود حرکت کردند. دهلیز باریک و تاریکی بود، با سقف کوتاه که تاب می‌خورد توی دهلیز دیگری، بعد هم دهلیز دیگری، بعد یکی دیگر، مثل پیچ و خمهای معماهای توی مجله. اینجا و آنجا، درهای کوچک و نیمدریهایی بودند، همه بسته. پیش رفتند. حالا همه جا ظلمات کامل بود.

میترا پرسید: «این راه کجا میره؟»

«تا حالا از این راه نیومده‌م.»

به پیچی رسیده بودند که دو شاخه می‌شد و طاقنماهای بزرگ و تیره‌ای داشت.

«حالا کجا؟»

«نمیدونم.»

«بیا برگردیم... ما که کار خلافی نکردیم. میتونیم صاف برگردیم و از همون راه که اومده‌یم از مسجد و از بازار بریم بیرون.»

«می‌ترسی؟»

«نه...»

از پشت سرشان صدای دویدن و فریادهای بیشتری آمد. و ناگهان صدای چند تا تیر هم بلند شد، و صدای شکستن چیزهایی.

«چیزی نیست، نترس.»

«بچه نشو! من نمی‌ترسم.»

«خیلی خب. بیا برگردیم.»

«باشه.»

دو نفر دیگر دویدند. از آنها جلو زدند و در رفتند.

«کاشکی از اینها پرسیده بودیم راه از کدوم طرفه.»

پسرک گفت: «بیا یه جا قایم بشیم. صبر کنیم تا سر و صداها بخوابه.» چشمشان تا حدّی به تاریکی عادت کرده بود. اما قلب پسرک تپش بدی داشت.

«قایم بشیم؟ مگه جایی هست؟»

«نمیدونم. وقتی بگیربگیرو شروع کنن همه‌رو میبرن.»

به هم نگاه کردند.

میترا گفت: «باشه. بیا قایم شیم. گرچه من دیرم میشه، اما عیب نداره. از هلفدونی بهتره. تو بلدی کجا قایم بشیم؟»

«من بچه که بودم اینجاها زیاد میومدم. حالا یادم رفته.»

باز توی تاریکی صدای پاهای چند نفر را از دور شنیدند، که داشتند فرار می‌کردند. ممکن بود پشت سر آنها باشند، یا جلوتر از آنها، یا پشت هر کدام از دهلیزهای پیچ در پیچ. خودشان را به دیوار چسبانده بودند، تا تنه نخورند یا زیر دست و پا نروند.

وسط تاریکیهای پیچ در پیچ رسیده بودند جلوی یک نیمدری کوتاه، که انگار توی دیوار و توی زمین فرو رفته بود و یک پله می‌خورد پایین. جلوی نیمدری ایستادند. لایش یک شکاف باز بود. وقتی میترا دولا شد دست گذاشت، نیمدری رو به تو باز شد. نفسهایشان را حبس کردند، توی تاریکی بهم نگاه کردند. «بریم تو؟» صدای قدمهایی تند از پشت سرشان می‌آمد.

پسرک گفت: «بیا، شاید ضررش کمتر باشد. شاید به جایی باز بشه. یا میتونیم چند دقیقه‌ای بمونیم.»

پشت نیمدری سه پله می‌خورد پایین، و بعد انگار یک حجره بود، یا انگار یکی از شبستانهای نیمه‌تاریک مسجد ــاما کدام مسجد، خدا می‌دانست. بازار بین‌الحرمین بین دو مسجد شاه و مسجد جامع قرار داشت. و آنها هم به اندازهٔ کافی پیچ خورده بودند که حالا ممکن بود توی هر کدام از مسجدها باشند. پشت شبستان کوچک و نیمه‌تاریک، یک محوطه خالی ولی خیلی وسیع بود، با ستونهای سنگی، و سقف آجری مدور و کوتاه، و مخلفات. بیشتر یک زیرزمین یا آب‌انبار بزرگ قدیمی بود که به مسجد اضافه شده باشد. هیچکس هم هیچ جا نبود. نه توی شبستان، نه توی محوطه زیرزمینی... در حقیقت هیچ چیزی هم هیچ جا نبود ــبجز حصیری که کف زمین بود با یک منبر گت و گنده و اسقاط و کهنه که گوشهٔ زیرزمین تاریک ول کرده بودند و پارچه‌های بلند سیاهی که از هر طرف از منبر آویزان کرده و آن را پوشانده بودند. بیشتر شبیه یک مجسمهٔ پنهان شده بود.

میترا گفت: «بیا همین‌جا قایم بشیم.»

پسرک گفت: «باشه.» بعد گفت: «اما اگه من و ترو اینجا با هم پیدا کنن حسابمون پاکه... مردانه و زنانه سواست.»

...

«آخه خوب نیست.»

«بیا. اینجاها خالیه، هیچ‌کس نیست. من داره از این آرتیست‌بازی خوشم میاد. ما هم چند دقیقه بیشتر این گوشه نمیشینیم. تا سر و صداها بخوابه. پشت اون منبر جای خوبیه. در رو ببند.»

اما هنوز پشت منبر نرسیده بودند، که گروهی از طرف در مقابل وارد زیرزمین خالی شدند! این گروه نه‌تنها در حال فرار نبودند، یا در حال دویدن نبودند، بلکه حتی انگار با آرامش و تصمیم و برنامهٔ خاصی حرکت می‌کردند. محتاط و آرام بودند.

«ما رو ندیدند.»

«خدا کنه...»

یکی دو دقیقهٔ اول جرأت نمی‌کردند تکان بخورند، یا حتی از شکاف پارچه‌ها نگاه کنند. بالاجبار چسبیده بودند بهم و نفسهایشان درنمی‌آمد. فقط صدای پای افراد بیشتری را می‌شنیدند که با قدمهای استوار وارد می‌شدند. نزدیک منبر هم سر و صدا یا حرکتی نبود. پس از چند ثانیه پسرک از لای پارچه‌های سیاه منبر یواشکی بیرون را نگاه کرد.

آنها همان جلوی شبستان، در زاویهٔ دیوارها نشسته بودند. با صدای آهسته حرف می‌زدند. ظاهراً منتظر کسی بودند. هنوز موقع نماز مغرب و عشاء نبود. اما چون محرم بود، غیرعادی نبود که گروهها و دسته‌های مردم گوشه شبستان جمع شوند و عزاداری و سینه‌زنی بکنند. پسرک همیشه مردم زیادی توی مسجدها برای کارها و فرائض مختلف دیده بود ـ اما در این جمعیت بخصوص یک جور سکوت و

انتظار خاص احساس می‌شد. یا شاید هم ترس خودش بود. بجز دو سه آخوند با ریش جو گندمی، و چند طلبهٔ جوان، بقیه بیشترشان تیپ جوان بودند، اکثراً اشخاص عادی کوچه و بازار. روی هم رفته حدود سی یا سی و پنج نفر می‌شدند. وقتی بهتر نگاه کرد، احمد آردکپان را هم جزو آنها دید. رضا نبود.

میترا زمزمه‌وار گفت: «گیر کردیم. باید بمونیم. اگه زیاد طول بکشه من... مادرم نگران میشه.»

«آره...» قلب خودش به شور و تپش بدتری افتاده بود.

«فکر میکنی چه خبره؟» صدای میترا پایین بود.

«یه چیزی هست.» سعی کرد نفس عمیقی بکشد، بدون اینکه صدایی بلند شود.

میترا پرسید: «حالت خوبه؟ میتونی این زیر با هوای خفه نفس بکشی؟» یاد مرض قلبی پسرک بود. به رنگ پریدهٔ صورت او نگاه کرد.

«چیزی نیست...»

با لبخند با او خداحافظی کرد.

«مراقب خودت باش، عزیزم.»

«س‌س‌س‌س. وقت گیر آوردی! باز هم دارن میان... اگه شبستان پر شد و اومدند اینجا طرفهای ما چی؟ همه‌م مردند.»

میترا گفت: «حالا که فقط اون ته هستن... اون هم برادر تو، که حالا اومد، با دوتا شیخ بچه‌سال.»

پسرک نگاه کرد، به راستی برادرش بود ــ همراه دو روحانی جوان. ولی انگار آنها داشتند فقط راه را باز می‌کردند. بلافاصله دنبال آنها روحانی پیر و بلندقد و ریش سفیدی را با عمامهٔ سیاه، با احترام آوردند. در راه رفتن کمکش می‌کردند. همه به احترام او بلند شدند. روحانی ریش سفید که سرش پایین بود، تفقد می‌کرد، سلانه سلانه

رفت در زاویهٔ دیوار، در محلی که برایش جا باز کرده بودند، نشست. رضا و دو شیخ دیگر دور و بر او نشستند، بعد بقیهٔ حاضرین هم دوباره نشستند.

پسرک آیت‌الله پیر و لاغر را نگاه کرد، شناخت. عکس او را ـ که مدتی زندانی ساواک بود ـ اینجا و آنجا دیده بود.

فصل سی و سوم

اول رضا، با صدایی نه خیلی بلند، چند آیه از قرآن مجید تلاوت و تفسیر کرد. اَعُوذُ بِالله مِن الشَیْطانِ الرّجیم.

اَلاٰ تقاتلون قَوماً نکَثوا ایمانهُم و هَمُوا باخرا جِ الرَسول وهُم بدَؤُکُم اَوَلَ مرَة اَتخشونهُم فَاللّهُ اَحقُ اَن تخشوه ان کُنْتُم مؤمنین.

(آیا شما با قومی که عهد و پیمان شکستند و سعی کردند که رسول خدا را از شهر بیرون کنند قتال و کارزار نمی‌کنید؟ در صورتی که اول بار آنها بودند که به دشمنی و قتال شما برخاستند و حال آنکه آنها سزاوارتر آن است که از خدا بترسند اگر اهل ایمانند.)

یک نفر گفت تکبیر! و کسانی که آنجا بودند سه تکبیر نه‌چندان بلند فرستادند.

شیخ جوانی برخاست و پس از آنکه از روحانی پیر کسب اجازه نمود، گفت: «برادران ــ بعد از درگیری مختصر و نادرستی که در بیرون داشتیم استدعا داریم ابتدائاً با کسب اجازه از محضر حضرت آیه‌الله مجاهد نستوه آقا حاج آقا محمود آقا توجه عنایت فرموده و به

کلمات دو تن از مجاهدین جوان ما که با اشکالات و خطرات عدیده از خارج آمده‌اند گوش رنجه فرمائید و سپس دسته‌جمعی به پیام بسیار مهمی که آقایان همراه چند جلد کتاب با خود آورده‌اند گوش می‌دهیم...» بعد رو به کسی که کنارش نشسته بود، گفت: «حاج محمد آقا...»

شیخ جوان دیگری با عمامهٔ سفید، که عینکی دودی و صورتی رنگپریده و عصبی داشت بلند شد. او تنها روحانی بود که پسرک تا آنوقت دیده بود هنگام صحبت سیگار بکشد، و انگار دستهایش هم می‌لرزید. بلند شد ایستاد. چند کلمه دربارهٔ این معنی عرض کرد که اسلام تنها نوع حکومت خدایی و اجتماعی و دمکراتیک است که از طریق حضرت محمد رسول‌الله (ص) خاتم‌الانبیاء برای مردم این جهان فرستاده شده است.

باز یک نفر گفت تکبیر، و جماعت با سه الله‌اکبر جواب داد. سخنگوی دوم رضا بود که با صدای گرفته‌اش تعریف و تصریح مختصری از «شهادت» کرد: «شهید» و ایثارکنندهٔ جان، پایهٔ اساسی مذهب شیعه امام جعفر صادق (ع) است. رضا شهادت حضرت امام حسین (ع) در دفاع از حق را والاترین الگوی عالم ذکر کرد.

آیت الله پیر با ریش سفید نه‌چندان بلند و صورت لاغر و دماغ عقابی و عینک سفید، ساکت نشسته بود و سرش پایین بود. صورتش افسرده و دردناک، حتی رنجور و مریض می‌نمود. در این لحظه، روحانی چاق و ریش سیاهی به او نزدیک شد و چند کلمه‌ای با او درگوشی حرف زد. آیت‌الله پیر زیاد حرف نزد. دستهایش را باز کرد، لابد به علامت این که او حرفی برای گرفتن ندارد. اما پس از مدتی که ظاهراً برای قانع کردن او صرف شده بود سرش را پایین آورد، و روحانی چاق عمامه سیاه به جای خودش برگشت.

آیت الله پیر مانند اشخاصی که از برونشیت مزمن رنج می‌برند

سرفه‌های خشک و عمیق کرد، و پس از ذکر بسم‌الله الرحمن الرّحیم، گفت که وضع بیماریش اجازه نمی‌دهد زیاد صحبت کند، و حرف زیادی هم امروز ندارد، چون برادران پیغام بسیار بسیار مهمی را آورده‌اند که می‌خواهند همه گوش کنند.

روحانی سیگار به دست بانگ زد: «تکبیر!» بطوری که انگار بخواهد این مقدمه را قطع کند. حاضرین تکبیر فرستادند، بعد سکوت ممتد و ناراحت‌کننده‌ای سقف تاریک شبستان را فرا گرفت. کاملاً معلوم بود گروهی که جمع شده بودند منتظر اصل مطلب بودند. علاوه بر دغدغهٔ سکوت، انگار رعب آمیخته با احترامی مشهود، فضای شبستان زیرزمینی و متروکه را پر کرده بود.

زیر منبر دور افتاده، پسرک با صدای زمزمه‌وار گفت: «میترا، بیا یواشکی بریم.»

«چه جوری؟»

«میتونیم از همین پشت یواشکی بریم بیرون و از راهی که آمدیم برگردیم، وضع حسّاسه.»

«نه، یه دقیقه صبر کن.»

«نمی‌ترسی؟»

«ما بچه‌ایم، شاید با ما کاری نداشته باشن... اصلاً ما که کاری نکردیم.»

«خطرناکه...»

«حالت داره بهم می‌خوره؟» صدای او هم زمزمه‌وار و خفه بود، و نگران حال پسرک.

«نه.» سینه‌اش از درد و تنش درحال انفجار بود.

«پس بیا یه دقیقه صبر کنیم، ببینیم چه خبره. راست گفتی، مثل اینکه یه خبرهایی هست.»

در این لحظه شیخی که مرتب سیگار می‌کشید، با یک ضبط‌صوت

کوچک که از یک جا، انگار از زیر عبای پشم شتریش، در آورده بود آمد جلوی آیت الله پیر زانو زد. پیرمرد با حرکت سر به او اجازه داد. شیخ دولا شد و ضبط صوت را جلوی پیرمرد گذاشت، و آن را به کار انداخت.

سی ثانیهای گذشت، سکوتی خشک و سنگین، که مثل یک جاده صافکن نامرئی همه چیز را خرد میکرد، ادامه یافت. میترا دست ناصر را گرفت و خودش را بیشتر به او چسباند. از ضبط صوت صدای مردی بلند شد.

«بسم الله الرحمن الرحیم.» «ح»ها را مثل صدای آن در زبان عربی از ته گلو ادا میکرد. صدای او که بلند و برنده بود و خوب هم ضبط شده بود، با امواج الکترونیک تیز در فضای خالی شبستان موج میزد و مثل شمشیر برنده و گیرا بود.

«شما آقایان که نسل جوان هستید و انشاالله برای آیندهٔ اسلام مفید خواهید بود... موضوع ولایت فقیه از موضوعاتی است که در حوزهٔ علمیهٔ قم در درس فقه مورد بحث قرار میگیرد و پس از عرایض بنده شما نیز بهر صورت که مفیدتر تشخیص دادید کتباً یا شفاهاً مردم را آگاه کنید....

میترا گفت: «این کییه؟»
«بیا از اینجا بریم... خیلی خطرناکه.»
«تو میدونی کییه؟»
«س س س.»

«آن روز که در غرب هیچ خبری نبود، و ساکنانش در توحش به سر میبردند، و امریکا سرزمین سرخپوستان نیمهوحشی بود، و دو

مملکت پهناور ایران و روم محکوم استبداد و اشرافیت و تبعیض و تسلط قدرتمندان بودند، و اثری از حکومت مردم و قانون در آنها نبود، خدای تبارک و تعالی به وسیله رسول اکرم (ص) قوانینی فرستاد که انسان از عظمت آنها به شگفت درمی‌آید. اسلام برای همهٔ امور و مسائل قانون آورده است. برای انسان پیش از آنکه نطفه‌اش منعقد شود تا پس از آنکه به گور می‌رود اسلام قانون وضع کرده است. مع‌الوصف امروزه... دستهای اجانب و عمال داخلی آنها... روشنفکران امت مسلمان را که نسل جوان ما باشند از اسلام منحرف کرده‌اند که «اسلام چیزی ندارد. اسلام پاره‌ای احکام حیض و نفاس است. آخوندها باید حیض و نفاس بخوانند.» آنها گاهی وسوسه می‌کنند که اسلام برای قانون و حکومت ناقص است... و به دنبال این وسوسه و تبلیغ عمال انگلیسی به دستور ارباب خود اساس مشروطه را به بازی می‌گیرند و از قوانین حقوقی فرانسه و بلژیک و انگلیس در آن قاطی می‌کنند و به خورد ملت ما می‌دهند.....

... اینها همه ضد اسلامی است. اینها ناقض طرز حکومت و احکام اسلام است. سلطنت و ولایتعهدی همان است که اسلام بر آن خط بطلان کشیده و بساط آن را در صدر اسلام برانداخته است. سلطنت و ولایتعهدی همان طرز حکومت شوم و باطل طاغوتی است که حضرت سیدالشهداء (ع) برای جلوگیری از برقراری آن قیام فرمود و شهید شد. برای این بود که زیر بار ولایتعهدی یزید نرود و سلطنت او را به رسمیت نشناسد... اینها از اسلام نیست. اسلام، سلطنت و ولایتعهدی ندارد...»

میترا گفت: «عالی‌یه!»

پسرک باز فقط گفت: «س س س. بیا از اینجا بریم.»

میترا گفت: «خیلی خوبه. خیلی قوییه، داغه. چیزهائی که میگه! خدای من!»

«میترا... باید بریم. داره دیر میشه. واگه عزیز بفهمه من اومدم اینجا خیلی ناراحت میشه.»

میترا گفت: «حالا که نمیتونیم بریم بیرون... میتونیم؟ بهتره صبر کنیم.»

دستهایش را مشت کرده و با هیجان به سینه‌اش چسبانده بود.

«در محرم سال ۱۳۴۲ من به محمدرضا شاه گوشزد کردم و اخطار کردم که او و پدرش رضاخان قلدر اعمال خلاف شرعیت اسلام، اعمال جنایتکارانه بر ضد اسلام انجام داده‌اند. آنها هر دو اعمال جنایتکارانه انجام داده‌اند، اما پسر بیشتر از پدر. او مع‌الاسف با زور سرنیزه و تفنگی که از امریکای امپریالیست جهانخوار گرفته بود به من جواب داد. غرب خشونت و جنگ و خونریزی آورده است، ما جنگ و خشونت و خونریزی نمی‌خواهیم. امریکا خشونت و خونریزی می‌خواهد. محمد رضا شاه که عمال امریکاست خشونت و خونریزی می‌خواهد. با این خشونت و خونریزی است که آنها جوانان ما را در خرداد ۱۳۴۲ کشتند و هنوز هم دسته دسته می‌کشند....»

فصل سی و چهارم

ناگهان محشری برپا شد. از بیرون صدای قدمهای تندی آمد، عده‌ای می‌دویدند، فرمان نظامی می‌دادند. درب شبستان با فشار و لگد چهارتاق باز شد. مردان مسلح، در یونیفرمهای پاسبانی و نظامی یا لباس شخصی وسط شبستان ریختند. در زمینهٔ نوری که از پشت سرشان می آمد، شبیه مهاجمینی از سیّارات دیگر بودند. رعد فرمانهای «بی‌حرکت!»، «همه روی زمین بخوابند!» و «تکون نخورید!» به طنین درآمد. پسرک و میترا زیر منبر بیشتر لرزیدند.

مهاجمین سر ضرب دو جوانی را که پشت در جلو، و پشت در شبستان زیرزمینی به دیده‌بانی ایستاده بودند با چند تک‌تیر دقیق و حساب شده از پای انداختند. چند نفر دیگری نیز که انگار مسلح بودند و می‌خواستند دفاع کنند، فوراً با رگبار مسلسل به قتل رسیدند و افتادند. فریادها و دستورها شدیدتر شد. «همه روی زمین بخوابند!»، «کف دستها و صورتها روی زمین!»

اما هیچکس روی زمین نخوابید، مگر آنها که افتاده بودند و مرده بودند. همه بلند شده بودند و در جنب و جوش بودند. زرنگترها با سرعت از در عقب نمازخانه فرار کردند. ناصر، رضا و احمد آردکپان

را جزو آنها دید. اما بزودی مأمورین دویدند و آن در را هم تحت کنترل گرفتند. و دور باقی‌ماندهٔ گروه که در زاویهٔ شبستان اجتماع کرده بودند، مثل دیوار حلقه زدند، و عدهٔ زیادی را به دام انداختند. چند تیر دیگر شلیک شد. «همه روی زمین!»، «همه بازداشت هستید!»، «مقاومت نکنید!» شیخ جوانی که عمامهٔ سیاه داشت ناگهان داد زد «الله اکبر»، «لا اله الا الله» و چند نفر به او تأسی کردند. حمله‌کنندگان با تک تیر از فاصلهٔ نزدیک آنها را زدند. بانگهای وحشت بیشتر شد. داد و فریاد و صدای تیر از هر طرف افزایش یافت. فریاد «یا حسین شهید!» از میان شبستان بلند بود. مهاجمین شدت عمل به خرج دادند. عزادارها یا می‌افتادند ــ یا خودشان را روی زمین پرت می‌کردند، و پس از مدتی همه دراز به دراز روی زمین بودند. فقط آیت‌الله پیر ریش سفید، با دماغ عقابی و عینک طبی همانطور نشسته بود و سرش پایین بود، تا اینکه مأمورین او را هم بلند کردند و با بقیه بیرون بردند.

پسرک و میترا زیر منبر منجمد شده بودند. طی تمام مدت تیراندازی حتی انگار نفس نکشیده بودند. هیچکدام تا حالا مردن یک نفر را با چشمهای خود ندیده بودند، چه رسد به یک کشتار، توی مسجد، در قلب بازار تهران!

اگر آنها را پیدا می‌کردند، بی‌معطلی در همانجا می‌کشتند یا به گوشهٔ زندانهای ساواک می‌انداختند. راه و چارهٔ دیگری نداشتند جز اینکه منجمد بمانند و صبر کنند. ترس جان این تصمیم را به آنها دیکته کرده بود. در میان تاریکی سیال و خفه، در میان همهمه و خون و ترس و عرق و ضجه و اشک، در حالی که جنازه‌ها را می‌بردند و زمین را تمیز می‌کردند، و آخرین فرمانهای هول‌هولکی را می‌دادند ــ آنها زیر منبر منجمد ماندند و صبر کردند. پسرک کم‌کم از حال رفت و کنار میترا در میان خواب و بیهوشی باقی ماند.

میترا او را از خواب بیدار کرد. گفت: «میتونی پاشی؟»
«هان؟»
«رفتند...»
تا چند لحظه مغزش خالی و سیاه بود. نمی‌دانست کجاست، چه وقت است. یا چه گذشته است. در تاریکی مطلق، فقط صدای میترا را می‌شنید، و کنار او بودن را هم حس می‌کرد... بعد کم‌کم متوجه شد، گرچه هنوز در حالت رخوت و نیمه اغماء بود.
«کجاییم؟»
«هنوز زیر منبر ــ توی مسجد.»
«رفته‌ن؟»
«آره.»
به ساعت شبنمای میترا نگاه کردند.
«ده گذشته.»
«یا امام حسین!»
«پنج ساعت گذشته.»
«همه رفتن. تمام جسدها و بقیه‌رو هم بردند. زمینهارو هم شستند. حتی حصیرها رو هم کندند و بردند. خیلی وقته. درها رو هم بسته‌ن. حالا حالت خوبه؟»
پسرک سرش درد می‌کرد و گلو و سینه‌اش می‌سوخت. «آره، فکر میکنم.» بعد گفت: «تو بخاطر من موندی؟»
میترا هنوز با صدای آهسته حرف می‌زد. گفت: «حالا میتونیم یواش یواش بریم بیرون.»
«باشه.»
اول میترا و بعد او با احتیاط از زیر منبر بیرون خزیدند. وسط تاریکی بلند شدند. نوک پا نوک پا به طرف در شبستان آمدند که از

بالای آن، از شبکهٔ شیشههای کوچک رنگی، نور کمی میآمد. از بیرون هم صدای مردم میآمد. مردم توی حیاط مسجد رفت و آمد میکردند. مسجد همیشه بود. میترا چادرش را انداخت روی سرش و زیر گلویش را سفت گرفت. هر دو نفس در سینههایشان حبس کردند. آیا میتوانستند بیرون بروند؟

در شبستان بسته بود، اما قفل نبود. میترا لای در را باز کرد، یواشکی نگاه کردند. پشت در چند تا پله میخورد میرفت بالا. نمیتوانستند ببینند آن بالا پلیس یا محافظ هست یا نه.

دل به دریا زدند و ریزه ریزه لای در را باز کردند، و پاورچین پاورچین آمدند بالا و بعد ناگهان وسط حیاط کوچکی بودند که حوض داشت و چند نفر دور و بر میپلکیدند. انگار هیچ اتفاقی نیفتاده بود. از مأمورین حتی یک پاسبان هم هیچ جا نبود... یا اگر در لباس شخصی بودند کسی آنها را نمیدید. کسی هم جلوی آنها را نگرفت.

پسرک بزودی فهمید که هنوز در مسجد جامع هستند، و فوری خودش و میترا را وسط جمعیت انداخت و از حیاط مسجد بیرون آمدند.

در عرض مدت کمتر از دو دقیقه، تند و تند و بیحرف از وسط بازار بسته و تقریباً خالی بینالحرمین و از دهانهٔ آن انداختند توی صحن مسجد شاه و از آنجا هم زدند بیرون، و از پلهها آمدند بالا و توی خیابان... مطمئن نبودند کسی آنها را تعقیب میکند یا نه. سر پلههای مسجد شاه بالاخره ایستادند، نفسهای عمیقی از هوای سرد و آزاد شب کشیدند.

«ساعت چنده؟»

میترا گفت: «زیاد بد نیست... ده و نیم نشده. تو حالت خوبه؟»

«من هیچی... تو دیرت شده؟ چکار میکنی؟»

«چیزی نیست. به مادرم گفتم ممکنه برم خونه‌ی یکی از دوستهام که جشن تولدشه. حالا میرم برای مامانم تعریف می‌کنم که چه پارتی خوبی داشتیم!»

«نه!»

میترا دستهایش را مشت کرد و خودش را با وحشت ساختگی لرزاند و گفت: «ووووه.»

«بیا، این یه تاکسی خالی... تاکسی!»

میترا گفت: «من میخوام پهلوی تو باشم... نمیخوام هنوز برم خونه.»

«نه ــ برو. برات دردسر درست میشه.»

«دردسر؟ بعد از اونچه که امشب ما دیدیم، دیگه دردسر چیه؟ قتل عام می‌دونی یعنی چی؟»

«س س س... برو.» او خودش هنوز مثل بچه‌گربهٔ کتک‌خورده می‌ترسید.

میترا سرش را برگرداند و به آن پائین، به دهانهٔ سیاه در مسجد شاه نگاه کرد... که مثل دهان بزرگ یک مرده باز مانده بود و انگار هنوز منتظر بود. باد سرد شب تهران هم تلخ و گزنده، توی صورتهایشان می‌زد.

«برو، میترا. بعد همدیگه رو می‌بینیم و حرف می‌زنیم... تاکسی!» تاکسی خالی که یواش کرده بود جلویشان ایستاد.

میترا گفت: «فردا... من میام خونه‌تون. نه ــ توی همون پارک خودمون.»

پسرک با صدای یواشتری پرسید: «پول که داری؟»

«آره، خیلی دارم.»

«میخوای منم بیام... تا در خونه‌تون؟»

«نه ــ من مواظب خودم هستم. تو هم برو. عزیز لابد دلش شور

می‌زنه.»

پسرك در تاكسی را باز كرد و میترا را در آن نشاند:
«خداحافظ....»

راننده پرسید: «كجا؟» مردك جا افتاده و ریشویی بود.

«سر جادهٔ نیاوران... تجریش. هر چی بخواهید میدم. خواهش...»

«تجریش؟»

میترا گفت: «پنجاه تومن خوبه؟»

راننده نگاه مشكوكی انداخت. بعد گفت: «باشه، بفرمائید. آقاپسر
نمیان؟»

«نه خیر... بفرمائید حركت كنید.» بعد رو به پسرك گفت:
«خداحافظ... تا فردا.»

«خداحافظ. به مامان و به جناب سرهنگ جهانگیر سلام برسون. من
تلفن می‌كنم.»

میترا فهمید.

«چشم، خداحافظ.» چشمك زد.

تاكسی حركت كرد. پسرك شماره آن را نگاه كرد و به خاطر
سپرد.

فصل سی و پنجم

اما تا سه روز بعد از میترا خبری نشد. پسرک هر روز عصر به پارک محل ملاقات می‌رفت و تا ساعتها بعد از غروب منتظر می‌شد ـ بی‌نتیجه و بیهوده.

جرأت نمی‌کرد به خانهٔ آنها برود، چون حدس می‌زد باید اتفاقی افتاده باشد. شاید، مادرش بدجوری او را تنبیه و توبیخ کرده باشد. بی‌شک میترا خودش هم در التهاب بود و شاید در این شرایط، نمی‌خواست سر و کلهٔ ناصر نبوی آنجا در خانه‌شان پیدا شود. داشت خل می‌شد. بالاخره بعد از ظهر روز چهارم میترا زیر باران سرد آخر پاییزی به پارک آمد ـ با فاطی و راننده‌شان به صورت اسکورت، در یک مرسدس بنز.

خبرهای بد معلوم شد... کاش موضوع توبیخ و تنبیه بود. وقتی آمد، پسرک از دیدن چشمهای او دلش لرزید.

میترا گفت: «سلام، خوبی؟» چشمهایش مثل چشمهای زخم‌خوردهٔ یک بچه آهو بود.

«کمی نگران تو...»

«عزیز چطوره؟»

«او هم خوبه.» بعد گفت: «فقط ورد رضا داره.»

«از رضا خبری نیست؟ مثبت یا منفی؟»

«چرا. دیشب آخر شب احمد اومد در خونه. او و رضا قسر در رفته‌ن.»

«نگفت چند نفر کشته شده‌ن؟»

«به یک روایت بیست نفر. به یک روایت بیشتر... عده‌ای هم دستگیر شده‌ن.»

«اما صداش درنیومده. نه در روزنامه‌ها، نه در رادیو. هیچ جا.»

«نه.»

پسرک چشمهای سرد و در حال عصیان او را نگاه کرد. باران ریز پر سوزتر شده بود، ولی هیچکدام اهمیت نمی‌دادند. میترا کلاه و مانتوی کلفتی داشت. حتی دستکش پوشیده بود ــ ظاهراً اجباراً و برای رضایت مادرش.

پرسید: «دوشنبه عصر اومدی اینجا؟»

«هر روز اومدم.» بعد گفت: «هر روز میام...»

سعی کرد لبخندی بزند.

میترا گفت: «می‌خوان منو بفرستن آمریکا.» صدایش خشک و تلخ بود. کمی هم می‌لرزید.

«چی؟»

«اما من نمیرم.»

«چی چی؟ از چی حرف می‌زنی؟»

«میخوان منو به زور بفرستن آمریکا.»

«یا خدا... خوبه که... من نمی‌فهمم... بده یا خوبه؟»

«وحشتناکه. من نمیخوام برم.»

بعد از نقشه‌ای که «اونها» برای او طرح کرده بودند حرف زد. می‌خواستند او را بفرستند لوس آنجلس که پیش خواهرش پریسا

زندگی کند، و در آنجا به اصطلاح مدرسه برود. دو سه روزه پاسپورت را گرفته بودند و داده بودند برای ویزا که قرار بود آن هم فردا حاضر شود. حتی بلیتش را هم خریده بودند.

«ابوالفضل. من فکر میکردم اینجور کارها هفته‌ها یا ماهها طول میکشه، تا درست بشه.»

میترا گفت: «برای خانوادهٔ من نه عزیزم. برای خانوادهٔ نازنین من هر چیزی فقط چند ساعت طول میکشه. یادت باشه که ناپدری ناکس روزگار من خودش با دست خودش قرارداد اقتصادی-نظامی ایران و امریکارو در سال ۱۹۵۷ نوشت... در آنکارا... ضمناً تیمسار ایکس مامی هم هست که وقتی کارها گیر میکنه به او یا به دفترش زنگ میزنه. این یکی دو روزه‌م همه‌ش پای تلفن یا این‌ور و اون‌وره، خیلی اسرارآمیز شده.»

«آیا دلیلش اون شبه که دیر رفتی خونه؟ فهمیده‌ن کجا بودی؟»

«نمیدونم ــ اما اون شب دیگه نهایتش بوده. بعد از اون شب مامی گفت من دیگه نمیتونم جلوی ترو اینجا بگیرم. فکر میکنه من با تو و داداشت توی کارهای سیاسی افتاده‌م.»

«ابوالفضل!»

«یا شاید به خاطر فعالیتهایی‌یه که توی مدرسه دارم.»

«دیگه چی؟»

«اونها رو که همه از سیر تا پیاز میدونن. چیزهای دیگه‌ای هم میدونن. اما من اهمیت نمیدم. تنها چیزی که برای من اهمیت داره تو هستی. بیا زیر اون طاقی قدم بزنیم. پام داره خشک میشه. اونها توی ماشین نشسته‌ن دارن مارو نگاه میکنن. من قول داده‌م از جلوی چشم اونها دور نباشم. اما میتونیم قدم بزنیم.»

قدم زدند. پارک خالی بود، و آنها از راهروهای باریک پارک زیر درختهای عریان، یواش یواش آمدند بالا... پسرک دلش می‌خواست

دست او را بگیرد، یا میترا دست او را بگیرد، اما احساس می‌کرد چیزی بد و تلخ روی دوستی و یگانگی آنها فرود می‌آید. چیزی که هیچکدام نمی‌توانستند از وقوع آن جلوگیری کنند. در پارک هم جایی برای سرپناه گرفتن از دست باران نبود. مثل دو پرندهٔ بی‌جا و مکان در سرمای گزنده و باران تنها بودند.

میترا به او نگاه کرد و دستش را دراز کرد و هر جوری بود یک دست او را گرفت و در دست خودش نگه داشت. «هر کی هر چی میخواد بگه. من ترو ول نمیکنم... هرگز.»

«یعنی میخوای بگی نمیری؟»

«البته که نمیرم. گفتهم که نمیرم. اگه دنیارو هم به من بدن ــ نه.»

پسرک گفت: «نمیدونم. شاید بهتر باشه ــ»

میترا گفت: «نه.»

«اگه بخوان که تو بری ــ مجبورت میکنن.»

«پس تو هنوز منو نشناختی، ناصر قائناتی.»

«کار خلاف عقل و قاعده‌ای که نمیکنی... یعنی فرار و از این حرفها ــ»

میترا خندید: «نگران نباش... نه.»

«قول میدی؟»

«آره، البته هر چی تو بخوای.»

«به جان عزیز قسم میخوری؟»

میترا گفت: «نه. یعنی آره. اما چرا اسم عزیزو میاری. البته که قول میدم. نگران نباش. اما امریکا کعبهٔ من نیست.»

«مرده‌شور امریکارو هم برد.»

«کعبهٔ من تویی ــ یعنی خونه‌ی تو... درخونگاه.»

صدای بوق مرسدس بنز هشدار داد که وقت رفتن است.

میترا گفت: «این هم صور اسرافیل بنده.»

«باید بری حالا؟»

«آره. قول دادم پنج دقیقه، وگرنه نمیشه. وگرنه دفعهٔ دیگه نمیذارن. الان یک ساعت هم گذشته.»

«خیلی خب، خداحافظ.»

«نه، خداحافظی نه.» اشک در چشمهایش حلقه زده بود. «خداحافظی نه. میبینمت... عزیزم.»

سرش را از پسرک برگرداند و به طرف ماشین دوید. آنقدر تند این کار را کرد که انگار یک تکه از بدن او را هم کند و برد.

فصل سی و ششم

زیر باران، و در میان باد سوزداری که از عصر شروع شده بود و با فرود آمدن غروب شدت می‌گرفت، تنها و پیاده آمد طرف پایین. نرسیده به منیریه انداخت از توی بازارچهٔ کلعباسی آمد توی شاهپور، بعد از توی کوچه پس کوچه‌های جنوب پارک که باد و سوز کمتری تویشان می‌پیچید آمد تا درخونگاه. به خانه که رسید، از سرما تمام تنش چقر شده بود، و لچ آب.

حوصلهٔ غذا خوردن نداشت، به عزیز گفت که سیر است. گلو و سینه‌اش درد می‌کرد و به خس‌خس افتاده بود. بعد از آنکه به خاطر راحتی مادرش یک استکان چای و مقداری تاس کباب خورد، گرفت زیر کرسی دراز کشید. چشمهایش را بست و سعی کرد جسم و روحش را از فکر خالی کند. به مادرش چیزی نگفت. دلش نمی‌خواست حرفهای میترا را به زبان بیاورد و واقعیت را بگوید. دلش می‌خواست این زخم را درون خود نگه دارد، شاید خود به خود محو شود. دلش می‌خواست بمیرد.

هنوز نیم‌ساعت نگذشته بود که یک نفر در زد. او بلند شد. قبل از اینکه مادر مریضش زابرا شود، رفت در را باز کرد.

پیرزن ناشناس چاق و زشتی پشت در بود، با یک چادر کهنه، و عینک دور سیاه. پسرک هرگز او را ندیده بود.

«بله؟ چه فرمایشی دارین؟» بعد از میترا، این طالع نحس زیادی بود.

«مادر جونت خونهس، پسر جون؟»

«چکار دارین؟»

«اینجا منزل مرحوم اوس‌عبدالرضا خان نبوی‌یه، مگه نه قربونت برم؟»

«چکار داشتین؟»

از ریخت و از حرف زدن او خوشش نیامد. قیافه و حرف زدنش چندش‌آور بود.

«مادرت هست یا نیست قربونت برم؟»

«مادرم مریضن... استراحت میکنن. ببخشید__»

«من میخوام اگه زحمت نیست با مادرت چند کلمه حرف بزنم، تصدقت برم. خیلی مهمه، و اگه خدای محمد بخواد، به خیر همه‌ست. اینجا منزل اوس‌عبدالرضا خان نبوی و زنش مهری‌خانمه، مگه نه؟» این شب بد و وضعیّت بد فقط همین عجوزهٔ عجیب و ناشناس را کم داشت.

اما مهری خانم که با کمردرد و حال مریض خودش از ترس آمده بود توی راهرو پشت در، به پیرزن تعارف کرد که از زیر باران بیاید تو. پیرزن چاق، سلام و احوالپرسی و تشکر کنان، آمد تو، کفشهایش را درآورد، آمد گوشهٔ اتاق، جلوی در نشست. پنجاه شصت ساله بود، یا پیرتر، با صورت زرد و چاق، و اسباب صورت یقر، زیر چشمهای بادکرده، و دو خال گوشتی زیر چانه که از روی آنها موهای دراز درآمده بود... پسرک از او بدش آمد. حالت جادوگرها را داشت و در عین حال بینوا و فلک‌زده می‌نمود. یک تسبیح دراز و سیاه هم توی

دستش بود که مدام آن را وسط انگشتهایش می‌چرخاند. گفت:

«خواهر، ما چند تا کوچه پایین‌تر، توی بازارچهٔ معیر زندگی می‌کنیم. بنده خودم، چه جوری عرض کنم، خدا خودش انگار طلبیده و قبول کرده که امسال به زیارت مکه و کعبهٔ معظمه مشرف بشیم ـ گفتم خدمت برسم و از سرورها و همسایه‌ها حلال بود طلب کنم.»

پسرک زیر کرسی خزیده بود و به صورت پیرزن آن طرف اتاق نگاه می‌کرد. صورت میترا و حرفهای او از مغزش نمی‌رفت. کعبه... کعبهٔ من تویی... یعنی خونهٔ تو... درخونگاه. پیرزن جلوی صورتش بود، اما روحش برگشته بود به آن صحنه توی پارک با میترا، و آن خداحافظی دردناک. نه، خداحافظی نه.

مهری خانم گفت: «مگّه تشریف میبرین؟ آخ، خوش به سعادتتون، خانوم. زیارتتون قبول باشه، به حق پنج‌تن.»

پیرزن چاق گفت: «ممنون، خانوم. الهی صد هزار کرور شکر. امیدوارم زیارتمون مورد قبول واقع بشه. امیدوارم خداوند از بار گناه و معصیتهای همه ما کم کنه.»

مهری‌خانم گفت: «انشاالله، خانوم.» منتظر بود ببیند پیرزن ناشناس واقعاً چه می‌خواهد.

پیرزن گفت: «شما منو نمیشناسین، خانوم. اما من به شماها مدیون هستم، خانوم جون ـ و برای همینه که امشب مزاحم شدم.»

«به ما؟ مدیون چی هستین؟» در صورت مهری خانم پیر و شکسته حیرت نبود، فقط یک حالت کنجکاوی بود: «خدا نکنه.»

پیرزن گفت: «بله. من از چند سال پیش زیر دین شما بودم. ولی هیچوقت فرصت و همت نکردم بیام خدمتتون... و بالاخره حالا قبل از اینکه به زیارت خونهٔ خدا مشرف بشم گفتم باید خدمت شماها برسم و حلالیت بطلبم. خدا به حق پنج‌تن گناه و معصیتهای همه‌رو ببخشه و

رحمت کنه. البته گناه و معصیت من رو. تا چند سال پیش من خدمتکار و نظافتچی دولت بودم. در حین کار دولتی توی اداره‌ها، آدم کارگر هر روز و هر شب با مردم در تماسه، میدونین که. یه آدم کارگر خیلی کارها میکنه، خیلی چیزها میبینه، میگه، میشنوه، که بیشترشون ممکنه معصیت باشن... آدم چه میدونه. آدم بالاخره زیر یه وجب خاک میخوابه. اما وقتی آدم به خونه خدا مشرف میشه باید استخون سبک کنه و از مردم طلب بخشایش کنه.»

مهری خانم گفت: «خدا خودش ببخشه.»

پیرزن گفت: «خب. کار من پیرزن کارگری بود. اما چیزی هم نبود که باعث افتخار باشه. من نظافتکار اداره‌های نظمیه و ندامتگاههای زنانه و این جور جاها بودم.»

«ندامتگاههای زنونه؟»

«بله، خانوم جون. این جور جاها...»

پسرک تکانی خورد و سرش را بلند کرد. پا شد صاف نشست. به صورت کریه پیرزن چاق نگاه کرد. دو کلمهٔ «ندامتگاهها» و «نظافتکار» از دهان آن پیرزن، در آن شب عبوس، مورمور تازه‌ای به تنش انداخت، و ناگهان فهمید چرا از همان لحظهٔ اول از این مهمان ناخواندهٔ وسط شب سرد زمستانی بدش آمده بود. باز صورت میترا توی پارک آمد جلوی چشمهایش، و حرفهای او. مادر چند روزه خیلی اسرار آمیز شده و مدام پای تلفن با کسانی صحبت میکنه... هر که هر چه میخواد بگه. من ترو رها نمیکنم.

سه سال پیش که استاد عبدالرضا را از زندان آزاد کرده بودند، و او تقریباً مشاعرش را از دست داده بود، پسرک یادش بود که پدرش در روزهای آخر مدام از یک پیرزن نظافتچی حرف می‌زد، که چیزهایی دربارهٔ «اون بچه» می‌دانست.

مهری خانم پرسید: «شما... در زندان شمال شهر نظافتچی

بودین؟»

«آره، خانوم.»

پسرک ناگهان پرسید: «در زندان اوین؟» دهانش خشک شده بود.

«آره تصدقت برم. چه خوب الحمدلله شما می‌فهمی، با هوشی.» بعد رو به مهری‌خانم گفت: «تا پارسال بنده اونجا نظافتکار بودم، تا اینکه بازنشسته شدم. از اینکه زودتر خدمت شما خانوم بزرگوار نرسیدم خجالت زده‌م، اما امیدوارم روز قیامت در پیشگاه خداوند روسیاه نباشم، چون من همیشه فقط خدمت به خلق کرده‌م، حالا هم که عرض کردم برای سبک کردن استخون آمده‌م خدمتتون.»

مهری خانم که حیرت و ترس صورتش را سفید کرده بود، گفت: «خانم، هر چی میخواین بگین بفرماین. چیه، چی شده؟»

پیرزن چاق گفت: «شما مادر داغدیدهٔ مریم نبوی هستین، مگه نه؟...»

زن بدبخت و افسرده تکانی خورد و گفت: «بله، بله؟...»

«... که در زندان به رحمت خدا پیوست.»

«شما چیزی میدونید؟»

«... اون سال من اونجا بودم که جگرگوشهٔ شما رو آوردند. همون سه چهار روزی که اونجا بود، من هر شب می‌دیدمش. چون اون موقع من کشیک شب بودم. خدا رحمتش کنه. نور به قبرش بباره الهی. چه دختر شجاع و نازنینی. من خدمتکار بی‌مقدار و دست به سینه‌ش بودم. غذاش‌رو میبردم. لگن براش میبردم. مواظبتش می کردم... خدا همهٔ رفتگان‌رو غرق دریای رحمت خودش بکنه.»

مادر و پسر گیج و مبهوت به صورت او چشم دوخته بودند، انگاری که پیرزن عجیب از سوی خود عزرائیل آمده بود.

«مرگ دست خداست، خواهر. مرگ همه دست خداست...» بعد

گفت: «شما لابد خیلی سؤالها دارین که بی‌جواب مونده. خیلی چیزهاست که میخواستید از اون دختر نازنینتون بدونین...»

مهری خانم که هنوز فقط به صورت پیرزن ماتش برده بود، و یواش یواش توی لپ خودش میزد، پرسید: «فقط یه چیز... اون بچه، چه جوری... چه جوری مرد؟»

پیرزن چاق سرش را تکان داد، ولی گفت: «من برای همین اومدم.»

پسرک راست‌تر نشست. مهری خانم تنها چشم نوردارش را به پیرزن غریبه انداخته بود.

«دختر نازنین شما خودش را کشت، خانوم. یعنی خودش به من گفت میخواد خودشو بکشه. میگفت طوبی‌خانوم، آخه من اسمم طوبی است، میگفت طوبی‌خانوم، میخوام خودم‌رو بکشم، اگه بتونم... من نصیحتش میکردم. دلداریش میدادم. امیدواریش میدادم، که ننه این حرفارو نزن، درست میشه، و هیچوقت هم چیزی که بتونه با اون کاری بکنه جلوی دستش نمیذاشتم. ولی بالاخره یه شب کار خودشو کرد. اون شب که برده بودنش برای بازپرسی. شنیده‌م یکهو میپره سر خودشو میکوبونه به تیزی جرز دیوار و بعد میفته.»

مهری خانم با درد سر خودش را تکان‌تکان میداد.

پیرزن ادامه داد: «البته کمی کتکش می‌زدند، خدا ذلیلشون کنه. اون بیشرفهای بی‌دین و ایمون که جناب علی ذلیل و خوارشون کنه. الهی خدا به زمین داغ جهنم بکوبدشون، اونها کتکش می‌زدند، حتی جلوی پدرش اذیت و آزارش دادند. اما خانوم، مطمئن باشین، به خداوندی خدا دلتون قرص باشه، که اون بچه پاک و طاهر بود و پاک و طاهر از این دنیا رفت. تا اونجا که من میدونم، تا اون شب آخری که زنده بود کسی دست به ناموس اون دختر بلند نکرد. من به مریم عذرا، به خود فاطمهٔ زهرا قسم میخورم که باور کنین، چون خودش به من گفت.»

پسرک دیگر صدای او را به سختی می‌شنید، چون درد شدیدی توی سینه‌اش پیچیده بود و سرش هم داغ شده بود. فکر میترا و حرفهای توی پارک از یادش رفته بود.

پیرزن گفت: «روز قبل از مرگش، یعنی بعد از ظهر روزی که شبش اون بچه از دنیا رفت، با من خیلی حرف زد. اولین روز هفته‌ی روزکاری من بود. عصری حمامش کردم، موهاش رو شستم، بعد وقتی ساعت کارم تموم شده بود و میخواستم بیام بیرون و داشتم ازش خداحافظی میکردم، اون بچه یه چیزی به من گفت که یادم نمیره. انگار همین دیروز بود. یه چیزی به من گفت و از من خواست که بیام به شما بگم. چکار کنم؟ ما می‌ترسیدیم. هنوز هم می‌ترسیم. اگه بفهمن ما از زندانیها خبر میاریم بیرون ما رو هم میگیرن میندازن همونجا و برامون پرونده درست میکنن. اما خب، حالا اون بچه مرده، من هم زائر خونهٔ خدا شده‌م...»

مهری خانم پرسید: «چی گفت بچه‌م؟»

پیرزن چاق گفت: «اسم و آدرس شما رو به من داد. من بهش گفته بودم خونه‌مون زیر بازارچه‌ی معیره. گفت ما هم خونه‌مون زیر بازارچهٔ درخونگاه‌ست. خلاصه، اسم و آدرس شما رو به من داد و گفت برای شما، برای مادر عزیزش، این پیغام‌رو بیارم که او، یعنی مریم‌تون، خودکشی کرده و مرده ــ یعنی می‌خواست بکنه، در صدد بود. گفت برو به عزیزم بگو ــ شما رو عزیز صدا می‌کرد، گفت به عزیزم بگو خیالت راحت باشه. گفت بگو اذیتش کردند، آره، اما او با افتخار و غرور و پاکی مرد... من خیلی دلم میخواست همون روزها خدمتتون برسم. اما ای خاک عالم بر سرم، گفتم که، این چند ساله می‌ترسیدم به اینجا بیام. راستش، دلش‌رو هم نداشتم، که پیش شما بیام... نمی‌خواستم خبر مرگم بیام خبر اون دختر نازنین و جوانمرگ شمارو بیارم که اینطور شده، این حرف رو زده، که بگم من خودم

توی همچین جای لعنتی و صاحب‌وای‌زده‌ای کلفت مواجب‌بگیر بودم... گرچه خب، من بدبخت بیچاره چکار کنم، من هم خیرسرم باید کار می‌کردم، زن بی‌شوهر بودم، نه تا بچه داشتم... اون روز که داشتم با اون خدابیامرز صحبت می‌کردم گفت طوبی‌خانوم من توی این دنیا فقط یک آرزو دارم که امیدوارم تو برام برآورده کنی. پرسیدم چه آرزویی تصدقت برم. گفت برو به مادرم و برادرهام بگو که من پاک و طاهر مردم. گفت بگو من طوری مردم که اونا از من با افتخار و روسفیدی یاد کنن.»

مهری خانم باز به گریه افتاده بود و اشکهایش را با گوشهٔ چادرنمازش پاک می‌کرد.

پیرزن چاق گفت: «الهی که به حق پنج‌تن شما میفهمین و منو میبخشین که زودتر نیومدم.»

مهری خانم گفت: «بله، خواهر. اما چه توفیری به حال بچه‌م کرده؟... گرچه اومدن شما تسکینی برای قلب منه. از شما ممنونم.»

«بنده رو میبخشین، انشاالله. به حق خدا، به بزرگواری خودتون. یه چیز دیگه‌م گفت که به شما و برادرش مثلاً هشدار بدم. گفت در این زندان از سه نفر بترسید و از آنها بر حذر باشید. بهمنی و سیاوشی که آمده بودند یه روز درخونگاه جاسوسی. یکی هم احسنی که شکنجه‌گره. بقیه آدمهای معمولی‌ن. خلاصه... بنده‌رو ببخشید، به حق پنج‌تن...»

پسرک هنوز به صورت و به دهان پیرزن مات بود. اسمها را به خاطر سپرد.

مهری خانم گفت «چشم... خدا شمارو ببخشه.»

پیرزن گفت: «نمیدونین چه باری از روی قلب بینوای من برمیدارین.»

مهری خانم گفت: «الهی زیارت مکه‌تون قبول باشه و به خیر و

خوشی بگذره.»

پیرزن گفت: «چه دختر فهمیده و با محبتی بود... با محبت، دلسوز، به فکر همه. یادم هست از همهچی بیشتر فکر برادر کوچکش بود ــ که لابد این آقاپسر باشن. اسمشون چیه؟ ناصر؟»

«بله...» پسرك که ماتش برده بود. میخواست حرفی بزند، دهانش باز نمیشد.

پیرزن چاق گفت: «خدا ببخشدهش. به حق امام حسین. خدا خودش تموم جوونها و بچههای مردمرو حفظ کنه. اون ناکام چه جور همیشه به فکر و دلشورۀ داداش کوچولوش بود، و حرف او رو میزد، و حرف شما رو میزد... خب، قسمت و نصیب این بوده.»

آه عمیقی کشید و چادرش را جمع کرد که بلند شود. گفت: «الهی فداش بشم... اون روز آخر همهش حرفش این بود که با اونا بگو هیچ وقت کاری نکنن که گذارشون به اینجورجاها بیفته.»

مهری خانم گفت: «مگه ما نمیدونیم، خانوم؟... مگه ما نمیدونیم؟»

پیرزن چاق گفت: «خدا نگهدار همگی. ما رو ــحلال کنین، خانوم.»

وقتی که پیرزن پا شد و خداحافظی کرد، مهری خانم بلند شد و با او تا دم در رفت. مدتی هم توی راهرو با هم حرف زدند. پسرك مات زیر کرسی باقی ماند. دستهایش را روی صورتش گذاشته بود. قلبش هنوز درد میکرد. صدای باد هنوز توی حیاط میپیچید.

نمیتوانست بفهمد پیرزن عجیبی که ناگهان در دل شب تاریک و برفی ظاهر شده بود، براستی برای «سبک کردن استخوان» آمده بود یا طلیعۀ آیندهای شومتر بود. مثلاً جاسوس ساواك.

باز به یاد میترا افتاد.

فصل سی و هفتم

بعد از ظهری روشن پائیزی بود، هوا خنک، و پنجره باز، که سروان وکیلی (آنطور که صدایش می‌کردند) با کت و شلوار شخصی اسپرت، پشت میزی شیک و تمیز، روی یک صندلی گردان نه‌چندان شیک، در دفترش در زندان اوین، نشسته بود. روی میز، علاوه بر تلفن و تقویم و پرونده و قلم و مداد، یک شلاق هم بود که در حال حاضر از آن استفاده نمی‌شد. سروان ایرج وکیلی هیکل‌دار ولی خوش‌اندام بود. با صورت سرخ و سبزهٔ و ته‌تراش دو تیغه. افسر جوانی از کادر ستاد کل ارتش بود، و برای اینکه به جنگ ظفار در عمان نرود داوطلبانه و با پارتی‌بازی و چاخان‌بازی به ساواک آمده بود. او از نسل تازه‌ای در ساواک بود. مثل بعضی‌هاشان بی‌تربیت و هرزه‌دهان نبود، اما خدعه‌ای بود. مثل بعضی‌هاشان هم جاسوس‌بازیهای کثیف و بعد بازپرسیهای پرخشونت نداشت، اما حیله‌گر آب زیرکاه بود. سر خدمت هم عرق نمی‌خورد، ولی با زد و بند و کلک کار انجام می‌داد. از خانواده‌ای چاپلوس و زبان‌باز، از رضائیه بود، و عاشق خودش و شاهنشاه آریامهر.

به متهم بچه‌سال جلوی میزش، که با بدن ریزه، لب صندلی آهنی

بزرگ ارج نشسته بود نگاه کرد. از تمام این مورد زیر دستش که برنامه توقیف یک پسربچه و مادرش به دلائل سیاسی و کسب اطلاعات دربارهٔ یک برادر فراری و متهم به خرابکاری بود، موافق نبود.

چهل و هشت ساعت پیش، ناگهان ریخته بودند توی درخونگاه، و پسرک ناصر نبوی و مادرش را برای «جواب دادن به چند سؤال» به اوین آورده بودند، چیزی که مادر و پسر، هر دو، مدتها بود انتظارش را داشتند. آنها را در سلولهای مختلف نگه داشته بودند. از ساعات اول دستگیری تاکنون هنوز پسرک را کتک نزده بودند. حتی خشونت هم نکرده بودند. بطوری که پسرک احساس می‌کرد لابد تغییری در طرز کار و سیاست ساواک ایجاد شده است، یا آنچه او از ساواک شنیده بود تمامش درست نبود. فقط دربارهٔ برادرش رضا از او بازجویی زیادی کرده بودند. پسرک امیدوار بود با عزیز هم کاری نکرده باشند.

مرد دیگری هم حالا به اتاق سروان وکیلی آمده و در این لحظه روی لبهٔ پنجرهٔ بسته نشسته بود و بازجو و متهم را تماشا می‌کرد. پسرک در لحظهٔ ورود این مرد تکان بدی خورده و احساس تلخی داشت. او این مرد را از قدیم می‌شناخت، گرچه اسمش را نمی‌دانست. این یکی از دو مردی بود که سه سال پیش، آن روز صبح زود، به صورت مطرب دوره‌گرد و ژنده‌پوش، زیر بازارچهٔ درخونگاه پیدایش شده بود.

سروان وکیلی گفت: «آقای بهمنی... پس میبینید که این ناصرخان به ما هیچ اطلاعات نمیده که بفهمیم برادرش رضا کجاست؟» داشت ناخنهاش را ظریفانه با ناخن‌گیر می‌گرفت.

با شنیدن این اسم، پسرک به خود لرزید. بهمنی... بهمنی. این یکی از سه نامی بود که، به قول پیرزن منحوس نظافتکار پریشب، مریم به

آنها سپرده بود باید از او برحذر باشند! برگشت و نگاه بهتر و دقیق‌تری به این مرد انداخت، سعی کرد قیافه‌اش را خوب به خاطر بسپرد.

بهمنی گفت: «نه خیر، مثل اینکه میخوان انقدر اینجا بمونن، انقدر در تنهایی شکنجهٔ روحی بشن، تا مثل اون مریم طفلک بیگناه‌شون خودکشی کنن.»

سروان وکیلی رو به پسرک گفت: «میخوای چکار کنیم با تو، پدرصلواتی خاک بر سر؟ تو جلوی ما هیچ راه دیگری باقی نمی‌گذاری. تا حالا دست بهت نخورده. مادرت هم هنوز دست بهش نخورده. خواهش میکنم خوب گوش کن گفتم دست بهش نخورده ـبفهم، گفتم هنوز. حالا انگار میخوای بگم مادرت را بیارند اینجا جلوی خودت با همین شلاق دستور بدم خدمتش برسند.» اشاره به شلاق روی میز کرد. «درسته که در ساواک دیگر شکنجه نیست. همانطور که اعلیحضرت همایونی فرموده‌ن دیگه شکنجه وجود نداره، خودت هم از دیروز تا حالا متوجه شده‌ای، و دیدی شکنجه نیست... اما شلاق برای حیوونهای نفهم لازمه. داداشت رضا کجاست، پدرسگ.» بالای سرش به دیوار یک عکس تازهٔ شاه بود. با موهای سفید و کت و شلوار خاکستری ــ که با عطوفت لبخند می‌زد.

پسرک حالا داشت گریه می‌کرد. گفت: «دیروز که گفتم آقا ــ ما اصلاً جای رضا رو نمیدونیم. به خداوند قسم و به قرآن مجید قسم، به جان مادرم قسم، این عین حقیقت و تمام حقیقته. نه من و نه مادرم... بنده همه‌چی رو گفته‌م، و هرچه شما بخواهید میگم. ولی من هیچ کاری با کار و فعالیتهای برادرم نداشته‌م و ندارم. توی این یک سال و نیمه فقط یک دفعه توی مسجد شاه دیدمش.»

سروان وکیلی پرسید: «چه کسی برای شما خبر آورد که بیایید مسجد شاه؟»

«برای ما نه. یعنی عزیز، مادرم، اصلاً و ابداً نمیدونست. او واقعاً
هیچی نمیدونه. اون روز هم مادرم نمیدونست و هرگز اصلاً نفهمید من
کجا رفته بودم. من وقتی برگشتم به او گفتم. اونم لابد به شما گفته.
فقط من خودم رفتم. جوونی را فرستادند، توی کوچه به من پیغام داد،
منم رفتم.»

«اسمش چی بود؟ گفت؟»

«نگفت، به امام حسین ـ نگفت.» این واقعیتی بود. احمد آردکپان
اسمش را نگفته بود، چون پسرک می‌دانست.

«دروغ میگی.»

«نه ـ من هیچوقت دروغ نمیگم. من تمام کلامی که گفتم عین
واقعیته. و هر چه خواستید به شما گفتم. چرا دروغ بگم؟ اسمشو
نگفت. اگر اسمش را گفته بود چرا بخاطر نجات جان مادرم
نگویم؟»

«تنها رفتی مسجد شاه؟ مادرت نیومد؟»

«نه... نه خیر، مادرم نیومد. مادرم اصلاً از خونه بیرون نمیره. مادرم
حموم هم ماهی یه دفعه زورکی میتونه بره. خودم رفتم بلکه از رضا
برای مادرم پیغام سلامتی بیارم. تا حالا ده دفعه این موضوع را تعریف
کرده‌م.»

«بازم تعریف کن.»

«وقتی به حیاط کوچک مسجد رسیدم رضا را دیدم، تندی به من
اشاره کرد و گفت که فوری برگردم، گفت فوری بروم بیرون. مثل
اینکه میدونست میخواد خبرهایی بشه، یا شلوغ بشه.»

«تو نرفتی توی مسجد؟ نرفتی توی شبستان؟ جزو کسانی که اونجا
بودند نبودی؟»

«نه خیر... من با اونها نبودم.» از خودش بدش آمد که حقیقت را
کمی مغلطه می‌کرد. ولی راست گفته بود که جزو آنها نبود. آنجا بود

اما جزو آنها نبود.

سروان وکیلی گفت: «دیگه بعد از اون شب رضا رو ندیدی؟»

«شب نبود. عصر بود... نه، ندیدم.»

«مادرت چیزهایی دیگه تعریف میکنه.»

«غیرممکنه. او هیچی هیچی نمیدونه.» مثل روز روشن بود که سروان میخواهد او را مغشوش کند و در تله بیندازد ـ«نه خیر... غیرممکنه.»

بهمنی از لب پنجره بلند شد آمد جلوی او ایستاد. مثل آرتیستهای سینما دستهاش توی جیب شلوار خاکستریاش بود. آمد جلوتر و جلوتر و خم شد و توی چشمهای پسرک زل زد. از صورت چاق و موهای مجعد روغنخوردهاش، بوی عطر و اودکلن میآمد.

«ناصر نبوی، تو... میدونی من کی هستم؟»

«نه، آقا.» تنها چیزی که میدانست، این بود که اسمش بهمنی است و یکی از دو نفری است که آمده بودند درخونگاه در تعقیب مریم، و بعدها مریم به وسیلهٔ طوبیخانم نظافتکار پیغام فرستاده بود که از سه نفر خیلی بترسند: بهمنی و احسنی و سیاوشی.

«تو تا حالا منو جایی ندیدی؟ یعنی بغیر از دیروز و امروز؟»

پسرک سرش را انداخت پایین.

بهمنی گفت: «جواب بده.» صدایش حالا نرم و دوستانه بود.

«چرا، آقا.» صدای او هم آرام و اعترافی بود.

«کجا؟... کی؟»

پسرک سرش را بلند کرد و به چشمهای آن مرد نگاه کرد. سعی کرد نفرت و ترسش را نشان ندهد، آرام باشد. «سه سال پیش، یک روز شما و یک نفر دیگر اومده بودید سر بازارچهٔ درخونگاه. دنبال یک آدرس میگشتید. عصر همان روز خواهرم رو دستگیر کردند.» اشک توی چشمانش پر شده بود. نگفت او را بارها توی خواب و

کابوس هم دیده بود.

بهمنی بیشتر به او بربر نگاه کرد، سرش را تکان تکان داد. انگاری که از حافظهٔ پسرک تعجب کرده باشد.

«از من نمی‌ترسی؟»

«چرا، آقا.»

بهمنی راست ایستاد و لبخند مسخره‌ای زد. گفت: «از من نباید بترسی، پسر خر. من ترس ندارم. من اصلاً چیزی نیستم. من یه آدمک چوبی‌م. من پینوکیوام. اما ما یه کینگ کونگ داریم اینجا. یه کینگ کونگ داریم به اسم استوار احسنی... تو باید از اون بترسی. اون آدم میخوره. تو و مادرت‌رو میبرن خدمت احسنی ــ میبرن جایی که به اتاق احسنی معروفه... خواهرت خدابیامرز از اتاق احسنی که اومد بیرون خودکشی کرد.»

در این لحظه از اتاق مجاور صدای زنی بلند شد که داشت شلاق میخورد و گریه میکرد. پسرک بدنش به لرزه افتاد و موهای بدنش سیخ شد. نفهمید صدای گریهٔ عزیز است یا زن دیگری. شاید هم نوار بود. شنیده بود کلکهایی دارند. صداش مثل عزیز نبود، اما مطمئن نبود و داشت دیوانه می‌شد.

سروان وکیلی با صدای بلند پرسید: «چند سالته، سنده؟ بلندشو وایستا ببینم.»

بلند شد، وکیلی سر تا پای او را برانداز کرد.

«من شونزده سالمه، آقا.» صداش هم می‌لرزید.

«مطمئنی انچوچک؟ ریخت و قیافه‌ت که نه سال بیشتر نشون نمیده. حقه سوار میکنی؟»

«بنده از بچگی مریض بوده‌م.»

«سروان وکیلی به بهمنی نگاه کرد. بهمنی از پشت یک پس‌گردنی محکم به پسرک زد، بطوری که پسرک ول شد افتاد روی میز سروان

وکیلی. بهمنی گفت: «مِن مِن نکن انچوچک. بلند حرف بزن.»

پسرک با صدای بلندتری گفت: «چشم. من... از بچگی مریض بوده‌م، رماتیسم قلبی داشته‌م. ریزه‌م.» خون از دماغش راه افتاده بود و می‌رفت توی دهانش. در اتاق مجاور صدای گریهٔ زن بلندتر شده بود.

وکیلی گفت: «من اهمیت نمیدم اگه تو حضرت علی اصغر ناکام باشی. من ترو میدم احسنی، تمام استخونها و غضروفهای بدنت‌رو خمیر کنه. میدم احسنی مادرت‌رو تکه‌تکه کنه ــ به شما پدرسگهای بی‌وطن رحم و انسانیت و حقوق بشر نیومده. تا شما باشین آدرس یک آدمکش خرابکار و تروریست رو مخفی نکنین ــ همین خودش جرم و خیانت به نظام کشور و به دولته.»

بهمنی آهی مصنوعی کشید. «فایده نداره، جناب سروان...» بعد خودش دست دراز کرد و تلفن را برداشت و دستور داد متهم مهری نبوی را بیاورند. چند لحظه بعد استواری را که پشت در ایستاده بود صدا کرد و به او دستور داد شلاق را بردارد و پسرک را بخواباند و شلوارش را بکشد پایین و ده ضربه شلاق به او بزند. استوار آمد و بدون خشونت شروع کرد به اجرای دستور مافوق خود، اما محکم نزد. پسرک خودش را نگه داشته بود که گریه نکند. دلش از خدا می‌خواست هزار بار بمیرد تا مادرش او را در این حال نبیند. چشمانش به در اتاق بود. روی ضربهٔ هفتم بود که در باز شد و عزیز را آوردند.

دردهایی هست غیرقابل وصف، و غیر قابل انتقال به دیگران. چنین دردی در آن لحظه توی صورت خانم مهری قائناتی فلک‌زده بود. وقتی او را آوردند توی آن اتاق و پسر کوچک و مریضش را با آن حالت کف اتاق دید، چادر از یادش رفت. نفهمید چطور پرید آمد و خودش را انداخت روی بدن نیمه‌برهنهٔ بچه‌اش و او را با بدن خودش

پوشاند. ضربه‌های هشت و نه و ده روی بدن خودش خورد ــ مادر و پسر هر دو گریه می‌کردند.

وکیلی داد زد: «بلندشو، ضعیفه! این ادا و اطوارهارو بریزین دور ــلازم نیس سپر بلای اون پدسوختهٔ جقله بشی که خیلی حقه‌بازه. پدرسگ حقه میره مسجد شاه توی توطئه‌های یه مشت اجنبی وطن‌فروش شرکت میکنه، جزو تروریستهای الفتح میشه، حالا هم خودش رو زده به نه‌من غریبم. من این پدرسوخته‌هارو میشناسم.»

عزیز با گریه گفت: «منو بزنین... منو با شلاق تکه‌پاره کنین. اون بیگناهه. والله بیگناهه. مریضه. محض رضای خدا. محض رضای خدای شاه.»

وکیلی گفت: «هنوز هیچی ندیدی، والده.» از پشت میزش آمده بود بالای سر مادر و پسر.

زن گفت: «این بچه هیچی نمیدونه. این بچه اصلاً به کارهای برادرهاش اعتقاد نداره. مریضه. یک بچهٔ مریضه، مگه شما زن و بچه ندارین لامذهبا؟ بذارین برم پرونده‌شو از توی مریضخونهٔ سینا براتون بیارم. بی‌انصافا... روماتیسم قلبی داره.»

بهمنی با لگد کوبید توی سر زن. زن ناله‌ای زد و به خودش پیچید. پسرک با تلاش و با زور می‌خواست بلند شود و با چنگال چشمهای آن مرد را درآورد، اما عزیز هر طور بود او را سفت نگه داشت. با یک دستش خونهای لب و دهان پسرک را پاک کرد. دست خون‌آلودش را بالا گرفت.

«این جور خدمت میکنین؟ ــاین جور به شاه و مملکتتون خدمت میکنین؟ شماها با این حماقتهای زشت آبروی شاه‌رو میبرین. نامردها! خدا لعنتتون کنه ایشالاّ. همه‌تون رو. از بالا تا پایین...»

بهمنی باز لگدی به او زد. این بار محکمتر.

«پدرسگ، حالا میمیری. تا تو باشی دیگه این جور حرف

نزنی.»

«بُکش، خاک بر سر همه‌تون. بُکش منو بی‌حیا... به این بچهٔ مریض چکار دارین؟»

«خفه!»

سروان وکیلی در سکوت سرش را تکان داد. گفت: «مثل اینکه باید احسنی رو صدا کنیم.»

تلفن زنگ زد.

فصل سی و هشتم

قدسی‌خانم خسروی قائناتی هم امروز بعد از ظهر مشکل عاطفی ولی بسیار حساسی داشت ـدختر کوچکش میترا. و امروز اولین بار بود که قدسی خانم پس از سالها بالاجبار به شماره تلفن محرمانه و ویژه‌ای که تیمسار وفادار، که سالها پیش به او داده بود، زنگ می‌زد. این شماره برای مواقع بسیار بسیار ضروری و خیلی محرمانه به او داده شده بود. تقریباً سه ساعت طول کشیده بود تا بالاخره به نتیجه رسید.

طی این سالها، دستیاران و رئیس دفترهای مخصوص تیمسار دستور داشتند که هر کار و امر خانم قدسی خسروی را خودشان فوراً و تمام و کامل انجام دهند. تیمسار خودش نیز همیشه از دور در جریان کارها و زندگی قدسی‌خانم قرار می‌گرفت. اما امروز موضوع بقدری حاد و امنیتی بود که هیچکس کاری از دستش برنمی‌آمد. اواخر بعد از ظهر، پس از چند بار تلاش و انتظار، بالاخره گفتند گوشی را نگه دارد. تیمسار تشریف می‌آورند.

تیمسار... آن روز، از حدود یازده صبح، برای صرف ناهار شرفیاب شده و در کاخ نیاوران بود. شاهنشاه آریامهر و شهبانو فرح، اوایل بعد

از ظهر این جمعهٔ پاییزی زیبا، ناهار را بطور خصوصی با گروه کوچکی از مهمانان مهم خارجی و دوستان حلقه نزدیک صرف می‌کردند. تیمسار نیز حضور داشت.

کاخ نیاوران، زیر آفتاب نیمه‌گرم و آشنای پاییزی، پشت دیوارهای بلند و مسلح به گارد و سیمهای خاردار و وسایل الکترونیکی، و در لابلای شاخه‌های زرد و خزان‌زدهٔ پهن درختها و پیچکها و یاس امین‌الدوله روی لبه بعضی دیوارها در آرامش محض بود.

کاخ، اگرچه عظمت افسانه‌وار قصرهای تخت‌جمشید داریوش هخامنشی در فارس و طاق کسرای خسروپرویز ساسانی در تیسفون ماوراء بین‌النهرین را نداشت، و از آرشیتکتیو و هنر کاخهای ورسای پاریس بی‌بهره بود و شکوه و ابهت کاخ ویندسور انگلستان یا جذبهٔ اسرارآمیز کاخ لودویگ در باواریای آلمان را فاقد بود، اما در حد خود، شکوه شاهانه و در عین حال ساده‌ای داشت. پروژهٔ کاخ در سالهای ۴۰ از روی نقشه‌ای که توسط خود شهبانو فرح (که به «دانشکدهٔ اسپسیال دو آرشیتکتور» در پاریس رفته بود) طرح‌ریزی و ساخته شده بود، و مانند کاخ الیزه پاریس به خرج دولت اداره می‌شد. کاخ در این سالها، همچنین آخرین کلام در تدابیر و تجهیزات امنیتی بود.

تیمسار امروز بعد از ظهر تنها مهمان مهم و مخصوص شاهنشاه و شهبانو نبود. مهمانان خصوصی خارجی، امروز عبارت بودند از دکتر هنری‌کسینجر وزیر امور خارجه ایالات متحد امریکا، آقای ریچارد هلمز سفیر کبیر ایالات متحد در دربار شاهنشاهی ایران و خانمهای آنها، نانسی کیسینجر و سینتیا هلمز... علاوه بر تیمسار...، چند تن از تیمساران طراز اول و نزدیک شاهنشاه نیز حضور داشتند.

ناهار در یکی از سالنهای پذیرایی نسبتاً کوچکتر کاخ صرف شده

بود، که پرده‌های گوبلن، چلچراغهای کریستال پاریسی، و مبلهای بزرگ با رویه‌ای از ابریشم کرم‌رنگ و منقش به شیرهایی با شمشیرهای آخته داشت.

ساعت سه بعد از ظهر، پس از صرف ناهار، شاهنشاه و ملکه و مهمانان به یکی از حجره‌های دیگر کاخ آمده بودند، که کف پارکت سوئدی و فضای بزرگ و دلباز داشت، و با قالیهای ابریشمی فیروزه‌ای رنگ نفیس مفروش بود. دکوراسیون ساده بود. یک گراندپیانو بود، که در یک طرفش ویترینهایی مملو از اشیاء هنری با قیمتهای حساب‌نشده قرار داشت، و در طرف دیگرش تابلوهایی از نقاشی سبک امپرسیونیست فرانسه. در سوی دیگر اتاق، روی میز گرد نسبتاً بزرگ خاتمکاری، سماوری از طلای ناب به ارتفاع یک متر قرار داشت. شاهنشاه و ملکه و مهمانان، دور این میز روی مبلهایی از مخمل و ابریشم کار ایتالیا، به صحبت نشسته و به نوشیدن قهوه فرانسه و کنیاک کوروازیه، کنیاک مخصوص شاهنشاه، مشغول بودند.

موضوع صحبتهای آن روز جمعه بعد از ظهر، بیشتر تحلیل و تمجید سیاستهای خارجی و داخلی شاهنشاه بود، و اینکه در پرتو انقلاب سفید شاه، ایران در آینده مقدر بود که بزرگترین قدرت منطقه باشد. موضوع مشخص‌تر در این بعد از ظهر بخصوص، صحبتهای مقدماتی برای خریدن تجهیزات جدید نظامی و رئاکتورهای اتمی از آمریکا بود، و این آخری به خاطر آنکه نسل آیندهٔ ایران (که بدون سرمایه نفت می‌شد) از لحاظ انرژی اتمی غنی باشد، و بتواند استقلال، امنیت و تمامت ارضی خود را حفظ کند.

تیمسار بلند قد و وفادار قدسی خانم، که حالا بالای پیشانی بلندش اندکی رو به تاسی می‌رفت، ولی چشمهای کشیده و تقریباً مهربانش هنوز می‌درخشید، کمی دورتر از شاه نشسته بود. بدون اینکه کسی متوجه شود گهگاه به ساعت خود نگاه می‌کرد. منتظر پایان شرفیابی

بود تا به کارهای عدیده خود در مسائل امنیتی گوناگون دولت و کشور برسد.

وفادارترین افسران شاه، امسال پنجاه و دو سال داشت. قبل از اینکه در هیجده سالگی به تهران بیاید، سالهای اولیهٔ زندگیش را در زادگاهش سمنان، در استان خراسان، گذرانده بود ــ از همان خاکی که پدر ناصر و مادر میترا به تهران آمده بودند. در مدرسه نظام و سپس دانشکده افسری درس خوانده بود. همدورهٔ شاه در دانشکدهٔ افسری و در جرگهٔ مردان دیگری از محرمان خلوت انس بود. ذاتاً سرباز و اهل عملیات، سرسپردهٔ شاهنشاه و سلطنت بود. شاه نیز، از اوایل سلطنت خود، او را، مانند سایرین، دور و بر خود نگه می‌داشت، چون می‌دانست در لحظات حساس می‌توانست به وفاداری آنها مطمئن باشد.

امروز بعد از ظهر، در مهمانی خصوصی شاه، با وظائف بی‌شمار در سازمان امنیت، ساعتهای بعد از ظهر سپری می‌شدند، و تیمسار به ساعتش نگاه می‌کرد. در دقایق پایانی مذاکرات دو رجل امریکایی اکنون موضوع امنیت داخلی را پیش کشیده بودند. آنها به طرف تیمسار پیر نگاه می‌کردند، که او نیز مطابق معمول با نگاه خود به سوی شاهنشاه جواب را به عهدهٔ او گذاشت. شاه که خود جواب این سؤال را از رؤسای مقامات امنیتی آماده داشت، با بی‌اعتنایی، اندک سر و صداهای خرابکاران داخلی را، از طرف چپی‌ها و اسلامیهای فناتیک اعلام نمود، و اینها را مرافعه‌های بی‌اهمیت «کوچه پس کوچه‌ای» قلمداد کرد.

مهمانی خصوصی در ساعت چهار تمام و شاهنشاه بلند شدند. دقیقه‌ای بعد، بیرون اتاق، تیمسار هنوز مشغول مراسم خداحافظی با کسینجر و ریچارد هلمز بود که یکی از دستیاران تیمسار جلو رفت، و درگوشی به او اطلاع داد که روی خط تلفن از بیرون خانم قدسی

خسروی قائناتی ایشان را می‌خواستند. محرمانه و فوری بود. تیمسار سرش را پایین آورد و گفت بزودی تماس خواهد گرفت، و با خنده دست فشردنها و تعارفات خداحافظی را ادامه داد.

*

ساعت چهار و نیم، وقتی تماس تلفنی قدسی‌خانم با تیمسار برقرار شد، قدسی خانم پس از ساعتها انتظار و با حالت عصبی کنار تلفن نشستن، گوشی تلفن را چنگ زد. در همان ثانیه اول ظاهراً صدای بم و «آلو» ی سؤالی و آشنا را شناخت. بدون اینکه اسم تیمسار را به زبان آورد، با او صحبت کرد. تیمسار مطابق معمول فقط گوش می‌کرد. یا فقط با بله، نه، یا یک عدد، یا کجا؟ یا کی؟ یا چه خبر؟ یا به صورت کد جواب می‌داد.

«بله، خود من هستم، قدسی خسروی قائناتی... ممنونم، خوبم... من خودم خوبم. الحمدالله... چیزی نیست... میترا مسئله داره. بله، میترا... ما قرار بود پس فردا حرکت کنیم برای لوس‌آنجلس. اما میترا... داره دیوونه میشه. میگه باید مسافرت به عقب بیفته. نمیاد. همین الآن توی اتاق نشسته، بغ کرده، داره اختلال حواس پیدا میکنه... نه، همه چیز آماده بوده و هست. من خودم هم آماده‌م. چمدونهارو هم بسته بودیم. هر دو آماده بودیم. یک آقای بهمنی از طرف دفتر شما می‌آمد، تمام مدارک و پاسپورتها و بلیتهارو، و هر چی میخواستیم درست میکرد و میآورد، و ما حاضر بودیم. فقط موضوع عاطفی و علاقه میترا به این پسر کوچولوی مریض خانواده نبوی خلش کرده. میگه نمیام. پسر کوچکشان، بله، ناصر نبوی. اون و مادرش و بیخودی توقیف کرده‌ن... دو سه تا از برادرهاش نمیدونم چه کارهایی کرده بودند، اما این... این یکی بچه‌ست، اصلاً با اونهای دیگر کاری نداره... بله، هر دوشون رو توقیف کرده‌ن. انگار اطلاعاتی میخواستن... دیروز صبح. تیمسار... من هرگز برای خودم هیچی نخواسته‌م، و به شخص شما تلفن نکرده‌م و

مزاحم نشده‌م. متأسفم که حالا مزاحم میشوم... میتراست... قول میده بره، بله، خیلی ناراحته... بله، اسمش ناصر نبوی‌یه، مادرش هم اسمش مهری نبوی‌یه... بله. دیروز... ما نمیدونیم کجا برده‌ن... مرسی. بله، میدونم و شنیده بودم این خانواده اصلاً ریسک امنیتی کشورند، و خودتون هم میدونم به موضوع این برادرها حساسیت دارید... چشم، تیمسار... بله، میترا هم قول میده... بله، مرسی. چشم، هرچه بفرمائید... اصلاً خواهرش الان اونجا چند روزه منتظر ماست... چشم. از امریکا من تماس خواهم گرفت. شما الان تلفن میفرمائید؟... اوه، خیلی خیلی متشکرم... چشم، چشم... مرسی. خداحافظ... متشکرم و خداحافظ شما.»

قدسی خانم گوشی را گذاشت. در آن سوی خط، در کاخ نیاوران، تیمسار هم گوشی تلفن را گذاشت. بعد شماره کدی را که خوب می‌شناخت گرفت و شخص مورد نظرش را خواست.

فصل سی و نهم

بهمنی هنوز بالای سر و گردن و کمر پیرزن ایستاده بود، که سروان وکیلی در کنار میز گوشی تلفن را به طرف او دراز کرد و با دست دیگر اشاره‌ای تند کرد ــ بهمنی را روی خط می‌خواستند. بهمنی آمد گوشی را گرفت: «آلو؟... بله، من بهمنی...» بعد سرفه‌ای کرد و گفت: «وصل کنید...»

در حالی که گوش می‌کرد و جواب می‌داد کم‌کم اضطراب صورتش را می‌گرفت.

سربرگرداند و به طرف پسرک و پیرزن روی زمین نگاهی انداخت. بعد یک دستش را با پنجه‌های باز در هوا بلند کرد. به سروان وکیلی علامت داد، زیر لب علامت داد: «Stop...» با گوشهٔ چشم به تلفن دستش اشاره کرد.

در حدود نیم دقیقه با دقت به تلفن گوش کرد. فقط چند تا «بله تیمسار قربان» و «اطاعت تیمسار» گفت و بعد گوشی را گذاشت. وکیلی را با خودش به گوشهٔ اتاق برد. با هم در گوشی صحبت کردند. مدتی پچ‌پچ کردند. بهمنی حتی بعد آمد تلفن کوتاهی هم به یک جا کرد و حرفهایی زد. مادر و پسرک هنوز کف اتاق بودند. مهری خانم

به لباس پسرک رسیدگی کرده بود. و چادر خودش را هم کشیده بود سرش. هر دو با چشمهای گریان ولی مات، دو مأمور ساواک را نگاه می‌کردند، نمی‌دانستند چه خبر شده. وکیلی کفری بود و مرتب فحش می‌داد. اما بعد بهمنی آمد جلوی زندانیانش ایستاد. به جای کتک و تهدید گفت:

«بلند شو آبجی... بلند شو. تموم شد. بلندشین.»

زن بدبخت سرش را بلند کرد و به عذاب‌دهنده‌اش خیره شد، اما چیزی نگفت. انگار نمی‌فهمید. پسرک هم نمی‌فهمید. بهتش زده بود و چیزی نمی‌گفت، شاید چون دهانش پر از خون بود، آن را باز نمی‌کرد. به هر حال هر دو شروع کردند به جمع و جور کردن خودشان، و تند تند بلند شدن، تا مبادا باز تلفنی بشود و آنها باز تغییر عقیده بدهند. زن بزحمت می‌توانست بلند شود. پسرک به او کمک کرد تا روی پاهایش بایستد. دو مردی که آن دو را عذاب داده بودند، ساکت نگاهشان کردند.

«چکارشون کنیم؟»

بهمنی گفت: «من میبرمشون.»

«پس من کاغذهای ترخیصشون‌رو بگم اقتداری ماشین کنه بیاره.»

بهمنی گفت: «لازم نیست... قرار توقیفی صادر نشده بود.»

وکیلی سرش را تکان تکان داد، اما زد زیر خنده. بعد گفت: «یالاّ آبجی، برو خونه بده یه گوسفند بکشن و گوشتش‌و به نذر شاهنشاه بده فقرا... امروز اینجا شانس آوردی.» بعد از اتاق بیرون رفت.

بهمنی آمد جلو، و بعد از اینکه کراواتش را مرتب کرد، خواست زیر بغل زن رنجور را بگیرد، که نمی‌توانست درست راه برود. پسرک او را هل داد و عقب زد، خودش زیر بغل مادرش را گرفت. بهمنی اهمیت نداد. گفت: «معذرت میخوایم، خواهر. جناب سروان خیلی احساساتی‌یه، توی کارش شور و حرارت زیادی داره... باید ببخشید.

شما مرخص هستید... تحقیقات ما در جاهای دیگه نشون داده که شما به اصطلاح ما «پاک» هستید، و نقض قانون نکردین و در کارهای غیرقانونی شرکت نداشتین، و اطلاعاتی هم ندارین. اگه اشتباهی شده باید ببخشین.» دستمال در آورد که بدهد پسرک خون گوشهٔ دهانش را پاک کند. زن هم دست او را پس زد. پسرک گفت: «بیا بریم، عزیز.»

بهمنی گفت: «از اینور تشریف بیارین.» و آنها را از ساختمان خارج کرد.

بیرون ساختمان، بهمنی آنها را از وسط محوطهٔ پارکینگ کوچک جلوی در جنوبی ساختمان آورد به طرف ماشین آریای خودش.

غروب روی محوطهٔ زندان فرود آمده بود. هوا سرد بود و باد تندی توی صورتها می‌زد و تنها چشم زن بیچاره را تقریباً کور کرده بود. پسرک او را راهنمایی می‌کرد. در حالی که چشمان خودش هنوز اشک آلود بود و دهانش مزهٔ شور خون می‌داد به میترا فکر می‌کرد. می‌دانست که او در آزادی آنها دست داشته...

بهمنی آنها را روی صندلی عقب ماشین نشاند. بعد نشست و استارت زد و به طرف در آهنی خروجی راند. جلوی اتاق پاسداری خروجی ایستاد تا افسری از پاسدارخانه بیاید و بازرسی کند و برگردد در را باز کند. در آن لحظهٔ غروبگاهی، در محوطهٔ سرد و مرگزدهٔ زندان اوین، حضور شوم بهمنی پسرک را ناگهان به یاد مریم هم انداخته بود. برگشت به مادرش نگاه کرد. او هم انگار احساس پسرک را داشت. بعد برگشت و به نیمرخ بهمنی در پشت رل نگاه کرد. پیرزن طالع نحسی که آن شب آمده بود درخونگاه و حلالیت می‌طلبید، گفته بود از این مرد بر حذر باشید. مریم نتوانسته بود؟

در اتوبان، بهمنی بالاخره سکوت را شکست. با بی‌اهمیتی، و انگار

که بخواهد فقط سر صحبت را باز کند گفت: «خواهر... یه موضوعی‌رو بنده میخوام خدمتتون عرض کنم... خواهش دارم از امروز به بعد منو دوست و خدمتگزار خودتون حساب کنین. دوست و خدمتگزاری که حاضره حتی جون ناقابل خودشو تقدیم کنه... من میدونم شما چقدر رنج بی‌دلیل و بیگناه بردین.»

مادر و پسر سکوت کردند.

«بنده خدمتگزارم. دولت دولت است و من نوکرشان هستم. من خودم هم اهل مشهد هستم و اینجا مجبوری کار میکنم. نمیتونم افتخار کنم که در چنین جایی و از طریق چنین سیستمی امرار معاش میکنم... ولی خب باید نون خورد. شما، در آینده، هر فرمایشی، هر کاری داشتین، فقط کافیه لب تر کنین. این شماره تلفن منه، که میتونین با من تماس بگیرین.» تکه کاغذی را به طرف صندلی عقب دراز کرد. هیچ کدام نگرفتند. حتی نگاهش نکردند. بهمنی برگشت کاغذ را تپاند توی جیب پسرک.

پسرک سرش را برگرداند. زیر آسمان سایه روشن غروبگاهی نگاه درازی به تپه‌ها انداخت. ستارهٔ تنهایی خیلی پایین در افق بطور عجیبی نزدیک و روشن می‌درخشید. نمی‌شد باور کرد که آنقدر دور و در عین حال آنقدر نزدیک باشد. باز به فکر میترا بود.

فصل چهلم

عصر روز بعد میترا آمد درخونگاه. به سیدنصرالله سپرده بود که هر روز و هر شب به خانه درخونگاه سر بزند و به او خبر بدهد.

حدود ساعت سه بعد از ظهر بود که میترا آمد و یک ساعتی پیش آنها ماند و حرف زدند. به عزیز نگفت چطور مادرش را راضی کرده بود که به «تیمسار آشنایش» تلفن کند و آنها را از زندان بیرون آورد. فقط گفت از مادرش یک ساعتی اجازه گرفته است برای خداحافظی بیاید.

موقع خداحافظی با مهری خانم، میترا گریه‌اش گرفت. مهری‌خانم دلیل گریهٔ او را نفهمید، اما او را دلداری داد. وقتی پا شد، از پسرک خواست که برای قدم زدن تا سر کوچه با او بیاید.

بعد از ظهر خیلی سردی بود مطابق معمول از درخونگاه آمدند بالا سمت کوچهٔ طباطبایی و بعد انداختند طرف پارک شهر. سر کوچهٔ طباطبایی، توی خیابان، مرسدس بنز قدسی خانم پارک بود و نصرالله خان پشت رل.

از سر بازارچه که می‌آمدند این طرف خیابان، میترا گفت: «پس تو هم به زندان ساواک شاه رفتی، جاودان شدی.»

پسرک لبخند زد: «فقط چهل و هشت ساعت... نه کمتر نه بیشتر.»

«اگه بیشتر شده بود که من میدونستم چکار کنم...»

«خب، حالا چکار کردی؟»

«هیچی. مادرم رو مجبور کردم به دوستاش تلفن کنه. اونم فقط به یک نفر یک تلفن کرد. نمیدونم دقیقاً به کی. پهلوش توی اتاق بودم. یه خورده راز و رمزی حرف زد. اول به یه نفر گفت میخواد با تیمسار حرف بزنه. اسم خودش‌رو هم گفت. تکرار کرد. حالت احمقانه و مرموزی داشت. هی دستش رو روی دهنی گوشی میذاشت، هی به من نگاه می‌کرد. منم مثل دیوونه‌ها لج کرده بودم نشسته بودم و نگاهش می‌کردم. دو سه بار یه شماره‌ای رو داد و گفت میخواد با شخص تیمسار تماس بگیره، با تیمسار حرف بزنه... خلاصه خیلی مسخره بود. خیلی جناب تیمسار جناب تیمسار میکرد. انگار خوب می‌شناختندش، ولی گفتند صبر کند. بعد مامی گوشی رو گذاشت و پای تلفن نشست. صبر کرد، منتظر شد، تکان نخورد، تا بعد از دو ساعت تلفن زنگ زد. این دفعه نفهمیدم کی بود. مادر خیلی با دستپاچگی و لفت و لعاب جواب میداد.» آمدند طرف پارک.

«چه وقت تلفن کرد؟»

«چهار، چهار و نیم بعد از ظهر. من تا اون وقت پاسپورتم رو از پنجره پرت کرده بودم توی باغ. تمام اثاث اتاقمو یا شکسته بودم یا با لقد پرت کرده بودم این ور و اون‌ور گفته بودم اگه شماها رو آزاد نکنن گلوی خودمو با چاقو پاره میکنم.»

«میترا... آنقدر جنایی نشو.» خندید.

«و به خدا میکردم. نمی‌خواستم زنده بمونم.»

«تو همه چی رو خیلی... خصوصی گرفتی...»

«نه... من به اندازه‌ی کافی همه‌چی رو خصوصی و جدی نگرفتم...

باید می‌فهمیدم چرا انقدر مرموز و مسخره حرف می‌زد. باید بفهمم با کی حرف می‌زد. باید بفهمم این راز و رمز اینها چی‌یه... بالاخره هم یه روز میفهمم.»

پارک عریان و سرد بود، با برگهای ریختهٔ چنار که تمام باریکه‌های قدم زدن را پوشانده بود. میترا صدایش می‌شکست، و باد سرد چشمهایش را زیر عینک آب انداخته بود. شاید هم اشک بود.

«زندان چطور بود؟»

«برای من ـ حرفش را زیاد نمی‌زنم ـ چند شلاق. اما برای عزیز ـ امام حسین! وقتی اون بی‌شرف عزیز رو با لگد زد من آرزوی مرگ و پایان این دنیای سگ‌مسب‌و میکردم.»

«بهشون میگیم. وقتی توی کوچه‌تون از دهن اون کریم دماغوی خل شنیدم که شماهارو گرفته‌ن... لرزیدم... تمام اون شب‌رو، تا بمیرم فراموش نمیکنم.» سرش را تکان داد. بعد به پسرک نگاه کرد. «حالا میفهمم چقدر تو برای من ارزش داری.»

«میترا... ما باید بیشتر واقع‌بین باشیم. امیدوار بودم که مجبورت کنن از این شهر هولناک بری.»

«امشب شب آخرم در شهر هولناکه. فردا صبح زود میریم.»

«فردا؟... فردا صبح میری؟»

دستش را فشار داد. سوز سرد توی صورتهاشان می‌زد.

«تو باید هفته‌ای یک نامه به من بنویسی. اگر یک هفته ننویسی و من نامه‌ت رو سر هفته دریافت نکنم، روز هشتم من توی هواپیمام و میام تهران... باشه؟»

«باشه. مینویسم... تو برای من و مادرم فرشتهٔ نجات بودی...»

«میدونی من واقعاً چی دلم میخواست؟»

دست او را به نرمی گرفت و کمی فشار داد.

«چی؟»

«درست نمیدونم، اما دلم میخواست هرگز این دست ترو ول نمیکردم. دلم میخواست ترو برمیداشتم و با هم میرفتیم توی یک مزرعه زعفرون توی ده سراب قائنات و اونجاها... دلم میخواد با همدیگه ازدواج کنیم، زندگی کنیم، عاشق همدیگه باشیم، و بچه‌دار بشیم... مثل کشاورزها و دهقانها زندگی ساده‌ای داشته باشیم... اصلاً کارگر و کشاورز دشت باشیم.»

پسرک گفت: «میترا، شما کتاب و رمان زیاد خوندی. این حرفا خواب و رویاست. دهقانها و کشاورزهای قائنات هم بدبختیهای کبیر خودشون‌رو دارن. همیشه داشته‌ن. مثل بابای من.»

میترا آهی کشید.: «اما به هر حال من باید تبعید بشم، به لوس آنجلس در کالیفرنیا... من الآن همین چند دقیقه‌م که دارم اینجا راه میرم، زیادی توی رؤیا رفتم. من شدم یک تبصره از یک قرارداد نوشته‌نشده بین خودم و مادرم و یک تیمسار ایکس دستگاه و سیستم امپریالیستی. و نمیدونم این تیمسار کیه.»

پسرک برگشت و به چشمهای او نگاه کرد.

«من برمیگردم ناصر... و ما اون مزرعه‌رو پیدا میکنیم...»

از زیر ردیفی از چنارهای خزانزده قدم می‌زدند. پارک تقریباً خالی بود. انبوه برگهای زرد و ریخته و خشکیده زیر پایشان خش‌خش می‌کرد. گهگاه میترا برگها را با خشمی ملایم لگد می‌زد. مدتی چیزی نگفتند و راه رفتند. هوا حالا داشت تاریک میشد.

پسرک پرسید: «ساعت چنده؟»

برگشت نگاهش کرد.

«نباید برگردی؟ دیرت نمیشه؟»

انگار حرف را نمی‌شنید. گفت: «شنیده‌م دانشمندهای آمریکا یک سِرُمی اختراع کرده‌ن که وقتی تزریق میکنن آدم‌رو برای مدت زیادی، یعنی برای روزها و هفته‌ها و ماهها در خواب یا اغما و کوما

نگه میداره. دلم میخواد یکی از این سِرُمهارو به خودم تزریق میکردم و میخوابیدم و شش سال دیگه از خواب بیدار میشدم.»

«شش سال دیگه چه اتفاقی قراره بیفته؟»

«همه چی.»

پسرک نگاهش کرد. گفت: «وضع ممکنه عوض شه... اما مردم عوض نمیشن.»

«چرا میشن...»

ساکت ماند. به فکر تاریک شدن پارک بود و به فکر این که میترا دیرش نشود. گفت:

«مردم هیچوقت عوض نمیشن.»

«انقدر بدبین نباش، پسر. البته که مردم عوض میشن. اگه تصمیم بگیرن و اراده کنن عوض میشن. تغییر رژیم میتونه همه چیرو عوض کنه... و همهرو عوض میکنه. مردم برای همدیگه دلسوزی میکنن. برای خاطر هدف مشترکی کار میکنن ــ برای بهبود وضع خلق همکاری میکنن.»

«میدونی یه روز دایی فیروز به عزیز چی گفت؟ ــ وقتی عزیز گفت بچههای من قربانی این رژیم هستند، دایی گفت ما همه قربانی خواستههای غیرممکن خودمون هستیم.»

«البته که ما قربانی میشیم.»

«گفت ما همه قربانی هستیم. برادرهای شهید من همه قربانی فکرها و خواستههای غیرممکن خودشان شدهن.»

«اما تغییر رژیم لازمه... تغییر رژیم خواستهها و فکرهارو ممکن میکنه.»

پسرک دست او را فشار داد و به او لبخند زد.

«بعضی وقتها من در این فکرم که وقتی این کابوس تمام شد ما چکار میکنیم؟»

«کدام کابوس؟» نگاهش کرد.

«این رژیم... تو که خودت بالاخره با عزیزت توی زندون اونها رفتی و دیدی اونجا و اینجا چه سیستم و قانون جنگل وحشتناکیه. دیدی اونجا لونهٔ چه جور انترهای نیمه‌وحشی‌یه... بیشترشون اصلاً جونورند. هر کسی سر خود کار میکنه. هیچکس نمیتونه یک ملت گرسنه‌رو توی لونهٔ انترهای نیمه‌وحشی و سر خود اداره کنه.»

«لونهٔ انترها...» هیچوقت این جور حرف‌زدنهای میترا را نمی‌فهمید.

«فکر نمیکنی مردم این لونهٔ انتری‌رو میشکنن؟»

«نمیدونم... شکستن لونهٔ انتری خوبه... انترهایی مثل بهمنی و وکیلی و سیاوشی و احسنی. اما نمی‌دونم.»

«تو میترسی ما از توی یک لونهٔ انتری کمونیستی سر درбیاریم؟»

«من نمیدونم. لونهٔ انتری بهمنی-وکیلی باید شکسته بشه.»

میترا گفت: «اگه ما بتونیم این لونهٔ انتری‌رو بشکنیم، هر لونهٔ انتری‌رو میتونیم بشکنیم.»

پسرک سرش را رو به آسمان گرفت و گفت: «ایکاش میتونستم این چیزهارو بفهمم.»

«وقتی من برگشتم همه چیز رو میفهمی.»

«اگه نذاشتن بیای چی؟»

«میام... هر طور شده میام، پیش تو.

باید دوست بداریم، یاران
فریادهای ما اگرچه رسا نیست
باید یکی شود
...
باید تپیدنهای قلبهای ما

سرود پرچم ما باشد.»

«از راههای غیرقانونی مانونی که سعی نمیکنی وارد کشور بشی؟»

«تو چقدر ساده و خام و خوبی، ناصر من. همهچی رو زود باور میکنی. زود احساساتی میشی، زود میترسی، زود خوشحال میشی...»

«من بچهی خنگ درخونگاهم.»

«همین جور بمون، عزیز من. یک اپسیلون تغییر نکن. من نمیخوام تغییر کنی. اما برمیگردم. باید برگردم. یک چیزهایی هم هست که باید بفهمم...»

«یک چیزهایی؟»

«یک چیزهایی از مادر عزیزم و خودم. بعدها که مطمئن شدم برات میگم چیه. الان نمیتونم. یعنی مطمئن نیستم... ولی هر طور شده، میام و میفهمم.»

«این کارها خیلی... خطرناک نیست؟»

«ما توی یک دنیای خطرناک و ریسکی زندگی میکنیم... باید بیشتر ریسکی و خطرناک بشه تا تغییر کنه.»

پسرک برگشت و به صورت بیرنگ و خشک او نگاه کرد که تقریباً توی سرما مثل سنگ سفید شده بود.

«تو خیلی عجیب شدهای.»

«آره...»

«اون وقتها از زندگی و زنده موندن و ساده زندگی کردن حرف میزدی... یادته؟ ــ سه سال پیش. اون روز بعد از ظهر، توی امامزاده عبدالله، زیر اون درخت بید؟»

«همه چی عوض شده. انگار منم دیگه باید عوض شم و برگردم.»

پسرک او را نگاه کرد. بعد گفت: «باشه، بیا برگردیم... خیلی تاریک شده.»

سر کوچهٔ طباطبایی، «مرسدس بنز هنوز پارک بود، با نصرالله خان نگران پشت رل. آن طرف خیابان، دهانهٔ بازارچه درخونگاه شلوغ بود. نصرالله خان از توی مرسدس بنز بوق زد. وقت رفتن بود.

ساکت از کوچهٔ طباطبایی آمدند این طرف خیابان. مدت زیادی بود که ساکت بودند. سردهانهٔ بازارچه میترا گفت: «خب...»

«خب...» نفس بلندی توی سینه داد.

«زیاد توی فکر نباش. من و تو از یک قماشیم. یک روحیم. به من که هر هفته مینویسی؟»

«من همین جا هستم، پیش عزیز... به تو هم نامه مینویسم.»

«آدرس تو رو دارم. به محض اینکه مستقر شدم آدرس خودم رو می‌فرستم.»

باد سردتری توی صورتهایشان می‌خورد. میترا لبخندی زد. گفت: «اقلاً ترو کسی تبعید نمیفرسته.»

دلش می‌خواست بتواند بگوید: «تو داری میری ـ این برای هر دومون تبعیده.» اما گفت: «مواظب خودت باش.»

از آن طرف خیابان، نصرالله خان از توی مرسدس بنز بوق زد. وقت رفتن بود.

«نمیخوای با عزیز خداحافظی کنی؟»

«نه. خداحافظی کردم. دیگه دلش رو ندارم.»

«پس... خداحافظ داره بوق میزنه.»

محکم گفت: «برمی‌گردم.»

از او جدا شد و سرش را تند برگرداند و رفت. تقریباً دوید و تندتند خودش را هر طور بود به وسط ماشینها انداخت. یک تاکسی‌بار در یک قدمی‌اش محکم ترمز کرد.

پسرک ایستاد و برای آخرین بار او را نگاه کرد. حالت یک قناری دست آموختهٔ ول‌شده را داشت که ناگهان وسط خیابان شلوغ پلوغ،

با بوق و ترمز ماشینها گیج بخورد. او را دید که خودش را به مرسدس بنز رساند و سوار شد. وقتی ماشین براه افتاد، شبح صورتش از شیشهٔ دودی معلوم بود.

مست بگذشتی و از خلوتیان ملکوت
به تماشای تو آشوب قیامت برخاست

دفتر سوم

مرگ مادر ممکن است فقط تلخ و غم‌انگیز باشد. یا ممکن است بدترین ضایعهٔ دردناک زندگی باشد، یا حتی ممکن است کوبنده و تراژدی باشد. مرگ مهری‌خانم، برای پسرک دلخون‌کننده‌تر از ترکیبی از این سه درد بود. شبی هم که اتفاق افتاد، آغاز انفجار زندگی و دنیای او بود.

این مصیبت در شب دهم دی ماه ۱۳۵۶ رخ داد. پیرزن، در کنار پسرک، کوچکترین پسر مریض و تنهایش، زیر کرسی نشسته بود و مثل چند شب اخیر که به او قول و نوید داده شده بود در انتظار تلخ و طولانی دیدن بچهٔ متواری‌اش بود.

مدتها بود از پشت‌درد و سینه‌درد هم می‌نالید. پسرک چند جور قرص برای او گرفته بود. پیرزن که اکنون فقط با یک چشمش کمی می‌دید، دیگر از رفتن به بیرون از خانه و دکتر خودداری می‌کرد، تقریباً مشاعرش را هم از دست داده بود. هر شب وقتی می‌خواست بخوابد با پسرک خداحافظی می‌کرد... از خانهٔ خرابه و از اتاق تنها، ندای گریه نومیدی و بوی شوم مرگ می‌آمد.

اوایل این شب سرد زمستانی، مهری خانم، یا آنچه از مهری خانم باقی مانده بود، زیر کرسی تلویزیون تماشا می‌کرد. (تلویزیون پرتابل کوچک ۱۶ اینچی ترانزیستوری که رضا برایشان فرستاده و روی کُرسی بود.)

تلویزیون در آن لحظه اخبار پخش می‌کرد. صفحهٔ تلویزیون تصویر شاهنشاه آریامهر را با پرزیدنت جیمی‌کارتر از ایالات متحد نشان می‌داد، که در آن شب ژانویه کذایی در تهران مهمان شاهنشاه بود. ضیافتی بود، و شاه و کارتر با لباسهای اسموکینگ و پاپیون و شهبانو و همسر کارتر با پیراهنهای تقریباً دکولته در میان جمع میهمانان شامپانی می‌نوشیدند.

ناگهان در حلقوم پیرزن صدای نفس بلند دردناکی پیچید. دستش را جلوی سینه‌اش، نزدیک گلویش گرفت، بدنش به یکطرف خم شد، و چشمانش بهم رفت. پسرک جیغی کشید و «عزیز»ی فریاد زد، و به بالین او پرید. اما قبل از اینکه به آغوش او برسد، بغض خودش ترکیده بود و می‌دانست دنیا به رویش خراب شده بود و خاک عالم بر سرش.

«عزیز! عزیز! عزیز!»

ولی دیگر عزیزی نمانده بود. چشمان مادرش بسته بود. تنها چشمائی که، بجز چشمهای اشکبار خودش در اتاق باز بودند، چشمهای غمزده و خشمگین عکس قابشدهٔ برادرش رضا بالای تلویزیون بود، که نگاه می‌کرد.

*

زیر آن بیدمجنون بود، گوشهٔ صحن...

یک گوشه، وسط سنگ قبرهای کهنه، جایی زمین دهان

باز کرده بود و در ته آن دو چشم منتظرش بود. چشمها تمام این تابستان باز مانده و گویی انتظار او را می‌کشیدند... غلتی زد.

در آسمان فیروزه‌ای پاک بالای گورستان، پرنده‌ای عجیب، به سیاهی شبق، گویی از عرش و از اوج ملکوت در پرواز بود.

قوی هیکل و بدریخت و خشمگین، مدتها بود که برای طعمه، بال و پر زنان دور می‌زد. گوشتخواری بود با منقار درشت و برگشته، گردن و سرلخت. بالهای پهن و بزرگ داشت، و نعره‌ای گوشخراش و رعب‌آور. دنبال لاشه می‌گشت. پسرک انگار نوع او را می‌شناخت، و زیاد دیده بود. وقتی روی خاک بود، بدنش حقیر و کز کرده بود، و بالهایش کدر و کثیف و بی‌اهمیت می‌نمود. اما هنگام پرواز در آسمان، فاصلهٔ دو انتهای بالش بیش از دو متر می‌شد. برعکس منقارش، پنجه‌هایش بسیار ضعیف بود، بطوری که با پنجه‌هایش قادر نبود هیچ کاری بکند. به همین جهت بود که بیشتر از لاشه و مردار تغذیه می‌کرد. نیروی دید بسیار زیای داشت، بطوری که از فواصل بسیار دور طعمه‌های بسیار ریز را بخوبی می‌دید. کوچکترین حرکت و عمل از نظرش مخفی نمی‌ماند. معمولاً پس از وقوع مرگ یک جانور، یا پس از باران و سیلابهای بد، فرود می‌آمد و از لاشه‌ها و از جانوران بی‌جان و در حال مرگ مردارخواری می‌کرد.

هوای سرد زمستانی بود، اواسط زمان امشاسپندان، و پرنده سیاه، زیر خورشید آتشناک، در میان آسمان لاجوردی، کم‌کم دور زد و فرو آمد. روز بعد از طوفانی بد و

سیلابهای سخت بود، و دشت زخمه خورده، در رخوت و بهت، و آکنده از لاشه و جانوران نیمه‌جان.

پرندهٔ سیاه دوری زد، و وسط لاشه‌ها، آنجا که دلخواهش بود نشست، و نعره‌ای سهمناک کشید. پسرک غلتی دیگر زد و نفس در سینه‌اش شکست، و ناله کرد.

فصل چهل و یکم

پس از مدتها بی‌خبری مطلق از میترا، در پایان آن تابستان عجیب، یک روز ناگهان عجیب‌ترین خبرها رسید. زن و شوهری جوان و ناشناس از کردستان عراق آمده بودند برایش خبر آوردند که میترا در اردوگاه چریکی احمد سلاله، در غرب اردن آموزش می‌بیند!...

این همان اردوگاهی بود که رضا هم در گذشته آنجا آموزش دیده بود. زن و شوهر جوان، اعظم و بهرام خلف‌بیگی با آدرس آمده بودند در خانهٔ درخونگاه و پیغام شفاهی رضا را آورده بودند. اخوی رضا نبوی سلام می‌رساندند و پیغام سلامتی‌شان را، و تأثر دردناک مرگ مادرشان را به برادر کوچک ناصرخان نبوی تسلیت می‌رساندند. اعظم خلف‌بیگی از طرف به نام «منیژه نیکو» برای ناصر نبوی پیغامی داشت. یک کتاب...

پسرک اول نفهمیده بود منیژه نیکو کیست. بعد وقتی چشمش به کتاب ارسالی افتاد، همه چیز را فهمید.

کتاب، نسخهٔ کوچک و کم‌ورقی از گاتها ـ سروده‌های زرتشت بود. او خودش این کتاب را که هدیهٔ دایی فیروز بود، سالها پیش به میترا داده بود که بخواند، و کتاب پیش میترا مانده بود. میترا آن را با

خودش برده بود، حتی به اردوگاه احمد سلاله! گرچه کتاب کهنه و
رنگ و رو رفته شده بود، اما هنوز هم جلد و صحافی‌اش سر جا بود.
روی اولین صفحهٔ کتاب نقش دو کلمهٔ رنگ و رو رفتهٔ «به ناصر» که
دایی با خودنویس سیاهش نوشته بود، هنوز دیده می‌شد. زیر این دو
کلمه، کلمات تازه‌ای با خودکار قرمز اضافه شده بود.

«... ما فتح خواهیم کرد

ما فتح خواهیم کرد

باغهای بزرگ بشارت را

با خنجر خفته در خونهایمان...»

از بهرام و اعظم خلف‌بیگی تشکر کرد. از آنها خواهش کرد شب
را پیش او بمانند. اتاق ته حیاط حالا خالی بود. آنها نیز که جای
درستی برای اقامت نداشتند، شب را در خانهٔ درخونگاه ماندند. بهرام
خلف‌بیگی کمی لهجهٔ کردی داشت. زخم صورتی تیره‌رنگی را بالای
سینه‌اش به پسرک نشان داد و گفت که جای سوراخ گلوله است. از
قول رهبری مثال می‌زد که گفته بود خوشبختی در زندگی یعنی
مبارزه. اعظم خلف‌بیگی تعریف می‌کرد که یکی از بچه‌ها به نام بهروز
عبدی با مزدورهای شاه در تهران مبارزه می‌کرده، وقتی فشنگهای
هفت‌تیرش تمام می‌شود، خودش را با نارنجک وسط ساواکیها
می‌اندازد و پنج نفر از آنها را با خودش می‌کشد. بعد از شهید عباس
تفضلی گفتند که پدرش یک روحانی مبارز زندانی بود. عباس هنگام
مبارزه با مزدوران ساواکی آخرین گلوله را برای خودش نگه می‌دارد،
اما گلوله توی هفت‌تیر گیر می‌کند و عباس هفت تیر را پرت می‌کند
زمین و با یک چاقو فوری شکم خودش را پاره می‌کند و روده‌هایش
را چنگ می‌زند و درمی‌آورد و سعی می‌کند با آن خودش را خفه
کند ــ تا زنده دستگیر نشود...

برای پسرک، کتاب میترا نقطهٔ عطف این تابستان بود، و به او جان

و امید تازه‌ای داد...

بیشتر از سه سال بود که از هم جدا مانده بودند.

در طی سال اول مسافرتش، میترا تقریباً بدون وقفه و انگار شبانه‌روز به او می‌نوشت. او نیز هفته‌ای یک نامه را می‌فرستاد. از نامه‌های میترا پیدا بود که در محیط جا نمی‌افتد.

بیشتر سال اول را در لوس‌آنجلس کم و بیش پیش خواهرش زندگی کرده بود. به مدرسهٔ درست و حسابی نمی‌رفت، فقط در یکی دو ترم کلاس زبان اسم نوشته که آنها را هم نیمه‌کاره گذاشته بود. بعد شروع کرده بود به مسافرتهای کوتاه به شهرهای دانشگاهی در مرکز و شمال کالیفرنیا، آن هم نه مسافرتهای تحصیلی یا تفریحی، بلکه «همینجوری پرسه زدن»، مثل آدمی بی‌مقصد، یا شاخهٔ شکسته‌ای روی موج دریا بود، که بالا و پایین می‌رفت و باد آن را به این طرف و آن طرف می‌برد... یکی دو هفته‌ای هم به مکزیک رفته بود. تنها بود. اغلب کتاب می‌خواند، به ناصر فکر می‌کرد، به پدرش فکر می‌کرد. یا صبحها تنها لب پلاژ راه می‌رفت، فکر می‌کرد که واقعاً چکار کند. فکر ایران بود، فکر زندگی‌یی بود که او را از آن بیرون کرده بودند.... گاهی هم با دوستهای دختر یا «دوستان سیاسی» که آنجا پیدا کرده بود زندگی می‌کرد. پس از آن مدتی توی دانشگاهها و میتینگها و سخنرانیها و کلوبهای دانشجویان اسلامی یا کنفدراسیون شرکت کرده بود. در اواخر سال اول برای خودش جایی گرفته بود و تنها زندگی می‌کرد. یک سفر هم به برزیل رفته و برگشته بود. اما اوایل بهار سال بعد که خواسته بود سفری به ایران بیاید، و گذرنامه‌اش را که برای تمدید فرستاده بود، برایش پس نفرستاده بودند....

سال دوم، نامه‌هایش به پسرک کمتر و کوتاهتر شده بودند. نوشته‌هایش بیشتر از هر چیز احساس ناجوری، خشم و تنهایی او را

نشان می‌داد ـــ و آن ناآرامی و عصیانی که پسرک از او در تهران در کنار مادرش کمتر احساس می‌کرد. در یک «دنیای غریبه پست و بی‌مقدار» بود، پر از احمقهای بورژوا و پولدار و عیاش و کاپیتالیست... آرزو داشت باز بتواند خود را به ایران و به درخونگاه برساند.

در تهران، در درخونگاه، پسرک نامه‌های او را می‌خواند، و دسته‌کرده نگه می‌داشت. روزها و شبهای تنهایی آنها را باز می‌کرد و دوباره و دوباره می‌خواند. دنیای او تغییر نکرده بود و نمی‌کرد... بازارچهٔ درخونگاه، در تهران سالهای پر زرق و برق اوایل دههٔ ۱۳۵۰، دیگر شور و هیجانی نداشت و پر از دهاتیهای مهاجر از دهات و گداهای گرسنه و بیکار بود. او بطور عادی به مدرسهٔ مروی می‌رفت و در اوایل هیجده نوزده سالگی دبیرستان را تمام می‌کرد. تا این زمستان دل‌سخت و مرگ‌اندود، با مادرش تنها بود. و هر طوری بود سر و ته زندگی را بهم می‌آوردند. (مهری خانم دو سه سال آخر، برای کمک خرج زندگی، اتاق آنطرف حیاط را به دو دانشجوی شهرستانی کرایه داده بود.)

دو دانشجویی که هنوز با او زندگی می‌کردند، اغلب می‌آمدند به اتاق او. می‌نشستند و حرف می‌زدند. از اخبار دانشگاهها گپ می‌زدند. یکی از آنها اسمش علی اسماعیلی بود و آن یکی ایرج خلفی. گرچه بچه‌های درسخوانی بودند، اما به تبعیت از روال و مد روز به گروهها سمپاتی داشتند. به گفتهٔ آنها، مهمترین گروهها دسته‌بندیهای دانشجویان انجمن اسلامی بودند، اگرچه مجاهدین خلق و فداییان خلق هم فعالیت داشتند. این گروه آخر که کاملاً چپی بودند توی خودشان ظاهراً دسته‌بندیها و اختلاف نظرهای متعدد داشتند، مثل مائوئیستها و تروتسکیستها و چه و چه و چه. علی اسماعیلی اسلامی بنیادگرا بود و بیشتر از ایدئولوژی اسلام شیعه و شهادت حرف می‌زد. خلفی معلوم نبود. انگار بیطرف بود، شاید هم اسلامی / خلقی، یا فدایی بود، چون

هیچوقت صریح اظهار نمی‌کرد. به گفتهٔ این دانشجوها، گروههای دیگری هم بودند که به صورت حزب فعالیت داشتند مثل توده‌ایها و ملی‌ها. پسرک بیشتر اینها را برای میترا می‌نوشت.

در سال ۱۳۵۳، بعد از آنکه شاه تمام احزاب رسمی یا ممنوعه را یک بار دیگر و مطلقاً غیرقانونی اعلام کرد، و فقط حزب رستاخیز را تنها حزب ایران اعلام نمود، و هویدا را به دبیری آن حزب گماشت، (و اعلام کرد این حزب با زیربنای سه اصل رژیم شاهنشاهی، حکومت مشروطه و انقلاب شاه و ملت استوار است) و گفت هر کس مخالف این حزب است باید از ایران برود، مخالفت گروههای مختلف مخفی متحدتر، علنی‌تر و شدیدتر گشت... زندانها از زندانیان سیاسی انباشته‌تر می‌شدند. دادگاههای نظامی افراد بیشتری را محکوم می‌کردند. اسلامیها و مجاهدین و فداییهای بیشتری در خیابانها، یا در خانه‌های «تیمی» یا هنگام دستبرد به بانک کشته می‌شدند. علی اسماعیلی که یک برادرش در آلمان تحصیل می‌کرد، اخبار و اعلامیه‌های دانشجویان کنفدراسیونهای اروپا را از خارج می‌گرفت و یواشکی پلی‌کپی و پخش می‌کرد.

در عرض سالهای اول مسافرت میترا، پسرک چندین بار هم به دیدن مادر میترا در خانهٔ نیاورانشان رفته بود. میترا به مادرش نامه نمی‌نوشت. اوائل به اصرار عزیز می‌رفت و اخبار سلامتی میترا را به مادرش که مشتاق و منتظر بود، می‌رساند. یکی دو بار نیز وقتی آنجا بود سرگرد جهانگیر را هم که حالا سرهنگ شده بود آنجا دیده بود. او هم با پسرک جوان و فامیل دور جنوب شهری حرف می‌زد. پسرک از او خوشش می‌آمد، چون او هم انگار، با همهٔ ید و بیضا و تقریباً جوان بودن، آدم دلسوخته و دماغ سوخته و غمگینی به نظر می‌رسید. گاهی از پسرک می‌خواست که سلام او را به میترا برساند. و حتی یک بار

کتاب شعری از فروغ فرخزاد را که خودش دوست داشت به پسرک داد که برای میترا بفرستد. (پسرک هرگز به فکرش خطور نمی‌کرد که افسر ارشد گارد شاهنشاهی مهمی با آن یال و کوپال، و وظائف، وقت شعر خواندن و دوست داشتن هم داشته باشد.) یک روز هم که نیم‌ساعتی او را تنها دیده بود، به نظرش آمد که در حالت عادی نیست، مست است، یا تحت تاثیر مواد مخدر، یا هر دو. سیگارهایی داشت که تند و تند می‌کشید. یک لیوان و یک مشربه هم جلوش بود. او اینها را هم برای میترا می‌نوشت.

پس از آنکه ناگهان نامه‌های میترا قطع شد، پسرک اول حال آدمهای در حالت احتضار را پیدا کرد. درس و مدرسه از سرش افتاد. رفتن به خانهٔ مادر میترا را هم کنار گذاشت، چون خبری جز بی‌خبری و گمشدگی نداشت، و مطمئن بود که آنها هم به طریق اولی خبری نداشتند. از رفتن به آنجا هراس هم داشت چون می‌ترسید آنها ناگهان بگویند برای میترا اتفاقی افتاده است... نمی‌توانست بفهمد برای میترا چه اتفاقی افتاده است، یا خودش دست به چه کارها و فعالیتهایی زده بود که نمی‌خواست پسرک را با تماسهای خود درگیر کند. هر وقت می‌توانست با پسرهای سیدنصرالله نوکر و شوفر منزل قدسی‌خانم تماس می‌گرفت ــ اما آنها حالا خیلی سرشان گرم بود، که به اخبار خانهٔ قدسی خانم توجه کنند. کمال یک نمایشگاه فروش ماشین باز کرده بود و جمال هم مدام فکر موتورسواری و فیلمهای کاراته‌ای بود.

سه ماه تلخ گذشت، تا بالاخره یک کارت پستال از او آمد، که از یونان، از آتن پست شده بود. آدرس فرستنده‌ای وجود نداشت. عکس زیبایی از دریای اژه بود، و پشت کارت همان شعر گلسرخی... («در روزهای جدایی / ایمان سبز ماست که جاری است... در راه آفتاب») زیرش، با حروف خیلی ریز، فقط: «سلام و آرزوی دیدن تو

و عزیز... من در راهم.» کاملاً داد می‌زد که نمی‌خواهد کوچکترین خبری از اینکه کجاست و چه می‌کند نوشته باشد. اکنون پسرک مطمئن بود که میترا نمی‌خواهد مزاحمتی برای کسی ایجاد کند، آرامش او را بشکند، یا خودش را لو دهد. میترا صدر اشرافی عقدهٔ چپی و پول داشت، و نفرت داشت، و می‌توانست هر کاری را بکند —ولی مواظب دلدادهٔ ناصر نبوی در درخونگاه هم بود.

و آرامش تقریبی پسرک تا حدی حفظ شد، تا اوایل پاییز ۵۷، که زن و شوهر جوان چریک کُرد از عراق آمدند و پیام میترا را آوردند....

٭

در تهران، در ماههای اخیر، گروههای زیادی به پیروی از قشر اسلامی، آشکارا مبارزهٔ علنی را آغاز کرده بودند. تظاهرات خونباری که از اواخر سال قبل از قم و تبریز و اصفهان شروع شده بود، شدت بیشتری گرفته بود. مردم قشر مذهبی و مجاهدین ماشینهای دولتی را آتش زده و ساختمانها و سینماها را سوزانده بودند....

دانشگاهها از عید نوروز به بعد رسماً عملاً به حال اعتصاب کلی در آمده و تعطیل شده بودند. حادثه و شورش و کشتار زنجیروار و پشت سر هم به وقوع می‌پیوست. اولین حادثه، راهپیمایی قم در پشتیبانی از آیت‌الله خمینی بود که منجر به تیراندازی ارتش و قتل‌عام عدهٔ زیادی شده بود. بعد در مراسم چلهٔ شهدای قم در تبریز، شورش به قیام ویران‌کننده‌ای تبدیل شده بود و سپس در مراسم چلهٔ شهدای تبریز، اوایل تابستان در اصفهان، یکپارچه خون و آتش شده و آنچنان تکان‌دهنده بود که دولت و ارتش با موافقت شاه دستور برقراری حکومت نظامی را در اصفهان اعلام کردند... سلسله انفعالاتی که انگار پایانی نداشت. میترا راست گفته بود. دنیا داشت عوض می‌شد، زیر و رو می‌شد.

شاه تمام تابستان را بیشتر در نوشهر منزوی شده بود ــ و شایعه‌های بیماری یا سوءقصد به او شدت گرفته بود.

بعد، در اواخر تابستان، در حقیقت در روز ۲۸ مرداد ماه، ناگهان شاه دوباره از انزوا بیرون آمده و تکان دیگری در دولت ایجاد کرده بود. دولت جمشید آموزگار را ساقط کرده و جعفر شریف امامی را، که مثلاً از سلالهٔ روحانیون بود، با اجازهٔ اعطاء آزادیها و امتیازات بیشتری به مراجع روحانیت، به نخست‌وزیری گمارده بود. آن شب، شاه در «مصاحبه» تلویزیونی خود، به مخالفینش شدیداً حمله کرده و آنها را متحدین سرخ و سیاه، یعنی اتحاد مارکسیستها و آخوندها قلمداد نموده بود. در مقایسهٔ رژیم خود با آنچه مخالفین برای ایران می‌خواستند، گفته بود: «ما به شما وعدهٔ «تمدن بزرگ» می‌دهیم و مخالفین به شما وعدهٔ «وحشت بزرگ».»

پسرک تمام این حوادث و وقایع و اخبار مربوط به آنها را همه جا و در تمام روزنامه‌ها تعقیب کرده بود ــبخصوص در صفحات اخبار روزنامه مربوط به «خرابکاران»... اگرچه خودش تقریباً هیچوقت در راهپیمایی‌ها و شورشها شرکت نمی‌کرد، اما پایان آن تابستان، پس از دریافت پیغام کذایی از سوی میترا، تنهاییش شور و هراس دیگری یافته بود. من در راهم...

به فکر او بود...

زندگیش در آن خانهٔ تنها به انتظار می‌گذشت. با تعطیل شدن مدارس، بعد از ظهرها در یک کارگاه کوچک جعبه‌سازی که جعبه کفش درست می‌کرد مشغول به کار شده بود، و پول ناچیزی می‌گرفت، گرچه دایی فیروز دو سه ماه یک بار بطور مرتب می‌آمد، پولی به او می‌داد، و به وضع خانه رسیدگی می‌کرد...

اکنون تابستان هم تقریباً به پایان رسیده و ماه رمضان هم گذشته بود و هنوز نه از میترا و نه از رضا خبر تازه‌ای نرسیده بود.

در اتاق تنها، در خواب و بیداری دمدمه‌های سحر، باز غلتی زد،
ولی احساس کرد تنها نیست. صحن امامزاده عبدالله نبود. مرغ سیاه
شوم در آسمان فیروزه‌ای هم نبود. در جای دیگری بودند و در زمانی
دیگر. عزیزم زنده بود. در باغ زیبا و بزرگی ایستاده بودند و یک نفر
از دور او را صدا می‌زد. داد می‌زد، می‌گفت فکر کن... یا شاید
می‌گفت باز کن... یا می‌گفت صبر کن.

بعد، از فاصله‌ای نزدیکتر، انگار از پشت در حیاط، صدای یک نفر
آشنا و خیلی عزیز می‌آمد... صدایش می‌کرد.

از جا پرید.

یک نفر داشت با کلید یا سکه‌ای به در حیاط می‌کوبید و او را صدا
می‌زد. «ناصر... ناصر... در را باز کن.» پاشد، پابرهنه دوید و در را باز
کرد. می‌دانست!... آنجا پشت در ایستاده بود ــ به همین سادگی.
اول به زحمت شناختش.

«سلام. مهمون نمیخوای؟» و خندید. «منم، منیژهٔ نیکو...»

شلوار جین به پا داشت، با کاپشن شکلاتی‌رنگ با دکمه‌های
طلایی بزرگ. یک کلاه برهٔ فرانسوی هم روی سرش بود که به
موهای خیلی کوتاه و صورت گندمگون و آفتاب سوخته‌اش حالت
پسرهای لبنانی یا امریکایی جنوبی داده بود. یک ساک بزرگ دستش،
و یک کیف دستی هم از شانه‌اش آویزان بود.

تقریباً نالید: «میترا!»

«مهمون نمیخوای؟»

«میترا! با کی اومدی؟» هنوز روی طول موج آن سالها بود که او
همیشه در معیت و تحت سرپرستی یکی از پیشخدمتهاشان با مرسدس
بنز می‌آمد.

«فقط خودم... تنهام.»

«کی رسیدی؟»

«امروز صبح. الآن دارم از فرودگاه میام.»

«الان؟ از فرودگاه؟... یا امام حسین!... خودتی؟»

«بیام تو؟... خیلی خستهم.»

«من اینجا... تنهام.» و احساس کرد از فرط دستپاچگی مثل ابلههای پشت کوهی حرف زده.

...

«معذرت میخوام... بیا تو.»

کنار کشید و میترا داخل شد.

فصل چهل و دوم

«برای عزیز متأسفم، متأسفم، غمگینم...»

گوشهٔ اتاق، روی جاجیم کهنه نشسته بودند. دستش را گرفته بود، چشمانش غمزده، تقریباً اشک‌آلود بود. پسرک هم گریه‌اش گرفته بود.

میترا گفت: «مادر، مادر، مادر... من تمام این سالها از مادر خودم نفرت داشتم. اما باید عزیز تو، این خانم بی‌نظیر و نازنین بمیره. راست میگن خوبها اول میمیرن. تنهایی چکار کردی؟»

«گریه کردم، همسایه‌ها اومدند، روز بعد هم دایی اومد.»

«واقعاً متأسفم، ناصر.»

«بیا درباره‌ش حرف نزنیم.»

«باشه.» لبخند زد. «خب برام تعریف کن ببینم.»

«چی چی رو؟» هنوز منگ بود.

«تمام این سه چهار سال رو. چطورها شد؟ چکارها کردی؟»

«من اینجا موندم. توی درخونگاه.» قلبش هم هنوز در تپش تند بود.

«همین؟»

«... و منتظر.»

به صورت و به بدن لاغر او نگاه می‌کرد و با لبخند بازتر سرش را بالا و پایین می‌برد.

«تو خام و خوب و ساده موندی ـهستی....»

«که آش دهن سوزی هم نیست...» نفس بلندی از سینه‌اش بیرون داد. «شما خودت چی شدی؟» این سؤال را به سادگی و برای کسب خبر کرد.

میترا خندید. یک انگشتش را آورد بالا و با چشمهای مرموز و شوخ گفت: «من فعلاً ناشناس زیبای خواب و خیالم!... و خوشحالم ترو میبینم.» بعد او را بهتر برانداز کرد. «ظاهراً بقیهٔ حال و روزگار تو هم انگار خب، خیلی وحشتناک نیست. جدی! قدت بلندتر از اونی شده که تصور میکردم. نگاه کن، قد من شدی. توی حیاط که راه می‌اومدیم قد من بودی. تازه من آدیداس پوشیده‌م، تو پابرهنه بودی. رنگ و روت هم ای، بدک نیست. ورزش مرزش می‌کنی؟»

او هم بالاخره خندید: «آره. توی زورخونه‌ی تارعنکبوت.» استخوانهای لاغر و بی‌گوشت بازوهایش را که عین چند تا تکه سیم برق کهنهٔ بهم چسبانده بود، در حال عضله گرفتن نشان داد.

«فکر نکنم.»

هر دو زدند زیر خنده. میترا به دور و بر اتاق نگاه کرد، که فقط چند خرت و پرت کهنه و زه‌وار در رفته داشت. گچ دیوارها طبله کرده و ریخته بود، و سقف ترکهای گشاد و کج و معوجی داشت و سوسکهای پردار از وسط ترکهاش رفت و آمد می‌کردند. نترسید. اینجا درخونگاه آرزوهایش بود. کل چهار دیوار اتاق هم شکم داده بود. ردیف عکسهای قاب‌شدهٔ فامیل مرده‌اش سرتاقچه، غمگین و خاکخورده‌تر از همیشه، تنها چیزهای زنده یا معنی‌دار اتاق بودند.

میترا پرسید: «رضا کجاست؟»

«دقیقاً نمیدونم. ندیده‌مش.»

«برگشته؟»

«برگشته بود. اما انگار دوباره رفته. آخرین خبری که ازش داشتم پارسال زمستون بود. قرار بود بیاد. عزیز در انتظار دیدن او مرد. اما من مثلاً پوست کُلُفت ماندم.»

میترا دست او را گرفت. بعد با چشمانی که ناگهان درد توی آنها جمع شده بود، گفت: «درباره‌ی عزیز واقعاً متأسفم...»

سرش را انداخت پایین: «گذشته...»

«خیلی رنج برد؟»

«رنج آخر عزیز انتظار بود... رضا هم نیومد.»

میترا استکان چایی را که میزبانش درست کرده بود برداشت و کمی نوشید. پسرک او را نگاه کرد. پرسید: «چه جوری از امریکا رفتی لبنان و آمدی ـ تهران؟»

«رفتم مکزیک. اونجا بچه‌ها برام پاسپورت تازه‌ای درست کردند ـ به اسم منیژه نیکو. بعد رفتم کوبا و انداختم آتن و بعد رفتم بیروت و جنوب لبنان. بعدم اردوگاه سلاله در عمان.»

باز ماتش برده بود. میترا اسم کشورها و شهرها را مثل اسم خیابانها و کوچه‌های تهران ادا می‌کرد.

«رضا رو اونجا دیدی؟»

«رضا اون موقع در نبطّیه توی اردوگاه دکتر مصطفی چمران بود. وقتی رفتم اونجا رضارو ندیدم. زیاد نموندم. اما این اعظم خلف‌بیگی اونجا بود و من شنیده بودم که میخواد بیاد تهران. رفتم پیش او و برای تو کتاب کذایی‌رو فرستادم. گرفتی؟»

«آره. خیلی خوشحال شدم. چه جوری اومدی تهران؟»

«دو هفته پیش رفتم آتن... به عنوان توریست. میخواستم بیام تهران. پول نداشتم. تلفن کردم به مادرم... به مادر عزیزم! رفتم توی

هیلتون آتن یه اتاق گرفتم، و به فاصله دو سه روز پول از طریق بانک ملی ایران در آتن و بلیت هواپیما از طریق دفتر «ایران ایر» تلگراف شد...»

پسرک سرش را تکان تکان می‌داد: «همین امروز صبح وارد شدی؟»

«چهار صبح...»

«تو فرودگاه نفهمیدن؟... که منیژه نیکو نیستی و میترا صدر هستی و این جور چیزها؟...»

«انقدر وضعشون بلبشو و هرج و مرجه که دست راستشون نمیدونه دست چپشون داره چه غلطی میکنه... از وقتی نصیری رو از سر ساواک برداشتند و فرستادند پاکستان، امنیت کشور عین آبکش آشپزخانهٔ خاله‌خانوم سوراخ سوراخه. الان ما میتونیم تمام چریکهای آزادیبخش فلسطین و اَمل و جورج حبش رو با قوا و مهمات و توپ و توپخانه با جامبوجت وارد کشور کنیم...»

«مادرت توی فرودگاه نبود؟...»

«چرا بود... اما من گفتم سلام و خداحافظ... یک تاکسی گرفتم و صاف اومدم اینجا...»

پسرک او را با تحسین و حیرت بیشتر و بیشتری نگاه می‌کرد.

میترا سرش را بلند کرد و از پنجره به روشنایی صبح چشم انداخت. «وقتی اومدم سر کوچهٔ درخونگاه ایستادم، حظ کردم... هنوز هوا تاریک بود. کارگرهای نانوایی جلوی دکان زیر لنگ سرخ و سیاه حموم خوابیده بودند. میوه‌فروشه توی گاریش خوابیده بود. دکانهای قصابی و لبنیاتی و سبزی‌فروشی حتی با درهای بسته‌شون بوهای خوب خودشون رو داشتند. کله‌پاچه‌ای باز بود، و داشت سرویس می‌داد و بوی عالی داشت. بعد آمدم سر کوچه‌ی شما... از همان سر کوچه دلم از جا کنده شد.»

هنوز نگاهش می‌کرد.

«اما جنابعالی خواب بودی. آمدم، هی در زدم، هی گفتم ناصر... آقای نبوی... اما نه‌خیر... بعد فهمیدم باید توی اتاق اینطرف حیاط خوابیده باشی. ترو احساس می‌کردم... خوابت سنگینه؟»

«اون اتاق رو... از وقتی عزیز توش مرد... گذاشته‌م همین جوری باشه. دلم نمیاد برم اونجا. این‌ور همسایه داشتیم، جواب کردم. نه، داشتم خوابهای عجیب و غریب میدیدم... هنوز هم نمیتونم باور کنم بیدارم. فکر میکنم چند دقیقه دیگه غلت میزنم و میبینم اومدن تو هم خواب بوده...»

میترا گفت: «نه... بیداریم. با همیم، و زندگی جدید.» بعد پرسید: «امروز خبر تازه چیه؟ برنامه چیه؟ شنیده‌م امروز برنامهٔ راهپیمایی و از این حرفهاست. اجتماع نماز عید فطر و راهپیمایی؟»

«اوه، اون آره. قراره نماز عید فطر راه بندازن ــ به سبک صدر اسلام.»

«امروز میریم نگاه کنیم، باشه؟»

سرش را بلند کرد، به چشمهای میترا نگاه کرد. در روشنایی صبح، رنگ زیتونی چشمهاش انگار روشنتر از سه سال پیش شده بود. یا شاید پوست صورتش سفیدتر شده بود. سیاهی وسط تخم چشمهاش برق می‌زد و انگار به مژه‌ها و به گوشهٔ چشمانش هم بفهمی نفهمی مداد یا سرمه یا ریمل و از این حرفها مالیده بود. گونه‌هاش کمی توالت داشت. زیر ابروهاش را هم برداشته بود. «باشه؟»

پسرک سرش را آورد پایین. گفت: «باشه، اگه تو میخوای.»

«من میخوام.»

پسرک سرش هنوز پایین بود.

میترا گفت: «نگران من نباش که آمدم اینجا. ببین من لباس پسرانه پوشیده‌م. همه خیال میکنند من پسرم. جدی! توی فرودگاه همه خیال

میکردند من پسرم. من سالهاست که خیلیها رو همین‌جوری گول زده‌ام. تو هم میتونی اینطور وانمود کنی که من پسرم. جدی! یعنی تو کوچه و خیابون و همه جا. اینجا هم میتونیم مثل اونوقتها فقط دوست باشیم. تو میتونی بیرون تو کوچه وانمود کنی من از دوستها و رفقات هستم. صدامم بلدم کلفت کنم. تجربه‌م دارم. کسی نمیفهمه.» صدایش را کلفت کرد: «سلام حاج عباس آقا. پنیر لیقوان دارین؟» و خندید.

«باشه.»

«هیچکس نمیفهمه.»

آهی کشید، بعد گفت: «آره اینجاها نفهم و ساده زیاده... گوش کن، میترا. یه چیزهایی هست که من لامسب نمیدونم چه جوری بگم.»

میترا جلوی پسرک دو زانو نشسته بود، عین یک بچه طلبه که جلوی مرجع تقلیدش زانو زده باشد. «تو خودت میدونی، خدا هم میدونه، من چقدر خوشحالم که تو برگشتی... اما من نمیدونم چرا احساسهای خودم‌رو خوب نمیفهمم. احساس خام و ببوئی دارم.»

میترا گفت: «چیه؟ چه احساسی داری؟ بگو.»

«نمیدونم. درد لامسبم هم همین جاست. نمیدونم باید چه احساسی داشته باشم. من خیر سرم آخرین پسر یک خانوادهٔ مجاهد مسلمانم که تا حالا شش تا «شهید» داده. بودن تو اینجا توی این خونه مرا بیشتر گیج کرده... من خودم حالا هیجده نوزده سالمه، من مثلاً باید معنی مبارزه و مرد بودن و این چیزهارو بفهمم. اما من عین الاغ بَبو و وامونده هستم.»

«این جوری حرف نزن، ناصر.»

«من جداً... این پدیدهٔ بزرگ مذهبی ــ سیاسی رو که این روزها همه رو داره تکون میده نمیفهمم. احساس زیادی ندارم. این راهپیماییها و تظاهرات و والّزاریات رو نمی‌فهمم. عزیز اینجا، توی این خونه،

توی اون اتاق دم کوچه، نشست، نفرین کرد، گریه کرد، انتظار چشماشو کور کرد، و بالاخره زیر کرسی دق کرد. چهار تا پسرش، دختر و شوهرش رو از دست داده بود. یک پسرش هم رفته بود جزو مبارزین فراری. میترا، مادرم از من قول گرفت که خودم رو مثلاً وارد سیاست و اینجور بامبولها نکنم، قاطی نشم. منم بهش قول دادم. اما حالا نمیدونم. نمیتونم کاری نکنم و بی‌خاصیت و ببو بمونم. خودم هم بدتر از همیشه یه بچهٔ سادهٔ گیج و نفهم موندم.»

«تو مجبور نیستی خودت‌رو قاطی کنی... در حاشیه باش.»

«نمیدونم. موضوع قول به مادرم مهم نیست. اون که حالا رفته. وضع هم که خودت گفتی عوض میشه و شده. اما من خودم از هیچی مطمئن نیستم و نمیفهمم. نه گذشته‌م رو میدونم و میفهمم، نه میدونم آینده‌م چیه.»

میترا دستش را دراز کرد و روی دست او و مثل یک دوست یا خواهر نوازش کرد: «میدونم... دیگه نگو. من هم خودم همینطور بودم. میفهمم تو چی میخوای بگی.» چند ثانیه‌ای به چشمهای او نگاه کرد. بعد گفت: «این طبیعی‌یه.»

«تو میفهمی؟»

«من میدونم تو چقدر رنج بردی.»

«اینجور احساس داشتن درسته؟»

«البته. جلوی احساس‌رو نمیشه گرفت. اون روز غروب که از هم جدا می‌شدیم، من به تو گفتم ما از یک قماشیم. من به تو کمک میکنم همه چیز رو بهتر بفهمیم.»

«و تو میخوای اینجا بمونی؟ مثل یک پسر؟»

«آره، اگه تو ناراحت نمیشی.»

«مامانت چی؟»

«اون با من... اون نمیدونه من اینجام.»

«میدونه... مطمئنی کار درستی‌یه؟»

«من مطمئنم ــ مگر اینکه تو نخوای؟»

«من میخوام. من از دیدن تو خوشحالم. تو هم خوشحالی؟»

«خوشحالی دیدن تست.»

مدتی ساکت ماندند. بعد میترا گفت: «گوش کن، ناصر. تو احساس درونت رو گفتی. یک چیزهایی هم درون من هست... من سه سال و چهارده روز و یازده ساعت از تو دور بودم. مرا فرستادند... من خیلی جاها رفتم، خیلی کشورها رفتم، با خیلی آدمها و فرقه‌ها قاطی شدم، ولی همیشه تو بودی، و من تنها به تو فکر میکردم. دست مردی به من نخورد. الانم در فکر تو هستم. در آینده هم خواهم بود. تو... و تو باید مرا برای خودت عقد کنی»

پسرک لرزید. مدتی چیزی نگفت. بعد طفره رفت: «تو هم خیلی رنج بردی؟»

میترا گفت: «نه ــ نه اون درد و رنجی که تو و عزیز و خونواده‌ت کشیدین. اما من هم دست آخر به همان نتیجه رسیده‌م که تو رسیدی. که مایهٔ احساسهای من مایهٔ احساسهای سادهٔ زندگی‌یه ــ و آنطور که تو از قول دایی فیروزت میگفتی گذشته‌ها نگذشته... گذشته‌ها خمیرهٔ تار و پود من و تو و ما همه‌ست. باید گذشته را خوب بفهمیم و مایهٔ کار قرار بدیم. یه فیلسوف خوب غربی گفته بدون فهمیدن گذشته نه فقط آینده مفهومی نداره بلکه حتی حال هم معنی خودش‌رو از دست میده. ما باید از تجربه‌ها و سنتهای گذشته استفاده کنیم، تا بتونیم دردها و احساسهای تلخ فعلی رو سر و سامان ببخشیم ــ باید گذشتهٔ خودمون رو خوب و زنده کنیم. و دنیا رو عوض کنیم و اون رو جای بهتری برای مردم و خلقهای محروم و دردکشیده کنیم.»

پسرک آهی کشید: «وقتی تو با من حرف میزنی، من احساس میکنم که همه چی‌رو میفهمم.»

میترا گفت: «البته که میفهمی.» و هیچکدام هم اهمیتی به آن ندادند.

«من مثلاً خلق دردمندم و محرومم؟»

«تو خلق دردمند و محروم زیبای منی.»

«و شما هم گفتی کی هستی؟ ناشناس زیبای خواب و خیال؟»

«اوهوم.» خندید.

«ناشناس زیبای خواب و خیال ناشتایی خورده؟»

«نه... و خیلی گشنهس.»

«ناشناس زیبا میتونه کتری چای رو بذاره روی سه فتیله تا خلق دردمند و محروم بره بره سر کوچه دو تا تافتون و یه خورده کله‌پاچه بگیره ــ باشه؟»

میترا سرش را یک وری کج کرد، با لبخند رضایتمندانه، شاید خلسه‌وار، چند لحظه او را که هنوز دو زانو جلویش نشسته بود نگاه کرد. انگار داشت او را در نور تازه‌ای بررسی و حتی کشف می‌کرد. بعد از مدتی نگاه کردن سرش را خم کرد، آورد جلو، و پایین، و پایینتر، و صورتش را روی دستهای او که سر زانوهاش بود، گذاشت.

پسرک گرمی و حتی رطوبت صورت او را احساس می‌کرد. اول فکر کرد محال بود میترا گریه کند. اما گریه بود.

فصل چهل و سوم

حدود نُه و نیم، او و میترا، که خودش را بیشتر مثل پسرها درست کرده بود، برای قدم زدن از خانه آمدند بیرون و از درخونگاه آمدند به طرف توپخانه و بعد میدان فردوسی. میترا تصمیم داشت بروند مسیر راهپیمایی را پیدا کنند و تماشا کنند.

بطور سنتی، مسلمانان نماز عید فطر را می‌بایست در بیرون شهر، پشت سر امام جمعهٔ شهر برگذار کنند... اما طی پنجاه سال اخیر، به علل سیاسی نماز عید فطر تهران و شهرهای ایران در مساجد و پشت سر پیشنمازهای محلی انجام می‌گرفت. اما امروز عید فطر قرار بود رنگ و بوی صرفاً سیاسی داشته باشد و به عنوان اعتراض و برائت راهپیمایی انجام شود، و به قول میترا مردم قرار بود با «مشتهای محکم و خون» فطریه بدهند. جامعهٔ روحانیت مبارز ایران اعلامیه داده بود که نماز عید فطر تهران در میدان وسیعی بالای قیطریه به امامت حجّت‌الاسلام دکتر محمد مفتح برگذار می‌شود... و بعد از نماز هم قرار بود در چند نقطهٔ شهر راهپیماییهای آرامی صورت گیرد. پسرک نمی‌فهمید میترا این همه اخبار داخلی و حتی اعلامیهٔ جامعهٔ روحانیت مبارز را از کجا به دست آورده است. احتمالاً از رادیو بی.بی.سی

شنیده بود.

وقتی از دهانه بازارچه می‌رفتند طرف چهارراه گلوبندک، خوشحال بود، بخصوص از اینکه می‌دید کسبهٔ محل، حتی بچه‌های کوچه، به میترا اعتنا نمی‌کنند.

از میدان سپه که انداختند بالا و به میدان فردوسی رسیدند، گروهی از راهپیمایان به رهبری روحانیون به آنجا رسیده بودند. او بیشتر خوشحال شد که دید تظاهرات مردم، با آرامش، و حتی علائم صلح و صفا صورت می‌گیرد. مردم هم فقط مردهای تیپ پایین شهری و پیرمرد و زنهای چادری نبودند که الله اکبر یا فقط صلوات بفرستند و دنبال روحانیون راه بروند. از هر تیپ و قماش، کاسب بازاری، دانشجو، کارمند جوان و زنهای بی‌چادر و حتی بدون روسری بودند. و شعارهای سیاسی می‌دادند. بیشتر مردم، و اغلب جوانترها، شاخه گلی در دست داشتند ــ گلایل، لاله، مریم یا کوکب ــ و گاهی یکی از آنها می‌رفت جلو و یک شاخه گل به یکی از سربازهایی می‌داد که در حاشیه خیابان، ساکت به صف ایستاده بودند. یا گاهی عده‌ای گلهایشان را توی کامیونهای نفربری که سربازان مسلح با لباسهای نو و اسلحه‌های نو و پوتین‌های نوی واکس‌خوردهٔ براق، همه جا به حال آماده‌باش نشسته بودند، پرت می‌کردند.

«برادر ارتشی...
چرا برادرکشی؟...
برادر ارتشی....
چرا برادرکشی؟...

میترا که از صبح شوق و هیجان خوبی داشت، حالا با توجه بیشتری به راهپیمایی نگاه می‌کرد. معلوم بود این راهپیمایی اعتراض‌آمیز برایش یک پدیدهٔ خیلی غیرمنتظره است، همانطور که برای پسرک هم بود. تاکنون ارتش را این چنین در مقابل مردم مسلمان مبهوت و

مات ندیده بود. این راهپیمایی ظاهراً برای به دست آوردن و جلب احساس سربازان، برای آزادی زندانیان سیاسی، و برای آزادی بطور کلی صورت می‌گرفت. حتی پیاده‌روها پر از تماشاچی بود. آنها راهپیمایان را که آهسته و آرام قدم برمی‌داشتند با توجه و حیرت نگاه می‌کردند. بی‌تفاوت هم نبودند. عده‌ای حتی دست می‌زدند، یا با خنده و تحسین دست تکان می‌دادند، بچه‌هایشان را بلند می‌کردند تا نگاه کنند. بعضیها عکسبرداری می‌کردند. راهپیمایان نظم و ترتیب حسابشده‌ای داشتند. همه به دستورات جوانهایی که از صف بیرون بودند و به جماعت دستوراتی می‌دادند، گوش می‌کردند، و رعایت می‌کردند. این جوانها اغلب خاک و خلی، یا طلبه با عمامه، یا بازاری و دانشجو و مردم عادی بودند. تک و توکی هم لباسهای شبه‌نظامی با عمامه یا چیزی شبیه سربند پیچازی داشتند...

او و میترا گوشهٔ میدان، نبش غربی خیابان شاهرضا لب جوی آب ایستاده بودند، دست تکان می‌دادند، که ناگهان یکی از جوانهایی که صف راهپیمایان را مبصری می‌کرد به طرف آنها آمد. آنها قبل از این او را دیده بودند که بالا و پایین می‌رفت و شعارها را تنظیم می‌کرد. صورت او را زیر سربند پیچازی ندیده بودند، ولی حرکاتش جالب و تر و فرز بود. او ناگهان آمد جلوی او و میترا و یک دسته گل میخک سفید به ناصر داد. ریش توپی سفید و سیاهی داشت و عینک دودی هم زده بود. اما سر و بیشتر بالای صورتش زیر سربندی که دور سر و گردنش پیچیده بود، معلوم نبود. وقتی گلها را توی دست او گذاشت، او و میترا، هر دو فوری او را شناختند. اما او بدون این که به آنها اجازه لب باز کردن دهد گفت:

«برادر، شما مرا نمی‌شناسید. خدا خیرتان بدهد. این گلها را بگیرید و بین سربازان پخش کنید... و به خاطر اسلام محمدی شعار بدهید... شعار بدهید...» بعد برگشت و به میان راهپیمایان رفت، و باز شعار روز

را با فریاد دم داد:

«برادر ارتشی...

چرا برادرکشی؟...»

و جمعیت بلندتر پاسخ داد.

میترا گفت: «خودش بود.»

او هم با هیجان گفت: «آره. رضاست.»

«گفتی نمیدونستی اینجاست...»

«نه...»

«لابد نمیخواسته تو چیزی بدونی.»

«فکر میکنی ترو هم شناخت؟»

«فکر نمیکنم. اما عالییه... عالی یه.»

بعد میترا مقداری از گلها را از دست او گرفت و به او اشاره کرد. آنها جلو رفتند و شروع کردند به اهدا شاخههای میخک به صف سربازانی که در مسیر دور میدان ایستاده بودند. سربازان اغلب با لبخند ایستاده بودند، و راهپیمایی آرام را تماشا میکردند.

میترا به سربازها سلام میکرد و شاخه گلی به طرف آنها دراز میکرد. پسرک هم از او تقلید کرد، و دنبالش رفت. انگار این سادهترین و واجبترین کارها بود. بعضی از سربازها گل را میگرفتند و تشکر میکردند، یا چیزی نمیگفتند. عدهای دیگر نمیگرفتند و برمیگشتند به طرف جیپ فرماندهان خود نگاه میکردند. وقتی آنها از گرفتن گل امتناع میکردند، او هم مثل میترا ساقه گل را در لولهٔ ژ_۳ آنها فرو میکرد و گل را در آنجا باقی میگذاشت.

حتی تماشاچیهای دوروبر از این حرکت او و میترا به هیجان آمدند و دست زدند و شروع به خواندن شعار روز کردند:

«برادر ارتشی....

چرا برادرکشی؟...»

فصل چهل و چهارم

ناگهان دنیا خوب بود و دلخواه، و مردم زیبا.

با هم بودند، کنار هم بودند، ولی هر کدام در دنیای خود. می‌توانستند در خیابانها قدم بزنند، اینطرف و آنطرف بروند، یا توی پارک بنشینند، یا توی اتاق دراز بکشند و حرف بزنند. وقتی عشق و خوشحالی هست، یک روز قوام یک سال را پیدا می‌کند. یک دختر می‌تواند دنیایی بسازد. یک پسر می‌تواند یک زندگی باشد... و بود.

عصر آن روز، به امامزاده عبدالله رفتند... نه صرفاً برای رفتن به سر خاک مرده‌ها و خواندن فاتحه، بلکه برای تجدید خاطرهٔ اولین دیدارشان. وسط قبرهای فک و فامیل او نشستند، فاتحه خواندند. میترا کنار او نشسته و ساکت بود. نیم‌ساعتی همانجا نشستند، و قبرها را تماشا کردند، حرف زدند، تا خورشید رفت پایین و غروب کرد. ماه نیمچه هلال و باریکی هم بالای گنبد صحن وسط آسمان پدیدار گشت.

گفت: «اونم بید مجنون خاک و خلی اونوقتهای خودمون.» به بید مجنون خزانزدهٔ کنار غسالخانهٔ متروک اشاره کرد.

«امروز انگار زیباتر از اونوقتهاست.»

به چشمهای پسرک نگاه کرد: «و انگار محکمتر و با تجربه‌تر هم شده.»

«اما به فلسطین و لبنان و اونجاها که نرفته.»

«نه همین جا مونده.»

«مثل من که موندم و کپک زدم.»

«نه... تو هم محکمتر شدی.» دستش را گرفت. گورستان متروک خالی بود.

به چشمهای میترا، که زیر عینک دودی و لبه کلاه کاسکت کهنه‌ای که امروز سرش بود، قایم بود، نگاه کرد. گفت: «تو میترا، رفتی امریکا، و اروپا و لیبی و فلسطین و اردن، و همه جاها رو دیدی. توی کمپ فلسطینی‌ها رفتی و کارهای چریکی و کوماندویی یاد گرفتی. یاد گرفتی تیراندازی کنی. سایر کارهای جنگی‌رو بلد شدی. آنجاها، واقعاً چه جوری بود؟»

میترا آه بلندی کشید و به درخت بیدمجنون لب جو نگاه کرد. بعد صورتش را به طرف افق ابری و درهم برهم برگرداند. سرش را با کمی یأس تکان داد.

«میخواستم هر چی که مادرم می‌خواست، نباشم. می‌خواستم اون چیزی باشم که اون وحشت داشت. و از تجربه‌ش راضیم. اما آخرهاش غیرعادی و ناگوار بود که آدم دلش می‌گرفت. دنیای غرب و دنیای عربها دنیای ما نیست.»

به چشمهای او نگاه کرد. باز نمی‌فهمید.

«چی دیدی؟ چه چیزی اونجا احساس کردی و یاد گرفتی که به درد ما ایرانیها بخوره، به درد مردم ما بخوره؟»

میترا گفت: «... نفرت... من یاد گرفتم که نفرت داشته باشم. نفرت از دستگاه حاکمه. نفرت از صهیونیسم. نفرت از رژیم شاهنشاهی ایران. نفرت بطور کلی از اجحاف به مردم فقیر.»

«خوشحال نیستی؟»

میترا گفت: «نه. اگر نفرت به صورت راه و رسم زندگی در بیاد ـ نه، چون زشت و غم‌آوره. فلسفه اینکه از احساس مردم و از نارضایتیهای کهنهٔ مردم به عنوان یک وسیله برای مبارزه و برای رسیدن به یک هدف استفاده کنیم چیز خوبی‌یه، آره، خوشحالم میکنه. اما اینکه نفرت و کشتن را به صورت یک ایدئولوژی یا مذهب دربیاریم و خط مشی زندگیمان بکنیم باشه، نه. تأسف‌آوره، هولناکه.»

«متأسفی که رفتی لبنان و فلسطین و اونجاها؟»

«من از اولش هم نمیخواستم هیچ جا برم... تو که یادته. مرا به زور فرستادند. بیرونم کردند. اما بعد من وقتی اونجاها رو دیدم، و دیدم چقدر گروهها و انجمنها اونجاها جمع شده‌ن و چطور به شوق و هیجان اومده‌ن و با رژیم مبارزه میکنن، فهمیدم که از این احساس و هیجان میتونیم استفاده کنیم. دیدم برای تغییر رژیم آینده، این میتونه اساس کار باشه، و حالا داره اساس کار میشه.»

«یعنی مثل امروز... مثل راهپیمایی امروز؟»

«آره.» هنوز داشت به بید مجنون نگاه می‌کرد. «امریکا از همه جای دیگه غمناکتر بود. مقصودم ایرانیهایی که اونجا بودند نیست. همه پرخور، همه پرپول، همه پرسکس. آزاد. ولخرج. ولنگار. آدم دیوونه میشه. و از زمین و زمان دنیای سوم بی‌خبر. در حالی که آدمهایی اینجا هستند، در پایین‌ترین سطح مثل اون خانواده‌ی آردکپان توی ولی‌آبادون، که تو برام تعریف میکردی، یا مثل خانواده‌ی عمه نصرت تو توی همین کپرهای جنوب شهر، یا مثل خانواده‌ی خود شما توی درخونگاه، بیشتر تودهٔ ملت رنجدیده و گرسنه‌اند و محروم. و لحظات اوج خشونت رژیم هم هست: مثل این طفلک و ناکام شما که بخاطر نوشتن یک انشاء باید زیر شکنجه شهید شه... متأسفم.» به قبر مریم

اشاره کرد.

پسرک چشمهایش را بست و سرش را تکان داد.

میترا گفت: «دود از کلهی آدم بلند میشه، مگه نه؟»

پسرک به قبر خواهرش نگاه کرد. گفت: «اسم مریم، دود که هیچی خون در کلهی من به قل میاره.»

میترا دست او را فشار داد. گفت: «خیلی متأسفم که اسم او را آوردم. میدونم چقدر دوستش داشتی.»

«گذشته. خسته نشدی؟»

«چرا. یه خورده.»

«داره تاریک هم میشه.»

«میخوای برگردیم؟»

«آره.»

«ماه قبرستون آدم رو یه جوری میکنه.»

«ماه نوی اول ماهه، باید نیت بکنی.»

میترا گفت: «نیت من تویی.»

با اتوبوس آمدند میدان راهآهن و با تاکسی آمدند میدان منیریه. بعد پیاده آمدند درخونگاه.

＊

از نیمهشب گذشته بود. سرشب یک جا غذا خورده بودند، توی خیابانها قدم زده بودند، به خانه آمده بودند، اخبار گوش کرده بودند، باز حرفها زده بودند، بعد هر کدام تو رختخواب جداگانه آمادهٔ خواب شده بودند.

پسرک تنها دراز کشیده بود، و تازه چشمهایش گرم شده بود، که میترا بلند شد از توی ساکش دنبال چیزهایی گشت. بعد به آهستگی آمد پیش او. پسرک فکر کرد مهمانش بیخواب شده، باز میخواهد حرف بزند. اما وقتی میترا کنار او نشست، توی تاریکی چیزهایی توی

دستش بود. شناسنامهٔ خودش بود، لای قرآن کهنهٔ عزیز، که از سر تاقچه برداشته بود. آمد کنار پسرک نشست، در سایه‌روشن اتاق آن را در دست او گذاشت.

«بیا ناصر...»

«چیه؟»

«شناسنامهٔ من.»

«میخوای شناسنامه‌ت پیش من باشه؟» فکر کرد می‌خواهد برایش فتوکپی بگیرد. اما او گفت: «ناصر، این منم... این هویت من، تاریخ تولد من، وجود من، صفحه‌های زندگی من و صفحهٔ مرگ من. میخوام تمام وجود و هستی خودم رو در دست تو بگذارم. هر طور که تو میخوای، و با هر سنتی که تو میخوای. من و زندگی مرا بردار، در دستهای خودت نگه‌دار، بگذار من مال تو باشم، و با هم باشیم. عقدم کن، شوهرم باش، هر طور. عشق. یگانگی. هر چه میخواهی بکن ــ اگر میخواهی.»

با همه خامی، فهمید. دستهایش می‌لرزید. قرآن و شناسنامه را گرفت. گفت: «میترا... بیا یه خورده صبر کنیم...»

«چقدر؟» هنوز به نرمی و آرامی حرف می‌زد.

«یه مدتی...»

«باشه... همینطور هم که هستیم من راضیم، خوشحالم. دلم میخواد با هم باشیم.»

نفس بلندی کشید. گفت: «من... از خوشحالی نمیدونم چی بگم... انقدر به هیجان اومده‌م که حتی اسم خودم هم گاهی یادم میره... چه برسه به اینکه بخوام هویت و سرنوشت ترو هم توی دست خودم بگیرم. من اصلاً فکر نمیکنم هرگز بتونم سرنوشت خودم‌رو در دست خودم بگیرم، میترا.»

«این یک نشان تمثیلی‌یه.»

اما او حالا از خودش لجش گرفته بود که وامی‌زد، و لجش گرفته
بود که احساسهای گیج و شل وضعی داشت. بیرون تاریکی موج
می‌زد و از لب پشت‌بام صدای جغدی می‌آمد که وسط شب انگار به
او می‌خندید. دستش را روی صورت او گذاشت و ساکت ماند.

فصل چهل و پنجم

بین خواب و بیداری بود که شنید از پشت در حیاط صداهایی می‌آید. اول صدای پای خفیف کسی توی کوچه آمده بود. بعد یک نفر داشت با چفت در حیاط ور می‌رفت.

بلند شد، پاورچین پاورچین آمد توی هشتی. با چراغ قوه آمد پشت در ایستاد، تا اگر یکی از بچه‌ها بود کلون پشت در را باز کند. اما کسی که پشت در بود داشت با نوک چاقو با قفل در کند و کاو می‌کرد!

با ترس پرسید: «کیه؟»

صدای سرفهٔ خفه‌ای از توی کوچه آمد. صدای کند و کاو هم قطع شد. بعد یک نفر گفت: «واکن، ناصر... منم ـ رضا.»

«داداش رضا؟» صدای او هم خفه بود.

«واکن، زودباش. آره، منم.»

در را برایش باز کرد و او را وسط سایه‌روشن کوچه دید. همان لباس آن روز ظهر توی راهپیمایی تنش بود، به استثنای چپیهٔ فلسطینی کذایی، که حالا دور سر و صورتش نبود.

«چطوری بچه؟ سلام و علیکم.»

«داداش!»

همدیگر را بغل کردند و صورت هم را بوسیدند، اما رضا با احتیاط و با سردی سرش متوجه این‌ور و آن‌ور کوچه بود.

«کسی پیش توئه؟»

«نه... بیاین تو، داداش.»

رضا آمد توی هشتی و در را پیش کرد، اما قفل نکرد.

«هیشکی اینجا نیست؟»

«فقط یکی از بچه‌های قدسی‌خانم، دختر خاله‌خانم... یک گوشه توی اتاق اون‌ور خوابیده. من تو این اتاق تنهام.» احساس کرد گلویش خشک شده و نفسش بسختی درمی‌آید. از ترس.

رضا با حیرت گفت: «میترا؟ دختر قدسی‌خاله‌خانوم؟»

«بله ــ خونه‌شو ترک کرده... تازه‌م از فلسطین اومده.»

به خودش می‌گفت الان است که رضا از آن سیلیها و کتکهای بابا نثارش می‌کند. تقریباً سه سال بود که رضا را از نزدیک ندیده بود. حالا ناگهان در عرض این چند ثانیه هیبت و حضور ترس‌آور و عجیبش در هشتی تاریک احساس می‌شد. معلوم نبود برای چه آمده است. وقتی اسم میترا را توی تاریکی آورد، انگار اسم بچهٔ شیطان بزرگ و ابلیس ملعون را می‌آورد.

پرسید: «عقدش کردی واسه خودت؟»

«چی؟»

«گفتم شرعاً عقدش کردی؟ ــ که اینجا پیش تو زندگی میکنه؟»

«نه داداش. اصلاً موضوع این حرفها نیست. اون تازه همین امروز صبح اومده. از فلسطین. جا نداشت. نمیخواد بره تو خونه‌ی اون مادرش زندگی کنه.»

«اینجا تنها پهلوی تو زندگی میکنه.»

به این چیزها فکر نکرده بود. گفت:

«یک گوشهٔ اون اتاق ته حیاط خوابیده. من اینجا پشت در. بیاین نگاه کنین.»

رضا سیلی محکمی توی گوش او کوبید که تا مدتی صدای آن توی جمجمه و گیجگاهش انعکاس پیدا کرد. گفت: «... این خونه و این خونوار با آبرو و با حیثیت و عطر شهادت توی این محل بوده...»

«داداش... اون با من اونجوری که شما تصور میکنی زندگی نمیکنه. او تازه امروز صبح از خارج و اونجاها اومده ــ بیا از خودش بپرس. مثل پسرها میاد و میره. جایی نداره. با اون مادر و تمام اون فامیلش هم قهره. پدر خودش هم به دست ساواک کشته شده.»

رضا دوباره زد توی گوش پسرک. این بار محکمتر. «احمق خر. شما هر دو تکلیف هستین. توی روی هم نگاه میکنین. معصیت داره.»

«من اصلاً توی این عوالم نیستم، به امام حسین. اونم تنها و بدبخته و برای مبارزه‌ی سیاسی به ایران اومده.»

رضا گفت: «اون یه بچه‌ی بورژوای لکاته‌ست... یک کمونیست بی‌خدا... بی‌وطن.»

«نه، داداش!»

رضا نفس بلند و پرنفرتی کشید. گوش او را گرفت و سخت پیچاند. گفت: «حالا این باشه. بعد بهت میگم. من واسه چیز دیگه اومدم. اما اگه دفعه‌ی دیگه اومدم و دیدم اون هنوزم اینجاست، کله‌ی پدرسگ پدر سوخته‌ش رو با این منفجر میکنم.» از زیر نیم‌تنه‌ش یک اسلحه کمری بزرگ درآورد. آن را به پسرک نشان داد و دوباره مخفی کرد. «کله‌ی ترو هم منفجر میکنم. مگه اینکه واسه خودت عقدش کنی. یا شرعاً صیغه‌ش کنی.»

پسرک سرش را تکان تکان می‌داد، مات و منگ بود. من‌من‌کنان گفت: «چشم، چشم.»

رضا نفس عمیق دیگری از نفرت و اشمئزاز داد توی سینه‌اش، و با یک مشت کوبید توی کف دست دیگرش. گفت: «امام حسین. ببین چه جوری حواسم پرت شده. من واسه چیز دیگه‌ای اومده بودم اینجا. اصلاً یادم رفت.»

«چه کاری داداش؟ از دست من برمیاد؟ ترو به امام حسین بی‌جهت ناراحت نباشین. اون عین یه دوست پسره. عین پسرهام لباس پوشیده. اومده اینجا پناه گرفته. هیچکس هم نمیفهمه، نمیدونه. این مطلب هیچی هیچی نیست. به ارواح خاک عزیز.»

رضا تف کرد زمین. گفت: «اخ... دیگه حرفشو نزن... که کفر و معصیته.»

«اون فلسطین و اونجاها بوده. خودش گفت شمارو توی اردوگاه دکتر مصطفی چمران توی نبطّیه دیده...»

«میدونم کدوم گوری بوده... و میدونم پدرش کدوم خری بوده. میدونم مادرش کیه. اما وقتی اینجاست تو نمیتونی به من بگی هیچی نیست، چون هست، لامسبا. اگر شرعی و اسلامی نباشین خودم تیکه‌تیکه‌تون میکنم. میدم تیربارون و سنگسارتون بکنن.»

پسرک گفت: «چشم. من مسئولیت همه چیز رو قبول میکنم... چشم، من با او صحبت میکنم، میریم به محضر عقد میکنیم. وگرنه هرچی شد از چشم من ببینین. من رو بکُشین.»

رضا گفت: «خدا به دادتون برسه، اگه دست از پا خطا کنین. اگه خلاف شرع کاری بکُنین.»

«داداش هیچکس خطا نمیکنه. من به روح عزیز قسم خوردم.»

رضا باز تف کرد زمین. یک چشم ریز و سیاهش توی ظلمت هشتی برق می‌زد. پاورچین پاورچین رفت توی اتاقها سرکشید، و رختخواب پسرک را در اتاق پشت در و رختخواب میترا را در اتاق آنطرف حیاط از پشت پنجره دید. میترا هنوز خواب بود، یا توی

رختخوابش بود. رضا برگشت آمد و سر پله‌های هشتی ایستاد. یک
دست انداخت گردن پسرک او را کمی به خودش چسباند. بعد ول
کرد. گفت:

«من باید برگردم.»

«داداش چه کاری از دست من برمیاد؟»

«کس دیگه‌ای اینجا نمیاد بره؟»

«نه، نه... فقط گاهی همون احمد آردکپان میاد.»

«میتونی دهنترو ببندی و یه چیزی‌رو اینجا قایم کنم و تو از اون
ـ یعنی از همه مخفی نیگر داری؟» مطمئن بود که می‌تواند به پسرک
اطمینان داشته باشد، وگرنه نمی‌آمد.

«بله، حتماً. با جون و دل.»

«حتماً و حکماً؟»

«بله، بله. قسم میخورم.»

«من باید برگردم. عجله دارم.»

نگاهی به آنطرف حیاط به زیر داربست درخت مو انداخت. بعد با
احتیاط دست زیر نیم‌تنه‌اش کرد و دو قبضه کلت را یکی یکی
درآورد و گفت: «گوش کن. اینها رو بگیر، ببر زیر اون درخت مو به
عمق دو وجب چال کن. فهمیدی؟»

«بله، چشم داداش.»

یک کیسه نایلون را هم که در آن مقداری کاغذ بود از توی جیبش
درآورد و گفت: «بگذارشون توی این کیسه... سفت ببند، خاک
توش نره. با کیسه اونجا که گفتم چال کن. پای ریشهٔ درخت مو، به
عمق دو وجب. فهمیدی؟»

«چشم، داداش.»

«شاید شب جمعه بیام ببرمشون.»

«باشه داداش.»

«درست فهمیدی؟»

«بله داداش. توی کیسه، سفت و محکم می‌بندم، توی باغچه، پهلوی ریشهٔ درخت مو، به عمق دو وجب، همین الان، چشم.»

نگاه تند دیگری به او انداخت. چشم ریزش حالا فقط نفرت‌بار نبود، پر از آتش بود. گفت: «از اینها عین جون خودت نیگرداری کن. فهمیدی؟»

«چشم داداش. میکنم.»

رضا از جیبش تکه کاغذی در آورد، و اسم و آدرسی را روی آن تند تند نوشت. گفت: «برید این محضر. من به آقاش تلفن میکنم. اون درست میکنه. عقد میکنه و درست میشه.»

«چشم، داداش.»

بعد بدون خداحافظی، همانطور که ناگهان آمده بود، ناگهان از در حیاط رفت بیرون و توی تاریکیهای کوچه محو شد.

تمام مدتی که اسلحه‌ها را توی کیسه نایلون آنجا که رضا گفته بود چال می‌کرد، و بعد آمد لب حوض دستهایش را شست، به فکر حرف آخر رضا و عقد و محضر و آقا بود... آمد از پنجره به اتاق میترا نگاه کرد. میترا هنوز توی رختخوابش تقریباً مثل همان لحظه‌های اولی که به خواب رفته بود، آرام بود. اتاق سردتر و خالی‌تر به نظر می‌رسید. ایستاد، او را مدت زیادی نگاه کرد. دلش میخواست بگوید من و تو با بی‌گناهی و با فهم و با فکر پاک با هم هستیم... میگذاریم پیوندهای شرافت انسانی راهنمای ما باشد. اما میدانست که باید دربارهٔ چیزهای واقعی‌تر و شرعی حرف بزنند. یادحرفهای سرشب میترا و شناسنامه و قرآن هم افتاد. میترا هم این چیزها را میدانست. فقط خودش خام و بی‌فکر بود.

به اتاق خودش برگشت و روی گلیم و زیر پتوی سرد دراز کشید. آه بلندی از سینه‌اش بیرون داد. از امروز سحر تا حالا، روز و شب

دراز و عجیب و سنت شکننده‌ای گذشته بود. آمدن میترای مجاهد، زندگی کردن تنها با او در خانهٔ درخونگاه، تظاهرات، آمدن رضا با اسلحه. حرفها... این همه برای یک روز، برای او، زیاد بود، و گیج‌کننده. شاید میترا راست می‌گفت. شاید دنیای تازه و هویت تازه‌ای روی سرنوشت‌شان فرو آمده بود.

فصل چهل و ششم

چهارشنبه بعد از ظهر، با هم، و به حکم رضا، با شناسنامه‌هاشان به محضری که رضا آدرس داده بود رفتند. جوانک ریشویی که آنجا بود انگار منتظرشان بود. در عرض نیم ساعت عقدشان کرد، در شناسنامه‌ها و دفتر ثبت کرد، و شناسنامه‌هاشان را پس داد.

تهران هنوز آرام بود. بعد از آن دوشنبهٔ عید فطر، و آن راهپیمایی مذهبی‌ـ‌سیاسی بزرگ و آرام، بسیاری از مردم تهران نوعی شکست و واخوردگی در دستگاه هیأت حاکمه را احساس می‌کردند. روزهای بعد با تظاهرات خیابانی پراکنده‌ای گذشت. دار و دستهٔ گروههای مختلف به تبعیت از اعلامیه‌های روحانیون مبارز تهران، اعلامیه‌های جداگانه‌ای دادند و به تظاهرات دائمی خیابانی پرداختند، و روز جمعهٔ آینده را روز راهپیمایی بزرگتری وعده دادند. روز پنجشنبه دولت شریف امامی و ژنرالهای شاه و خود شاه مانده بودند که چه عکس‌العمل کلی در برابر این جوش و خروش ناگهانی مخالفین و راهپیماییها نشان دهند، و چگونه جلوی طوفانی را که داشت به وجود می‌آمد بگیرند.

میترا، از روز ورودش به تهران این اخبار و وقایع را با ولع و شور عجیبی تعقیب می‌کرد، و برای ناصر ساده و گوشه‌گیر تفسیر می‌کرد. شبها تا ساعتها پس از نیمه شب پای رادیوها می‌نشستند، به اخبار رادیو تهران و رادیو بی.بی.سی و رادیو آمریکا و رادیو مسکو گوش می‌کردند. بیشتر رادیوها اخبار ایران را در سرلوحهٔ تمام اخبار جهان پخش می‌کردند.

روز پنجشنبه، اوایل بعد از ظهر، که میترا برای ملاقات کوتاهی به خانهٔ مادرش می‌رفت قرار گذاشتند بعداً همدیگر را جلوی در «پارک دانشجو» ببینند. اما میترا خیلی دیر کرد و پسرک کم‌کم داشت نگران می‌شد. غروب میترا را دید که به جای اینکه از طرف بالا بیاید، از سمت غرب، یعنی از سمت خیابان پشت دانشگاه می‌آمد. قریب دو ساعت از وقت فیکس قرارشان گذشته بود. پسرک حدس زد که میترا احتمالاً در تظاهرات یا در فعالیتهای آنجا شرکت کرده بود.

«دیر کردی... از دانشگاه میای؟»

«آره. غوغاست.»

«داشتم نگران میشدم. مامان رو دیدی؟»

«آره. یه سر رفتم اونجا... پسر، تمام گروهها اعلامیه دادند که فردا در میدان ژاله جمع بشن و از آنجا راهپیمایی کنند به طرف دانشگاه! بخصوص مذهبی‌ها، که خیلی قوی و خیلی جدی‌اند.»

«فردا؟»

«آره. جمعه‌س... که همه بتونن شرکت کنن. سیاست خوبی‌یه.»

پسرک از ترس ناگهان تنش به مورمور افتاد. به میترا چیزی نگفت. یادش آمد دوشنبه آخر شب که رضا آمد و اسلحه‌ها را به او داد، گفته بود شب جمعه می‌آید که آنها را ببرد. لابد برای جمعه میخواست.

«بیا بریم، میترا. فکر میکنم فردا قراره یه خبرهایی بشه.»

«چه خبرهایی؟ چیزی شنیدی؟»

«دقیقاً نه، بیا بریم.»

«باشه، بریم. تمام گروهها هم از اعلامیهٔ آیت‌الله خمینی پشتیبانی کرده‌ن. بچه‌های اسلامی، مجاهدین، ملی‌ها، حتی حزب توده محافظه‌کار.»

«مامانت حالش چطور بود؟»

«مثل همیشه.» راه افتادند طرف میدان ولیعهد.

«نظر او راجع به این اوضاع چطوره؟»

میترا سرش را تکان داد، شانه‌هایش را انداخت بالا. گفت: «یه چیزهایی وز وز میکرد که میخواد خونه‌رو بفروشه. انگار میخواد خونه و اثاثیه و ماشین و همه‌چی رو بفروشه. ناصر، نمیدونی اون بالاها چه خبرهاست. همه دارن مثل خرس تیر خورده فرار میکنن... درست عین بورژواها و اشرافیهای زمان روسیه تزاری قبل از انقلاب اکتبر ۱۹۱۷...»

«مامانت میخواد فرار کنه؟»

«یک همچین شور و هولی داشت.»

«میخواد بره امریکا؟»

«نمیدونم. مطمئن و محکم نیست. یا به عقیدهٔ من انقدرها عاقل نیست. من بهش گفتم برو. اما میترسه. یه دل اینجا یه دل اونجاست.»

«نگران توئه؟»

«نه بابا... فکر نکنم. اگه من یه روز یه گوشه افتادم و یواشکی اما محترمانه به رحمت ایزدی پیوستم، مادرم بدش نمیاد.»

«میترا... هیچ مادری مرگ بچه‌ش رو نمیخواد. فکر میکنم مامان تو زن خوبی‌یه. عزیز هم دوستش داشت.»

«جوری به من نگاه می‌کنه، که انگار من باعث تمام بدبختی‌ها و بدبیاریهای زندگیش شده‌م. ضمناً اون تنها کسی از اون طبقه فاسده که

من هنوز براش اهمیتی قائل هستم... بخاطر اینکه مادرمه.»

«خوشحالم که اینجوری فکر میکنی، میترا. اون یارو شوهر کتی چی؟ ــ سرهنگ جهانگیر. من از اون بدم نمیاد.»

«گم شه... اون اولین هدف متحرک منه... اگر روزی دست من افتاد، میدونم چکارش کنم.»

میترا مدتی ساکت ماند. از میدان ولیعهد انداختند پایین. بعد ادامه داد: «یه چیز دیگه. فکر میکنم حالا فهمیدهم ــ یعنی حدس میزنم ــ دوست تیمسار ایکس وفادار و قدیمی مادر نازنین من کییه. یعنی تقریباً مطمئنم.»

«مگه ارتشبد حقی نیست؟»

«نه. مادر من همیشه میخواست من فکر کنم که دوست تیمسارش حقی‌یه. من حالا، امروز، فکر میکنم میدونم کدوم یکی از سه نفر میتونن باشن. امروز همه‌ش یا حرف علوی مقدم را میزد که در ساواک محدودیتهای بدی برایش درست کردهن، یا حرف نصیری رو میزد که شاه فرستاده‌ش به پاکستان. و حرف پاکروان را میزد که خونه‌نشین شده. میگفت شاه تمام دوستان و یاران وفادار زندگیش رو فدای این هو و جنجال کرده. البته اقرار نکرد کدوم یکی از این سه تیمسار دوست قدیمش بوده... و این راز رو سالهاست که از من مخفی کرده. ولی وای به حالش اگه اون که من حدس میزنم باشه.»

«فکرشو نکن. مگه مجبوری...»

«آره... گفتم مادر عزیزم، دلت خیلی شور و حیرت بعضی ژنرالهای شاه رو داره. خدا به دادت برسه. گفتم اگه روزی معلوم شد که شما در ساواک دوست و رفیقی داشتی که به شما کمک میکرده، خدای تبارک و تعالی به شما و جد و آباء شما کمک کنه، و به شما شعور بده که از این کشور هرچه زودتر فرار کنی... گفتم برو مادر و پشت سرت رو هم نگاه نکن ــ وگرنه ـ.».

«میترا!... شما که گفتی دوستش داری. مگه نگفتی که اون تنها کسی‌یه—»

میترا حرف او را قطع کرد. گفت: «دوست داشتن یه چیزه و تحمل کردن چیز دیگه. آدم بعضیهارو دوست داره اما نمیتونه تحمل کنه... بعضیها رو هم میتونه خوب تحمل کنه، بدون اینکه دوستشون داشته باشه. چیزهای دیگه‌م هست.»

«مادر انسان ارزش همه چیز رو داره. هر مادری. پیغمبر اسلام گفته: کلید بهشت زیر پای مادران است.»

میترا آهی کشید، به او نگاهی کرد. «من از دست تو چکار کنم که انقدر ساده و پرهیزکاری... در وسط این دنیای بلبشو بازار فاسد...»

«هیچ کاری نکن... همون چیزی باش که اون روز زیر اون درخت بیدمجنون به من گفتی. یادم هست که گفتی میخوای زندگی کنی. گفتی مگه زندگی کردن توقع زیادی‌یه؟ همه میخوان زندگی کنن.»

میترا گفت: «اما اون دنیای دیگه‌ای بود و زمان دیگه‌ای بود... حالا بالاخره عوض شده. حالا دنیای دیگه و زمان دیگه‌ای یه.» به مردم و فریاد روزنامه‌فروشها گوش کرد. پرسید: «فکر میکنی فردا که جمعه‌س چه اتفاقی بیفته؟»

«نمیدونم. امیدوارم هیچی.»

«پس رضارو دیدی...» این سؤال نبود، اعلام واقعیت بود.

با احتیاط گفت: «آره. شما هم اون روز دیدیش.»

«میدونی اون مهمه. اون خط ارتباط مجاهدین اسلامی با جامعهٔ روحانیون مبارزه. خیلی روش حساب میکنن.»

«آره... گرسنه‌ت نیست؟ این ساندویچ‌فروشی خوبی‌یه.»

«باشه.» بعد دست او را فشار داد: «موضوع رو تغییر بده. همیشه وقتی ما میخوایم وارد نکات سیاسی بشیم، شما موضوع رو عوض میکنی.»

«سوسیس نکتهٔ سیاسی نیست؟»

«خیلی. سوسیس انگلیسی‌یه.»

خندیدند و رفتند توی ساندویچ‌فروشی کوچک و نسبتاً خلوت جلوی سینما مهتاب. هر کدام یک ساندویچ سوسیس و کانادادرای گرفتند و ایستادند کنار پیشخوان باریک سینهٔ دیوار، که آینه سرتاسری خوبی هم داشت. خوردند و به هم در آینه نگاه کردند و حرف زدند.

میترا پرسید: «فکر میکنی عاقبتش چی میشه؟»

«عاقبت این ساندویچ سوسیس؟ معلومه. از صحنهٔ روزگار محو میشه.»

«خیلی خوب... طفره دیپلماتیک برو. عاقبت این رژیم...»

«تا تو هستی من اهمیت نمیدم. لابد این رژیم هم از صحنهٔ روزگار محو میشه. خیلی از رژیمهای ایران از صحنهٔ روزگار محو شده‌ن.»

«منم فکر میکنم مردم ول نمیکنن. البته ارتش غول شاه هست. ساواک وحشتناک هم هست. آمریکای خونخوار هم هست. اما همچین که مردم تحریک شدند، مثل الآن که کمی تحریک شده‌ن، تا به جایی نرسند ول کن نیستند. امریکا و انگلیس هم میخوان شاه رو وردارن. چیزی که حالا مردم لازم دارند یک رهبر محکم و حسابی‌یه. یک پیشوا که جریانات رو رهبری کنه ـمثل انقلاب اکتبر روسیه که لنین رو داشت.»

«خردل میخوای؟... خردلش خوشمزه‌س.»

«نه، مرسی. خردل نمیخوام. گوش میکنی دارم چی میگم؟»

«آره. گفتی مردم تحریک شده‌ن و یه رهبر لازم دارن... و من فکر می‌کنم دارند: ایده‌آل خانوادهٔ من: آیت‌الله خمینی.»

«آره، اما تو هنوز هم به انقلاب اعتقاد نداری. هنوز فکر میکنی من رؤیاگرام. مثل شعرهای پدرم و شعرهای گلسرخی.»

«من به جنگ و خونریزی و کشت و کشتار بیخودی اعتقاد ندارم.»

میترا گفت: «این حرفا ــ اینها یه جور حرفهای قشنگ و رمانتیک قدیمی و ویکتور هوگویی‌یه. مقصودم این نیست که قتل و خونریزی خوبه. اما این حرفها دیگه مال زمان ما نیست. الان ملتهای جهان سوم تحریک شده‌ن. زیر سلطهٔ ابرقدرتها هستند، اما بیدار شده‌ن. ما همه‌مون وقتی لازم شد مبارزه میکنیم. گوش کن ــ اگه تو اسلحه داشتی، و جان یک نفر که برای تو عزیزه در خطر بود، دفاع نمیکردی؟... اگه اون شخص عزیز تو در خطر مرگ و نابودی قرار گرفت، کاری نمیکردی؟»

«این یه فرضه... فرق میکنه.»

«باشه، فرض کن، ولی جواب بده. اگه کسی که برات عزیزه در خطر مرگ باشه، تو ساکت میشینی؟»

پسرک آهی کشید. کمی کانادا نوشید: «اون سال، توی اوین، وقتی اون بهمنی توی اتاق اون سروان وکیلی ساواکی ناکس لگد زد به پشت و گردن عزیز ــ میدونم اگه اسلحه داشتم چکار میکردم. اما یادت باشه که من کی‌ام. من یک نبوی مسلمان مجاهد مثل بقیه‌ی نبویهای فامیلم نیستم. من هنوز بچه‌ی ریقوی مریض و ته‌تغاری نازنین ببه‌ی عزیزم.»

«ناصر ته تغاری عزیز گوش کن. مردم این دنیا عوض میشن، و خیلی کارها می‌کنن ــ بخصوص مردم کشورهای جهان سوم، که مستضعف و رنجدیده‌ن، و میشه به آسونی تحریکشون کرد. بخصوص افرادی‌رو که مثل من ــ و تو ــ ریشه‌های لرزان دارند. حتی اونهایی رو که ــ برعکس من و تو ریشه‌های محکم دارند، و زندگی خوب و آرامی دارند ــ آنها هم زیر دلشان را می‌زند... نسلها بطور کلی دوست دارند دنیای خودشون رو عوض کنن، تغییر بدن. حتی اگه این تغییر

خراب کردن باشه. ببین چند ساله که این مملکت دست یک مشت پولدار فاسد و مست غرور افتاده بوده. یه عده‌ی کمی همه‌چی دارند، یه قشر عظیم... ندارند. الآن جامعهٔ ما تغییر و واژگونی میخواد. شاه ایران بلندپروازیهای گنده گنده میکنه. ملکه‌ی او که هر کاری دلش میخواد به اسم فرهنگ و هنر و این جور حرفها میکنه. وابستگان دربار مثل زالو دارن خون مردم‌رو حجامت میکنند. اما وضع فرق کرده. یک نخست‌وزیر مثل امیرعباس هویدا داشتند که در رأس امور بود، هم دولت رو نیگر می‌داشت، و هم تمام ارکان سلطنت رو. اگر او مانده بود تا بیست سال دیگه سیستم و رژیم‌رو نگه میداشت. پرزیدنت کارتر امریکایی اومد و گفت حکومت ایران باید لیبرال و دموکرات باشه. هویدا رو برداشتند، و تحقیرش کردند. خلق هم که دید رژیم ترک‌خورده و دیکتاتوری مطلق شاه متزلزل شده، جان گرفتند و بر علیه زور و سیستم متحد شدند. بخصوص با پیامهای آیت‌الله خمینی ـ‌که هم‌اکنون رهبری رو در دست گرفته. حالا سرکوب کردن مردم هم دیگه آسان نیست. حالا توده‌ی مردم احساس میکنن که شاه و رژیم و دستگاه دیکتاتوری آسیب‌پذیره. همه چیز وابسته به امپریالیست اما آسیب‌پذیره. باز سرت‌و درد آوردم؟»

پسرک آخرین قلپ از کانادایش را نوشید، آروغ کوچکی زد. گفت: «ببخشین.» بعد گفت: «نه.»

میترا گفت: «من درباره‌ی دیکتاتوری و دیکتاتورهای معاصر در آسیا و آمریکای لاتین خیلی مطالعه کرده‌م. به قول لورکا، دیکتاتور نمیتونه «کمی» دموکرات و آزادیخواه باشه. کسی که بالای قله‌ی کوه ایستاده نمیتونه «کمی» سقوط کنه. همانطور که یه ضرب‌المثل مکزیکی میگه یه زن نمیتونه یه کمی آبستن باشه. اینها ـ‌یعنی دیکتاتورها‌ـ تحت قانون مطلق تک قطبی (همه یا هیچ) هستند. وقتی رهبر مطلق در یک قطب کمی لغزید، نابودی در قطب دیگر در

انتظارشه. و به محض اینکه این لغزش اتفاق افتاد فریاد توده‌ها بلند میشه. جوانهای ما هم حالا بی‌حوصله و ماجراجو هستند و برای مبارزه توی خیابانها حاضر. بخصوص که حالا هنوز تابستانه و جوونها همه ول هستند و بیکار. بیشتر مخالفین و مجاهدین و پرولتاریا هم مشغول تدارک جنگ مسلحانه هستند...»

آخرین گازها را به ساندویچش می‌زد: «ساندویچش خوبه، مگه نه؟»

میترا هم کمی از ساندویچش را خورد: «عالیه.» بعد گفت: «یه چیز دیگه. برای شکست نهایی امپریالیست باید توده‌های وسیع شهر و روستا همه دست به اسلحه ببرند. باید ارتش دیکتاتوری را خلع سلاح کرد، باید یک سپاه توده‌ای و خلقی داشت... چون همه چیز مطلقاً از خلق و از توده مردم ساده سرچشمه میگیره... و در ایران این کار امکان‌پذیره، چون نفوذ شیعه اینجا تحت رهبری روحانیون مبارز، در عمل یک نیروی ایمان عظیم و تقریباً ملی شده، در تمام شهرها و دهات. این ایده میتونه همه‌رو تجهیز روحی کنه و متحد بکنه. وقتی قدرت کامل دست سپاه خلق مردم بود، پیروزی نهایی هم با مردمه.»

وقتی آخرین لقمهٔ ساندویچش را خورد، گفت: «میترا... تو این همه شعور و بلدبودن سیاسی‌رو از کجا یاد گرفتی، از امریکا؟» قصدش شوخی نبود، فقط میخواست که او هم حرفی زده باشد.

میترا خندید. گفت: «از تو یاد گرفته‌م، خلق ساده‌ی من.» او هم حالا به ساندویچش گاز بزرگی زد.

«از من؟»

«... مردم از کسانی که دوست دارند خیلی چیزها یاد میگیرند.»

«یه کانادای دیگه میخوای؟»

با لبخند گفت: «یه کانادای دیگه نمیخوام... یه انقلاب میخوام.»

وقتی از اغذیه‌فروشی آمدند بیرون، هوا تاریک شده بود. هنوز

سر شب بود و تهران و مردم تهران توی ماشینها یا توی پیاده‌روها وول می‌زدند. زنهای سر برهنه با لباسها و موهای رنگارنگ و مردهای کراواتی دنبال زندگیهای رنگارنگ خودشان بودند.

قدم‌زنان آمدند طرف درخونگاه. میترا کلاه اسکی سیاهش را تا روی ابروهایش، کمی کج، پایین آورده بود. یقهٔ کاپشن شبه‌نظامی‌اش بالا بود. پسرک هم حالا تقریباً همانطور لباس می‌پوشید. شبیه دو برادر بودند. یا دو رفیق.

فصل چهل و هفتم

پنجشنبه غروب که به خانه برمی‌گشتند، دایی فیروز سر کوچه ایستاده بود، منتظر بود. بچه‌ها بقدری سرگرم حرف زدن با هم بودند که اول او را ندیدند. در حقیقت دایی گذاشته بود بخورند توی سینه‌اش. وقتی سرشان را بلند کردند، دایی لبخند داشت.

«بچه‌های درخونگاه نگاه کنید کجا می‌روید!...»

پسرک آه شادی از نهادش برآمد.

دایی خوب و عزیز گذشته‌ها... با صورت لاغر و مهتابی‌رنگ، با همان ریشهای خاکستری فرفری، اندام لاغر، توی همان کت و شلوار تا به تا ــ شلوار سفید و کت خاکستری رنگ و رو رفته، پیراهن سفید، و کفش سفید.

او و دایی سلام و علیک کردند و همدیگر را بوسیدند. وقتی از جلوی دکان مشداکبر رد میشدند، پسرک میترا را به دایی معرفی کرد. دایی وقتی متوجه شد که کسی که به او معرفی شده برخلاف شکل و سر و وضع ظاهرش پسر نیست، و در حقیقت یک دختر است، خوشحالتر شد. بخصوص وقتی فهمید که او، میترا، دختر قدسی خانم سراب قائنات است که ناصر درباره‌اش با دایی بسیار حرف زده بود.

دایی هیچوقت میترا را از نزدیك ندیده بود، گرچه در سالهای جوانیش با خانوادهٔ قدسی‌خانم یگانگی داشت.

آمدند توی اتاق ته حیاط نشستند و از شراب و شیرینی و نان برنجی که دایی از یزد آورده بود خوردند ـــدایی کمی شراب خورد، میترا و پسرك فقط نان برنجی. دایی با صورت تکیده و پیرانه، چشمهای غمگین بی‌مژه، و گردن و دستهایی عین شاخه‌های خشکیده بوتهٔ گیاه وحشی هوم، امشب بیشتر شبیه جغدهای انباری بود، تا یك عارف دلبسته زرتشت گمشدهٔ ایران... در این سالها از مرض کم‌خونی و تنگی نفس هم رنج می‌برد. اما هنوز مثل همیشه خوب و خاطره‌ای بود و حرف زدن با او لذت داشت.

پسرك پرسید: «چطورید دایی جان؟... اصل حالتون چطوره؟»

«خوب، کمی پیر. کلی ستایش.»

«تازه چه حال و خبر؟»

دایی نفس بلندی کشید: «در آتشکده‌های کهنه‌ی یزد این روزها حال و خبری نیست.»

«انشاالله آمدید که چند روزی پیش ما بمونید.»

«نه. فقط اومدم چند تا کتاب بگیرم، ترو ببینم، و دو سه نفر دیگر رو هم ببینم. فردا برمیگردم. شما هم که عاشقید و خوبید بهتره از این درخونگاه بیایید بیرون... سفر کنید.»

آنها ساکت به هم نگاه کردند، بعد پسرك گفت: «دایی جان، ترو خدا چند روز بمونین.»

میترا هم گفت: «بمونید، دایی جان. ناصر شما رو خیلی دوست داره. من هم خیلی دوست دارم شما پیش ما بمونید و برای ما حرف بزنید. ما آرزوها داریم...»

دایی سرش را یك وری گرفت و آنها را نگاه کرد. پسرك در یك لحظه فکر کرد که دایی بدش نمی‌آید بداند ارتباط خواهرزاده‌اش

و این میترا در چه حد و حدود است. اما او بیشتر از اینها بزرگوار و
وارسته بود که خودش در زندگی دیگران دخالت کند. حتی در
زندگی پسری که تقریباً تحت تکفل او بود، و امشب هم مثل هر وقت
دیگر که می‌آمد پاکت پولی آورده بود. پسرک هم فوراً موضوع
عقد کردن خودش و میترا را به دایی گفت، چون واقعاً اهمیت زیادی
داشت. دایی با لبخند فقط سرش را تکان داد، و از میترا پرسید: «از چی
حرف بزنیم، عزیزم؟»

«از آیندهٔ ایران.»

سایهٔ درد عجیبی روی چشمهای خسته دایی افتاد، اما سرش را تکان
داد، لبخند زد.

میترا پرسید: «فکر میکنید چه اتفاقهایی می‌افته؟» این سؤالی بود که
میترا سه چهار روز اخیر، از وقتی از خارج آمده بود، از همه
می‌پرسید.

دایی گفت: «شما باید از درخونگاه خارج بشید. بیایید یزد. میدانم
شما دست از پا خطا نمیکنید. بخصوص این خواهرزادهٔ ساده و معصوم
و زیبای من... ولی از درخونگاه خارج بشید.»

میترا گفت: «چشم... ولی مقصودم در این زمینه نبود.»

دایی گفت: «در چه زمینه بود عزیزم؟»

«در زمینهٔ سیاسی و اوضاع فعلی.»

دایی گفت: «من در جریان قرار نمیگیرم.»

میترا پرسید: «بطور کلی چه نصیحتی به من و ناصر ـ به ما
می‌کنید ـ یعنی مضاف بر اینکه از درخونگاه سفر کنیم؟»

دایی لبخند دیگری زد و نفس بلند دیگری کشید. گفت: «مرحوم
دهخدا یک شعر خوب دارد. می‌گوید:

ای‌مرغ سحر چو این‌شب‌تار،   بگذاشت ز سر سیاهکاری

وز نغمهٔ روحبخش فردا، رفت از سر خفتگان خماری
یزدان به کمال شد پدیدار وز اهریمن زشتخو حصاری،
یاد آر ز شمع مرده یاد آر

پسرک پرسید: «دایی جان، مقصودش دین و آیین زرتشته؟»
«نه، فکر نکنم. گرچه شعرش پاک و تمیزه و بیت سوم هم درباره‌ی پدیدار شدن یزدان ــ یعنی اهورا ــ و در بند شدن اهریمن صحبت میکنه. حافظ هم گفته «دیو چو بیرون رود فرشته در آید» به هر حال این فکر که مقصود دهخدا دقیقاً زرتشت و آیین زرتشتی بوده، زیاد فکر نابجائی نیست. بخصوص دو مصرع پنجم و ششم که از اهورا و اهریمن حرف میزنه. البته ترجیع‌بند کل شعر هم که میگه از آتش مرده یاد آر، خوبه. شاید هم مقصود عزیزان از دست رفته است، که شهید شدند یا در ظلم و بیداد مردند. گذشته‌ها و ریشه‌های گذشته را باید بیاد داشت... یک ملت واقعی نمیتونه بی‌گذشته و بی‌تاریخ باشه. مردم مشکل میتونن گذشته‌ها رو پاره کنن و برای خودشون دوباره شخصیت درست کنن. تاریخ زباله‌دان نیست، گنجینه است. نمیشه یک تاریخ را برداشت پاره کرد و یک دیکتاتوری تازه به جای آن گذاشت و از مردم خواست که گذشته‌رو فراموش کنن، و زندگی معنی‌داری داشته باشن. گذشته بخشی از حال و آینده‌س. تاریخ و سنتها رو نمیشه انکار کرد. همانطور که گذشتهٔ شخصی رو هم نمیشه انکار کرد. کسی نمیتونه خونه‌ش‌رو آتش بزنه، مادرش رو بکشه، پدرش‌رو نابود کنه، بعد زندگی معنی‌داری داشته باشه. شخصیت واقعی اینجوری درست نمیشه. ریشه‌های یک ملت کهن هم این جوری ساخته نشده.»

پسرک گفت: «میترا... گوش بده.»

میترا گفت: «دارم گوش میدم. خوبه.» اما انگار واقعاً متقاعد نشده

بود.

دایی گفت: «شما خودت خوبی، دخترجان.»

گونه‌های دایی حالا اندکی رنگ گرفته بود، و کله‌ش هم کمی گرمی. آدم تنهایی بود و مثل همهٔ آدم‌های تنها وقتی مجال حرف زدن پیدا میشد، بخصوص با کسانی که دوست داشت و دوستش داشتند، حرف می‌زد.

گفت: «من یک رؤیا دارم.» به میترا نگاه کرد.

«چه رؤیایی، دایی جان؟ یک انقلاب و دگرگونی؟»

دایی گفت: «... چیزی بالاتر از انقلاب.»

میترا پرسید: «چه چیزی والاتر از یک انقلابه؟»

«یک آگاهی هوشمندانه به ریشه‌ها و فرهنگ کهن.»

«به آیین زرتشتی؟»

«آیین اشو زرتشت البته یک پایه است. همین طور هم دین حضرت عیسی و دین حضرت محمد. فرهنگ و طرز فکری که هر دین به دنبال داره مهمه. در بند چهار «گاتها» اهورا دستور می‌دهد:

«مردم باید آگاه باشند

آگاه از گذشته و آگاه از اکنون و آگاه از آینده

آگاه از داوری درست

آگاه از رای راستین و درست و سنجیدهٔ مزدا و نیروی آفرینش.»

میترا جدی و با ترس پرسید: «شاه هم جزو ریشه‌های فرهنگ قدیمه؟»

دایی دوتا انگشتش را گذاشت روی چشمانش زیر عینک. انگار می‌خواست بگوید این سؤال بدی است، یا بی‌اندیشه است. قدری

چشمانش را مالید. ظاهراً از آن سؤال و از جواب دادن به آن رنج می‌برد. گفت: «یک شاه، مثل یک رئیس جمهور یک مرد فانی است، بخصوص که این مرد خام و ناآگاه، گاهی پر از اوهام و بلندپروازیهایی میشه، که نمیتونه اونهارو عملی کنه، و میمونه. گاهی ما خودمان را از مردم واقعی جدا میکنیم، گرچه خیال میکنیم که مردم با ما هستند. خامی و تنهایی برای بزرگان خطرناکه. در ایران باستان هم داشتیم. یک ملت رنجدیده و تحریک‌شده را هم می‌توان به پیکار و هر کاری کشید. در زمان ایران باستان داشتیم ــکاوه آهنگر. در قرن اخیر هم داشتیم... ــانقلاب مشروطه. ولی به خاطر یک سیب گندیده نباید درخت را از ریشه کند، یا باغ را به آتش کشید و نابود کرد. البته لحظات و مواردی هست که آتش لازمه.»

میترا که هنوز دنبال جوابهای مستقیم و عقیدتی بود، پرسید: «دایی، فکر میکنید مردم باغ را به آتش میکشند؟»

دایی گفت: «آتش سمبل نوره، اما باید از یک چیز بی‌فکری واهمه داشت.»

«از چه چیز؟»

دایی گفت: «کنترل آتش... از اینکه مردم نفهمند چه وقت باید آتش را مهار کنند. و نفهمند از چه حدی نباید بیشتر بروند. و اوضاع را از حد مشخصی واژگون‌تر نکنند، که آن اهورایی نیست.»

«از چه حدی؟»

دایی با لبخند سرش را پایین انداخت. جوانها جوابهای ملموس و واقعیت‌گرا می‌خواستند و او نداشت. گفت: «یک صوفی روحانی غربی که الان اسمش یادم نیست ولی بی‌شک از اهورامزدا الهام گرفته می‌گوید:

«پروردگارا... مرا یاری ده که در این دنیا

هر چه را که بتوانم تغییر دهم

و هرچه را که نتوانم تغییر دهم، بپذیرم

و... (و اینجا باید خوب دقت شود)

پروردگارا... مرا یاری ده

که فرق این دو حد را تمیز دهم.»

میترا بقدری محو حرفهای دایی بود که متوجه ساعت نبود. ساعت
هشت و ربع کم، وقت اخبار رادیو بی. بی. سی و بعد ساعت هشت
وقت اخبار رادیو تهران هم گذشته بود، و او به ساعت و به رادیو
اعتنایی نکرده بود ــ گرچه این شبها محال بود رادیو را فراموش کنند.
از دایی پرسید: «دایی جان، مردم ما تا چه حد پیش خواهند
رفت؟...»

پسرک گفت: «شاید دایی خسته باشند... بذارید جا بیندازم
بخوابید، دایی جان.»

دایی گفت: «نه، خسته نیستم، و باید برم. قرار دارم.»

میترا گفت: «دایی خسته نیستند، اما غمگین به نظر می‌آیند...»

دایی بطری شراب را برداشت. برای خودش کمی ریخت. نوشید،
لیوان را گذاشت روی گلیم. چشمانش را بست، و باز کمی آنها را با
دو انگشت زیر عینکش مالید و انگشتها را روی چشمانش نگه داشت.
مدت زیادی همانطور، تکیه زده به دیوار، باقی ماند. مدت زیادی
سکوت کرد، بطوریکه بچه‌ها فکر کردند خوابش برده. بعد او دستش
را از روی چشمانش برداشت. گفت:

«و من هم باید حد و حدود خودم را بدانم، بلند شوم و بروم، چون
دوستانی دارم که امشب، الآن منتظرند... دیر هم شده.»

پسرک گفت: «دایی، ترو خدا پیش ما بمونید.»

میترا گفت: «بله، دایی جان، بمونید. ملاحظه نکنید.»

دایی پشت کله‌اش را خاراند. آن دو را نگاه کرد. گفت: «نه. ملاحظه چیه؟»

میترا گفت: «خواهرزاده‌ی شما توی اون اتاق میخوابه، من توی این اتاق. شما میتونید اونجا پیش او بخوابید.»

دایی حالا زیر خنده‌ای بلند زد و گفت: «نه!...»

پسرک اول نفهمید مقصود دایی از این «نه....» چیست. دایی هم شک و نادانی خواهرزاده‌اش را احساس کرد. بطور روشن پرسید: «با هم نیستید؟»

میترا گفت: «ما....» خواست بگوید ما گرچه عقد کرده‌ایم ولی منتظر فرصت مناسب و آماده شدن برای ازدواجیم. گفت: «ما فقط با هم هستیم، زندگی می‌کنیم. با فهم و پیوند پاک، و راستی و درستی. فعلاً نه کمتر، و نه بیشتر، متأسفانه.»

پسرک گفت: «دایی، به حرفهای او گوش نکنید، او مهمان این خانه است.»

دایی گفت: «به هر حال شما دو نفر شجاع و سنت‌شکن هستید... و فکر می‌کنم با هم پیوندهایی دارید. امیدوارم حقوق و حد و حدود خودتان را هم حفظ کنید... و حد و حدود سنتهای جامعه را. میتونید بیایید یزد پیش من. ازدواج کنید. شما باید از این خانه، از درخونگاه بیرون بیایید. اما عاشق و معشوق هم باشید. پایدار باشید.»

در بطری نصفه را گذاشت و آمادهٔ رفتن شد.

پسرک گفت: «دایی، بمونید. ممکنه امشب داداش رضا هم بیاد.»

دایی به ساعتش نگاه کرد: «دیر شده و من باید برم. منتظرم هستند.»

بلند شدند و خداحافظی کردند.

پسرک تا سر خیابان دنبال او رفت. وجود و رفت و آمد دایی در درخونگاه عجیب و ناجور نبود. غیر حقیقی هم نبود. ولی هر وقت

می‌آمد انگار می‌خواست فرار کند.

وقتی پسرک به خانه برگشت، میترا داشت به اخبار ساعت ده رادیو بی. بی. سی. گوش می‌کرد، که این چهارمین برنامه روزانه به زبان فارسی این بنگاه سخن‌پراکنی تبلیغاتی-سیاسی بود. گوینده داشت در برنامهٔ جام جهان نما، اخبار داغ ایران و تظاهرات فردا را با آب و تاب تحلیل میکرد.

فصل چهل و هشتم

صبح زود میترا به اتاق او آمد. پاورچین پاورچین آمده بود که اگر
خواب است بیدارش نکند. اما او خیلی وقت بود بیدار بود. مدتها پیش
بیدار شده بود، دستنماز گرفته بود، نمازش را خوانده بود، باز برگشته
بود زیر لحاف سرد و داشت فکر می‌کرد. میترا دید که او بیدار است،
آمد کنار لحاف او دراز کشید.

«سلام... شوهرجان».

لبخند زد. «سلام.» خودش را جمع و جور کرد.

«اینجا سرده.»

«تو خوب خوابیدی؟»

«آره، پنج ساعت...»

«داره آفتاب میزنه؟...»

«هفت و ربع کمه...»

او لباس پوشیده بود، انگار حاضر شده بود که برود بیرون، اما
ظاهراً عجله‌ای نداشت.

گفت: «چشمات باز بود، به سقف زل بود، ترسیدم. به چی فکر
می‌کردی؟»

«هیچی...»

«باز خواب بد دیدی؟»

«نه.»

«پس چیه؟ کمی نگرانی.»

«... به داداش رضا فکر می‌کردم.»

حدود نصف شب، رضا آمده بود دم در. بدون اینکه زیاد حرف بزند، یکی از اسلحه‌ها را گرفته بود و رفته بود. بعد از رفتن او، اخبار ساعت ۱۲ رادیو خبر برقراری حکومت نظامی را پخش کرده بود. گفت: «میترا، دیشب بعد از اینکه تو خوابیدی رادیو اخبار خیلی مهمی پخش کرد. از فرمانداری نظامی تهران.»

«چه اخباری؟»

«حکومت نظامی شده. دولت اعلامیه داده که در تهران و یازده شهر دیگر از همین دیشب یعنی از ساعت دوازده دیشب حکومت نظامی برقرار شده. بعد هم اعلام کردند که تظاهرات و راهپیمایی شدیداً سرکوب میشه. لحن و سمبهشان هم پر زور بود. من نگران رضام.»

میترا گفت: «هووم...» بعد فقط گفت: «رژیم داره سیگنال میده که فشار بهاش زیاد شده. داره مقاومت میکنه. فرماندار نظامی تهران کیه؟»

«درست یادم نیست... ارتشبد ویسی ـ یا هویزی.»

میترا گفت: «آره، یک ارتشبد اویسی دارند. از اون مشت‌آهنی‌های ترسناک هم هست. اما چرا گفتی نگران رضایی؟ مگه رضا طوری شده؟»

«توی این فکرم که او این اعلامیهٔ برقراری حکومت نظامی رو شنیده یا نه. او هیچوقت به رادیو و به قول خودش به تبلیغات چرند پرند رادیو تهران گوش نمیکنه.»

میترا گفت: «نگران اون نباش. حتماً به گوشش میرسه. اون تنها که

نیست... با صد جا زد و بند داره. اما به هر حال من قول میدم که چه شنیده باشه و چه نشنیده باشه، اون اولین کسی یه که از همین الآن تو میدون ژاله بست نشسته، سنگر گرفته، قول میدم الان ارتش هم دوتا لشگر اونجا پیاده کرده، منتظره.»

«وای!»

میترا گفت: «اگه بخوای من که رفتم پیداش میکنم و بهش میگم که خبر حکومت نظامی و اعلامیه فرمانداری واقعی‌یه، چون ممکنه فکر کنن شایعه‌س. میگم ناصر خودش شخصاً شنیده.»

او را بربر نگاه کرد. «مگه تو میخوای بری؟... با حکومت نظامی و از این حرفا؟»

«من باید برم.»

«مجبوری بری؟»

«من یه نیم ساعتی میرم ببینم چه خبره... بچه‌ها همه میرن.»

«امروز نرو...»

«من باید برم بهشون بگم. اینجوری که این حرومزاده‌ها نصف شب اعلامیه داده‌ن خیلی از بچه‌ها امروز غافلگیر میشن!» بعد گفت: «به هر حال به رضا هم بد نیست خبر داد.»

پسرک برگشت و به عکسهای سر تاقچه نگاه کرد. به صورت عزیز نگاه کرد... فقط بیضی صورتش از زیر چادر سیاه معلوم بود. او را نگاه می‌کرد. قولی را که برای ابد به او داده بود بیاد آورد. قول دادی دخالت نکنی... به من قول دادی. در تظاهرات و مظاهرات و کارهای سیاسی شرکت نکن...

اما وضع فرق کرده بود. زمان و شرایط عوض شده بود. رضا در خطر بود. عزیز رضا را دوست داشت. آهی کشید. امیدوار بود که عزیز این را بفهمد. گفت:

«من هم میام... که به رضا اطلاع بدیم.»

میترا حیرت نکرد، بلکه او را تحسین کرد. اما گفت: «اگه میخوای تو خونه باش. من زود برمیگردم. گفتم که، پیداش میکنم.»

«تنها نه... من نمیشه اینجا بشینم و تو تنها بری اونجا. من هم میام. برادر منه.»

میترا گوشهٔ لبهای او را بوسید.

«این دیگه واسی چی بود؟»

«تو فطرتاً شجاعی.»

«این حرف دیگه خوشگل بود.»

میترا گفت: «و برای اینکه یادت باشه دوستت دارم.»

«ناشتا بزنیم؟»

«اگه تو بخوای... اما اگه زودترک بریم بهتره.»

دلش می‌خواست چیزی بخورند. گفت: «باشه، بریم.»

هوا تازه روشن شده بود که آمدند از سر درخونگاه یک تاکسی گرفتند به طرف میدان ژاله. تمام بازارچه تعطیل و سوت و کور بود، و حتی خیابان بوذرجمهری ماتمزده و منگ. تاکسی نارنجی سه تا مسافر داشت، که ظاهراً همه به سوی همان مقصد می‌رفتند. اول او و بعد میترا چپیدند روی صندلی تکی جلو، کنار راننده.

نزدیکیهای چهار راه گلوبندک راننده پرسید: «خبر حکومت نظامی‌رو شنیدین؟» نگاهی به پسرک انداخت.

پسرک گفت: «بله، نصف شب اعلام کردند.»

یکی از سه مسافر صندلی عقب گفت: «نه بابا، فقط اصفهان حکومت نظامی‌یه.»

راننده گفت: «دیشب توی یازده شهر دیگه‌م حکومت نظامی گذوشتن. تهرون اولیش....»

همان مسافر به دوستانش گفت: «پس بهتره بگردیم. حکومت نظامی چیز دیگه‌ست.»

جوان سبیل‌دار خوش‌بر و رویی بود با عینک دودی و زلفهای بلند. دو جوان کم سن و سال هم با او بودند که ممکن بود دوستانش، یا برادرهایش باشند. بعد معلوم شد بازاری هستند.

یکی از جوانترها گفت: «نه... داداش. بریم ببینیم چی میشه.»

راننده گفت: «بیشتر مردم نشنیده‌ن.»

مسافر صندلی عقب گفت: «نه، ما که نشنیدیم.»

راننده گفت: «امروز قتل عام میکنن، سگ مسبّا.»

میترا ساکت ماند، پسرک هم با تأسی و به خاطر او. اما نرسیده به میدان ژاله تمام دنیا داشتند خبر را می‌شنیدند. از بلندگوهای بسیار بزرگی که روی جیپها و نفربرهای ارتشی و تانکها نصب کرده بودند، با صدای گوشخراش اعلامیهٔ فرماندار نظامی را در خیابانهای اطراف میدان ژاله پخش می‌کردند. ارتش شاهنشاهی ایران از مردم شاهدوست می‌خواست که هر چه زودتر متفرق شوند.

از اواسط خیابان ژاله که تاکسی، به دلیل شلوغی و بسته بودن راه، آنها را پیاده کرده بود، آمدند طرف میدان. بعد از وسط جمعیت دهانهٔ خیابان انداختند طرف خیابان فرح آباد. جمعیت بیشتر جوان و بچه‌سال بودند و تک و توکی هم روحانی جلوشان. عده‌ای هنوز داشتند می‌آمدند. عدهٔ زیادی جا گرفته بودند. وسط میدان از جمعیت خالی ولی از قوای ارتش لملمه بود. دکانهای دور تا دور میدان بسته بودند، با تابلوهای مات، که انگار احساس خطر را تشعشع می‌کردند. گاری‌دستی‌های رهاشده، اتاقک بلیت‌فروشی رها شده، و سه چهار تا کیوسکهای کوچک و بزرگ سیگارفروشی و روزنامه‌فروشی رهاشده، همه ول و متروک بودند، یا جمعیت رویشان ایستاده بود.

پسرک بزودی در یک گوشهٔ میدان، وسط جمعیت، رضا را دید.

سر خیابان فرح آباد، وسط عدهٔ زیادی دختر چادری و پسر ایستاده بود. همه شعار می‌دادند. پسرک احمد آردکپان، قرقی کوچک ولی‌آبادون، را هم دید که کمی دورتر از رضا روی یک پیکاپ، کنار یک روحانی جوان ایستاده بود، از ته حلقوم شعار می‌داد، و عده‌ای از بچه‌های جقلهٔ دهاتی را رهبری می‌کرد. آنها هم شعار می‌دادند: «استقلال... آزادی... حکومت... اسلامی...»

دهانهٔ خیابان فرح آباد هم، مثل دهانه‌های خیابانهای شهناز و ژاله که به میدان منتهی می‌شد، با کیسه شن سنگربندی شده بود. سربازان مسلح پشت کیسه‌ها سنگر گرفته بودند، و با اسلحه‌شان منتظر بودند. پسرک گفت: «تو همین جا، این گوشه وایسا.... من میرم پیش رضا ـ گرچه ظاهراً با این وضع انگار لازم نیست. یعنی ممکن نیست نشنیده باشه. من فوری برمیگردم.»

میترا گفت: «باشه. مواظب باش.» دست او را گرفت و فشار داد. اگه صدای تیراندازی شنیدی فوری بخواب روی زمین، یه گوشهٔ دیوار.»

«باشه.»

«مواظب باش.»

«شما همین جا می‌ایستی؟»

«آره. جلوی همین دکان کفش وین... میخوای منم بیام؟...»

«نه. رضا خوشش نمیاد... شما همین جا باش. تکون نخور. بعد برمی‌گردیم.»

از میان جمعیت توی پیاده‌روی میدان زد طرف خیابان فرح آباد. از دور، از جایی صدای تیراندازی و شعار و فریاد می‌آمد، اما نه آنقدر که خطرناک باشد. هر چند قدم سرش را برمی‌گرداند و به گوشه‌ای که میترا را باقی گذارده بود نگاه می‌کرد. وسط موج جمعیت تا مدتی او را دید، بعد دیگر نتوانست. اما تابلوی بزرگ فارسی و انگلیسی

«کفش وین» را می‌دید. جلوتر که می‌رفت، صدای شعارهای «الله اکبر»» یا «درود بر خمینی» و صدای تیرهای هوایی بیشتر و نزدیکتر می‌شد. در دهانهٔ فرح‌آباد که رضا و دار و دسته‌اش جمع بودند، غریو شعارها پر سر و صداتر بود. در اینجا بود که او برای اولین بار عکس آیت‌الله خمینی را در دست تک و توک مردم می‌دید. در دست رضا، یک پوستر از همه بزرگتر بود.

هنوز به خیابان فرح‌آباد نرسیده بود که از پشت سرش، ناگهان، از طرف خیابان شهناز، عده‌ای فریاد شعار دادند: «بگو ـ مرگ ـ بر ـ شاه» «بگو ـ مرگ ـ بر ـ شاه» و بلافاصله صدای رگبار تیراندازی بلند شد و نزدیک... بعد گاز و دود غلیظی هم آنطرف میدان را پر کرد. عده‌ای افتادند و بقیه مردم مثل مور و ملخ از هر طرف فرار می‌کردند. یا می‌افتادند. مردم این طرف میدان هم شروع کردند به فرار. بعد صدای رگبار تیراندازی از این طرف هم بلند شد... پسرک مات و گیج به فکر حرف میترا بود که خودش را پرت کند روی زمین، اما وسط جمعیت در حال خروش این کار غیرممکن بود، حتی نمی‌توانست خودش را به دیواری برساند. تلاش کرد. موج جمعیت او را با خودش می‌برد.

غرش و فریاد مردها و صدای جیغ بچه‌ها و زنها از خیابانهای اطراف میدان با صدای تیراندازی و صدای حرکت و ترمز چرخهای خودروهای ارتشی روی اسفالت درهم می‌پیچید. در یک گوشهٔ میدان، یک جیپ روی مردم رفت. در طرف دیگر ابرهای دود و گاز همه جا را تیره کرده بود. وسط میدان، مردم هم از ترس جان در حال فرار بودند، و هم بلافاصله برمی‌گشتند کشته‌ها و زخمی‌ها را بلند می‌کردند و غرش و فریاد بیشتری می‌کردند. شعار «الله اکبر» و «مرگ بر شاه» و «مرگ بر کارتر» حالا قاطی شده بود با لعنت و با فحشهای بد... به ساواک و به قصابهای ارتشی...

در یک لحظه که سرش را به عقب برگرداند، دید تابلوی نئون پلاستیک بزرگ مغازه «کفش وین» که میترا زیر آن ایستاده بود، با گلوله سوراخ سوراخ شده است. تمام تنش لرزید. دیگر به رضا و به هیچی فکر نمی‌کرد. تصمیم گرفت فوری به سوی میترا برگردد.

در آن ثانیه که با چشمهای مبهوت از میان مردم به سوی نبش خیابان ژاله و بعد به سوی کمرکش خیابان فرح‌آباد نگاه می‌کرد، جمعیت زیادی از طرف خیابان شهناز هجوم آوردند. نیروی چند هزار نفری جمعیت در حال عادی هم وقتی به هم چسبیده‌اند نیرو و قوهٔ عظیمی درست می‌کنند، چه برسد به آن موقع که بر اثر ترس و وحشت و مرگ و خشم مبدل به یک سیل خروشان یا سیل گریزان شده بود. جمعیت تقریباً ناصر را بلند کرده و داشت با خود می‌برد. در این لحظه چیزی دید ــ که مو بر اندامش سیخ شد.

در دهانهٔ خیابان فرح‌آباد، رضا را دید که حالا روی ماشین پیکاپ که تا چند لحظه پیش زیر پای احمد آردکپان و یک روحانی بود، ایستاده است. آن روحانی هم کنار رضا روی پیکاپ ایستاده بود. رضا اسلحهٔ کلت توی دستش بود و داشت به طرف جلو و طرفین تیراندازی می‌کرد. اسلحه را دو دستی گرفته بود، نشانه می‌گرفت و می‌زد. ظاهراً داشت به طرف ارتشی‌ها شلیک می‌کرد. پسرک یاد واژهٔ «جنگ مسلّحانه» میترا افتاده بود. صحنه کمی جنون‌آمیز بود، کمی دست بر قضایی، کمی حسابشده. او ارتشیها را نشانه می‌گرفت و می‌زد، ولی مردمی هم که از ترس به هر سو فرار می‌کردند نیز ممکن بود مورد اصابت قرار بگیرند. پسرک گیج و مات این منظره را نگاه می‌کرد. در میان آن همه اغتشاش و ضجه و دود و آتش تیراندازی لعنتی ــ فقط تیرهای رضا را می‌دید.

در اثر تیراندازیهای شدید، جمعیت دور و بر او توی پیاده‌رو کم‌کم متفرق می‌شدند. بعد صدای میترا را شنید که از پشت سرش

جیغ می‌زد. و اسم او را صدا می‌کرد. «ناصر... بیا!... دولاّ دولاّ بیا.»
برگشت، او را دید که پشت کیوسک زردرنگ تلفن روی زمین زانو زده است. با دست اشاره‌های تندی می‌کرد. به طرف او راه افتاد، اما در همان دوسه قدم اول ناگهان سوزشی در بازویش احساس کرد، و چیزی تکانش داد، تعادلش را بهم زد. بعد تنۀ یک نفر که داشت فرار می‌کرد او را به زمین انداخت... جوان تنومندی بود که خودش هم بعد افتاد زمین و دیگر بلند نشد. حالا فقط صدای جیغ میترا را می‌شنید. صدای جیغ او بقدری بلند بود که فراتر از صداهای سرسام‌آور رگبار گلوله‌ها و فریادها و شیونهای مردم گوشهای او را پر کرد.

سعی کرد بلند شود و به طرف میترا برود که او دوباره فریاد زد: «بخواب زمین! بلند نشو!»

بعد او را دید که پشت اتاقک تلفن را رها کرده، دولاّ دولاّ می‌دود، و زیگزاگ به طرف او می‌آید. آمد جلو تا اینکه بالای سر او رسید. کنارش دراز کشید و پرسید: «کجات تیر خورده؟»

«تیر؟»

«آره. از دستت داره خون میاد.»

او تازه به بازویش نگاه کرد، دید که خون از آن سرازیر است. از این گذشته، انگار بقیه جاهاش سالم بود. گفت: «انگار فقط دستمه...»

«میتونی تکونش بدی؟»

کمی آن را تکان داد: «آره.»

«میتونی بلند شی؟» نگران وضع کلی جسمانی او و قلب او بود.

«آره. چیزی نیست.»

«خوب، باید... بلندشیم. وگرنه میان میگیرن و میبرنمون. بلندشو بریم توی اون کوچه.» به کوچه‌ای سر خیابان شهناز اشاره کرد: «پاشو. دولاّ دولاّ بیا.»

در همین موقع رگبار گلوله تازه‌ای از بالای سرشان رد شد، و

میترا او را روی زمین نگه داشت. صدای آژیر آمبولانسهایی که به طرف میدان می‌آمدند هم بلند شده بود. سربازها، زخمیها یا مرده‌ها را بلند می‌کردند و به سوی آمبولانسها می‌بردند. بعضی از مردم خودشان زخمیها یا مرده‌هایشان را می‌بردند و فرار می‌کردند.

پسرک گفت: «امام حسین!... نمی‌خوام مرا ببرند توی آمبولانس.»

میترا گفت: «پاشو تند بریم. خم شو، سرتو هم بلند نکن.»

همانطور که صدای رگبار مسلسلها و تک‌تیراندازی و آژیر آمبولانسها بلند بود، آنها به طرف کوچه‌ای که میترا گفته بود حرکت کردند. ابتدای کوچه یک سکوی شیر آب بود، پای آن ایستادند، میترا شیر آب را باز کرد و سعی کرد با یک دستمال خیس خون را از دست پسرک پاک کند. ظاهراً بلد بود چطور به جراحتهای جزئی رسیدگی کند. زخم زیاد عمیق نبود. زیر آرنج دست چپش بود. روی آن را سفت بست.

مردمی که از توی کوچه رد می‌شدند و دست خونی پسرک را می‌دیدند، بیشتر به هیجان می‌آمدند، و به «قصابای بی‌شرف» فحش می‌دادند، یا برای پسرک مجروح دلسوزی و همدردی می‌کردند. اهل یکی از خانه‌ها برای آنها آب یخ و بعد مرکورکورم و تنزیب آوردند، و تعارف که بروند داخل خانه، استراحت کنند. آنها فقط آب یخ و مرکورکورم را قبول کردند و تشکر نمودند.

از طرف میدان ژاله و خیابانهای اطراف هنوز صدای رگبار مسلسلها و ترکش گلوله‌ها می‌آمد، و صدای فریاد و خروش و ضجه مردم، و صدای شکستن و انفجار، و صدای آژیر آمبولانسها. تظاهرات و عملیات مقابله با آن، ابعاد دیگری پیدا کرده بود. ولی میترا تصمیم گرفت که به خانه برگردند، چون پسرک از فرط خونریزی حالش خوب نبود. حال و قیافه‌اش هم ضعف را نشان می‌داد. میان مردمی که

رد می‌شدند شایع شده بود که حدود دو هزار نفر شهید و زخمی
شده‌اند. هنوز ساعت ده هم نشده بود.

پسرک بلند شد و همراه میترا حرکت کرد. از وسط جمعیت زدند
طرف غرب ژاله. در میان ترس و دلهره و هیجان، مدت زیادی طول
کشید تا دوباره برادرش رضا را یادش آمد، که وسط سیل جمعیت
همچنان ایستاده بود، و تک تیراندازی می‌کرد.

فصل چهل و نهم

هوای دودگرفته و دم‌کرده‌ای روی مرکز شهر خیمه زده بود، که تاکسی سر میدان حسن‌آباد پیاده‌شان کرد. رانندهٔ تاکسی مسیرش مستقیم به طرف غرب بود. از حسن‌آباد تا درخونگاه راهی نبود، پیاده می‌آمدند. هوای گرم و خشک و گرفتهٔ شهر، با کوفت و درد جدیدی پر بود.

قدم‌زنان آمدند طرف تقاطع بوذرجمهری. از پیاده‌روی آنطرف پارک حرکت می‌کردند، و تا آنجا که برای پسرک مقدور بود تند تند می‌آمدند. تصمیم داشتند از داروخانهٔ ادیب سر بوذرجمهری که شبانه‌روزی بود مقداری وسائل و دارو برای زخم دست پسرک بگیرند، شاید هم چند تا قرص مولتی‌ویتامین و تقویت قلب. او آستینش را کشیده بود پایین. میترا در کنارش به دست سالمش چسبیده بود. پسرک احساس می‌کرد که چیز بدی را پشت سر گذاشته‌اند، که حالا خوب بود. اما نمی‌فهمید چرا احساس می‌کند چیزهایی بدتر در انتظارشان است.

نزدیکیهای بازارچه کلعباسی ــ وقتی از یکی دو قدمی جلوی خانه‌ای رد می‌شدند، مرد قددرازی تصادفاً در آن لحظه از خانه بیرون آمد. بی‌توجه سرفه‌ای کرد و خلط سینه‌اش را توی پیاده‌رو تف کرد.

کت و شلوار گاباردین نازك تابستانی شیك تنش بود، و یك تسبیح
دراز هم در دستش. در یك لحظه پسرك آن مرد را دید و شناخت.
آن مرد هم که در همان لحظه چشمش به پسرك افتاد، انگار شناخت.
بهم نگاههای تندی انداختند. پسرك مطمئن بود که این یك اتفاق ساده
و گذرا بوده ـو او فقط اتفاقی در آن لحظه از خانه‌اش بیرون آمده
و آنها هم در آن لحظه اتفاقی از آنجا رد می‌شدند. به هر حال از
جلوی هم گذشتند.

زیر لب به میترا گفت: «برنگرد. به عقب نگاه نکن.»

«چیه مگه؟»

«فکر میکنم یه یارو داره ما رو تعقیب میکنه.»

«یارو کیه؟»

«یارو که سرفه و تف کرد. کت و شلوار گاباردین طوسی‌یه،
کراوات زرد. سروان وکیلی‌یه... انگار خونه‌ش اینجا بود ـیا خونه‌ی
هر کی بود. یکهو اومد بیرون، تصادفی ما رو دید. منو شناخت. حالا
اگه مظنون شده باشه، یا اگه یکهو تصمیم بگیره با من حرف بزنه،
نمیدونم...»

میترا برنگشت، اما او هم صدایش را پایین آورد. پرسید:

«ساواکیه؟»

«آره.»

«وکیلی... همون نیست که گفتی اون سال از تو و عزیزت
بازجویی کرده بود؟»

«خود حرومزاده‌شه.»

میترا گفت: «خونسرد باش. شاید داره راه خودشو میره.»

«امیدوارم. اما بد جوری نگاه کرد. بد جوری هم به دستم نگاه
کرد.» نمی‌خواست امروز او را ببرند زندان ساواك. یا هر دوشان را! نه
امروز، با این همه مکافات و کشت و کشتار.

میترا گفت: «خودت رو بزن به سادگی. یه تصنیف بخون. داریم میریم خونه.»

«باشه.»

رفتند آن طرف خیابان و پیچیدند توی بوذرجمهری... وقتی وسط خیابان به این‌ور و آن‌ور نگاه می‌کردند، وکیلی را دیگر ندیدند. بعد باز از خیابان رد شدند و آمدند توی پیاده‌روی سمتی که سرش داروخانه ادیب و یک قنادی بود. به پیشنهاد میترا اول رفتند توی داروخانه و مقداری دارو و تنزیب خریدند. بعد رفتند توی قنادی بغل داروخانه مقدار کمی شیرینی نان نخودچی خریدند. لفتش دادند. وقتی از قنادی آمدند بیرون باز هم اثری از وکیلی هیچ جا ندیدند. هر دو نفس راحتی کشیدند، آمدند. پسرک هنوز هم ته دلش خالی بود. شاید به خاطر جراحتش بود. اما نزدیکیهای پمپ بنزین، وقتی از جلوی یک آینه‌فروشی رد می‌شدند، او انعکاس هیکل مردی را از توی آینه در آن‌طرف خیابان دید که ممکن بود خود پدرسوخته‌اش باشد. باز دلش لرزید. برنگشت نگاه کند.

گفت: «میترا، گوش کن. بهتره... الان از هم جداشیم. تو برو خونه‌ی مامانت. من او رو اگه دنبالمون باشه دنبال خودم می‌برمش توی پس‌کوچه‌های درخونگاه گم و گورش میکنم... بعد هم میرم خونه‌ی دوستم توی خانی‌آباد.»

میترا گفت: «س‌س‌س. بچه‌نشو. با هم میریم خونه. اونا همه جا رو بلدند، اگه بو ببره داریم فرار میکنیم بدتره. میریم خونه.»

«میترا...»

میترا دست او را فشار داد. نیم‌نگاهی انداخت. گفت: «به من اطمینان کن... باشه؟ اونم انگار رفته، نیست.»

با اکراه گفت: «باشه.» وقتی می‌پیچیدند توی کوچهٔ بناها، برگشتند و باز نگاه کردند، اثری از وکیلی نبود. آمدند خانه. شروع کردند به

رسیدگی به زخم دست او. اما هنوز ده دقیقه‌ای نگذشته بود که صدای زنگ در حیاط توی راهرو پیچید. آنها به هم نگاه کردند. پسرک رفت در را باز کند.

«کی‌یه؟»

صدای مؤدبانه‌ای از پشت در آمد: «باز کنید، آقای نبوی؟ نامه‌ای سفارشی دارید.»

او نفس بلندی کشید و لای در را باز کرد: «بله؟»

«منزل آقای نبوی؟»

سروان ایرج وکیلی بود.

«بله.»

لحن مؤدبانه محو شد. وکیلی ناگهان توی سینهٔ پسرک زد، و آمد توی هشتی. در را پشت سرش بست. می‌دانست که پسرک تنها اینجا زندگی می‌کند، یا می‌کرده، و برای همین بود که با چنان اطمینان خاطر و پررویی با زور و بدون اجازه و قرار بازداشت حمله می‌کرد. پسرک ساکت و بی‌حرکت مانده بود. مطمئن بود تعقیب ناگهانی امروز وکیلی لابد اتفاقی و به طیب خاطرش بوده. با شامهٔ تیزش لابد می‌خواسته بفهمد همراه ناجور او کیست. کت و شلوار گاباردین فیلی- رنگ او، نو و شق و رق بود و شیک. اما معلوم بود که برآمدگی خفیف کمرش بالاتر از کمربند چیست. آنها هیچوقت بدون اسلحه حرکت نمی‌کردند.

پرسید: «داداشت رضا اینجاست؟»

«نه خیر.»

«کجاست؟ کی باهات بود؟»

دهانش خشک شده بود. «داداشم اینجا نیست... و من هزار دفعه به شماها گفته‌م که نمی‌دونم برادرم کجاست. او از این خونه و از زندگی من خارج و بیرونه ـــ و با من هیچ ارتباطی نداره.»

وکیلی بربر نگاهش کرد. «اون رفیقت کجاست ــ که الان با هم بودین؟»

«توی اتاقه.»

«اسمش چیه؟»

حالا علاوه بر ضعف، و ترس، سوزشی هم درون سینه‌اش راه افتاده بود.

«یه دوست... همکلاسی.»

«اسمش چیه؟»

«نیکو... بیژن نیکو. مال شهرستان است.» آب دهانش را قورت داد.

«بگو بیاد اینجا... اما اطوار درنیاوری که بد می‌بینی.»

«چشم...»

خواست برگردد توی حیاط، اما وکیلی گفت: «صبر کن.» و دکمهٔ کتش را باز کرد، اسلحهٔ کمری کوچکش را کشید.

گفت: «صداش کن... خودت نرو.»

پسرک با صدای بلند گفت: «... نیکو... یک دقیقه بیا اینجا.» خبری نشد.

او باز با صدای بلندتری گفت: «بیژن نیکو، یه دقیقه بیا اینجا. جناب سروان وکیلی میخوان ترو ببینن.»

مدت نسبتاً زیادی طول کشید تا میترا ظاهر شد، و آن هم نه از طرف اتاق پشت در، (که پسرک انتظارش را داشت) بلکه از طرف ته حیاط. انگار از پنجره اتاق رفته بود توی حیاط.

وکیلی هیکل و سر و وضع او را نگاه نگاه کرد. «جنابعالی کی باشند؟»

باور نمی‌کرد شهرستانی باشد، یا پسر باشد.

میترا اول هیچی نگفت.

وکیلی باز گفت: «خانم کی باشند؟»

میترا باز مدتی ساکت ماند، بعد آمد جلو، جلوتر از پسرک. گفت: «اسم من منیژه نیکوئه. من یکی از اقوام مادر ناصرم.»

وکیلی چشمهاش گرد شد. سرش را تکان تکان داد. گفت: «منیژه نیکو؟»

بعد گفت: «به به... حیرتا... جیبهاتون رو خالی کنین ــ هر دوتون. اول تو نبوی.»

او فوری اطاعت کرد. شروع کرد به خالی کردن جیبهاش. دست چپش حالا سفت‌تر شده بود و نمی‌توانست آن را تکان بدهد. از در باز مستراح بوی بدی توی هشتی می‌زد.

«دستت چی شه؟ داره خونریزی میکنه.»

«تصادف موتوره.»

«تصادف؟ برو اونجا روی زمین دراز بکش. صورتت رو به زمین باشه. امروز کجا بودین؟»

«تو پارک شهر.»

«میدون ژاله نبودین؟» به طرف میترا برگشت.

«حالا تو، همشیره. بیا جلو و اول نیم‌تنه‌ت رو در بیار. بعد جیبهات رو خالی کن. ورقه‌ی تشخیص هویت چی داری؟»

میترا لرزان رفت جلوتر. نیم‌تنه‌اش را در آورد. از یکی از جیبهای آن گذرنامه‌اش را در آورد و جلوی پای سروان وکیلی پرت کرد. پسرک صورتش پایین بود، اما از بالای چشم آنها را نگاه می‌کرد. وکیلی با علاقهٔ زیاد به گذرنامه نگاه کرد.

گفت: «به‌به... به‌به... اینجا چی داریم؟» با پایش گذرنامه را باز کرد. علاوه بر شامه تیز، چشمهای خوبی هم داشت. «پاسپورت جعلی صادره از کنسولگری ایران در مکزیک. متعلق به سرکار دوشیزه منیژه نیکو، که آقای نبوی فرمودند همکلاسی‌ش بیژن نیکوئه.» خنده‌ای کرد و

برای برداشتن گذرنامه ارغوانی تیره‌رنگ از روی زمین، دولا شد. دستش هم که اسلحه در آن بود، با او پایین رفت.

میترا سریع و آموزش دیده کار کرد. در یک لحظهٔ برق‌آسا، اسلحه‌ای از عقب شلوارش درآورد، و شلیک کرد. صدای تیر توی هشتی مثل انفجار پیچید، بعد یک ضجهٔ خفیف، بعد گرمب. وکیلی با سوراخی بالای پیشانی‌اش، و هیکل گاباردین پوشیده‌اش، همانطور که دولا بود، روی آجرهای هشتی جلوی مستراح رفت. ـــ در حالی که هنوز اسلحه در چنگولش بود. خون زیای از جمجمه‌اش راه نیفتاد. میترا بلد بود که چه جوری و کجا بزند. پسرک سرش را بلند کرد. ولی مبهوت و گیج واماند.

میترا گفت: «به درک واصل شد...»

کلت به دست رفت جلو، و با لگد هفت تیر وکیلی را از چنگولش بیرون زد. بعد برگشت و به پسرک نگاه کرد، که هنوز آنجا میخکوب ایستاده بود. «نگفتم به من اطمینان داشته باش؟»

پسرک تازه یادش آمد که زبانی هم توی دهانش دارد. گفت: «امام حسین!» بلند شد.

میترا نفس بلندی کشید و گفت: «زود در را قفل کن. اگه کسی آمد در زد، هیچ جواب نده. باید این خوک رو ببریم یه جا قایم کنیم. بعد خونهارو بشوریم.»

«اون اسلحه رو از کجا آوردی؟»

«از توی حیاط... پای درخت مو.»

«تو میدونستی اونجاست؟...»

میترا دولا شد، اسلحه وکیلی را برداشت. به آن نگاه کرد. گفت: «کلت... ایکس‌ـاس، صد. بعضی از گروههای سازمان آزادیبخش فلسطین، و سازمان اَمل یک نوعش رو دارند.» بعد آمد جلو گوشهٔ لبهای پسرک را به نرمی بوسید. آرامشی به او داد. گفت: «اما این

اسمیت‌اند و سون کالیبر سی و سه‌س. مخصوص سازمانهای پلیس آمریکاست ـو ساواک.» و اسلحه را توی دست پسرک گذاشت.

گفت: «از آمریکا... با عشق...» لبخند زد.

پسرک نخندید. «میترا...»

«قایمش کن، پسر. منم اینو میذارم سر جاش. یه گلوله‌ش کمه. اما کسی نمی‌فهمه.»

به اسلحهٔ دستش نگاه کرد. بعد به چشمهای میترا نگاه کرد.

گفت: «اینها کارهای قشنگی نیست.»

«هست... این خیلی هم قشنگه. خوش‌دست هم هست.»

«مقصودم اسلحه نیست.»

«میدونم.»

«ما هم حالا اسلحه داریم، و ما هم آدم میکشیم ـمثل ساواک.»

میترا گفت: «احساساتی و ایده‌آلیست نشو. زمان، زمان عملیاته. بر علیه رژیم. اینها جانورند. خانوادهٔ ترو و ترو شکنجه دادند و لگدکوب کردند.»

«آدمکشی بده... هر کس میخواد باشه.»

میترا گفت: «بعد درباره‌ش بحث میکنیم. یاد عزیزت و یاد مریم باش... فعلاً بیا او رو ببریم ته حیاط... روی اون پشت بوم... هرجا.»

پسرک سینه‌اش را با آه بلندی خالی کرد، بعد آمد جلو که به او کمک کند. «تو پیش از این هم کسی رو کشته بودی، میترا؟»

میترا به چشمهای او نگاه کرد. گفت: «نه... این خوک درس اول بود. گوش کن، ناصر. باید واقعیت‌گرا بود. هیچکس نمی‌دونه که او آمده بود اینجا دنبال ما. اون همینجوری خودش اومد، مگه نه؟ بنابراین ما اصولاً پاک هستیم. فقط باید قایمش کنیم و شب ببریم بندازیمش بیرون.»

«کجا؟...»

«هر جا. بیرون، پس‌کوچه‌ها، یا توی خیابون. فقط حرف نزن، بیا این رو برداریم و خونها رو بشوریم.»

«امام حسین!»

به جنازهٔ بزرگ و دراز وکیلی نگاه کرد. گفت: «بالای پشت بوم یه اتاقک هست که ما روزهای تابستون رختخوابها رو می‌ذاشتیم... حالا خرابه‌ست. مونده. سالهاست از اون استفاده نشده. بالای پله‌ها... همین بغله.»

میترا گفت: «مرسی عزیزم ــ که واقعیت‌گرا شدی. یه کاریش می‌کنیم... تو با اون دست نمی‌تونی کاری بکنی. فعلاً همین جا توی مستراح میذاریمش، تا شب... همین جا هم زیادشه.» بعد خودش شروع کرد به کشیدن نعش سروان وکیلی روی زمین. پسرک با یک دست کمکش کرد.

گوشهٔ مستراح بدبو چنبره نشاندندش و صورت غرق خونش را گذاشتند بین دستهایش. آدمیزاد مرده را می‌شد مثل پلاستیک شل کج و معوج کرد. میترا رفت یک گونی بزرگ آورد و کشید روی وکیلی، و او را به شکل یک بسته یا بغچه همان گوشه باقی گذاشت. بعد آمد عقب ایستاد، نگاهش کرد.

پرسید: «قشنگ نیست؟»

«میترا!...»

«کتی همیشه میگفت خلایق هر چه لایق.»

«امام حسین!» بعد گفت: «تو اینجور تیراندازی رو کجا یاد گرفتی؟... یک تیر... عدل توی مخش. زرپ...»

آن شب، آخر شب، بعد از آنکه تمام اخبار وحشتناک تظاهرات و برخورد ارتش و کشتار آن روز را گوش کردند، دست به کار شدند.

(تعداد کشته‌ها را دولت ایران در حدود صد و بیست نفر اعلام کرده بود، و تعداد مجروحین را حدود پانصد نفر. اما مردم و بیشتر خبرگزاریها شایعه تعداد کشته‌شدگان را حدود دو تا سه هزار نفر می‌دانستند ـ و علاوه بر این در سایر شهرها هم تعداد بیشتری کشته شده بودند.)

جنازهٔ وکیلی را از راه‌پله‌های پشت بام بردند بالا. آن را کشاندند، و از روی پشت‌بامهای همسایه‌ها، که اغلب خالی بود، به سقف پشت بام دکانهای توی بوذرجمهری حمل کردند. ساعتهای حکومت نظامی بود و هیچ جا پرنده یا شب‌کوره‌ای پر نمی‌زد، الا گه‌گاه صدای تیراندازی و غرش حرکت کامیونها و جیپها اینجا و آنجا. وسط تاریکی، او و میترا، لاشه را آوردند لب بام، و یک، دو، سه، آن را پرت کردند توی خیابان. بعد به سرعت از راهی که آمده بودند، در تاریکی شب، از روی پشت بامها دزدکی برگشتند خانه.

صبح ساعت هشت که پسرک بیرون رفت، همه چیز تمام شده بود ـ گرچه پلیس و مأمورین حکومت نظامی همه جا بودند. آنها جنازه را برده بودند، و فقط داشتند در محل کشف جنازه ـ جلوی دکان آجیل‌فروشی حسن آقا تحقیقات می‌کردند. و البته ظاهراً جنازه با پس‌کوچه‌های درخونگاه ارتباط داده نشده بود. زیاد آنجا نماند.

و آن روز صبح، خیابان بوذرجمهری و محله‌های درخونگاه و چهار راه گلوبندک، به شور و هیجان عجیبی آمده بود. بچه‌ها و جوانهای مبارز محله درخونگاه شوق و سرور تازه‌ای داشتند. آنها به انتقام شهیدان میدان ژاله، یک مأمور ساواک پلید را کشته و به درک واصل کرده بودند! اطلاعات شب بعد نوشت که این قتل احتمالاً در مقابله با مقامات ارتشی و حوادث میدان ژاله و انتقام گروههای «خرابکار» صورت گرفته است.

فصل پنجاهم

تصمیم گرفتند برای دو سه روزی از خانهٔ درخونگاه دور باشند، تا سر و صدای قتل سروان وکیلی در محله بخوابد و اگر احیاناً برای تحقیق به در خانه آمدند، آنها به آسانی دم پرشان نباشند. میترا از این تصمیم خوشحال نبود و نمی‌خواست از او جدا شود. اما به هر حال بطور موقت به خانهٔ مادرش در نیاوران رفت. پسرک هم به آلونک عمه نصرت ته جوادیه رفت. قرار گذاشتند که هر روز همدیگر را در پارک میعادگاه‌شان سر چهارراه پهلوی ملاقات کنند.

آلونک عمه نصرت حالا از همیشه شلوغ‌تر و آشفته‌تر بود. شش تا بچه‌های قد و نیم‌قد جعفر زمانی حالا همه جا ولو بودند، (از هفده ساله تا یک ساله.) و در آلونک دواتاقه عملاً جا برای خوابیدن آنها وجود نداشت. دو پسرهای بزرگتر مسعود و محمود توی حیاط می‌خوابیدند. سعید و مجید توی اتاق عمهٔ نصرت می‌خوابیدند. دوتای بقیه بدری و آرش توی اتاق خودشان پیش اشرف‌خانم و جعفرآقا زمانی می‌خوابیدند.

حدود غروب روز اول که به آلونک عمه‌نصرت رسید، بیشتر بچه‌ها توی کوچهٔ خرابه بودند، بازی می‌کردند. همه ریختند دور او و

سلام علیک کردند و بیشترشان با او آمدند به آلونک. عمه نصرت او را ماچ کرد و مثل همیشه قربان صدقه‌اش رفت. بچه‌ها همه از دیدن او خوشحال بودند. دوستش داشتند.

بچه‌های جعفر زمانی همه به استثنای بدری و آرش کوچولو، روز جمعه کذایی با پدرشان به میدان ژاله رفته بودند، و پر از تعریفهای راست و دروغ و نیمچه دروغ و مبالغه‌های عجیب بودند. تعریف می‌کردند که چطور با سنگ و آجر سربازها و افسرها را زده بودند و شیشه تمام بانکها را شکسته بودند. تعریف می‌کردند که خودشان با چشم خودشان دیده بودند که سربازها کشته‌ها را کامیون کامیون می‌بردند و می‌ریختند توی دریاچه حوض سلطان توی راه قم. (پسرک به آنها نگفت که خودش در آنجا تیر خورده و زخمش را زیر آستین بلند پیراهنش مخفی کرده بود. فقط گفت که بازویش درد می‌کند.)

جعفر زمانی خودش هم خانه بود. او حالا یک فرد سیاسی هفت هشت بار زندانی شده و هنوز هم تحت نظر بود. همچنین یک توده‌ای‌ـ‌فدایی فعال بود که حالا دیگر نه‌تنها مرامش را مخفی نمی‌کرد، بلکه غلو می‌کرد و به رژیم فحشهای رکیک می‌داد. شغل معلمیش را هم پس گرفته بود، و قرار بود یک جا برای خود و زن و بچه‌هاش یک حیاط کوچک یا آپارتمان دو اتاقه اجاره کند، ولی هنوز پول کافی نداشت. او به پسرک گفت که داداشش رضا را دیده و گفت که حالا رضا عضو مهم رابط بین گروه مجاهدین خلق و جامعهٔ روحانیون مبارز تهران است.

آن شب وقتی گوشهٔ حیاط عمه نصرت کنار بقیه بچه‌ها دراز کشیده بود، تا ساعتها بعد از آنکه آنها خوابیده بودند، بیدار ماند. هر چه سعی می‌کرد نه‌تنها خوابش نمی‌برد و به فکر میترا بود، بلکه مدام جنازه سروان وکیلی را توی هشتی مغز خودش می‌دید که جلوی پای

میترا سکندری می‌رفت، و خون از بالای پیشانی سوراخ‌شده‌اش بیرون می‌زد. از توی یکی از اتاقها صدای خروپف عمه نصرت می آمد و از اتاق دیگر خروپف گوشخراش جعفر زمانی. شب ابرآلود و گرم و گرفته‌ای بود و فضای حیاط فسقلی و جوادیه و آسمان، امشب انگار علاوه بر صدای خر و پف و بوی لجن جو و کثافت محله، انگار.از یک چیز بدتر و شوم‌تر و بی‌درمان‌تری پر بود. تا چشمانش را می‌بست، صحنه تیراندازی برادرش را در جواب حمله ارتشیها می‌دید. یا صدای شلیک تیر اسلحهٔ میترا توی دالون حیاط در مغزش می‌پیچید. بعد او و میترا لاشهٔ سروان وکیلی را هن و هن از پله‌های تاریک راه‌پله تا پشت بام بالا می کشیدند...

تا خروسخوان زیر چادرنمازی که عمه نصرت روی او انداخته بود بیدار ماند و غلت زد. فکر میترا بود. هنوز هیچی نشده دلش برای او تنگ شده بود... بعد از چهارپنج شب که با هم بودند، بقدری به او و به زندگی در کنار او اخت گرفته بود که انگار پنج قرن بود که محرمان خلوت انس همدیگر بودند.

صبح ناشتای مختصری با آنها خورد ـ نان و پنیر و چای. از بیخوابی دیشب احساس ضعف و بیحسی و بی‌رمقی می کرد. ناشتا هم حال او را داشت. نان به اندازه کافی نبود که همه بخورند و عمه نصرت دو تا تافتون را تکه‌تکه قسمت می کرد، پنیر از آن هم کمتر بود. چای هم فقط با یک حبه قند. سماور عمه نصرت قراضه و از رنگ و ریخت افتاده بود. قوری بند زده بود و لای بندهاش کبره بسته بود. مسعود و محمود چیزی نخوردند و گفتند که سیرند ـ آنها حالا ته‌ریش و سبیل کرکی نرم و وزوزی داشتند، یعنی هرگز نتراشیده بودند. خیلی عصبی و ناآرام و گرسنه به نظر می‌رسیدند. با لجبازی یک عکس پوستر آیت‌الله خمینی را سر تاقچه اتاقشان نگه می‌داشتند. بر عکس پدرشان که مارکسیست بود بچه‌ها بیشترشان مذهبی بودند، و از بابا بدشان

می‌آمد.

بعد از ناشتا، با عمه نصرت و بقیه خداحافظی کرد و آمد بیرون. محمود و مسعود هم با او آمدند بیرون و مدتی با هم توی کوچه‌ها و خیابانهای جوادیه قدم زدند، حرف زدند، تا رسیدند به میدان راه‌آهن. در آنجا، با هم خداحافظی کردند، و او با اتوبوس آمد چهارراه پهلوی و شاهرضا توی پارکی که با میترا قرارداشت. ساعت حدود ده بود و میترا آنجا بود. روی یکی از نیمکتها نشسته بود و کتاب می‌خواند. با دیدن او کتابش را بست و از جا بلند شد.

«سلام. دستمون چطوره؟ دیگه درد نمی‌کنه؟»

«بد نیست. دردش کمتر شده.»

«دیشب چطور بود؟ مثل اینکه خیلی سر حال نیستی؟ خوش گذشت؟»

خندید: «رویال هیلتون هتل نبود.»

«من هم باید دیشب با تو می‌اومدم ــ به آریا شرایتون عمه نصرت.» بعد گفت: «خبرهای خوب ــ»

«چه خبرهایی؟»

«مادرم دیشب نمیدونم مست بود چه‌ش بود. هی فحش میداد و می‌گفت میخواد منو عاق والدین کنه و از ارث محروم کنه. بیا قدم‌زنان بریم جلوی دانشگاه.»

«مبارکه. من خبر نداشتم که شما اصلاً ارثی هم داشتی. یعنی پدرت خودش که چیزی نداشته.»

«تنها چیزی که من از پدرم به ارث بردەم چند تا کتاب شعره ــ و جنون. میدونستی که جنون ارثی‌یه؟»

«توی خونواده‌ی ما از جد و آبادم نسل اندر نسل اندر نسل بوده.»

میترا باز خندید و گفت: «حدس بزن دیشب چه کسی اومد دیدن

مادر من.»

«مجنون؟»

«آره... شوهر سابق کتی ــ سرهنگ جهانگیر.»

«میدونم... هر دفعه که من میرفتم اونجا سرهنگ هم اونجا بود. با من خیلی حرف میزد، احوال ترو هم میپرسید. فکر میکنم هروئینی شده...»

میترا گفت: «باید میدیدیش... خاک بر سر خر، داغون شده.»

«حالا چه‌ش شده؟»

«اعصابش خرد و خمیره و صورت قشنگش هم پر از چین و چروک. فرح هنوز اجازه نمیده او را از گُردان محافظش بردارند. هنوز میخواد جزو گارد باشه. سیستم بهم نخوره. اینطور که معلومه بین هویدا و فرح که میخواد کارهای دربار رو بگردونه دعوا و لج و لجبازی و دشمنی‌یه... اونها مثل کارد و پنیرند. همین روزهاست که هویدارو از این پستش هم بلند کنند و تبعید کنند.»

«هویدا رو تبعید کنن؟»

«نمیدونی اون بالاها چه طاعونی افتاده. شاه که میگن مریضه، نمیدونم چیه. همه دارن از دست کارهای فرح و سلطنت فرار میکنن. سرهنگ جهانگیر مادرمرده داره پارتی‌بازی میکنه، یعنی تا حالا صدتا از امرای ارتش و رجال و هویدا و فردوست رو دیده که اونو به یک پست تعلیماتی در یکی از لشگرهای شهرستانها انتقال بدن، نمیشه.»

«بیچاره‌ی بدبخت.»

«تو هنوزم از اون خوشت میاد... من نمیدونم تو از چی این آدم آهنی بزک‌کرده خوشت میاد.»

«من نگفتم خوشم میاد. گفتم بیچاره‌ی بدبخت... اعصابشو داغون کرده‌ن. میدونستی خودش شعر هم میگه؟ و عاشق شاهنشاهی در ایران جاودانه؟ خودش میگفت...»

میترا گفت: «گور بابای عشاق اعصاب خردشدهٔ شاعر و معشوقههای اونها... دلم میخواد یه روز یکی از اسلحههای زیر درخت موی شمارو بردارم و برم سراغ عشاق. گشنهت نیست؟ من که دلم داره ضعف میره. از دیروز تا حالا هیچی نخوردهم.»

«توی آریاشرایتون عمه نصرت هم بوفه زیاد جالب نبود.»

یک بربری خشخاشی داغ خریدند و با هم شروع کردند به خوردن و قدم زدن و پرسه زدن جلوی دانشگاه، قاطی جمعیت جلوی کتابفروشیها ـ که حالا عملاً اقیانوسی از تبادل نظرها و تبلیغ عقاید و فعالیتها بود. احمد آردکپان و خواهرش زهرا را دیدند و سلام و علیک کردند. آنها داشتند اعلامیه پخش میکردند، عزادار بودند.

برادر احمد ـ جواد آردکپان ـ جزو کشتهشدگان جمعهٔ گذشته یا «جمعهٔ سیاه» ۱۷ شهریور بود. جواد سال دوم دانشکده فنی و از دوستان نزدیک محسن نبوی محسوب میشد. احمد و زهرا اعلامیهای پخش میکردند که دربارهٔ کلاسهای ایدئولوژی اسلامی و کلاسهای تعلیم اسلحه در آینده بود.

تا غروب جلوی دانشگاه بودند و بعد قدمزنان به طرف خانه برگشتند. میترا، خوشحال و خیلی دلزنده بود و چانهاش گرمتر از همیشه که کنار ناصر بود، دربارهٔ تشابههای زیاد این جریانات اخیر ایران با جریانات پیش از انقلاب اکتبر روسیه حرف میزد! به این موضوع هنوز علاقه داشت. «در ایران هم دانشجوها دارند گروهگروه، با ایدئولوژی تازه ولی همه در جهت مخالفت با رژیم سلطنتی (مثل رژیم تزاری روسیه) با انبوه خلق کوچه و بازار و شهر و روستا همکاری میکنند، مگر نه؟ تا یک سیستم کهنه و ظاهراً غیرقابل لمس را از پا در آورند.» پسرک بیشتر گوش میکرد، و گهگاه موافقت.

میترا میگفت مردم با هم اختلاف سلیقه و اختلاف نظرهایی داشتند، ولی در هدف یکی بودند، و از عوامل مشابه ضربه زدن به

رژیم استفاده می‌کردند. بزرگترین گروه، البته گروه اسلامیها بودند، چون در میان اقشار توده‌های مردم ریشهٔ حزب‌مانند عمیقی داشتند، یعنی توی هر کوچه پس‌کوچه و هر ده و دهکده. بزرگترین عواملی که همه گروهها از آن استفاده می‌کردند، فساد و حق‌کشی دستگاه دولت بود، و وابستگی آن به امپریالیسم امریکا. گروهها به هم نزدیکتر و نزدیکتر می‌شدند. مردم بیشتر و بیشتر به هیجان می‌آمدند. کم‌کم حتی داشت بزرگترین مشکل گروهها حل می‌شد ـ و آن نبودن یک رهبر واحد در بین آنها بود تا آنها را، یعنی اسلامیها، مجاهدین خلق، کمونیستها، ملی‌گراهای نهضت آزادی و جبههٔ ملی و بقیه را یک جا فرماندهی کند. پسرک گوش می‌کرد.

از شهر نجف در عراق نظریات و اعلامیه‌های آیت‌الله خمینی حالا، با وجود مخالفتهای دولت بعثی عراق، بیشتر به ایران می‌رسید. او در حقیقت ادامه نهضت ۱۵ خرداد و ولایت فقیه خویش و اکنون نیرومندتر و سازش‌ناپذیرتر از همیشه بود. اعلامیه‌های آیت‌الله مجاهد به محض ورود به ایران تکثیر می‌شد و مخفیانه دست به دست می‌گشت. روزنامه‌ها و مجلات و بخصوص رادیوهای غربی هر روز با او مصاحبه می‌کردند و نظریات او را پخش می‌کردند ـ حرفهایی را که در ایران بخاطر اختناق رادیو و تلویزیون و روزنامه‌ها نمی‌شد گفت. رادیو بی.بی.سی هر شب و هر روز اخبار را به گوش مردم می‌رساند و هیجان بیشتری ایجاد می‌کرد، بطوری که شبها نه‌تنها در خانه‌ها بلکه در کوچه‌ها و بازارچه‌ها و قهوه‌خانه‌های شهرهای بزرگ و کوچک، تودهٔ مردم کارگر و کاسب هر شب به این رادیو گوش می‌کردند که وضع رژیم شاه را متزلزل و رو به زوال می‌خواند.

هنوز هیچی نشده پوسترهای آیت‌الله خمینی با عنوان «نایب امام و

ولی عصر، حضرت آیت‌الله العظمی روح‌الله الموسوی الخمینی» از طرف مساجد محله‌ها توزیع می‌شد و در همه جا، حتی در بازار تجریش در چند قدمی کاخ نیاوران بر در و دیوار خانه‌ها و مغازه‌ها دیده می‌شد. پسرک نگاه می‌کرد. و برای نخستین بار، ناآگاهانه، احساس خوشحالی می‌کرد.

فصل پنجاه و یکم

وقتی با فرا رسیدن مهر ۱۳۵۷، و آغاز فصل مدارس، نه فقط دانشگاهها باز نشدند، بلکه دبیرستانها و حتی بیشتر دبستانهای جنوب شهر هم کم‌کم با اعتصاب معلمین بسته ماندند، پاییز پرتشنّجی روی تهران فرو آمد. گروهها و بخصوص مذهبیها هر روز راهپیمایی و تظاهراتی چه جلوی مدارس و چه درون مدارس بر پا می‌ساختند. صفهای طولانی برای نفت و بنزین و نان در خیابانها به چشم می‌خورد و مردم عادی مواد غذائی ذخیره می‌کردند. دانش‌آموزان و دانشجویان در راهپیمایی‌ها، حالا بی‌مهابا پوسترهای آیت‌الله خمینی و آیت‌الله طالقانی را (که در زندان بود) حمل می‌کردند، یا عکسهایی از شهیدان فامیل خودشان را حمل می‌کردند. حتی بچه‌های کوچک در مدرسه‌ها دست می‌زدند و می‌خواندند:

ای بی‌شرف حیا کن
سلطنت‌و رها کن

پسرک و میترا برنامه مشخصی نداشتند. او دیپلمش را گرفته بود، اما امسال وضع کنکور و دانشگاهها نامعلوم بود. روزها قدم‌زنان همه

جا می‌رفتند، اما هیچ جای بخصوصی هم نمی‌رفتند. میترا خوشحال بود و بیشتر به راه دل او عمل می‌کرد ــو او ترجیح می‌داد در حاشیه باشد، و اوضاع را از دور مشاهده و تعقیب کنند. میترا دوربین خود را همیشه در کیف داشت و از تظاهرات و خشونت سربازها جلوی دانشگاه و از همه چیز عکس می‌گرفت. توی کیفش پر از اعلامیه‌هایی به صورت کاغذ یا نوار هم بود که از دوستانش می‌گرفت و به این و آن می‌داد. آنها حالا به خانهٔ درخونگاه برگشته بودند، چون با اوضاعی که روز به روز در تشکیلات ساواک رو به پریشانی و درهم ریختگی می‌رفت دیگر کسی به فکر تجسس و تحقیق قتل سروان وکیلی نبود.

بعضی شبها احمد آردکپان و خواهرش زهرا که پروپا قرص‌ترین دوستان آنها بودند، به خانهٔ درخونگاه می‌آمدند. یکی دو مرتبه هم رفیق خلف‌بیگی و زن مجاهد خلقی‌اش آمدند.

در اواسط مهرماه که آیت الله خمینی از عراق اخراج و در پاریس مستقر شد، و رهبری انقلاب را در دست گرفت، فعالیتهای هواداران انقلاب هر چه بیشتر و بیشتر شد. روحانیون مبارز در ایران به ایشان لقب «امام» دادند و بزودی اعتصابها، به پیروی از اعلامیه‌ها از پاریس دامنه‌دار و سرتاسری شد. به دنبال اعتصابات در دانشگاهها و دبیرستانها، کم‌کم کار در کارخانه‌ها و ادارات به دلیل ظاهری «درخواست اضافه حقوق» تعطیل شد. بعد بازار تهران و تمام شهرستانها هم بسته شد. وسائل حمل و نقل و مخابرات و ادارات برق و حتی شرکت نفت و بانکها هم به کم‌کاری و اعتصابها کشیده شده و کشور را فلج می‌کردند. بعد خواسته‌های اعتصابیون که در ابتدا اضافه حقوق و مزایا بود، کم‌کم آزادی زندانیان سیاسی، تصفیه و مجازات عمال ساواک، وحتی بازگشت آیت‌الله خمینی به ایران شد.

دولت شریف امامی هنوز بر سر کار بود، یا کار دولت بر سر

شریف امامی سوار بود که ناگهان اجازه داده شد کارهای دولت گذشتهٔ
هویدا و ساواک و تیمساران مسئول آن مورد اتهام و ناسزای شدید
مطبوعات قرار گیرد. دولت روز به روز زندانیان سیاسی بیشتری را از
زندان آزاد می‌ساخت. آیت‌الله خمینی که در اوایل در پاریس گفته
بود شاه باید برود، اکنون می‌گفت شاه باید بماند و محاکمه شود و
دست‌کم به حبس ابد محکوم شود.

آن پاییز بزرگترین مورد سقوط و تسلیم شاه به رأی مردم و
تحقیر خود، موضوع تیمسار نصیری رئیس سابق ساواک و از افسران
وفادار اعلیحضرت همایونی بود که به فرمان شاه، ناگهان او را از پست
سفارت ایران در پاکستان برکنار، و طبق ماده ۲ حکومت نظامی
تحت‌الحفظ به تهران آوردند و در پادگان جمشیدیه زندانی کردند.
میترا که آن روز بارانی آخر مهرماه از ملاقات با مادرش در نیاوران
برگشته بود، یک نسخه از روزنامهٔ «اطلاعات» آن روز را، که عکس
نصیری و خبر بازداشت او را در صفحهٔ اول چاپ کرده بود، جلوی
پسرک که کنار بخاری نفتی نشسته بود، انداخت. پسرک صورت
گرفتهٔ میترا و روزنامهٔ باران‌خورده را نگاه نگاه کرد. او کلاه و کاپشن
و کفشهایش را درآورد و نشست. دستهایش را بالای بخاری علاءالدین
گرم کرد و گفت: «تاکتیکها داره کار میکنه، و رژیم داره در حال
سقوط سعی میکنه به هر چی به دستش میرسه بچسبه. اما داره تیکه‌تیکه
میشه در حال دست و پا زدن مأیوسانه‌ست... و بزرگترین مردانش رو
مثل برهٔ قربانی جلوی مردم میندازه.»

پسرک یک چای برایش ریخت و گفت: «فکر نکنم ارتشبد
نصیری رو کاریش بکنن. اون الان لابد در پادگان جمشیدیه داره
تیمساری میکنه.»

میترا گفت: «آره. و ممکنه وقتی میخواد بره توالت، افسر نگهبان
برای او به تمام پادگان فرمان پیش‌فنگ بده، اما گفتم که، در رژیم.

دیکتاتوری یه خورده لرزش یعنی سقوط دیکتاتور از بالای قله... وقتی رژیم میلرزه، دیکتاتور ساقط میشه... افسرهاش که دیگه هیچی...»

پسرک گفت: «چای بخور، خسته به نظر میای... حالت خوبه؟»

«آره، خوبم.» اما رنگش پریده بود، و چون زیر باران پیاده آمده بود لچ آب و تکیده به نظر می‌رسید.

«چای گرم بخور.. پانزده لیتر نفت هم گرفته‌م. هدیهٔ تیمسار رحیمی. فقط هم پنج ساعت توی صف بودم.»

«عالیه... خوبه.»

«مامان چطور بود؟»

میترا شانه‌هایش را انداخت بالا... «دیگه بدجوری داغونه.»

«خودتم خسته‌ای. یا نگرانی؟ چیه؟»

هنوز به چایش لب نزده بود. «نمیدونم... نمیدونم چرا عصبانیم... امروز یکهو احساس میکنم که به من خیانت شده... مثل همه.»

«کی خیانت کرده؟»

«دنیا... این سیستم لو نه انتری.»

«درست میشه... خودت گفتی به آینده فکر کن.»

«به تو هم خیانت شده.»

«به جد و آباء من خیانت شده... این خبر تازه نیست.»

میترا چایش را برداشت.

«تو چطوری؟... بعد از پنج ساعت توی صف نفت ایستادن. عصبانی نیستی؟»

«من خوشحالم که تو اینجایی.»

«این حرف رو میزنی که من آمپرم بیاد بالا. تمام مملکت داره از عصبانیت و خشم قل میزنه.» یک چیزی درونش را بدجوری می‌خورد. و این کمی تازگی داشت.

گفت: «میترا... ملیونها نفر الان فقط عصبانی‌اند که چرا نفت و ارزاق کمه. اما بقیه ما هم بـع‌بـع میکنیم و راه میریم. همین الان هم هزارها هزار نفر توی سینماها و کافه‌ها و قهوه‌خانه‌ها و حتی عرق‌فروشیها نشسته‌ن و خوشحال زندگی میکنن... میگذره. زندگی اینجا اینه.»

«جوونها چی؟ جوونها که عصبانی و خشمگین‌اند.»

«بعضیهاشون آره، بعضیهاشون نه. رضای ما و احمد و زهرا آردکپان عصبانی‌اند چون برادرهاشون کشته شده‌ن، و میخوان با پناه به اسلام تقاص بگیرن. بچه‌های دخترعمه‌ی من، هر شش تا، بی‌مدرسه و بی‌کار و بی‌پول، و گرسنه توی کوچه‌ها ولو هستن. سرشون درد میکنه برای تقاص محرومیت و گرسنگی. اما دوتا بچه‌های سید نصرالله از اون زنش، با موتورسیکلتهای تازه‌شون خدارو بنده نیستن. یکی‌شون که توی فرح جنوبی یه نمایشگاه ماشین‌فروشی باز کرده، خدارو بنده نیست. از این‌ور، بچه‌های این یکی زنش، یعنی کریم دماغو و خدیجه خله خیال میکنن راهپیمایی یه جور عزاداری‌یه و میرن سینه میزنن.»

میترا لبخند زد. چایش را هم زد. گفت: «تو چی؟ تو عصبانی نیستی؟»

«من خشم توی خونمه. اما حالا که تو هستی، من آرومم.»

«چیز دیگه‌ای نمیخوای؟»

سرش را انداخت پایین: «فقط تو رو.»

دخترک به چشمهای او نگاهی عمیق انداخت: «مگه تو در من چی دیدی؟ یک دختر مغشوش و خل... یک مارکسیست/بورژوآی قاطی... که خودش‌رو در این پاییز عجیب و آشفته به تو تحمیل کرده... خودش را به خانه و به زندگی تو و به گوشهٔ دنیای تنهایی تو تحمیل کرده... به خانهٔ تو تجاوز کرده... تو رو گرفته.»

پسرک دست او را که سرد و تقریباً خشک بود، گرفت. با لبخند گفت: «هر چی دلت میخواد تجاوز کن.»

آمد کنارش نشست.

«بهتره؟»

«آره.»

«وقتی اومدی تو مثل ارواح بودی... راستی چه شده؟»

سرش را به دیوار تکیه داد. «مادرم نشسته بود، فرت و فرت سیگار میکشید. بی آرایش، کثیف، منقلب بود... روزنامه «اطلاعات» سر زانوش بود. وقتی نگاهش کردم، یه چیزی توی سکوتِ و بغمه‌ش بود که مرا لرزاند...»

«فکر کردم خوشحالی که زه میزنن و بغمه میزنن.»

«هم خوشحال شدم، هم نمیدونم چرا با اون «اطلاعات» سر زانوش، انگار یه غده چرکی توی سینه‌م یکهو ترکید.»

«ولش کن... لابد مربوط به اون نبوده. من خودم هم گاهی یهو خیال میکنم مدام بیخودی یه غدهٔ چرکی توی تنم میترکه. بعد که درست فکر میکنم میفهمم فقط گشنمه، دلم مالش میره. گرسنه‌ت نیست؟»

نخندید. فقط مدت درازی ساکت به دیوار تیره روبرویش خیره شد.

پسرک دستش را برد جلوی صورت او: «الو؟»

هنوز نخندید. اما دست او را گرفت، به سینه‌اش چسباند. «دوستم داری؟»

«اگه این سؤال شش میلیون دلاری‌یه. آره.»

«با من عروسی می‌کنی؟ ما خیلی وقته با هم ازدواج کردیم...»

پسرک سرش را انداخت پایین. «مگه قرار نشد صبر کنیم؟ باشه؟»

«بیا بریم یزد پیش دایی. اونجا عروسی کنیم.»

«بذار سال عزیز بگذره.»

میترا آهی کشید و گفت: «میدونم... باشه. صبر میکنیم. تقصیر منه که دوباره شروع کردم. اما تقصیر من هم نیست. لابد تقصیر این پاییزه. شایدم تقصیر این خبرهاست. شایدم تقصیر این شماره «اطلاعات» لعنتی یه. شایدم تقصیر این بارونه.»

دستش را فشار داد و خواست به صدای بچههای سر کوچه و صدای ریزش باران از پشت پنجره گوش کند. از زیر بازارچه درخونگاه، از طرف مسجد لختی، صدای بچهها میآمد که توی پس کوچههای بارانی بازی میکردند. دست میزدند و میخواندند:

ای بیشرف حیا کن

سلطنتو رها کن

فصل پنجاه و دوم

اکنون کم‌کم قلب پاییز بود. درختهای چنار خیابان پهلوی لخت شده بودند و باد سرد آخرین برگهای ریخته را توی خیابانها پخش و پلا می‌کرد. در پیاده‌روهای پایین شهر، امسال، برای اولین بار پس از سالهای بعد از جنگ جهانی دوم، در تهران صفهایی از مردم غمزده اینجا و آنجا برای نان، و صفهای بزرگتری برای نفت و برای بنزین کشیده شده بود. در خیابانهایی که پمپ بنزین بود تا کیلومترها صف ماشین پارک شده بود که ساعتها و گاهی تمام شب و روز را در انتظار گرفتن بنزین معطل می‌شدند.

غروب آن روز اواخر آبان که او و میترا از خیابان پهلوی به طرف امیریه پایین می‌آمدند. احساسی داشتند که حوادث آن هفته به صورت نقطهٔ عطفی گذشته بود. اوایل آن هفته، در حالی که شاه هنوز در بی‌تصمیمی بود و نمی‌دانست دولت شریف امامی را عوض کند یا نه، یا یک دولت نظامی آهنین را سر کار بیاورد یا نیاورد، گروههای مختلف، چند روز پیاپی، به خیابانها ریخته بودند (ناصر و میترا و احمد و زهرا هم به دستور رضا شرکت کرده بودند) و صدها بانک و سینما و مغازه و ادارات دولتی را به آتش کشیده بودند. پایتخت کشور

شاهنشاهی ناگهان به صورت شهرکی وحشتزده و هرج و مرج و
بی‌صاحب در آمده بود... و شاه بالاخره تصمیم گرفته بود دولت نظامی
ارتشبد ازهاری را به جای دولت شریف‌امامی روی کار بیاورد، و
دوشنبه همان هفته آورده بود. مردم عادی و کاسب و بازاری با احتیاط
تصور می‌کردند که ورق برگشته است. خیال می‌کردند که دیگر دوران
ناآرامیها تمام شده و حالا دولت نظامی می‌تواند قیامها و شورشها و
مخالفتها را سرکوب کند.

در روز هفدهم آبان آیت الله خمینی اعلامیه‌ای به مناسبت کشته
شدن چند دانشجو در دانشگاه تهران صادر کرده بود (و اعلامیه در
عرض بیست و چهار ساعت به صورت نوار به ایران و به تمام شهرها
رسیده بود) در این اعلامیه به مردم تکلیف شده بود که «... این
حکومت غاصب را براندازید. اعتصابات را ادامه دهید. روابط خود را با
مؤسسات دولتی و بانکها و مراکز اقتصادی قطع کنید، و ویران کنید
این مراکز ظلم و فساد را، چون برانداختن «طاغوت» یعنی ساقط کردن
قدرتهای سیاسی ناروای یزیدی که در سراسر وطن اسلامی ما برقرار
است، وظیفهٔ شرعی همهٔ ماست. متحد باشید، وحدت کلمه داشته
باشید، وحدت عمل داشته باشید، قیام کنید بر علیه این دولت غاصب،
و بسوزانید و نابود کنید این مراکز ظلم و فساد را...» به تحریک این
اعلامیه، گروههای انقلابی یک روز، از جلوی دانشگاه راه افتاده و در
چهار مسیر از شرق به غرب در خیابانهای شاهرضا، شاه، تخت‌جمشید و
کریمخان، هر چه بانک و سینما بود با بمب آتش‌زا و کوکتل
مولوتف آتش زده بودند. بسیاری از آنها را به کلی ویران کرده
بودند. هر چه مشروبفروشی و رستوران باز باقی مانده بود سوزانده و
شیشه‌ها را شکسته بودند. حتی چند اداره دولتی و مؤسسه ملی و
انتظامی را هم، منجمله ساختمان ده طبقه شرکت ملی گاز ایران را با
تمام وسائل و کامپیوترها سوزانده و منهدم کرده بودند.

این شورشها و تخریبها که بیشتر آثار آن، همان شب از تلویزیون نشان داده شده بود و پخش خبرش از رادیوهای خارجی، واقعیتی قاطعیت یافته می‌نمود، شاه را به اندازهٔ کافی تکان داد. روز بعد پیامی از رادیو و تلویزیون فرستاد که طی آن مردم از دهان خود او شنیدند که «انقلاب» کرده‌اند.

«... من صدای انقلاب شما را شنیدم... و از این به بعد تعهد میکنم که اشتباهات گذشته تکرار نشود...»

ولی شاه ارتشبد غلامرضا ازهاری را به ریاست دولت گمارده و از او خواسته بود دولت نظامی مُشت محکم و مصممی تشکیل دهد.

وقتی از شاهپور می آمدند طرف درخونگاه، کمتر دکانها باز بودند. پسرک گفت: «انگار دیگه تموم شده.»

میترا پرسید: «چی؟»

«دیگه دولت نظامی اومد سر کار. هر کی نُطُق بکشه، تتتق تتتق تیربارونه.»

میترا گفت: «خانم نشو، عزیزم.»

«یعنی وضع آروم نمیشه؟»

«برای مدتی کوتاهی چرا. اما این خودش بزرگترین شکست استراتژیکی شاه و درباره. امریکا الان در سیاست خاورمیانه‌ش، سرش جاهای دیگه بنده. امریکا الان سرگرم قرارداد «کمپ‌دیوید» بین خودش و اسرائیل و مصره. یعنی در فکر ایجاد یک پایگاه بزرگ دیگر در خاورمیانه‌ست ــ شاه را دیگه با صلابت حساب نمی کنن. انگلستان هم که البته میخواد شاه برداشته بشه، و قیمت نفت و پشت «اوپک» بشکنه. آنها میخوان در خاورمیانه باز هرج و مرج و جنگ شروع بشه تا به فیض و استفاده‌هایی برسن. البته این یک شکست برای سیاست امریکاست... و شکست سیاست امریکا، یعنی شکست شاه... میخوای ما

هم اینجا به فیض یه چلو کباب برسیم؟» به چلو کبابی کوچکی که سر کوچهٔ کلعباسعلی بود اشاره کرد.

«آره... شما هم میخوای؟»

«آره. بیا امشب بیرون شام بخوریم، و جشن بگیریم. من احساسی دارم که میگه امشب شب آغاز یک پایانه.»

«باشه... اما من خر فکر می کردم دیگه همه چی تموم شده. و اوضاع آروم میشه.»

میترا گفت: «اوضاع فساد و ضعیف‌النفسی ایران همیشه اول باید داغون بشه تا بعد آروم بشه.»

«هی... راستی حکومت نظامی چی؟ ساعت نه بگیر و ببنده.»

میترا گفت: «بیا، تازه ساعت هفت و ربعه.»

رفتند توی چلو کبابی فسقلی، پشت میز کوچکی، کنار پنجره نشستند و گفتند برایشان یکی یک پرس کوبیده و دوغ بیاورد. پیشخدمت فوری غذاها را آورد و گفت: «آیون، لطفاً تندتر بخورید چون ما میخوایم نیم ساعت دیگه ببندیم.»

بیرون، پشت شیشه، توی پیاده‌رو مردم تندتند رد می‌شدند، و حجم ماشینهای توی خیابان هم یک دهم معمول بود.

پسرک تند تند شروع کرد به خوردن، اما میترا بیشتر بازی بازی می کرد، و مثل همیشه که در یک محل عمومی و بین مردم بودند زیاد حرف نمی‌زد. چون سالن خالی بود، آهسته گفت: «دلم میخواد بدونم امشب شاه شام چه میخوره.»

«کباب کوبیده نمیخوره.»

«شنیده‌م اون به سگهاش هم بیسکوئیت سویسی میده.»

خندیدند.

بعد از بیست دقیقه، بلند شدند پول دادند و آمدند بیرون.

گرچه هنوز اول شب بود، اما مردم از توی خیابانها محو شده

بودند. حالا شب دلمرده‌تر و سردتر بود. و آنها قدم‌زنان از سر بازارچه کلعباسعلی انداختند توی پیاده‌روهای جلوی پارک شهر.

«بیا تندتر بریم تا دیر نشده. باز برق‌ها رو قطع کرده‌ن. باید ساعت هشت شده باشه.» پسرک احساس سردی و لرزش بدی می‌کرد.

میترا گفت: «آره، بریم تا به اخبار هشت و نیم رادیو مسکو برسیم.»

نزدیک ساعت حکومت نظامی بود که رسیدند خانه. توی تاریکی حیاط، باد با صدای هوهوی خشکی وسط لاخه‌های خشکیدهٔ درخت مو روی داربست می‌پیچید. اتاق هم سرد و تاریک بود. میترا چراغ گازی کوچکی را که خریده بودند روشن کرد. بعد شروع کرد به گرفتن رادیو. به پسرک که با کاپشن از خستگی سینه دیوار دراز شده بود نگاه کرد.

گفت: «میخوای بخوابی؟»

«نه. فقط میخوام دراز بکشم.»

«خوبه، خستگی در کن.»

«دلم میخواد یه ده هفته‌ای دراز بکشم. یا دو سه سال.»

میترا خندید: «تا انقلاب تموم شه؟»

«تا این روزهای آشوب و بدبختی تموم شه.»

میترا گفت: «دیگه انقدرها طول نمیکشه... شب ژنرال‌ها شب درازی نیست.» هنوز با پیچ رادیو ور می‌رفت.

«ژنرال‌ها میتونن خرچنگهای جامعه بشن.»

میترا گفت: «اینها خرچنگ نیستند... بجز چند تاشون، بقیهٔ مهره‌ن. نه به شاه ایمان دارند، نه به خودشون، نه به هیچ سیاستی. و بدبختی ارتش ایران همینه، قائم به ذات شاهه... شاه بره، ارتش رفته. اونها آدم برفی‌اند... وقتی خورشید ایمان سر زد اونها آب میشن.»

«نه بابا، خیلیهاشون به شاه وفادارند...»

میترا گفت: «تاریخ ایران پر از افسانهٔ شاهایی‌یه که فرار کرده‌ن. اگر اون فردا از این کشور فرار کنه و این ژنرالها رو به حال خودشون بگذاره، اینها کجا هستند؟ اگر فرار نکنن برن امریکا ــ از کجا سر درمیارن؟» زن گویندهٔ اخبار به زبان فارسی رادیو مسکو با لحن چندش آورش اوضاع ایران را حلاجی می‌کرد.

«از کجا؟»

«از همون جایی که ژنرالهای نیکلای دوم تزار روسیه سر در آوردند. جلوی جوخهٔ آتش.»

بعد آمد جلوتر کنار پسرک سینهٔ دیوار چنبره زد، و یک بازوی او را وسط دستهای خودش حلقه کرد.

«حتی اگر ملیها و اسلامیها پیروز بشن؟ اونها هم ژنرالها رو میکشن؟»

میترا گفت: «بخصوص اسلامیها... خیال میکنی وقتی رژیم ساقط شد آدمهایی مثل رضا و سایر مبارزهای بنیادی میگذارن تیمسارهایی مثل ازهاری و علوی مقدم و نصیری ــ اگر فرار نکرده باشن ــ بمونن، بازنشسته بشن و مستمری و مزایا بگیرن؟»

پسرک جواب نداد، و چشمهایش از خستگی داشت بهم می‌رفت. یک چیزهایی هم توی کله‌اش موج می‌خورد... به یاد حرفهای دو شب پیش رضا افتاده بود که از اهدافشان برای ایران و اسلام بعد از پیروزی انقلاب صحبت میکرد. کلمه‌های ایدئولوژی، خلق، انقلاب، اسلام، شهادت، جهاد، مبارزه با کفر و فتوا که بیشترشان را درست نمی‌فهمید روی قشر مغزش پراکنده بودند و موج می‌زدند. بعد چشمهایش گرم شده بود و بین خواب و بیداری رضا را دید که مثل چند شب پیش که با احمد و رسول آردکپان توی مسجد بودند، توی اتاق پشت شبستان برای آنها و سی چهل نفر دیگر از جهاد مقدس و مقاومت اسلامی حرف می‌زد و می‌گفت ما می‌خواهیم در این کشور به فرمایش امام،

طاغوت را براندازیم و به جای آن حکومت محمدی بر امت مسلمان برقرار کنیم ـ حکومت عدل الهی و محمدی همانطور که قرآن کریم وعده داده که در آن مظلوم بر ظالم حکومت کند.

نفهمید چند دقیقه یا چند ساعت چرتش برده بود. وقتی چشمهایش را باز کرد، احساس کرد که اتاق گرمتر شده است. میترا یک پتو روی پاهای او انداخته بود و خودش داشت به رادیو بی. بی. سی گوش می‌کرد که حکومت ازهاری را تجزیه و تحلیل می‌کرد.

ژنرال ازهاری در اولین نطق رادیوتلویزیونی خود که شخصاً خواسته بود آن را برای مردم بخواند، به فرمان شاه در نظر داشت حکومتی با رعایت اصول آزادی و دموکراسی و حقوق انسانی طبق قانون مشروطه ایران در کشور برقرار سازد. قول داده بود هرچه زودتر به اعتصابها خاتمه داده، و زندانیان سیاسی بیگناه را آزاد نموده، و مرتکبین جرائم غیرقانونی گذشته را در هر سطح و طبقه دستگیر و مجازات کند...

میترا هم خمیازه‌ای کشید و گفت: «این هم از ژنرال گردن کلفتشون... بیشتر شبیه سخنگوی پرزیدنت کارتر و حزب دموکرات ایالات متحد حرف میزنه، تا بزرگترین افسر بزرگ ارتشاران.»

«آره...» تقریباً خواب بود.

فصل پنجاه و سوم

آن شب، بعد از آنکه میترا بالاخره خوابش برد، او بلند شد، باز آمد توی اتاق دم در، زیر لحاف پاره قدیمی خودش دراز کشید. دیگر به رادیو هم گوش نکرد. خودش را زیر لحاف چنبره کرد، سعی کرد به هیچ چیز فکر نکند، الا چشمهای قشنگ میترا، که پلکهای آن هی بسته و باز شده بود و بالاخره به خواب رفته بود.

چشمان خودش هم کم‌کم داشت گرم می‌شد که ناگهان تکان بدی از جا پراندش. از پشت پنجره، از توی کوچه، (مثل آن شب که رضا آمد اسلحه آورد برد) صدای پای نامأنوسی می‌آمد که نزدیک می‌شد. از صداهای معمولی کوچه هم نبود. یک نفر، شاید هم دو نفر بودند که آمدند پشت در حیاط، متوقف شدند.

صدا، صدای پوتین و قدمهای نظامی بود، شاید هم یک نظامی بود، و یک نفر شخصی. در طی سالیانی که او شبها توی اتاق طرف کوچه می‌خوابید، تقریباً تمام صداهای کوچه را می‌شناخت. صدای بچه‌ها، صدای دوچرخه کریم دماغو، صدای همسایه‌های شهرستانی ته کوچه، صدای مستأجرهایی که خیلی دیر به خانه می‌آمدند... صدای پایی که امشب تا در حیاط آمده بود غیرعادی بود، و عجیب.

با ترس گوشهایش را تیز کرد.

بعد صدای مردی آمد که: «اینجاست؟» صدای او مردانه و آمرانه بود، بیرون درست پشت پنجره.

صدای دیگری جواب داد: «بله، همینجاست، جناب سرهنگ.»

دلش هُرّی ریخت.

صدای مرد اول گفت: «مطمئنی؟» سرفه کرد.

صدای دومی گفت: «بله، بله، جناب سرهنگ. همین جاست. از قدیم همین جا بوده. پشت همین پنجره میخوابه.»

اول از ترس و لرز صدای هیچکدام از آنها را نشناخت، گرچه انگار صدای هر دو نفر را سالها شنیده بود. پا شد، آمد پشت پنجره تاریک، توی تاریکی نفس را در سینه حبس کرد.

بعد یکی از دو مرد با پشت انگشت به در پنجره کوبید. ترس و رعشهٔ بیشتری در ستون فقرات پسرک دوید. از توی اتاق پاورچین پاورچین آمد بیرون توی هشتی ایستاد. این شبها بخاطر سرما با لباس میخوابید. از وسط تاریکی هشتی برگشت، نگاهی به اتاق میترا آن ته حیاط انداخت. صدایی نمیآمد. انگار خواب بود. با سرعت به طرف در حیاط رفت، و قبل از اینکه اشخاص پشت در دوباره سر و صدا کنند، آمد، گیره قفل را پیچاند و لنگهٔ در را یواش باز کرد.

در سایهروشن کوچه، بلافاصله پشت در حیاط، هیکل بلند مردی ایستاده بود. این مرد قدی بلند داشت و یونیفورم افسر نظامی و سرشانهاش دو تا قپّه. پسرک هنوز هم او را نشناخت. یونیفورم او زرق و برقدار نبود، در واقع لباس کار یا لباس خدمت نظامی بود، و بیشتر شبیه لباس افسرهای ساده. یونیفورم در تاریکی از پارچهای ماشیرنگ مینمود، تنگ و چسبیده به تن. شلوارش چسبیده به پاها بود، که بالای پوتینهای بلند و براق جمع میشد. کلاه سربازی کوچکی تا روی چشمهایش میآمد. به کمرش اسلحهای بسته بود. همه

چیزش شبیه سربازهای ساده جنگی بود، به استثنای صورت سفید و
براقش که با چشمهای درشت روشن، و سبیل قهوه‌ای‌رنگ خوش فرم،
او را متشخص و حتی در تاریکی کوچه شاهوار نشان می‌داد. یک
دستش روی کمرش تقریباً روی اسلحه کمریش بود.

پسرک او را نگاه کرد، بعد با صدایی خشک و لرزان، که در واقع
صدا نبود، گفت: «بله؟»

افسر در ثانیه‌های اول هیچی نگفت، فقط پسرک را نگاه کرد.

پسرک با ترس بیشتری او را، و پشت سر او را نگاه کرد، ببیند
کسان دیگری هم با او هستند یا نه.

دو سه قدم بالاتر، یک نفر مثل شبح سینهٔ دیوار مقابل ایستاده بود.
پسرک او را فوری شناخت. سید نصرالله، پیشخدمت آبله‌رو و
بدجنس خانهٔ مادر میترا بود.

افسر نظامی بدون اینکه با پسرک حرفی بزند رویش را برگرداند.
رو به سیدنصرالله کرد. گفت: «شما برو.» لحن او نظامی و تند بود.
«دیگر کاری با شما ندارم.»

سید نصرالله سینه‌اش را صاف کرد: «دستور می‌فرمائید توی جیپ
بمونم، در خدمت شما باشم؟» او به جیپی که با راننده و یک نفر دیگر
سر کوچه بودند اشاره کرد.

افسر نظامی در حالی که دیگر به سید نصرالله نگاه نمی‌کرد، ولی
دستش هنوز روی اسلحه بود، گفت: «نه... برگرد برو خونه‌ت.
متشکرم. خداحافظ.»

سید نصرالله گفت: «چشم.» تعظیمی کرد و محو شد.

افسر نظامی به طرف پسرک برگشت. دستش را از روی اسلحه
برداشت. پرسید: «تو ناصری، درسته؟ ناصر نبوی؟»

هنوز مات بود. «بله، آقا.» دو عطسهٔ بد کرد، و احساس کرد سردی
شومی توی بینی و سر و سینه‌اش می‌پیچید.

افسر نظامی لبخندی زد. پرسید: «منو به جا میاری؟»

«نه خیر، آقا.» اما این حرف کاملاً درست نبود، چون او هم‌اکنون حدس زده بود آن افسر چه کسی است. با صدای یواشتری گفت: «مطمئن نیستم.»

افسر نظامی با صدایی که فقط به گوش پسرک و خودش می‌رسید گفت: «من سرهنگ جهانگیرم.» مکث کرد، تا این حرف در مغز پسرک رسوب کند. بعد اضافه کرد: «داماد مادر میترا.»

پسرک آب دهانش را قورت داد گفت: «بله، آقا.»

امشب هم از او می‌ترسید، و هم احساس تنفر بی‌دلیلی داشت. شاید به دلیل آنکه او هم یکی از «آنها» بود، یا شاید به دلیل اینکه میترا از او خوشش نمی‌آمد.

«تو مرا خوب می‌شناسی. من میخوام... چند کلمه با تو حرف بزنم، ناصر.»

«چشم، آقا...»

«تنها... نمی‌خوام مزاحم میترا بشوم.» باز مکث کرد. به چشمهای او خیره شد، که مقصودش را بفهمد. گفت: «نمیخوام میترا مرا اینجا ببینه.»

«توی این اتاق دم در من تنهام، آقا. اینجا کسی نیست. میترا توی اون اتاق ته حیاط می‌خوابه.» بعد با صدای کوتاهتری گفت: «اگر میل دارین میتونیم همین جا توی کوچه حرف بزنیم.»

افسر نظامی باز او را نگاه کرد. گفت: «بسیار خوب، متشکرم. بریم داخل.»

حرکاتش و صدایش مثل یک ماشین بزرگ بود که با نیروی مولده از ایمان و غرور نظامی کار کند. لنگهٔ در حیاط برای او کوچک بود، اما خودش را وارد هشتی کرد، و دنبال پسرک به درون اتاق دم در آمد، که هنوز تاریک بود، و فقط اندک سایه روشنی از چراغ کوچه

داشت.

پس از بازگشت میترا از خارج، پسرک دیگر سرهنگ را ندیده بود، و بخصوص هرگز نه توی درخونگاه، نیمه‌شب، در تاریکی پس‌کوچه‌های بناها، و در آن یونیفرم جنگی و خاکی... و امشب، در این شبهای حکومت نظامی و ترسناک، آمدن ناگهانی او به خانه درخونگاه برای پسرک رعشه‌آور و غیرقابل توجیه بود. گرچه ته قلبش احساس می‌کرد از او واقعاً نمی‌ترسد.

سرهنگ خسرو جهانگیر، آنطور که پسرک از میترا شنیده بود، تنها پسر تیمسار دکتر جمشید جهانگیر نیشابوری بود، که در اوایل دوره پهلوی در دارالفنون و بعد در پاریس تحصیل کرده بود. پس از بازگشت به ایران در بهداری ارتش خدمت کرده و به درجات بالا نایل آمده بود. پسرش خسرو را از زن فرانسوی‌اش داشت. خسرو علاوه بر زیبایی صورت و خصائل خانواده فرهنگی، طبع والای افسران کلاسیک ارتش امپراتوری را داشت، که آن را هم به خاطر مادر فرانسوی از خانواده‌های اشرافی قدیمی فرانسه به ارث برده بود.

پسرک برای اینکه لرزش دستهایش را قایم کند، به سرهنگ پشت کرد و در تاریکی دنبال کبریت گشت. وقتی آن را پیدا کرد به روشن کردن چراغ موشی کوچکی که بالای رختخواب بود مشغول شد. چراغ را از قدیم داشتند و این شبها نفت می‌ریختند برای مواقعی که مخالفین برق را هنگام پخش اخبار سرشب قطع می‌کردند. فتیله آن را خیلی پایین نگه داشت، و بعد آن را برداشت آورد یک گوشه دیگر اتاق آنجا که سرهنگ ایستاده بود نهاد. بعد سرش را بلند کرد و به طرف مهمان متجاوز خود نگاه کرد: «بفرمائید.»

سرهنگ هنوز ساکت بود؛ انگار از دیدن اتاق فکسنی و محقر، و تقریباً خالی، گیج و مبهوت مانده بود. بجز جاجیم پاره پوره، چراغ موشی، لحاف و تشک بی‌رنگ، دوسه تا کتاب و کتابچه، و یک

رادیو قراضه، اتاق خالی بود. دیوارها و سقف ترک ترک و حتی پایین دیوارها نمزده و در حال ریزش بود. پسرک خجالت کشید. صندلی و حتی چهارپایه‌ای هم برای نشستن افسر گارد شهبانو نداشت. او خجالت و ناراحتی پسرک را احساس کرد. یک «متشکرم» گفت و گرفت روی لبهٔ درگاهی پنجره کوتاه، رو به حیاط نشست، که به شکل تاقچه‌ای پایین بود.

گفت: «پس شما اینجا زندگی میکنین. اصل سادگی و بی‌ریایی.» پسرک چیزی نگفت. سرمایی که توی بینی و گلوش بود دوباره او را به عطسه انداخت.

سرهنگ گفت: «من تا حالا تو یکی از این خانه‌ها و اتاقها نیامده بودم. هم ساده و ـ بی‌ریاست و هم من از حیرت قلبم احساس و درد عجیبی پیدا کرده... هم شما انگار سرماخوردی!»

انتظار نداشت چنین کلماتی را از دهان او بشنود. بی‌اختیار گفت: «از اینجا ساده‌تر و بی‌ریاتر هم هست. ته جوادیه، کپر عمه‌م. یا کومه دوستم تو دهات کویری ولی آبادون.»

سرهنگ سرش را انداخت پایین. پسرک باز از خودش کمی خجالت کشید که این حرف را زده است. مقصودش طعنه و تحقیر نبود. اما سرهنگ انگار حرف او را نشنیده بود.

پرسید: «گفتی میترا کجاست؟» صدایش حالا خیلی پایین بود. پسرک با همان صدا جواب داد: «توی اتاق آنطرف حیاط خوابیده.»

سرهنگ به سادگی گفت: «تو اینجا می‌خوابی و میترا توی اون اتاق آنطرف حیاط؟»

پسرک حالا با صدایی که اندک شجاعتی به آن بازگشته بود، گفت: «بله.» و به چشمهای سرهنگ نگاه کرد، تا به او بگوید که فقط او نبود که غرور داشت.

سرهنگ جهانگیر فکر او را خواند. گفت: «معذرت میخوام. منظوری نداشتم. من شنیده بودم شما رسماً ازدواج کردید. یعنی منظورم این نبود که در کار و زندگی شماها دخالت کنم. مقصودم فقط این بود که بپرسم امکان دارد میترا صدای ما را در اینجا بشنود یا نه؟»

«نه. اگه یواش حرف بزنیم فکر نکنم.»

«هیچکس دیگر هم در این خانه نیست؟»

«نه خیر، آقا.» در دلش به راستی از خدا می‌خواست که میترا در خواب باشد و صدای این تجاوزگر نیمه‌شب او را بیدار نکند.

سرهنگ، همانطور که داشت دور و بر اتاق را نگاه می‌کرد، چشمش را به تنها قاب عکس کوچک دوخت که به دیوار بالای نور کم‌سوی چراغموشی آویزان بود.

پرسید: «این عکس مادرت مهری‌خانمه، درسته؟»

گفت: «بله...» و با ترس و حیرت لرزید، که چطور این مرد حتی اسم کوچک مادر او را بلد است. ظاهراً سرهنگ جهانگیر پیش از اینکه به اینجا بیاید تکلیف و تحقیقاتش را خوب انجام داده بود. یا اینکه او خانوادهٔ نبوی و تاریخ آنها را خیلی بهتر از آنکه پسرک تصورش را می‌کرد می‌شناخت. خانوادهٔ خود سرهنگ نیز از خراسان بودند. شنیده بود که سرهنگ، دایی فیروز را از طریق دکتر راشد خوب می‌شناخت، و دایی را خیلی دوست داشت و حتی از مریدان صوفی زرتشتی‌ـگرای گوشه‌گیر بود.

سرهنگ جهانگیر گفت: «مادر... گوهر عزیز زندگی‌یه، و موجود حساسی‌یه. مادر من هم فوت کرده. هیچ کاری هم نمیشه کرد. دیگر عزیزان آدم هم می‌میرند و کاری نمیشه کرد...»

گفت: «بله، آقا.» او را نگاه کرد.

سرهنگ کمی سکوت کرد. بعد گفت: «من از دایی شنیده‌ام که او،

یعنی مادر شما یک خانم استثنایی و وارسته بود، قلب پاک و با محبت و والایی داشت. خدا رحمتش کند.»

پسرک گفت: «او... با بقیه فرق داشت، آروم بود.»

سرهنگ جهانگیر گفت: «گوش کن، ناصر. بی‌شک شما تعجب کرده‌ای که من الان اینجا چکار می‌کنم؟ من یک سربازم، و سرباز همیشه ساده و رک حرف میزنه. من مأموریتی دارم و آمدم اینجا تا ساده و رک به تو چیزی را بگویم.»

«بفرمایید.»

سرهنگ گلویش را صاف کرد. آنچه که می‌خواست بگوید برایش آسان نبود.

گفت: «من از طرف مادر میترا به اینجا آمده‌م. یادت باشه که او هم یک مادره، و برای دخترش در این اوضاع و شرایط خیلی نگرانه‌ن. میخواد کاری بکنه که دخترش در امان باشه، زنده بمونه. خودش نمیتونه با میترا حرف بزنه... چون میترا الان داره یک دوران عصیان جوانی و خامی‌ش رو میگذرونه، و با مادرش مکالمه نداره.»

ساکت ماند و به چشمهای صبور پسرک نگاه کرد. ادامه داد: «من هم نمی‌تونم با میترا از جانب مادرش حرف بزنم، چون میترا مرا هم جزو دستگاه و جلال و جبروتی فاسد و به اصطلاح خودش «اشرافی» و «غیرخلقی» دربار می‌دونه. و حتی مرا به نحوی مسئول مرگ خواهرش میدونه.»

باز سکوت کرد، و منتظر شد پسرک چیزی بگوید، که سرش پایین بود.

سرهنگ گفت: «اما تو می‌فهمی... مادر میترا میخواد به میترا کمک کنه. من هم میخوام تا اونجا که میتونم کمک کنم. ولی ما ــ یعنی مادرش و من ــ به‌تنهایی نمیتونیم به میترا کمک کنیم. هیچکس از ما نمیتونه به میترا کمک کنه، چون میترا کمک ما رو نمیخواد... میترا

انقلابی بر علیه تمام خانواده و اصول و ارکان و ارزشهای دستگاهی کرده که ما جزو آن هستیم... میترا حرف هیچکدام از ما رو گوش نمی‌کنه، و از آن بدتر، او از تمام ما نفرت داره... این یک طرف قضیه، طرف گذشته قضیه است. از طرف دیگه، ما میدونیم که میترا و امثال میترا آینده تاریک و بدی در پیش دارن... ناصر، گوش کن: سلامتی و آینده و حتی جان میترا در خطره. در یک خطر حتمی‌یه. تو خودت هم این رو میدونی.»

او فقط ساکت به سخنان سرهنگ گوش می‌داد. هیچکدام از حرفهای او را تکذیب یا تأیید نکرده بود. حالا هم فقط سرش را بلند کرد و به طرف مهمانش نگاه کرد.

سرهنگ در حالی که حالا به چشمهای او خیره بود، ادامه داد: «فقط یک نفر هست که میتونه به میترا کمک کنه... چون میترا فقط آن یک نفر را در این دنیا دوست داره. میترا عاشق این یک نفره، و فقط به حرفهای این یک نفر گوش میکنه. و تکرار می‌کنم این یک نفر تنها کسی است که میتونه جان میترا رو نجات بده... و تو میدانی آن یک نفر کی‌یه.»

تپشهای دل پسرک شدیدتر شده بود. سالها بود، از یازده سالگی‌اش، که همیشه و همه جا، او به میترا فکر کرده بود، ولی نه به عشق، نه آنطور که زنها و مردهای این دنیا عاشق هم می‌شدند. امشب، نیمه‌های این شب تاریک، این بیگانهٔ عجیب باید در زندگی او ظاهر شود، و عشق میترا را نسبت به او، اینطور مطلق و ابدی اعلام کند. زبانش بند آمده بود. فقط احساس کرد که دارد سرش را تکان می‌دهد، که یعنی مطمئن نبود.

سرهنگ گفت: «... و میدونی که آن یک نفر تو هستی. وقتی ما کسی را دوست داریم باید برای آنها و زندگی آنها کاری بکنیم.» کمی ساکت ماند و وقتی ادامه داد: صدایش کمی شکسته بود. «من

خواهرش را دوست داشتم... ولی چون از او درست نگه‌داری نکردم، مرگ او را از من گرفت.»

پسرک سرش را بلند کرد و به چشمهای غمزده سرهنگ در این دل سیاه شب نگاه کرد. برای اولین برای او احساسی داشت.

سرهنگ نفس بلندی کشید. سیگاری درآورد و قبل از اینکه به لب بگذارد، گفت: «میترا متعلق به توئه. میترا ترو برای زندگیش انتخاب کرده. ما همه می‌دونیم... آیا تو او را به اندازهٔ مادرت و به اندازهٔ خواهرت دوست داری؟»

«بله، او را بیشتر از هر کس در این دنیا دوست دارم.»

سرهنگ نفس راحتی کشید. «آیا حاضری برای او فداکاری کنی؟»

«بله. البته که حاضرم برای او فداکاری کنم... من حاضرم برای او از جانم بگذرم.»

سرهنگ سیگارش را آتش زد، و دودی بیرون داد. گفت: «پس میترا را نجات بده، تا دیر نشده او را نجات بده، او را از این خونه، از درخونگاه، از این شهر بیرون ببر. از این جا خارج بشید.»

پسرک آب دهانش را قورت داد: این حرفی بود که دایی زده بود.

سرهنگ ادامه داد: «مادرش از تو تمنا کرده، استدعا و التماس کرده که تو این دختر را نجات بدهی. به حقایق فکر کن: یک. میترا مثل تو جوانه، در غرور و شور جوانی جوش می‌زنه. دو. میترا از مادرش نفرت داره، و بر علیه تمام سیستم و خانواده‌ش قیام کرده...» کمی مکث کرد. «مادرش البته نمیخواد که میترا حتی بفهمه که مادرش این برنامه را طرح و پیشنهاد کرده، که میترا با تو از این محله و از این شهر خارج بشه. در عملیات استراتژیکی غیرنظامی ما به این جور نقشه‌های سودمند می‌گیم «سناریو»، که یعنی چه جور میشه یه برنامه‌رو پیاده

کرد. ما میدونیم میترا کجاها رفته، چه تعلیماتی دیده، و چه در سر
داره... ولی پاک مانده. مادرش فقط میخواد تو کمک کنی که دخترش
از این شهر بره، زنده بمونه. این تنها خواست و خواهش و آرزوی
مادر میتراست. ما روزها و دوران بسیار سخت و بدی را در پیش
داریم. جوانهای ما را شورانده و دیوانه کردهن و از مدرسهها و خانهها
به خیابانها ریختهن. آنهایی که پایههای خانوادگیشون سستتره
آسیبپذیرتراند، و طعمهٔ اسفناکتری برای مرگ هستند ـ مثل میترا.
ناصر، سعی کن به مادر میترا کمک کنی.»

پسرک گفت: «من نمیدونم چکار کنم.» دلش میخواست بگوید
شما میترا را از این شهر بیرون کردید، رفت و به او بد گذشت و حالا
دوباره برگشته و خوشحال است. دلش میخواست بگوید میترا حالا
ایدهآل و آرزوهایی دارد. اما امشب در مقابل این مرد عجیب به راستی
نمیدانست چه بگوید.

مرد عجیب ادامه داد: «من خودم امکانات و وسائلش را فراهم
میکنم.» لحظهای سکوت کرد. بعد گفت: «من باید برم. وقت هم زیاد
نداریم. خیلی چیزها هست که من میدانم و تو نمیدانی. من هم از
تجربههای بدی گذشتهم... ناصر، دنیا و سرنوشت به همه کس این جور
شانس و فرصتها رو نمیده. گوش کن و از این فرصت استفاده کن،
پسر جان.» به ساعتش نگاه کرد.

پسرک به صورت سرهنگ نگاه کرد. میدانست باز اشارهای به
مرگ زن جوان خودش کرده، و نفهمید مقصودش این بود که امشب
وقت زیادی ندارد یا بطور کلی آینده زیادی نمانده. آن شب، شب
قبل از اول ماه محرم بود، به قول انقلابیون ماه پیروزی خون بر
شمشیر...

پرسید: «پیشنهاد مادر میترا چی هست؟» فکر کرد شاید میخواستند
آنها را بفرستند مشهد.

سرهنگ پک بلندی به سیگارش زد و گفت: «پیشنهاد مادر میترا اینه: اگر شما موافقت کنی، و میترا را راضی کنی، من فردا شب نه، پس فردا شب شخصاً با یه گذرنامه برای هر کدومتون میام اینجا... با ویزای امریکا. وسیله‌ای فراهم می‌کنم که از تهران خارج بشوید. شما می‌توانید روز بعدش با اتومبیل بروید ترکیه می‌تونید اونجا باشید تا این آشوبها بخوابه. بعد می‌تونید به سلامت برگردید، یا میتونید بروید امریکا... یا به هر جا که می‌خواهید. و زندگی‌هاتون را شروع کنید.»

پسرک هاج و واج، و با دهان باز به صورت سرهنگ در اتاق تاریک و نور کم چراغ‌موشی نگاه می‌کرد که چطور این حرفها را به سادگی آب‌خوردن می‌زند. این حرفها و نقشه‌های فرار که جزو تار و پود طرز فکر و کارهای آنها بود برای پسرک درخونگاهی غیرممکن، باورنکردنی و غیرقابل فهم بود.

«یعنی من و میترا با پول و گذرنامه از کشور خارج بشیم؟» دو عطسهٔ بد دیگر زد، و حالا بینی‌اش هم گرفته بود، و مجبور شد از حولهٔ کوچک که به میخ دیوار آویزان بود استفاده کند. سرهنگ صبر کرد او کارش با حوله و عطسه تمام شود.

گفت: «موقتاً برید ترکیه. ولی تو باید بخوای.»

پسرک سرش را تکان داد. وقتی حرف زد لحنش و کلامش مطلق بود: «میترا قبول نمیکنه. میترا هرگز قبول نمیکنه.»

«متقاعدش کن. کم‌کم با او حرف بزن. یواش یواش.» باز به ساعتش نگاه کرد. از طرف خیابان صدای تک تیراندازی‌هایی می‌آمد. سرهنگ اهمیت نداد. به پسرک نگاه کرد.

«حتی نمیتونم فکرش رو هم بکنم.»

سرهنگ گفت: «فکر کن... فکرش رو بکن، ناصر نبوی. تو و خانواده‌ت به اندازه‌ی کافی مرگ و رنج و عذاب دیدید. این بخاطر نجات میتراست.»

«اگر میترا بفهمه که من پشت سر او با شما و با مادرش نقشه پقشه ریختم، هرگز منو هم نمیبخشه. از من نفرت پیدا میکنه. ممکنه از اینجا هم بره. ممکنه منو هم ترک کنه. و ممکنه بره پیش افراد دیوانه‌تری که کارشون شب و روز نفرت و جنگ مسلحانه‌ست.» از خودش تعجب می‌کرد که بالاخره زبانش باز شده و با او بحث می‌کند.

سرهنگ جهانگیر آخرین نفس بلندش را کشید و سرش را تکان داد که یعنی آماده بلند شدن است، و به این لاطائلات اهمیت نمی‌دهد. گفت: «پسرم، از حرفهایی که میزنی معلومه که دوستش داری و اهمیت میدی. کوشش کن که میترا را راضی و مجاب کنی و از اینجا برید. اگر به خودت فکر نمیکنی به میترا فکر کن. میترا بچه‌ست ــ یک بچه‌ی عصیان‌کرده. میترا عاشق توئه که فردی از خلق محروم این اجتماعی. او این عشق خودش نسبت به تو را، و پیوستن به تو را، و نتیجتاً بریدن از مادرش را با مبارزه علیه سیستم و مملکت و ایجاد آشوب و تشنج اشتباه کرده، یا قاطی کرده... اما عشقش نسبت به تو واقعی‌یه. موج طغیان و شورشی که در این کشور به وجود آورده شده به شما مربوط نمیشه. بخصوص به او مربوط نمیشه. باید این عوامل را از هم جدا کنید. فکر کنید. بخاطر خدا فکر کنید.»

پسرک که حالا اندک جرأتی پیدا کرده بود، گفت: «در نظر میترا چیزهایی که شما می‌فرمائید، فقط یک طغیان و شورش ساده نیست. به نظر او این یک انقلاب خلقی‌یه.»

سرهنگ جهانگیر گفت: «اینها خلق نیستند، اینها آلت دست هستند.»

«آلت دست کی؟»

نخواست حرفش را بزند. گفت: «گوش کن. ما داریم از موضوعی که من به خاطر آن آمدم اینجا دور می‌افتیم. ناصر، فکر کن. تو بچه‌ی

فهمیده و با فرهنگ و با رسالتی هستی، و رنج زیادی برده‌ی. باید فهمیده باشی.»

گفت: «شما میترا را خوب نمی‌شناسید. میترا این جریانات را یک انقلاب اصیل خلقی و روحانی مردم ایران میدونه. به خاطر همین هم هست که از امریکا برگشته، و آرزو و هدف داره، و داره همراه با سایر قشرهای ملت ایران مبارزه میکنه.»

سرهنگ جهانگیر آهی کشید و سرش را تکان داد. بعد گفت: «شما فکر می‌کنید اینها که بانکها و ادارات و سینماها و سایر اماکن عمومی را آتش می‌زنند، کارخانه‌ها، دانشگاهها و مدارس را می‌بندند ملت ایران‌اند؟ شما فکر می‌کنید اینها که شقاوت و حماقت به خرج می‌دهند، ثروت ملی را پایمال می‌کنند، فحشهای رکیک به ارکان ملی و باستانی ایران می‌دهند ملت ایران‌اند؟»

«میترا عقیده داره که هستند... میترا فکر میکنه مردم در مقابل ظلم و نابرابری به صدا در آمده‌اند... همه‌شان هم کمونیست یا مائوئیست یا فدایی نیستند. خواهر من و برادرهای من خواهان انصاف و عدل اجتماعی، و یک جامعهٔ توحیدی و بی‌طبقه بودند... آنها سه چهار سال پیش کشته شدند ولی حالا امثال آنها هزاران هزار نفر هستند، و میترا از این چیزها تأثیر گرفته، و اینها را دوست داره.»

سرهنگ جهانگیر باز به ساعتش نگاه کرد. ولی سیگار دیگری در آورد. معلوم بود که از بحث و گفتگو دربارهٔ این چیزها بدش نمی‌آمد.

گفت: «ناصر، اگر معنی توحید شما، و معنی تساوی طبقاتی شما و جامعهٔ توحیدی شما این است که مردم همه بیسواد و ندار باشند و در سطح پایین اجتماع قرار داشته باشند، و دانشگاه و مدارس مدرن نباشند، و همه فقط جنگ و مجاهدت بکنند، و هیچکس دارا و مرفه نباشد، این توحید غیرخداوندی است. اگر قرار باشد همه هم‌طبقه و

هم‌سطح طبقات ضعیف و نادان بشوند (یعنی از آنها که دارند گرفته شود و دارائی‌ها نابود شود و مدارس و دانشگاهها و مؤسسات فرهنگی و پیشرفته همه بسته شوند) و همه طبقات اجتماع نادان و متعصب و بدبخت و فقیر و تنگدست و گریان و عزادار بشوند ــ اگر قرار باشد که این کارها بشود ــ چنگیز مغول این امر را سریعتر و کامل‌تر در ایران برقرار کرد و در اندک مدتی جز یک سرزمین ویران و مفلوک و درمانده و نالان چیزی در پشت سر خود باقی نگذاشت.»

پسرک با حیرت تازه‌ای به حرفهای سرهنگ جهانگیر گوش می‌داد، و نمی‌دانست چه جواب بدهد. دلش می‌خواست در آن لحظه میترا در آنجا بود و جواب سرهنگ را می‌داد. سوزشی که بینی و گلویش را آزار می‌داد بدتر شده بود.

گفت: «آقا، من نمی‌دانم جواب شما را چه بدهم. شما بزرگ و فهمیده هستید. من یک بچه‌ی درخونگاهی خام و ساده‌ام. اما پدر من و خواهرم و چهار برادرم تا امروز به خاطر مخالفت با این رژیم که حساسیت زیادی به دردهای مردم طبقه محروم نشان نمیداده کشته شده‌اند و نابود شده‌اند. مادر من از غصهٔ آنها و از دوری تنها پسر زنده‌ی دیگرش که به انقلابیون فلسطینی پیوسته بود انقدر گریه کرد که از غصه دق کرد و مرد. من در این خونه که تنها آلونک میراث پدری منه گرسنه و تنها بودم تا اینکه میترا به اینجا آمد... او به زندگی من نور و جان و امید بخشید. او خودش هم حالا خوشحاله که امریکا را ول کرده و آمده اینجا. من نمیخوام و حاضر نیستم. شما از من تقاضای محال و غیرممکنی می‌فرمایید. نه.»

سرهنگ جهانگیر نگاه عمیقی به او انداخت. خوشش آمد که پسرک شعور و احساس پیدا کرده. گفت: «بسیار خوب، ولی امیدوارم روزی نیاید که شما از اینکه امشب این پیشنهاد را رد میکنی هر دو پشیمان بشوید ــ بخصوص تو پشیمان بشوی.»

پسرك ساكت ماند.

سرهنگ گفت: «در آینده خونهای زیادی ریخته خواهد شد، و کشتارهای فراوانی خواهد شد. آینده‌نگری و رمل و اسطرلاب زیادی هم لازم نیست. کافیه به تاریخ گذشته و حوادث دردناك نگاه کنیم: که ایران وقتی یك رهبر قوی و خیرخواه نداشته چه جور مورد تاخت و تاز بیگانگان واقع شده، یا چه جور دستخوش درگیریهای خونین داخلی بوده. هیچ آدم عاقلی نمیخواد کشته بشه یا به زندان بیفته و بپوسه و بمیره. هیچ آدم عاقلی نمیخواد کسی را که دوست داره جلوی چشمهاش کشته بشه، یا در زندانها بیفته و جلوی جوخه‌های اعدام تیرباران بشه. تو که نمیخوای میترا کشته بشه؟» این حرف را زد، و بعد ساکت ماند... نگاهی به طرف پنجره تاریك که در ماوراء آن، در آن سوی حیاط، میترا خوابیده بود انداخت.

پسرك لرزید. پرسید: «مگه میترا قراره کشته بشه؟»

سرهنگ آمادهٔ رفتن شد. گفت: «من نمیدونم در آینده چه کسانی و چند هزار نفر کشته خواهند شد. هیچکس امروز نمیدونه. آیندهٔ ایران رو به دگرگونی میره... میتونه رو به جنگ بره. آنچه که ما میدونیم این است که در این کشور امروز طوفانی سهمناك بر علیه سلطنت و بخصوص بر علیه شخص اعلیحضرت همایونی شاهنشاه به راه انداخته‌اند، که ماجرایی کم‌خطر و ساده نیست.»

«من این چیزها را نمی‌فهمم.»

سرهنگ گفت: «بگذریم... چند لحظه پیش گفتی میترا را دوست داری و حاضری به خاطر او فداکاری کنی. فداکاری کن و او را بردار و از این مهلکه خارج کن. از این دامگه حادثه نجات بده... ولو اینکه خودت نخوای فرار کنی، او را نجات بده. ناصر، شهادت چیز مقدسی‌یه. اما زندگی ساده هم یك چیز مقدس و الهی‌یه. یك آدم خام و متعصب و احساساتی، ممکنه خودش‌رو مفت به کشتن بده. اما یك

آدم پخته و با فکر، مسئولیت قبول می‌کنه. او مسئولیتهای هولناک سرنوشت و زندگی‌ش رو قبول میکنه و اگر لازم بود آگاهانه به آغوش مرگ هم میره. حرف من تمام است.»

از لبهٔ درگاه پنجره‌ای که روی آن نشسته بود بلند شد، آمد کنار در اتاق ایستاد. گفت: «سرنوشت گاهی به بعضی آدمهای خوشبخت وقتی قرار است که یک بدبختی به سراغشان بیاید اشاره‌هایی میکنه، علائمی نشان میده... برای تو و میترا هنوز هم دیر نشده، و من جواب منفی ترا به عرض خانم مادرش نمیرسانم. تو هم درباره‌ش فکر کن. من به عرض مادرشان میرسانم که تو درباره‌ش داری فکر میکنی. و فکر کن، پسرجان. این شمارهٔ تلفن آپارتمان خصوصی منه. (او تکه کاغذی از جیب نیم‌تنه‌اش در آورد و به طرف پسرک دراز کرد.) این را پیش خودت قایم کن و اگر خواستی به من تلفن کن. همیشه یک نفر توی خانه هست. با من تماس بگیر.»

تکه کاغذ را کف دست او گذاشت، و پسرک هنوز داشت تشکر می‌کرد که مهمان عجیبش از در اتاق بیرون رفت. با همان سرعت و نرمشی که در سیاهی شب، همچون شبحی ظاهر شده بود، از میان هشتی و از در حیاط بیرون لغزید، و در میان سیاهیهای کوچه به سوی جیپی که سر پیچ درخونگاه منتظر او بود ناپدید شد.

فصل پنجاه و چهارم

روز بعد دربارهٔ آمدن سرهنگ چیزی به میترا نگفت، چون امروز، روز کذایی اول محرم بود... آنها از چند روز پیش برنامه‌های تظاهرات و عملیات زیادی داشتند. شب اول محرم امسال، شب آغاز «پیروزی خون بر شمشیر» نامگذاری شده بود. ساعت نُه شب، قرار بود شهر تهران با فریادهای «الله‌اکبر» منفجر شود.

از اوایل شب هوا سرد و یخبندان بود، و همه جا تاریک. در خانه‌ها و دکانها همه بسته. برق قطع، و هیچ صدایی نبود. اما مردم آنجا بودند. و منتظر ساعت نُه.

احمد و زهرا آردکپان آن شب پیش آنها در خانه درخونگاه بودند. یک دختر دیگر هم به اسم مهری حسینی بود که دوست میترا و او هم مجاهد بود. پسرک امشب با تب شدید آنفلوآنزا و گلودرد می‌سوخت، که از نیمه‌شب گذشته با تب و گرفتگی بینی شروع شده بود. بعد از ظهر میترا او را برده بود دکتر، و قرصهای آمپی‌سیلین و آسپرین و قطره‌بینی و شربت قرقره گلو گرفته بود. اما آنفلوآنزا امشب داشت به اوجش می‌رسید. میترا به او اجازه نداده بود که با بقیه بچه‌ها به لب پشت بام مشرف به خیابان بوذرجمهری بیاید. بقیه رفته

بودند تا دستور آیت‌الله خمینی را سر ساعت نه ــ سر ساعت شروع منع عبور و مرور حکومت نظامی ــ در شهر فریاد بزنند. از روزها پیش، آیت‌الله خمینی طی شدیدترین اعلامیه‌های خود که تا امروز از طرف او صادر شده بود، اعلام کرده بود که در شبهای محرم باید در عزای امام حسین(ع) مجاهدت کرد. باید مقررات حکومت نظامی را که کفر بود در این شبها اطاعت نکرد... باید فریاد حق را با بلندترین صداها به گوش چکمه‌پوشان شاه خائن و مزدور امریکا رساند.

ساعت حوالی ده، پسرک گوشهٔ اتاق نشسته بود، و با مقدار دو برابری که از آمپی‌سیلین و آسپرین و دوای گلودرد که با چای داغ خورده بود، کنار چراغ گاز و بخاری نفتی داشت می‌لرزید، و خودش را با جدا کردن و آماده کردن کاغذهای اعلامیه برای توزیع سرگرم می‌کرد. سرش داغ بود و سوزش گلویش بدتر. هنوز صدای الله‌اکبر و شعار بچه‌ها را از لب پشت بام و صدای رگبار مسلسل را از توی خیابان و لب پشت بامها می‌شنید. بعد از مدتی، هم از ترس، هم از تنگی نفس، بلند شد آمد توی حیاط و از شیر حوض مقداری آب یخ زد به پیشانی‌اش. نفسهای عمیق کشید. انقدر ایستاد تا صدای یک نفر را از پله‌های پشت بام شنید.

میترا بود که از توی تاریکی با چراغ قوه آمد جلو.

گفت: «چطوری؟ وای ــ چرا اینجا وایسادی؟ احوال آنفلوآنزامون چطوره؟»

«زنده‌م، انگار.»

«برو توی اتاق دراز بکش.»

«خوبم...»

«میخوای منم پیش تو بمونم؟»

دلش می‌خواست، و دلش می‌خواست دربارهٔ ملاقات دیشب سرهنگ جهانگیر با او حرفهایی بزند. اما امروز، از صبح تا حالا اصلاً

فرصت نشده بود. و حالا هم قبل از اینکه پسرک بتواند جواب دهد، میترا گفت: «بچه‌ها سر کوچه منتظرند...»

«میخوای بری بیرون؟ توی کوچه‌ها؟»

«دلم میخواد پیش تو بمونم، اما فکر میکنم بهتره که برم به اونها کمک کنم... بچه‌ها از صبح تا حالا اینجا بوده‌ن کمک میخوان. الان هم قراره برن بیرون شعار بدن، مبارزه کنن. این از اون لحظه‌های واقعی‌یه... از اون لحظه‌ها که منتظرش بودیم... شبانه برخیز و برو، با ارتش امپریالیستی....»

پسرک سرش را تکان‌تکان داد. اما لحظهٔ بعد، یک چیزی توی سینه‌اش چنگ زد، چون میترا حالا رفت ته حیاط و از زیر یکی از آجرهای باغچه هفت‌تیری درآورد. این اسلحه‌ای بود که با کشتن سروان وکیلی به دست آورده بود. آن را با خودش آورد و زیر نیم‌تنه ضخیم خود مخفی کرد.

پسرک داد زد: «میترا... از این کارها نه!»

گفت: «چیزی نیست... ازش استفاده نمیکنم... فقط میخوام پیشم باشه. ممکنه لازم بشه.»

«اوه، امام حسین!»

دولاّ شد او را بوسید. گفت: «برو توی اتاق، ناصر. هر دو تا پتوها رو بکش روی خودت. بخواب خودت‌و خوب گرم نگه‌دار تا من برگردم پهلوت... باشه؟»

«... مواظب خودت باش.»

«تو مواظب خودت باش... نگران من نشو. من آبدیده‌م. خداحافظ.» چند قدم رفت، در دهانه هشتی تاریک ایستاد، برگشت و به او نگاه کرد. «برو... برو توی اتاق. خداحافظ.» بعد رفت.

اما توی تاریکی اتاق، زیر پتوها، تنش حالا بدتر توی حرارت و رخوت تب بود. خوابش نمی‌برد و صدای فریادها و رگبار مسلسلها را

می‌شنید و دلش می‌خواست می‌توانست دعا کند، اما مغزش هم کار
نمی‌کرد و وامانده بود. دعایی یادش نمی‌آمد و آیه‌هایی هم که از نماز
یادش بود به نظرش کافی نمی‌آمد یا امشب به نظرش بی‌اثر می‌رسید.
یادش آمد وقتی عزیز برای بچه‌ها دعا می‌کرد، ورد وسط لبهایش
ساعتها طول می‌کشید که او هرگز نمی‌فهمید چه می‌گوید. دلش
می‌خواست امشب عزیز اینجا بود، یا دایی امشب اینجا بود.

دردهای شدیدتر و عجیبتری توی سینه‌اش پیچید. یک جور
سوزش منقلب کننده بود که از وسط سینه‌اش مثل تیر راه افتاد و به
امعاء و احشاء و حتی انگار لوزالمعده و روده‌ها و قلوه‌هایش رسید...
فکر کرد در حال سکته و مرگ است. چه جوری می‌میرند؟ هذیان‌وار
زیر لب گفت: «میترا... میترا... میترا...»

چشمهایش دیگر باز نمی‌شد. سرش گیج می‌خورد و تمام مغزش
داغ بود. از طرف پشت‌بام و خیابان صدای رگبارهای تازه‌ای می‌آمد و
صداهای الله‌اکبر شدیدتر شده بود. وسط هذیان به خودش می‌پیچید و
لعنت می‌کرد. چرا گذاشتی برود. چرا گذاشتی تنها برود..... بدبخت،
بی‌فکر، بلندشو. تو باید با او می‌رفتی. ساعت چنده؟ کجایی؟ تو همیشه
وسط کارهای مهم و در لحظات بزرگ زه می‌زنی. چرا افتادی؟

*

نفهمید دقیقاً چه ساعتی بود که انگار صدای بهم خوردن در
بیدارش کرد. بعد صدای گرمپ گرمپ پایی آمد، و رسید پشت در.
پیشانیش داغ بود، و قلبش دیوانه‌وار می‌تپید. این نمی‌توانست میترا
باشد. بعد یک نفر دستش را گذاشت روی در...

چشمهایش را باز کرد و به طرف در خیره شد.

«میترا؟... توئی؟» صدایش بیرون نمی‌آمد. گلویش هم کیپ گرفته
بود.

یک نفر در را باز کرد و آمد توی اتاق. اما توی تاریکی هم

می‌دانست که میترا نیست... هیکل کوچک و ریزهٔ احمد آردکپان بود. آمد و کنار او نشست. اخبار هولناک را منفجر کرد.

«گرفتندش.»

«چی؟»

«میترا رو... چیزی نیست، ولشون میکنن. مادرسگا... میبرن چند ساعتی نیگر میدارن، بعد ول میکنن.»

«میترا رو گرفته‌ن؟»

«خیلیها رو گرفته‌ن. میگیرن ول میکنن.»

«یا امام حسین! کجا؟»

«پشت در مدرسهٔ مروی... جلوی شمس‌العماره.»

خواست بلند شود بنشیند، اما سرش گیج رفت. وقتی دوباره چشمهایش را باز کرد، احمد سیگار به دست به دیوار تکیه زده بود. ته سیگار داشت انگشتانش را می‌سوزاند.

باز فقط گفت: «امام حسین...»

«تو وضعت خرابه، ناصر. باید بری دکتر.»

«اونجاها، توی خیابان ناصر خسرو چکار میکردین؟»

«از گلوبندک انداختیم جلوی سبزه‌میدون و میدون ارک. همین جوری قایم‌موشک بازی می‌کردیم و می‌دویدیم و شعار می‌دادیم تا بگو از کجا سر درآوردیم؟ اداره رادیو، میدون ارک. بعد فرار کردیم. انداختیم توی ناصر خسرو... کریم رو هم گرفته‌ن.»

«کریم دیگه چکار می‌کرد؟...»

«خیلیها با ما بودند. اقلاً صد نفر میشدیم... چند نفر را هم زدند، کشتند و انداختند توی کامیون.»

«میترا رو دستگیر کردن؟»

«آره، اما زهرا و مهری حسینی فرار کردن. الان توی مسجدن.»

چشمهای پسرک پُر از اشک داغ شده بود، اما احمد در تاریکی

نمی‌دید.

فقط گفت: «میترا...»

احمد گفت: «پسر، عجب چیزی‌یه... عین پلنگ مبارزه می‌کرد و رهبری می‌کرد. باید می‌دیدیش.»

«خاک توی مخ من که نیومدم.» فکر سرهنگ جهانگیر بود.

«خیلی جگر داشت... خیلی چیزهام بلده. چریک واقعی‌یه.»

ناصر پرسید: «کسی رو که نکشت؟ به کسی که تیراندازی نکرد؟»

«فکر نکنم... اما یه اسلحه داشت... سر بازارچه عودلاجان، جلوی مدرسه‌ی مروی جان کریم و دو تا دیگه از بچه‌هارو نجات داد. کریم افتاده بود، انگار پاش پیچ خورده بود. نمی‌تونست بلندشه، در بره. من و عباس و یه بچه‌ی دیگه از پشت دیوار نگاهش می‌کردیم. دوتا سرباز اومدند بالای سر کریم ژ-۳ رو گذوشتن روی کله‌ش که بزنن. میترا از اون طرف دوتا تیر زد توی کلاهخود سربازا... و سربازها هم هر کدوم دوتا پا داشتند دو تا هم قرض کردند الفرار... میترا داد زد: «میمونهای اکبیر». بعد دنبالشون دوید و از کوچه بیرونشان کرد... ما داد زدیم کریم بلند شو بدو... اما خرعوضی پا شد دوید جلو سر کوچه طرف سربازها و انگار گرفتندش.»

«چطور شد که میترا رو گرفتندش؟»

«درست همون موقع از سر کوچه دو تا جیپ سگ‌مسب پیچیدند جلوش.»

پسرک نفس تند و داغی بیرون داد: «اگر با اون اسلحه گرفته باشندش جابجا تیربارونش میکنن.»

احمد گفت: «فکر نکنم... زرنگ بود... انگار در اون ثانیه آخر، یه چیزی رو، انگار اسلحه‌شو، سوت کرد بالای یه پشت بوم.»

«خدا کنه، به ابوالفضل.»

«دل ناگرون نباش، خیلیها رو گرفتهن، کاری‌شون نمیکنن.»

«میترا رو چرا... اگه با اون اسلحه بگیرن.»

«گفتم که، فکر میکنم سوتش کرد بالای یه پشت بوم.»

حالا هر طور بود بلند شد نشست. «چکار کنیم؟» تب و دیفتری و گلوی چرک کرده را فراموش کرده بود. باز فکر سرهنگ جهانگیر و فکر مادر میترا بود. جهانگیر به او گفته بود هر وقت مسئله‌ای داشتند می‌توانست با او تماس بگیرد.

احمد گفت: «میتونیم فردا صبح با داشم رسول بریم مرکز فرمانداری دنبالش بگردیم.»

برادر احمد، رسول دانشجوی سال دوم آموزشگاه نیروی هوایی یا همافری بود.

«نه، بابا... اون چکار میتونه بکنه؟»

احمد گفت: «رسول دیشب برای مرخصی اومده بود خونه... اما اون پنج میره بیرون. تا پنج هم که حکومت نظامی‌یه، و بدجوری میگیرن... ما میتونیم خودمون به پرس و جو و تلاش بیفتیم. یا تو میتونی بری خونهٔ مادرش اینا. اونا شاید کاری بکنن.»

«چه میدونم... فکر نکنم اونجا اصّن راهم بدن. یا تا چشمشون به من افتاد و فهمیدن چطور شده بعید نیست بگیرن لقمه‌لقمه‌م کنن... ولی اگه لازم شد میرم. یه سرهنگ جهانگیر هست... وای.» آهی بلند و بد کشید. «اون به من خر نفهم هشدار داد.»

«پس اول با هم میریم.»

سرش را گذاشت روی دستش سر زانوهاش. آرزو کرد که ایکاش همان سرشب مرده بود.

فصل پنجاه و پنجم

تا پنج صبح صبر کردند، تا ساعات منع عبور و مرور حکومت نظامی تمام شود. بعد برای پیدا کردن میترا و کریم از خانه بیرون آمدند. هنوز از تب داغ بود و صدایش هم که دربست کیپ شده بود. از درخونگاه با یاماهای احمد آمدند بیرون و زدند طرف گلوبندک.

هنوز تک و توک سربازها و حتی یک آمبولانس و سایر وسائل حمل و نقل ارتشی دور و بر بازار دیده می‌شد. ماشینهای سوخته و تایرهای سوخته و سایر آثار باقی مانده زد و خوردهای شب گذشته را جمع می‌کردند. بدترین مناظر جلوی دهانه بازار سبزه‌میدان بود که می‌گفتند در حدود پنجاه شصت تا جسد برده بودند، و صدها نفر زخمی شده بودند. شنیدند که آیت‌الله مفتح و حاج آقا مصطفی چمران و حاج آقا رضا نبوی (از مبارزین مجاهد محلهٔ گلوبندک) جزو سردسته‌های تظاهرات یا دسته‌های عزاداری بودند. با وجود اینکه هنوز هوا تاریک بود و در تمام خیابانها همچنان صفهای نان و نفت و بنزین دراز بود.

از خیابان ناصرخسرو آمدند تا جلوی شمس‌العماره. از کلانتری سر کوچه مروی پرس و جو را شروع کردند... خبری نداشتند. بعد

رفتند به زندان موقت شهربانی کل کشور ـ چون شنیدند که در زمان حکومت نظامی، کل پلیس تحت فرماندهی فرماندار نظامی قرار می‌گرفت. اما در هیچیک از این جاها اثری از بازداشت میترا نبود.

نمی‌دانستند میترا کدام نامش را به کسانی که دستگیرش کرده بودند گفته است... ولی در هیچ جا خبری یا دستوری برای جلب یا زندانی شدن میترا صدر یا منیژه نیکو نبود... از کریم هم که شناسنامه‌اش کریم نصرالهی بود اثر بازداشتی نبود....

حدود ساعت یک بود که به پادگان جمشیدیه رسیدند. اما در آنجا هم با دیواری از سکوت قهرآمیز و تشر مأمورین مواجه شدند و از کیوسک نگهبانی جلوتر نرفتند. بعد از یکی دو ساعت صبر و پافشاری و التماس به آنها فقط گفته شد چند نفر زندانی از دیشب تا حالا آورده بودند، و بین آنها چند پسر و دختر هم بودند. اما اسامی آنها را اعلام نمی‌کردند ـ مگر اینکه والدین آنها می‌آمدند... گفتند قرار است تا آخر هفته زندانیان را به دادگاههای نظامی تحویل دهند.

بعد از اینکه یک ساعت دیگر همانجا جلوی کیوسک پادگان پلکیدند و نتیجه‌ای نگرفتند، برگشتند جنوب شهر. احمد خداحافظی کرد و رفت نازی‌آباد، و او هم آمد درخونگاه. خسته و مرده بود و تمام تنش بی‌رمق. یک امید واهی و پوچ یک جا ته دلش بود که شاید میترا آزاد باشد، یک جا مخفی شده باشد، و حالا برگشته باشد خانه. اما خانه خالی و بی‌جان بود، و حیاط هم سوت و کور و سرد. در اتاق هم همانطور که خودش نیمه‌باز گذاشته بود، مثل دهن مرده باز. اتاق هم تاریک بود، و مثل وقتهایی که میترا نبود، آشفته و درهم برهم.

نه حالش را داشت و نه دلش را که توی آن اتاق بماند. رفت مقداری از دواهایی که میترا برایش خریده بود ریخت توی حلقش ـ انگاری که بخواهد از عناصری که متعلق به او بود به خون خودش

تزریق کند. مقداری از پولی که توی کیفش باقی مانده بود برداشت و از خانه آمد بیرون. در خانه را بست، چون میترا بلد بود آن را با نوک چاقو باز کند. تنها جایی که می‌شد برای میترا کمک بگیرد، خانهٔ مادرش بود، یا از طریق او توسط سرهنگ جهانگیر. سیدنصرالله هم آنجا بود. می‌توانست خبر دستگیری بچه‌اش کریم را هم به او بدهد.

هنوز مقداری از روشنایی روز باقی مانده بود که با سرعت از درخونگاه بیرون آمد و در عرض دو ساعت و با عوض کردن سه تا تاکسی به نیاوران، به جلوی خانهٔ قدسی خانم رسید.

سید نصرالله با هیکل عین خوک و صورت پخمه و آبله‌رو در بزرگ را برایش باز کرد. وقتی چشمش به پسرک افتاد، فقط فحشی زیر لب داد، ولی دیگر اعتنایی نکرد، خواست در را توی صورتش بکوبد، که او پایش را لای در گذاشت. اما حوصلهٔ سر و کله زدن با سید نصرالله را هم نداشت.

گفت: «سیدنصرالله، لطفاً زود به خانم بگو ناصر پسر مهری خانم اومده و برای امر خیلی مهمی که مربوط به زندگی و مرگ میترا خانومه میخواد ایشان را ببینه... زود.»

سید نصرالله دستگیره در را توی دستش فشار داد و چرخاند، انگاری که بخواهد آن را بکند توی سر مهمان ناخوانده بزند. با نفرت گفت: «چرا نمیری گم‌شی انچوچک؟ چرا نمیری تو همون درخونگاه بمیری و این بدبختا رو به حال خودشون بذاری؟»

نفهمید مرد خیکی چه خورده بود که شکم ورقلنبیده‌اش بدتر از همیشه از زیر کت بیرون زده بود. و این وقت غروب داشت پشت سر هم آروغ می‌زد، و کفهای خلط معده را ول می‌کرد توی جو. جوابش را نداد. خواست به او اطلاع دهد که پسر خودش کریم را هم گرفته‌اند، صرفنظر کرد. ترسید این خبر فعلاً خلق و اعصاب سید نصرالله را

آتشی‌تر کند.

فقط گفت: «اگر همین الان نری بهشون اطلاع بدی، من خودم بزور میرم توی خونه. و پدر جدّت هم نمیتونه جلوی منو بگیره... جان میترا خانم در خطره.»

سید نصرالله جا زد. گفت: «خیله خب. زیادی ور نزن. همین جا وایسا ببینم تشریف دارن یا تشریف ندارن.» رفت توی حیاط، در را هم پشت سرش بست. اما بعد از دو سه دقیقه برگشت و در را باز کرد.

گفت: «بیا تو، سنده. وقتی رفتی بالای پله‌ها کفشهای کثیفت‌رو هم یادت نره دربیاری.» پسرک دیگر به حرفهاش اهمیت نداد و به تاخت آمد توی حیاط.

قبل از اینکه به پله‌ها برسد، برگشت و رو به سید نصرالله کرد که پشت سرش بود. گرچه می‌دانست اهمیت نمی‌دهد، و کاری نخواهد کرد، تصمیم گرفت خبر دستگیری کریم دماغو را هم به او بدهد. «یشب که توی کوچه‌ها تظاهرات بود، پسرت کریم‌رو گرفتند....»

«.... به درک. کاش رفته بود زیر تانک. به درک اسفل‌السافلین... بذار ننه‌سگ رو تیربارون کنن راحت بشم... شما هم دیگه همه‌تون ارواح شیکمتون. دیگه جنغولک‌بازی تموم شد. دیگه حکومت نظامی و دولت نظامی سر کاره... تکون بخورین مسلسل تو کله‌تون خالی شده. کجا گرفتندش؟»

«توی خیابون ناصر خسرو. سر کوچه‌ی مروی. اونجا کریم و دو سه نفر دیگه‌رو گرفته‌ن... من فقط به شما اطلاع میدم، شما هر کاری خواستید بکنید.»

دوید، از پله‌ها رفت بالا، کفشهایش را درآورد و رفت تو. در اتاق نشیمن، قدسی‌خانم را دید که روی مبل نشسته، سیگار می‌کشد. در همان ثانیه‌های اول از آمدنش پشیمان شد.

مادر میترا امشب بدخلق، رنگپریده و مضطرب به نظر می‌رسید.

ساکت نشسته بود. نگاهی دلمرده به پسرک انداخت، اما جواب سلام او را نداد. هنوز هم زیبا و توالت‌کرده بود، اما امشب انگار موهای بلوطی‌رنگ و میزامپلی‌شده‌اش اینجا و آنجا رگه‌های سفید داشت. جلوی پسرک روسری سرش نمی‌کرد، چون لابد او را مرد و داخل آدم نمی‌دانست. وقتی بالاخره با نخوت پرسید چیه، چی شده، چی میخوای؟ پسرک رفت جلو، با حوصله و دقت شروع کرد به تعریف حوادث دیشب، و اینکه خودش مریض بوده و چند تا از بچه‌ها توی خانهٔ او جمع بودند و شب اول محرم بود. بعد بچه‌ها به هیجان آمده و رفته بودند بالای پشت بام و شروع کرده بودند به «الله اکبر» گفتن و شعار دادن. بعد بچه‌ها بیشتر به هیجان آمده بودند و میترا و چند تا از بچه‌های دیگر رفته بودند توی خیابان. سربازها میترا را جلوی مسجد مروی در حالی که سعی می‌کرده یکی از بچه‌های محل را نجات بدهد گرفته و دستگیر کرده و برده بودند... وقتی کلمهٔ «دستگیر» را به زبان آورد، قدسی‌خانم «وای‌یی» گفت، تکان بدی خورد و دستهای لرزانش را گذاشت جلوی صورتش و انگار شروع کرد به گریه... انگار مدتها بود که فکرش را کرده بود ولی انتظار نداشت. اما وقتی دستهایش را برداشت پسرک دید چشمان او هنوز خشک و همانطور نفرت‌آلود است. فقط فحشهایی به همه ــ و البته انگار به میترا و به او می‌داد.

«خاک بر سرتون کنن، که هیچوقت نمیفهمین. حالا دلتون خنک شد؟»

گفت: «نه. خانم... من متأسفم.»

«تو متأسفی! مرده‌شور همه‌تون رو ببرن... بچه‌ی من به خاطر شماها تمام زندگیش رو فدا کرد، کُنف‌یکون کرد... حالا هم اومدی میگی گرفتنش، دستگیرش کرده‌ن؟»

نمی‌دانست چه بگوید... سالها بود که او نسبت میترا و مادرش را

نسبت یک دختربچه و یک مادر نمی‌دانست... چون هر دو همدیگر را طرد کرده بودند و از هم بدشان می‌آمد. امشب هم قدسی‌خانم انگار بیشتر نگران و پریشان وضع خودش بود تا نگران و پریشان وضع دخترش. اما او هنوز هم خانمی زیاده از حد اشرافی و محترم و بزرگ بود که پسرک با او جرأت بحث کردن داشته باشد. گفت: «خانم، خواهش می‌کنم یه کاری بکنید... از جناب سرهنگ بخواهید کاری بکنن...»

گفت: «سعی نکرد، خاک بر سرتون؟ لعنت به این وضع و این طالع... که هر چه ما میکشیم از دست شماهاست... و اون ملاهای جنگجو که شماها رو تیر کرده‌ن. ما هم خیر سرمون مسلمون بوده و هستیم. ما هم پیغمبر و علی و حسین را دوست داریم. ما هم براشون گریه می‌کنیم. ما هم هر ماه روضه‌خون داریم میان روضه میخونن. اما شماها باید بلندشین آتش و خون راه بندازین و بچه‌های مردم را جلوی مسلسل بگذارین یا توی زندانها بندازین تا ثابت کنین که مسلمونین... حالا جنابعالی بلند شدی اومدی اینجا دستت را دراز کردی که کمک... ما اول دستمون رو برای کمک دراز نکردیم؟ تا حالا این آتیش رو به جون من انداختین.»

پسرک آه بلندی کشید. گفت: «من متأسفم، خانم. من اشتباه کردم به میترا نگفتم. فرصت نکردم. اگر هم می‌گفتم با این وضع قبول نمی‌کرد. من حالا از شما هیچی نمیخوام. فقط به خاطر میتراست که من امشب آمدم اینجا... من هیچوقت از میترا چیزی نخواستم. به روح مادرم قسم میخورم... من همیشه از خدا خواسته‌م و دعا کرده‌م که میترا این شهر لعنتی و این کارهای عجیب و غریب رو ول کنه و برگرده سر زندگی و تحصیل خودش... ولی حالا اینجوری شده. و من از شما استدعا دارم که او را ببخشید و کوشش کنید او را پیدا کنند و از زندان فرمانداری بیرون بیاورند... هرچه زودتر، امشب. چون وضع

میترا خیلی خطرناکه.»

قدسی خانم سرش را بلند نکرد: «خطرناک باشه... من هیچ کاری نمیتونم واسهٔ اون بکنم.» ولی سرش را بلند کرد و به تلفن نگاه کرد.

«خانم، شما میتونید ــ البته که میتونید.»

قدسی خانم گفت: «خیال میکنی... وضع فرق کرده... تمام کسانی که من میشناختم، حالا یا الان توی زندانهای ارتشی هستن، یا از کشور رفتهن. من خودم هم داشتم می‌رفتم. اگر به خاطر این اعتصابهای احمقانه نبود، و به خاطر بسته بودن بانکها نبود، رفته بودم. و حالا دیگه فرودگاهها هم بسته شده...»

سیگار دیگری روشن کرد، و با نفرت از پنجره به شب تیره نگاه کرد. پسرک حالا تقریباً مطمئن بود که او بیشتر نگران و آشفتهٔ وضع خودش است تا میترا.

پرسید: «یعنی هیچ کاری برای خلاصی میترا نمیکنید؟»

«ما هر کاری که میشد برای میترا کردیم. فرستادیمش امریکا. ما وسائل تحصیلش را فراهم کردیم، پول برایش توی بانک گذاشتیم. حتی تو و مادرت‌رو به خاطر اون از زندان ساواک درآوردیم ول کردیم توی خیابانها... این اواخر هم سعی کردیم دوباره از این منجلاب بیرونش ببریم. اما دیگه تموم شده. او خودش خواست که برگرده پیش شماها، و توی کثافت غلت بخوره... زندگی خودشه.»

«او هنوز دختر شماست، و شما رو دوست داره. منتها مرام و ایده‌آل دیگری داره. سالهای جوانی‌ش رو میگذرونه و رنجهای درونش رو تحمل میکنه. حالا در زندگیش هدف داره.»

«داشته باشه. خوب باید عواقبش را هم تحمل کنه. من هر کاری که یک مادر میتونه بکنه برای او کردم، ولی او به من عذاب داد. و حالا دیگه نه. حالا وضع فرق کرده. آدمها تغییر کردهن. خیلی بتونم خودم

را داخل این مرداب کثافت و احمقانه بکشم بیرون و...»

حرفش را تمام نکرد. لازم هم نبود. نه‌تنها نگران بود، بلکه می‌ترسید.

پسرک گفت: «خانم، من خواهش میکنم، التماس میکنم. از طریق دوستانتان به میترا کمک کنید... او را دستگیر کرده‌ن. اگر محاکمه‌ش کنند، مجازاتش میدونید چیه؟»

قدسی خانم با عصبانیت دود سیگار می‌بلعید. گفت: «اون روزها که میریختین وسط خیابونها و عربده می‌زدین و همه‌ی بانکها و اداره‌ها و مغازه‌ها رو آتش میزدین... وقتی شعار میدادین و به شاهنشاه مملکت اهانت میکردین، یه خورده باید به فکر این شبها هم می‌بودین...»

«خانم، اون دختر شماست، به میترا کمک کنید.»

قدسی خانم سرش را بلند کرد، به صورت لاغر و به چشمهای خستهٔ پسرک بربر نگاه کرد. بعد، برای اولین بار، اسم او را به زبان آورد. گفت: «ناصر، تو اسمت ناصره، مگه نه؟»

«بله، خانم.»

«تو و میترا... چه رابطه و چه نسبتی با هم دارین؟ مگه با هم عروسی نکردین.»

«خانم، شما خودتون خوب میدونید که رابطهٔ ما جز دلرحمی و محبت میترا، و جز دوستی هیچی نیست... برادر من خواست من و میترا به عقد هم دربیاییم، تا وقتی میترا در خانهٔ ما هست معصیت نباشه. و دیگر هیچ. من مطمئنم که میترا این نسبت و دوستی خودش را به من برای شما توضیح داده. چون خودش به من گفت که توضیح داده. ما دوست هستیم. و عقدکرده همدیگه. چیز مهم دیگه‌ای نیست.»

قدسی خانم مدتی بربر نگاهش کرد. انگار حرفش را باور می‌کرد. یا حتی آنچه را هم که پسرک نگفته بود می‌دانست. «چیز مهم» دیگری

نبود. گفت: «خوب، آره، آره. میدونم تو چیز دیگه‌ای هستی. صورت تو، چشمهای تو، حرفهای تو، آشکار میکنه که تو با بقیهٔ آدمهای فامیلت فرق داشته‌ای. از حد متوسط هم با هوش و حافظه‌تری. کمی شعور داری.» مدتی ساکت ماند.

پسرک گفت: «امشب موضوع من مطرح نیست، خانم. موضوع میتراست. امشب من آمده‌م خواهش کنم که شما هر طور هست کمک کنید، میترا را از زندان بیرون بیاورید. چون، فقط شما و دوستان بالاتون میتونید.»

قدسی خانم باز به پسرک نگاه کرد و گفت: «تو از من و دوستان بالای من چه میدونی؟»

«هیچی خانم... جز اینکه میدونم شما مادرش هستید و شنیده‌م دوست و آشناهایی در دولت و در ارتش دارید.»

«شماها هیچی نمیدونین.» لحنش دوباره تلخ و قهرآلود شده بود.

بعد سرش را برگرداند، پاهایش را انداخت روی هم و در سکوت به سیگار کشیدن ادامه داد. انگاری که پسرک را فراموش کرده است، یا اینکه کارش با او تمام شده بود. باز از پنجره به بیرون نگاه کرد، که حالا هوا کاملاً تاریک شده بود. از مسجدی دوردست، صدای اذان می‌آمد، و سکوت فضای محله را می‌شکافت.

پسرک گفت: «من نمیدونم بعد از اینکه او را دستگیر کردن، چه اسمی را به آنها گفته... میترا صدر یا منیژه نیکو ــ که اسم توی پاسپورت جدیدش بوده. من امروز با یکی از دوستانم که برادرش توی نیروی هوایی آموزش میبینه به خیلی جاها و زندانها و پادگانها سر زدیم... اما نفهمیدیم میترا دقیقاً کجاست. بجز شاید توی پادگان نظامی جمشیدیه که گفتند دیشب عده‌ای رو آورده بودند اونجا. اما کیوسک نگهبانی و اطلاعات پادگان اسم دستگیر شده‌ها را نمی‌گفت.

میترا ممکنه اونجا باشه... توی پادگان جمشیدیه.»

به شنیدن کلمه «جمشیدیه» قدسی خانم آنچنان تکانی خورد که سیگار از دستش افتاد و برای برداشتن آن از روی قالی هم چندان عجله‌ای به خرج نداد.

«پادگان جمشیدیه؟...» لحن صدایش خشک و عجیب بود.

پسرک گفت: «بله... البته ما فکر میکنیم میترا رو اونجا نگه داشته‌ن.»

قدسی خانم دوباره سرش را به طرف پنجره تاریک برگرداند، و مدت بسیار درازی ساکت ماند، و به سیاهی خالی غروب نگاه کرد. بعد انگاری که با خودش یا با شخص غایبی حرف می‌زند، گفت: «اگه همون ده سال پیش که رفته بودیم، دیگه بر نمی‌گشتیم، هیچکدوم از این بدبختیها حالا واسه‌مون پیش نمی‌اومد. الان اونجا بودیم، و همه سر و سامون داشتیم، نه توی این منجلاب.»

پسرک گفت: «پس شما یک کاری می‌کنید؟»

قدسی خانم گفت: «برو. بروخونه‌تون، ولم کن. من نمیدونم چه کاری می‌تونم بکنم. وقتی ورق برمیگرده، برمیگرده. ما خیلی اشتباهها کردیم، و دست به خیلی کارهای عوضی زدیم.»

پسرک نفهمید. گفت: «من می‌تونم براتون بگم که دیشب چه جوری لباس پوشیده بود...»

قدسی خانم انگار دیگر به حرفهای پسرک گوش نمی‌داد. «خاک بر سرشون که چه جوری وضع را خرتوخر و بلبشو کردن.» بعد بدون اینکه به پسرک نگاه کند، گفت: «برگرد برو خونه‌تون... تو به اندازهٔ کافی خیر سرت کار انجام دادی.»

«متأسفم که شما انقدر ناراحت هستید.»

«برو... برو بیرون.»

«من برای میترا خیلی خیلی نگرانم، چون... وضعش خطرناکه.»

نگفت میترا چه کسی را کشته بود و احتمالاً چه کسانی خبر داشتند.

«وضع بقیه‌شون اونجا خطرناک نیست؟»

«من فقط برای میترا نگرانم، خانم.»

«برو... لعنت به من و این طالع نحس من که باید زنده بمونم و چنین شبی... چنین صحنهٔ دراماتیکی رو ببینم...»

پسرک نفهمید مقصود زن از «چنین صحنهٔ دراماتیک» چه بود.

قدسی خانم بعد داد زد: «برو خونه‌تون.»

«خانم... ـــ»

«گفتم برو!»

کار دیگری نمی‌شد کرد. بدون خداحافظی از اتاق بیرون آمد. از پله‌ها آمد پایین. سید نصرالله توی باغ نبود. اهمیت نداد و نخواست باز با او حرف بزند. از خانه آمد بیرون و پیاده آمد تا سر خیابان. با یک تاکسی آمد تا سر پل تجریش، و از آنجا با یک اتوبوس تقریباً خالی آمد شهر. گوشهٔ یکی از صندلیهای عقب نشسته بود، کنار شیشه باز. وسطهای راه کم‌کم باران گرفت، اما شیشه را نکشید، و گذاشت خیس شود، باد و باران توی صورتش بزند، هر طوری می‌خواهد بشود. نزدیکهای ساعت حکومت نظامی بود که به خانه رسید. خانه و اتاق خالی و سرد هم هیچ تغییری نکرده بود.

فصل پنجاه و ششم

هوا بد جوری طوفانی بود و او خوابش نمی‌برد. اگرچه باران قطع شده بود، اما او صدای باد را که به پنجره می‌خورد می‌شنید. یا نمی‌توانست نشنود. از ساعت نه شب هم صداهای الله‌اکبر و مرگ بر شاه و شعارهای دیگر بلند شد، که مردم از سر پشت‌بامها فریاد می‌زدند. مثل شب قبل، صدای تیراندازیها هم دل شب را بیشتر پاره می‌کرد. قبل از اینکه به خانه بیاید به منزل سرهنگ جهانگیر تلفن کرده بود. صدای پیرزنی جواب داده و گفته بود که سرهنگ منزل نیستند، پیامی گذاشته و گفته بود که دوباره تلفن خواهد کرد.

گوشهٔ اتاق رو به دیوار زیر پتوهای میترا دراز کشیده بود. می‌ترسید و توی دلش دعا می‌کرد، و نذر و نیاز می‌کرد، که میترا هر جا که هست زنده و سالم بماند. منتظر صبح بود تا به خانهٔ سرهنگ جهانگیر برود و کمک بخواهد.

تمام شب صدای عبور کامیونهای ارتشی و حتی تانک از توی خیابان می‌آمد و مردم و بیشتر بچه‌ها از سر پشت‌بامهای خواب‌آلود درخونگاه فریاد و هوار می‌زدند. این هم برایش تازگی داشت. آنهایی که شجاعتشان بیشتر بود توی خیابانها بودند. سر شب که به خانه

می‌آمد آنها را دیده بود. آنها سر چهارراه گلوبندک وسط خیابان بوذرجمهری با تایر کهنه و زباله و شاخه‌های درخت آتش درست کرده بودند تا مانع ورود سربازها شوند. اما تانکها و کامیونها به آنها حمله کرده و غلبه کرده بودند و از موانع و آتش عبور کرده بودند. تلفات و کشت و کشتار چنانی نشده بود. ولی خیابان و پیاده‌روها کثیف و آشفته از سوختگیها و ویرانیها بود، و در تاریکی و سرما منظرهٔ ترسناک و مالیخولیاآوری داشت.

حالا دیروقت شب بود و دیگر رمق نداشت. احساس می‌کرد تمام اندرونش تهی و مرده است. درد اینجا بود که خوابش هم نمی‌برد. یاد آن جملهٔ آن شب او بود که گفته بود خیلیها دارند از فرط عصبانیت و کینه می‌ترکند. از بیرون صدای هوار و شعار و تیراندازی می‌آمد.

در روح خودش امشب یک جور موج خشم تازه از تاریکیهای شب می‌آمد... با بچهٔ بیگناهی کارهای وحشتناکی کرده بودند و او هم حالا احساس می‌کرد می‌خواهد کارهای وحشتناک بکند. احساس می‌کرد اگر اسلحه داشت مثل میترا بلند می‌شد به دنبال کسانی می‌رفت که زندگی و بچگی او را دزدیده بودند و او را فریفته بودند... اما او میترا صدر نبود. او اهل خشونت و ضربه زدن و عکس‌العمل نبود... وقتی، حتی مثل حالا، بزرگترین ناحقیها و دردها را به او وارد می‌کردند، گوشه‌ای تنها می‌خزید، و نمی‌دانست چکار کند، و صبر می‌کرد. مثل امشب...

او به انقلاب و سیاست‌بازی و مخالفت با رژیم و به این شعارها و شورشها و طغیانها کاری نداشت. برای این کارها ساخته نشده بود. این کارها، کسانی را که او دوست داشت کم‌کم کشته بود ـ‌و از او گرفته بود. محمد، علی، مصطفی، محسن و مریم را. روزی که سروان وکیلی و بهمنی عزیز را توی زندان اوین کتک زدند، او از فرط عصبانیت و جنون می‌خواست آنها را بکشد. اما بعد عزیز زنده مانده بود و از او

قول و قسم گرفته بود که با این جور چیزها قاطی نشود. از او خواسته بود که با این جور آدمها دمخور نشود. بعد زمان گذشته بود، تا کم‌کم آن صحنه‌ها هم فراموش شده بود... اما اینها مربوط به گذشته بود. یا شاید هم فقط اولش بود... امشب، اما امشب که توی اتاق سرد و تاریک، رو به دیوار دراز کشیده بود، امشب موج زهر تازه‌ای توی رگهایش جریان یافته بود. ـ‌احساسی که هرگز پیش از این نداشت... آنها کسی را و تنها موجودی را که او داشت از او گرفته بودند. ولی هنوز نمی‌توانست خودش را قاطی کند، و این به خاطر قول و قسم او به عزیز هم نبود. کلمات دیگر نه‌تنها ارزش و معنی خودشان را نداشتند بلکه لبهٔ تیغ بودند. وقتی برادرش علی را گرفته و بعد کشته بودند، مریم از قول برادرش رضا می‌گفت آنها که مثل علی جلو رفتند و شهید شدند کاری حسینی کردند و آنها هم که ماندند مثل من باید کاری زینبی بکنند، یعنی افشاگری کنند و تقاص بگیرند. اگر افتخار و اجری بود مال آنها بود. از بیرون فریاد الله‌اکبر و مرگ بر شاه می‌آمد. تیراندازیها دل شب را می‌شکافت.

هشت شبانه‌روز بعد نیز به همین التهاب گذشت.

فصل پنجاه و هفتم

خوابهایش بریده بریده بود، و هوا داغ و سوزان.

او و میترا پشت در بیمارستانی، وسط موج جمعیتی از طاعون‌زده‌های فراری گیر کرده بودند. در ایران نبودند. در یک سرزمین داغ اجنبی بودند. جمعیت همه مرد بودند. سیاه بودند. همه جبه‌های سفید تن‌شان بود. صورتهای عرق‌کرده داشتند و دهانهای کف‌کرده. و چشمهایشان کاسهٔ خون بود. آفتاب سوزان روی کله‌شان می‌ریخت. عربده می‌زدند و به زبانهایی که او و میترا نمی‌فهمیدند چیزهایی می‌گفتند. توی سر و سینهٔ خودشان می‌زدند، موهای سرشان یا ریشهایشان را می‌کندند.

غلتی زد و لرزید. انگار جمعیت دیگری بود، توی یک بولوار. یکی از مردها زیر دست و پای جمعیت افتاده و مرده بود. جمعیت او را سر دست بلند کرده و فریادها و ضجه‌هایشان شدیدتر شده بود. گوشتهای تن آن مرده را تکه‌تکه می‌کندند و به آسمان و به احدیت نشان می‌دادند. بعد آن گوشتها را خاک می‌کردند. بعد دستها و پاهای خودشان را هم از تن می‌کندند و به آسمان و به خدا نشان می‌دادند و سپس خاک می‌کردند. هرچه پیشتر می‌رفتند ولوله و موج خروشان

جمعیتشان وحشتناکتر می‌شد.

دستش داشت از دست میترا ول می‌شد. در یك لحظه انگار دید كه حالا سربازها ریخته‌اند و دارند گوشت بدن مردهٔ احمد آردكپان را می‌كنند و می‌كپانند. شاید هم بدن مردهٔ كریم ریزهٔ درخونگاه بود. میترا وسط خون و موج خروشان و كف‌كرده مردم و سربازها از او جدا می‌شد. او دستش را با آخرین زور و فشار دراز می‌كرد و می‌خواست دست او را بگیرد. او هم با گریه و التماس دستهایش را دراز می‌كرد و می‌خواست از وسط ولوله جمعیت میان خون دست او را بگیرد. بعد خون بیشتر موج زد... او با چشمهای خودش میترا را دید كه كم‌كم وسط سیل هیاهوی مردم خون‌آلود و دهان كف‌كرده وسط گردابی فرو می‌رفت، و محو می‌شد. فریاد كشید و سعی كرد خودش را به طرف او پرت كند، اما قبل از این كه بتواند به محل گرداب برسد دید چند تا زالو به یك گوشه از صورت میترا چسبیده‌اند و دارند خونش را می‌خورند. حتی از عینك او بالا می‌رفتند و می‌خوردند... و در همان لحظه بود كه با نام میترا از خواب پرید.

هنوز رویش به دیوار بود.

❊

صدای در حیاط بود. از رختخواب و از اتاق بیرون دوید و رفت در را باز كرد. هوا هنوز گرگ و میش بود. احمد و زهرا آردكپان را اول دید. آنجا پشت در ایستاده بودند. یك نفر دیگر هم با آنها آمده بود. از دیدنش دل پسرك ریخت پایین... كریم ریزه پسر نصرالله خان بود.

احمد گفت: «بیا بریم، ناصر خان... آقا رضا منتظره.»

پسرك نشنید. به كریم نگاه می‌كرد.

«كریم... كی آزاد شدی؟» صدایش هنوز گرفته و خس‌خسی بود.

پسر ریزه جواب نداد اما همان خنده ویر و شیربرنجی همیشگی را ول کرد.

احمد به جای او گفت: «دیروز عصر... او و هفت نفر دیگر که همانجا گرفته...»

«میترا چی؟» قلبش تیر کشید.

احمد گفت: «نه... فکر نکنم. بیا باهاس بریم.»

«مطمئنی که میتراخانم رو آزاد نکرده‌ن؟»

احمد گفت: «نه مادرسگها... یکی از بچه‌های دوست زهرا گفت میترا رو اول بردند جمشیدیه، بعد انگار منتقل کرده‌ن به اوین.»

«به اوین؟ یا امام حسین.»

احمد گفت: «لامسّبا... فقط اونو ولش نکرده‌ن. انگار یه چیزی، یه دستوری هست...»

پسرک لبهایش را گزید.

«دوست زهرا که اسمش اقدس جعفری‌یه و آزاد شده گفت دختری رو که اسمش میترا بود و بین بقیه دخترها بود غروب روز بعد از دستگیری سوا کردن. بعد دیگر چیزی نمی‌دونند. اول بردند به سلول انفرادی. بعد، دیگه معلوم نیست. شنیده‌ن که بردنش اوین. البته شایعه‌ست... هیچکدوم رو هیچ کاری نمی‌کردند. کریم آقا هم میگه هیچ کاریش نکرده‌ن. فقط هویت و آدرس رو پرسیدند. بعد هم دیروز ولشون کردند.»

«میترا رو بردند زندان اوین؟»

«آره. این جور شنیده‌ن. البته زندونی‌ها نمیدونن سر زندونی‌های دیگه چی میاد. ولی شایعه‌ست.»

«از کجا مطمئن شیم بردنش اوین؟»

«دوست زهرا مطمئن بود و نشانی‌هایی رو هم که می‌داد نشانی‌های میترا بود ــ لباسش، شکل و عینکش.» بعد با کنجکاوی پرسید: «مگه

نمیای بریم؟»

«کجا؟»

احمد گفت: «فکر می‌کنی برای چی اومدیم دنبالت؟... راهپیمایی بزرگ، پسر. مگه هنوز خوابی؟ دیروز عالی بود. مگه نه؟ امام حسین!»

تازه یادش آمد که امروز صبح روز عاشورا است، و قرار بود راهپیمایی عظیمتری، یعنی بسیار عظیمتر از دیروز که تاسوعا بود برقرار شود. روز تاسوعا با اعلامیه‌های آیت‌الله خمینی و آیت‌الله طالقانی و عدهٔ زیادی از افراد جبهه ملی و مجاهدین با برنامه‌ریزی از چند روز قبل راهپیمایی آرام ولی چند ملیونی و هولناکی در تهران صورت گرفته بود. در پایان راهپیمایی در میدان شهیاد، گردانندگان اصلی راهپیمایی که مذهبیون و ملیون بودند طی قطعنامه‌ای استقلال ـ آزادی و حکومت اسلامی، آزادی زندانیان، انحلال ساواک و محاکمه سران سابق دولت را خواستار شده بودند. شاه و ژنرالهای شاه در ابتدا تهدید به سرکوب هر نوع اعتراض و راهپیمایی را کرده بودند ولی دو روز پیش از تاسوعا شاه چون خود را قادر به جلوگیری (و قتل عام) نمی‌دید، دستور داده بود راهپیمایی را در سطح شهر، پایین‌تر از خیابان شاهرضا آزاد بگذارند. در عوض قوای مسلح کمربندی از خیابان شاهرضا به بالا و بخصوص در اطراف ادارات دولتی، مراکز پلیس و پادگانها و زندانها را ببندند و از هر نوع شورش و طغیان جلوگیری شود. حدود سه ملیون از اهالی تهران و اطراف و گردانندگان تظاهرات و مردم از این پیروزی به هیجان آمده بودند و قرار شده بود که امروز، روز عاشورا راهپیمایی عظیمتری برگزار شود.

«یالاّ پسر، راه بیفت، عاشورای حسینی!»

«شماها برید، من بعداً میام. باید اول نماز بخونم و یه کارهایی هم

دارم.»

حتی به احمد هم نگفته بود که میترا سروان وکیلی رئیس بخش بازجویی زندان را کشته بود، و اسلحهٔ او را برداشته بود، و شب دستگیری میترا، او اسلحهٔ سروان وکیلی را در دست داشت. اگرچه احمد به پسرک گفته بود میترا قبل از دستگیری اسلحه را به طرفی سوت کرده و از خود دور کرده بود ـ اما اگر اسلحه را پیدا می‌کردند و تعقیب می‌کردند و ارتباط آن را با میترا ثابت می‌کردند، میترا را زنده زنده به احسنی و بهمنی می‌دادند تا با مزه عرقشان بخورند.

احمد گفت: «بیا، نترس... حالا وضع فرق کرده. دیگه با زندانیها کاری ندارن.»

دستش را آورد بالا و از او خواست که حرفش را نزند: «آره. میدونم.»

احمد گفت: «امروز باید بریم. راه بیفت که بچه‌ها سر کوچه منتظرند. آقارضا هم سر دهنه بازار منتظره.»

«داداشم اونجاست؟»

«آره. گفت امروز به امر آقا تکلیف همه‌ست که راه بیفتن.»

«رضا فرستاده دنبال من؟»

«آره. گفت امام تکلیف فرموده‌ن. عزاداری سیاسی. سینه‌زنی سیاسی. نوحه هم اینه.

«به یاری الله
به امر آیت‌الله
شاه ترا می‌کشیم
شاه ترا می‌کشیم
یا حسین، یا حسین!»

«بیا بریم پسر. غصه‌ی میترا رو دیگه نخور. اون رو هم همین روزها ول میکنن. بیا بچه‌ها سرکوچه منتظرن... نماز نخوندی؟»

«نه هنوز.»

«وضو بگیر و بیا... آقا رضا گفت نماز صبح و نماز جماعت رو جلوی دهنهٔ بازار می‌خونیم، پشت سر آیت‌الله طالقانی. بعد میریم جلو...»

پسرک آه بلندی کشید و گفت: «باشه. شماها برید جلو من هم دنبالتون میام سر بازار... دو سه دقیقه دیگه بهتون می‌رسم.»

«خیله خب ـــ زودتر بیا.» بعد رو کرد به کریم و مشت کرد و گفت: «ـــ بگو.»

کریم ریزه با خنده گفت: «مرگ ـــ بر ـــ شاه.»

«بگو.»

«مرگ ـــ بر ـــ شاه.»

«بگو.»

«مرگ ـــ بر ـــ شاه.»

احمد و کریم ریزه خندیدند و بعد خداحافظی کردند و رفتند.

پسرک رفت توی حیاط، لب شیر آب حوض نشست، یک مشت آب زد به سر و صورتش. بعد مدتی همانجا نشست، هیچ کاری نکرد. تنها چیزی که توی کله‌ش بود میترا بود، در اوین. اگرچه خودش یکی دو روز بیشتر در آن زندان نمانده بود، اما حالا در کابوس مرگ مریم بود که آنجا مرده بود. بعد در کابوس حرف پیرزن شوم نظافتکار بود که آن شب، به خانه آنها آمده بود، و آخرین حرفهای مریم و وصیتهاش را. «کاری نکنید که به زندان اوین بیافتید. و اگر به این زندان افتادید از سه نفر ـــ از احسنی و بهمنی و سیاوشی بر حذر باشید...» این سه نفر هنوز هم در زندان اوین بودند؟ حتی اگر آنها میترا را نمی‌کشتند، یا حتی اگر فقط آن کارهایی را که با او و با عزیز کرده بودند با میترا هم می‌کردند، چی؟ تازه او و عزیز کاری نکرده بودند. بیگناه بودند. فقط از آنها اطلاعات می‌خواستند. ولی میترا...؟

میترا یک چریک واقعی بود. یک افسر ساواک مستقر در زندان اوین را کشته بود! اسلحه او را برداشته و بر علیه رژیم جنگ مسلحانه آغاز کرده بود...

چند مشت دیگر آب سرد به صورتش زد. بلند شو پسر. از اینجا تمرگیدن که کاری درست نمیشه. باید اول یک سر می‌رفت جلوی بازار، رضا و بقیه را می‌دید. بعد باید به خانه سرهنگ جهانگیر می‌رفت و از او کمک می‌خواست. سرهنگ خودش گفته بود که اگر مشکلی داشتند پیش او بروند.

تند تند وضو گرفت.

*

جلوی دهنهٔ سبزه‌میدان آنها را پیدا کرد. تازه آفتاب زده بود که جمعیت خیابان و تمام میدان را پر کرده بود. رضا جلوی جمعیت بالای یک کامیون بزرگ جلوی یک عکس بسیار بزرگ امام خمینی که روی آن نصب شده بود نشسته و گردانندگی می‌کرد. چندین روحانی هم با ریشهای بلند و کوتاه، سیاه یا سفید در اطراف تمثال بودند. رضا یک بلندگوی دستی داشت و دستورات خودش را برای رعایت نظم، تشکیل صفوف منظم، و تکرار و هماهنگی شعارهای تعیین‌شده پخش می‌کرد. تعداد زیادی خبرنگاز و عکاس داشتند از توی ماشینهای روباز فعالیت می‌کردند. عدهٔ زیادی هم از روحانیون پیر و جوان وابسته به جامعهٔ روحانیت مبارز تهران و جامعه فجر اسلام جلوی کامیون جمع بودند و آماده حرکت. در پشت کامیون علاوه بر تعدادی ماشینهای کوچک و بزرگ، لشگر بزرگ و سیاهی از جوانهای سیاهپوش و زنها و دخترهای چادرسیاهی تا به افق شرقی خیابان بوذرجمهری می‌رفت. بیشتر مردها پیراهن سیاه سینه‌زنی یا

زنجیرزنی پوشیده بودند، و بچه‌های خود را هم با همان رنگ لباس آورده بودند. عدهٔ خیلی زیادی از زنها بچه به بغل بودند و حتی بچهٔ شیرخوره آورده بودند. بعضی مردها کفن تنشان بود.

رضا برای جمعیت دم داد:

یاران به ما ملحق شوید

شهید راه حق شوید

از جلو به کامیون نزدیک شد، و وقتی رضا او را از آن بالا دید، جواب سلامش را داد. چون او را تنها دید خوشحال شد. با خنده اشاره کرد «بیا بالا». اما پسرک با حرکت سر تشکر کرد و گفت «مرسی، داداش... همین پایین خوبه. داخل جمعیت میام.» می‌خواست چند دقیقه‌ای بماند، رضا او را ببیند، و بعد دنبال کار پیدا کردن میترا برود.

رضا گفت: «بارک الله... بچسب به کامیون.» و دیگر اعتنا نکرد.

فریاد زد: «یاران به ما ملحق شوید / شهید راه حق شوید.»

پسرک لرزشی در معده و سینه و تمام ستون فقراتش احساس می‌کرد. به رکاب کامیون چسبید. نفهمید از بیماریش بود یا فریاد سهمناک برادرش که تمام سبزه‌میدان را تکان داد. از پائین که نگاه می‌کرد منظرهٔ هیکل سیاه‌پوشیدهٔ برادرش در زمینه آسمان تیره آن روز صبح، ناگهان تمثیل تکان‌دهنده‌ای داشت.

در آن دقیقه، یکی از روحانیون پیر رضا را صدا زد، و طی چند کلمه دستوراتی به او داد. رضا دیگر به پسرک اعتنایی نکرد، در عوض سینه صاف کرد، توی بلندگو فوت کرد. گفت «برادران ـ خواهران. از اینکه دعوت ما را لبیک گفته‌اید سپاسگزاریم. به یاری الله تبارک و تعالی، و به امر حضرت نایب امام حضرت آیت‌الله العظمی امام خمینی، در راه برقراری آزادی و استقلال و حکومت اسلامی بر امت مسلمان و اثبات رسالت خون بر شمشیر راهپیمایی امروز را شروع می‌کنیم...

مقصد میدان شهیاد طاغوت است که از امروز ما آن را به فرمان روحانیت «میدان آزادی» می‌نامیم... صفوف خود را هر چه متشکل‌تر کنید و مشتهای خود را هر چه گره‌تر، در راه پیروزی خون شهیدان حسینی بر شمشیر ستمگران استبداد و یزیدی و امپریالیستی... و این است شعار رسمی امروز ما: «نهضت ما حسینی است/ رهبر ما خمینی است»». جمعیت جواب داد. رضا با صدای بلندتری تکرار کرد.

جمعیت ناگهان با غرشی سهمناک، که فشار و انرژی عظیم درونی آن را منعکس می‌کرد به رضا جواب داد. و موج جمعیت با فشار شدید به حرکت درآمد. پسرک خود را ناگهان کوچک و فشرده و ناچیز احساس کرد... و به رکاب کامیون آویخت تا له نشود. کامیون به حرکت درآمد، و اندک اندک به دنبال صف روحانیون لغزید.

رضا از آن بالا کوچکترین حرکت این بخش راهپیمایی را کنترل و گردانندگی می‌کرد. گاهی دستور می‌داد، گاهی شعار می‌داد، گاهی گریه می‌کرد. از پشت بلندگوی خود از آقایان خبرنگاران محترم می‌خواست کنار بروند و راه را باز کنند. حتی وقتی به یکی از خبرنگاران خارجی گفت: «آقای جف رابرتسون بروید کنار... از کنار حرکت کنید.» پسرک تعجب نکرد. بطور معجزه‌آسایی پسرک یاد پدرش، یاد مریم، و یاد برادرهایش افتاده بود.

در میان موج سیال جمعیت، پسرک تصمیم گرفت مدتی بماند، و با آن حرکت کند، چون تکلیف بود. رادیوی ترانزیستوری کوچکش را روشن کرد و خود را با شنیدن اخبار ساعت هشت مشغول نمود... رادیو دولتی هم دلمرده بود، چیزی درباره راهپیمایی نمی‌گفت. فقط اخباری دربارهٔ افزایش ۳۴ درصد حقوق و مزایای کارکنان در حال اعتصاب به دستور نخست‌وزیر ارتشبد ازهاری، آزادی تعدادی از زندانیان سیاسی به دستور اعلیحضرت همایونی شاهنشاه آریامهر، و وضع هوا پخش می‌کرد. او به رضا نگاه کرد که آن بالا پشت سر

روحانیون مشغول تنظیم و تکرار شعارها بود. جمعیت از خیابان
بوذرجمهری به طرف خیابان شاهپور و از آنجا به طرف میدان
حسن‌آباد بالا می‌رفت. شعارها محکم، جدی بودند، مذهبی-سیاسی، و
گهگاه آمیخته به نوحه‌های سینه‌زنی و شهادت. هنوز به میدان
حسن‌آباد نرسیده بودند که سطح خیابان و پیاده‌روها از بدن انسانی
پوشیده و مملو بود، و هیجان و فشار تراکم شروع شده بود. بطوری
که حالا اگر هم می‌خواست مشکل بود بیرون بیاید. نه می‌توانست به
میترا فکر نکند و نه حالا می‌توانست از راهپیمایی خارج شود و دنبال
او برود. رضا نیز گهگاه مواظب او بود و دستور می‌داد که از کامیون
دور نشود.

در تقاطع خیابانهای شاه و شاهپور که گروههای مجاهدین و
فدائیان خلق، زیر چتر اعلامیه روحانیون، به جمعیت می‌پیوستند، یا از
خیابانهای مجاور رد می‌شدند، شعارهایشان شدیدتر، و زبان کمی
خشن بود. «به یاری الله ــ به امر آیت‌الله ــ شاه ترا می‌کشیم». و
«ازهاری گوساله ــ سگ چهار ستاره ــ اینم ششصد هزاره؟».

علاوه بر گروههای شرکت‌کننده در تظاهرات، هزاران هزار
تماشاچی زن و مرد، جوان و پیر، دختر و پسر برای تماشا و کنجکاوی
و حتی تفریح آمده بودند. جوانهای شیکپوش با دخترها و زنهای
آلامد، بدون روسری، با موها و صورتهای آرایش کرده و با طلا و
زیورآلات، سیگار و میوه و تنقلات به دست، ایستاده و تماشا
می‌کردند. یا عکس می‌انداختند و از اینکه برای اولین بار جلویشان را
ول کرده و می‌توانستند بر علیه سلطنت و شاه و ساواک بطور علنی و
در کوچه و خیابان اظهار عقیده کنند و شعار بدهند، کیف می‌کردند. و
امروز ناگهان انگار حد و حدودی برای فریاد و شعار نبود....

وقتی جمعیت آنها به تقاطع خیابان شاهرضا و شلوغیهای بیشتر
رسید، پسرک احساس کرد قلبش می‌گیرد. دلش می‌خواست میترا

کنارش بود. رضا دستور داد مدتی صبر کنند تا جمعیتهایی که از شرق به طرف غرب در راه بودند به آنها ملحق شوند. پسرک به تپشهای بد افتاده و پاهایش از خستگی سست شده بود. حتی دستهایش هم کرخ و بی‌حس بود، و رادیو در دستش مثل یک غده زیادی و مشمئزکننده و عذاب‌آور... فکر کرد میترا الان کجاست و دارند با او چکار می‌کنند؟ اگر به فرض می‌توانست از اینجا خلاص شود، آیا می‌توانست تلفنی با سرهنگ جهانگیر تماس بگیرد. الان او کجا بود. یا اگر تماس می‌گرفت، می‌توانست خود را به ساختمانهای آ-اس-پ (که آدرس سرهنگ بود) یا به نیاوران برساند. امروز اصلاً وسیله بود؟ آیا با وضع درب و داغون جسمانی خودش می‌توانست پیاده تا آنجا برود؟...

در جلوی دانشگاه شعارهای بیشتر و پوسترهای بزرگتری از آیات عظام خمینی و طالقانی زده بودند. و در اینجا بود که آیت الله طالقانی به گروه روحانیون که در جلوی کامیون رضا بودند، پیوست. از آنجا تا میدان مجسمه، پسرک احساس می‌کرد فریادها گوشخراشتر و شعارها به مراتب خشن‌تر می‌نمود.

برای اینکه زیر دست و پا نرود خودش را هر طور بود به رکاب کامیون، طرف راننده، آویخته بود ــ کاری که حالا دو سه نفر دیگر هم کرده بودند. جمعیت فریاد می‌زد و مشتها گره شده بود. «سلطنت نابود است ــ انقلاب پیروز است». «وای به روزی که مسلح شویم» «ای رهبران، ای رهبران / ما را مسلح کنید» از هر سوی میدان هم صدای صلوات یا کف زدن یا تکرار شعارها و تشویقهای مردم بگوش می‌رسید. دلش می‌خواست ببیند که میترا اگر اینجا بود چکار می‌کرد. در یک لحظه، در آن گوشهٔ میدان، اول خیابان آیزنهاور چشمش به کیوسک آقامرتضی افتاد. آقامرتضی خودش جلوی یک پیکاپ

ایستاده بود، روی کاپوت آن چند جور کتابهای جلد سفید ممنوع مربوط به ایدئولوژیهای مختلف و انقلاب می‌فروخت. زن و دو تا بچه‌هاش هم بالای پیکاپ بودند، تماشا می‌کردند، همه می‌خندیدند. اشرف خانم زن جعفر زمانی و دو سه تا از بچه‌ها و حتی عمه نصرت هم آنجا بودند. همه نشسته بودند و تخمه می‌شکستند و دست می‌زدند. پسرک از دور با افسوس آنها را آن بالا نگاه کرد. از اینکه لااقل آنها راحت بودند خوشحال شد. برایشان دست تکان داد، ولی آنها او را میان دریای جمعیت نمی‌دیدند. عمه نصرت حتی قابلمه غذا و فلاسک آب هم آورده بود. کاش می‌شد پیش آنها برود. سه چهار تا بچه‌های کوچکتر اشرف خانم که چهارساله و شش ساله بودند دست می‌زدند و می‌خواندند:

«ما همه سرباز توئیم خمینی
گوش به فرمان توئیم خمینی»

هر چه به میدان شهیاد نزدیکتر می‌شدند احساس تنگی نفس و تپش سینه او بیشتر و فشار جمعیت هم شدیدتر می‌شد. تیپ جمعیت، در ابتدا که از سر بازار حرکت کرده بود بیشتر بازاری و دهاتی و بعد از حرکت از جلوی دانشگاه، شامل جوان و دانشجو و نسل تازه هم بود. و حالا از هر تیپ و قشر و جنبنده‌ای به آن اضافه شده بود. سیل جمعیت از هر دو طرف خیابان وسیع به سمت غرب در حرکت بود. و وضع تراکم آدمها مثل قوطی ساردینی بود که افراد توی آن عمودی کنسرو شده باشند. پسرک هنوز روی رکاب کامیون با ترس مرگ به لبه پنجره قفل بود.

حتی در پیاده‌روهای عریض هم جا برای سوزن انداختن نبود. ملت ماشینهای شخصی یا تاکسی و تاکسی‌بارهای کسب خود را توی پیاده‌روها پارک کرده و روی آنها نشسته بودند، حاضر بودند، غذا

می‌خوردند و شعار می‌دادند. از پنجره‌ها و بالکنها و پشت بامها هم اینجا و آنجا سر و کله بود که بیرون زده و تماشا می‌کردند، و شعار می‌دادند. حتی ساختمانهای نیمه‌کاره هم پر از سر و کلهٔ مردم بود. بچه‌ها بالای درختها رفته بودند، و از آن بالا فریاد می‌زدند و شعار می‌دادند. فقط جای میترا خالی بود.

نزدیک ظهر بود که به دایرهٔ عظیم میدان شهیاد نزدیک شدند. در اینجا دیگر حرکت جمعیت بسیار کُند شده بود. پسرک دیگر دستها و پاهایش بقدری بی‌حس شده بود که لبهٔ پنجرهٔ کامیون را به زحمت می‌توانست نگه دارد. رضا هنوز بالای کامیون با دهها نفر دیگر مشغول کارگردانی بود، و هرچه به مأمورین انتظاماتش دستور می‌داد راه را برای روحانیون باز کنند، نتیجه نداشت. ناچار خودش با بلندگو از مردم می‌خواست که راه را برای روحانیون باز کنند. میدان بزرگ و عجیب، با بنای مرمر سفید ایتالیائیش، و درختهای خزانزده که دور تا دورش را گرفته بود، حالا مثل دره بزرگی به نظر می‌رسید که دهان باز کرده سیل مردم را به درون خود بکشد.

اولین بار که سرش گیج رفت و برای مدتی از حال رفت نفهمید، چون سر و گلویش هم حالا کرخ شده بود، فکر کرد از آثار آنفلوآنزای چند شب پیش است، که از دیروز تا به حال، بی‌خوابی و ناراحتیهای فکری‌اش آن را تشدید کرده بود.

اکنون فریادها کمتر و جمعیت ساکت‌تر شده بود، چون رهبران شروع به سخنرانی کرده بودند. او درست نمی‌شنید، و در حالت گیجی خود به این فکر افتاده بود که این صحنه را پیش از این در یک جای دیگر دیده است. ناگهان دو هلیکوپتر غول‌آسای زرد و زیتونی جنگی غرش‌کنان بالای میدان ظاهر گشتند.

یک نفر ناگهان فریاد زد «دارند از بالا تیراندازی می‌کنند!...» و سیل جمعیت وحشتزده به توفان تبدیل شد. اما جایی هم برای حرکت

نبود. لحظه‌ای دیگر که پسرک به خود آمد دستش از لبهٔ کامیون رها شده بود. پاهایش هم از لبه رکاب ول شده بود. تمام بدنش وسط فشار مردم بود، بدون اینکه درست و حسابی به زمین برسد. دستها و پاهایش به جایی بند نبود. آنچه وحشتش را داشت اتفاق افتاده بود. وسط سیل جمعیت ول بود. کسی او را نمی‌دید. جمعیت در خودش می‌جوشید، و به شعارها با فریاد پاسخ می‌داد و الله‌اکبر می‌گفت. رادیو هم‌اکنون از دستش ول شده بود. فقط حجم فشردهٔ جمعیت را روی تمام وجودش احساس می‌کرد. رضا از پشت بلندگو فریاد می‌زد: «بگو ـمرگ ـبر ـشاه!» و جمعیت هم هر طور بود با نفرت پاسخ می‌داد «مرگ ـبر ـشاه!»

وسط پیچ و تاب امواج انسانی لغزنده‌ای از هیکل و پا و دست و مشت و لگد و کتف و شانه و گردن و صورت و کله‌های عرق‌کرده، هر طور بود خودش را به زیر کامیون رساند. با صدای بی‌صدایی داد زد و سعی کرد برادرش را صدا کند یا خود را به یک طرف بکشاند، تا نفس بکشد. اما غیرممکن بود. یادش آمد که در وسط میدان گل و سبزه و چمن بود. جایی حوض و فواره هم بود. اگر می‌توانست خودش را به آنجا برساند می‌توانست نفس بکشد. از زیر کامیون خودش را با هر زحمت بیرون کشید. و از لای پاها و بدنها و کله‌ها و مشتها، بیرون کشید. بنای شهیاد را دید که حالا انگار چون کوهی از مرمر سفید و باریکه‌های فیروزه‌ای‌رنگ او را صدا می‌کرد.

یک نفر داشت با صدای محکم و قاطع قطعنامه می‌خواند. هلیکوپترها دور شده بودند. جمعیت حالا نسبتاً کم خروش شده بود. پسرک با آخرین رمقی که داشت از میان موجی از جمعیت که بعد از شنیدن هر ماده از قطعنامه، الله‌اکبر، خمینی رهبر و استقلال‌ـآزادی ـجمهوری اسلامی می‌گفت.

خودش را کم‌کم به سوی وسط میدان کشاند. مردم راه می‌دادند.

لابد با یک نگاه به وضع و قیافه او، به رحم می‌آمدند، می‌گذاشتند رد شود و برود جلو. بعد از حدود نیم ساعت تلاش، خودش را روی اولین قطعه کوچک چمن کنار یکی از حوضها انداخت. آب و هوای باز و سرد چیز دیگری بود. سرش را روی تیغه‌های سبز علف که مثل دانه‌های رحمت بهشتی بود گذاشت. فکر کرد اگر حالا اینجا بمیرد زیاد بد نیست... نمی‌خواست زیر دست و پای جمعیت بمیرد. فکر میترا بود.

اما چشمهایش بزور باز نگه داشته می‌شد. اکسیژن زیاد برایش خوب نبود. پاهایش هم دیگر رمقی نداشت. سرش را بلند کرد، یا سعی کرد بلند کند. عده‌ای از راهپیمایان و بر و بچه‌ها را وسط باغچه‌ها دید. چند تایی هم از پایه‌های بنا تا بالای پایه‌های شیب‌دار بلند سنگی بالا کشیده بودند. بالاتر از همه‌شان، احمد آردکپان و برادرش رسول را دید. سعی کرد آنها را صدا کند، نمی‌شد. به طرفشان دست تکان داد. آنها ماژیک یا قلم‌مو و رنگ دستشان بود و داشتند چیزهایی به مرمرهای سفید و درخشان پایه‌های بنا می‌نوشتند. «میدان آزادی»، «مرگ بر شاه»، «مرگ بر بختیار نوکر...» از دوردست صدای توده‌های دیگر هم می‌آمد، و از هر طرف شعار و شعری. «استقلال ـ آزادی ـ جمهوری اسلامی»، «وای به روزی که مسلح شویم»، «وای اگر خمینی / اذن جهادم دهد»، «این است شعار ملی ـ خدا / قرآن / خمینی»، «کارگر ـ برزگر ـ روشنفکر ـ توده‌ها... پیوندتان مبارک»، «الهی، الهی، ولیعهدت بمیره / کارتر عزا بگیره». شعارهای دیگری هم بود که توأم با شوخی، یا استهزای بیشتر بود.

هلیکوپترها باز از روی سر مردم غرش می‌کردند و رد می‌شدند....

پسرک کم‌کم دیگر از حال می‌رفت... هنوز به طرف احمد و رسول دست تکان می‌داد، ولی آنها انگار او را نمی‌دیدند. یا می‌دیدند،

ولی فکر نمی‌کردند خطری متوجه‌اش است. خودش هم دیگر چیزی نمی‌شنید. در آخرین لحظه‌ای که چشمانش بسته می‌شد، احساس کرد انگار فقط خدا او را می‌بیند، و بطرف خود می‌خواند. خوشحال بود، ولی زیر لب فقط گفت «میترا... متأسفم.»

فصل پنجاه و هشتم

رو به دیوار بود، گوشهٔ یک جای نسبتاً گرم، زیر لحاف کلفت. نمی‌دانست بیدار است یا خواب. مسلماً نمی‌دانست کجاست. صدای چراغ زنبوری بزرگی را می‌شنید، که هیس‌س‌س آن در اتاق می‌پیچید. انگار برق نبود.

مدتها بود داشت می‌افتاد، سقوط می‌کرد، اما به هیچ جا هم نمی‌خورد. پشت سرش، توی اتاق، صدای صحبت کردن چند نفر آمد. از بیرون هم صدای تلاوت قرآن می‌آمد. برادرش رضا را وسط آن جمع شناخت. طرز صحبتها و صداها طوری بود که انگار ساعتها حرف زده و بحث کرده بودند. جائی ناآشنا، و بجز برادرش در میان مردمی غریبه بود.

رضا داشت می‌گفت که دستورات اخیر حضرت امام در اعلامیه‌شون کاملاً روشن و واضح بوده است. نفهمید تمام «اقشار» یا تمام «احزاب» باید وحدت کلمه داشته باشند.

باز از هوش رفت. مدتی بعد بین خواب و بیداری باز صداهایی می‌شنید. شاید هم رؤیا بود. صدایی می‌گفت که در تماس تلفنی با ایشان، ایشان فرموده بودند که امریکا دخالتی نخواهد کرد. ایشان قول

داده‌اند که اگر همه زیر پرچم اسلام به مبارزه ادامه دهند، امریکا قدرت دخالت نخواهد داشت. هیچکدام از ابرقدرتها دخالت نمی‌کردند. چون ملت نمی‌گذاشت. ارتش هم غلطی نمی‌کرد. آنها نمی‌توانستند تمام ملت را قتل عام کنند. ملت ما هم از کشته شدن نمی‌ترسید... ملت آزادی و استقلال می‌خواست. مردم باید آزادی داشته باشند. و فقط زیر لوای اسلام بود که ملت ما به آزادی می‌رسید. در جامعه اسلامی خفقان نبود. فساد نبود. برادرکشی نبود.

بعد صدای مرد دیگری که پیرتر و قویتر بود و لهجهٔ ترکی داشت گفت به حق خداوندگار تبارک و تعالی، ارتش هم انشاءالله سر عقل خواهد آمد و دخالت نخواهد کرد. آقای رئیس ستاد از طرف بعضی مقامات به بنده قول دادند که ارتش دستور ندارد به مردم حمله کند، و نخواهد کرد.... و دخالت نخواهد کرد. از اسلحه بجز در سطح انتظامات کوچک، داخلی آن هم به صورت تیراندازی هوایی و گاز اشک‌آور، استفاده نخواهد شد....

صدای روحانی اول که انگار جوانتر بود گفت تا آنجا که او خبر دارد و رابطهای آنها خبر می‌دهند کارتر از نهضت اسلامی و محبوبیت سراسری حضرت امام سخت عصبانی و درمانده است. او چهار شق برای حل بحران به حضرت امام پیشنهاد کرده است. اول اینکه شاه را نگه دارند، ولی حکومت نکند، و دولت را به دست ملیون و روحانیون بدهد. دوم اینکه شاه و تمام خانواده شاه بروند و رژیم سلطنتی با شورای نیابت سلطنت باشد و دولت ائتلافی اسلامی و ملی زمام امور را در دست بگیرد، تا تعیین نوع حکومت در آینده به وسیله رفراندوم معلوم شود. سوم آنکه رژیم سلطنتی یکباره برداشته شود و یک رژیم جمهوری دموکراتیک روی کار بیاید که بر اساس آن قدرت به دست احزاب اسلامی و میانه‌روها سپرده می‌شود. چهارم استقرار جمهوری اسلامی با ائتلاف ملیون و مذهبیون زیر نظر و

رهبری حضرت امام... و از ارتش خواسته خواهد شد که از امام تبعیت کند. البته امریکا دیوانه نیست و شق اول را ترجیح می‌دهد. ولی حضرت امام می‌دانند که امریکا دروغ می‌گوید و فقط می‌خواهد غائله فعلی بخوابد و سازش و ساخت و پاخت بشود و مردم راضی شوند و خشمها فروکش کند. و بلاشک امام نیز که درایت و دید عظیم مذهبی‌ـ‌سیاسی دارند شق آخر را می‌خواهند و ریشه‌کن کردن تمام دستگاه و وابستگی ارتش را خواسته‌اند بویژه دخالت امریکا را.

باز صدای رضا را شنید که می‌گفت ارتش ممکنه دیوانگی کنه سخت سرکوب کنه، مثل ۲۸ مرداد ۳۲.... حتی ممکنه قتل‌عام کنه، داغون کنه. رضا به او از دیگران نزدیکتر بود، شاید کنارش نشسته بود. باید مردم را مسلح ساخت.

پسرک مغزش، مثل کسانی که در خواب یا کابوس‌اند، ارادی و تصمیم‌گیرنده نبود. بدنش هم شل و بی‌حرکت بود. بعد انگار کسی وارد اتاق شد و چای و شیرینی و میوه آورد. یا شاید صاحبخانه بود که تعارف می‌کرد. صدایی گفت بفرمائید دهان شیرین بفرمائید، گلویی تازه کنید....

صدای روحانی جوانتر پرسید داداش چطوره، حاج آقا رضا؟

دست رضا آمد و سر پسرک را نوازش کرد. بخواست خدا مجاهد کوچولوی ما خوبه انشاالله. عرض شود، توی میدون وسط جمعیت از حال رفت... خدا خواست که یکی از دوستهاش دیدش، اطلاع داد. گفتیم با آمبولانس آوردندش اینجا. خوبه حالش. خوب میشه. خوابه. از بچگی مریض بود. توی خواب کمی سوپ و شیر خورد. فکر می‌کنم هنوز خوابه... انشاءالله حالش هم جا میاد...

روحانی پیرتر گفت خواست خداوندگار بود. تمام این کارها خواست خداوندگار تبارک و تعالیٰ است. حضرت امام فرمودند تمام این انقلاب خواست خداوندگار تبارک و تعالیٰ است... ما فقط وسیله

هستیم. شهادت ما همه وسیله‌ی رضای خداوندگار تبارک و تعالیٰ است.

صدای رضا گفت اگر این داداش ما در این روز عاشورای بزرگ، به این فیض خداوندی می‌رسید، و شهید می‌شد، هم روح پدرش و هم ارواح چهار برادر و یک خواهر شهیدش را شاد می‌کرد. ولی خدا خواسته که زنده بماند و در آینده به انقلاب خدمت کند.

صدای روحانی جوانتر گفت باید صدقه داد. صدقه بلاگردان است. صدقه هفتاد نوع مرگ بد را دور می‌کرد.

فصل پنجاه و نهم

روز بعد، حالش بهتر بود، باز در درخونگاه بود، ولی بدون اینکه تغییری در وضع او و میترا ایجاد شده باشد.

نزدیک چهل ساعت بیهوشی‌اش را در خانهٔ متعلق به حجت‌الاسلام آقای علوی از روحانیون مسجد سپهسالار گذرانده بود، که رضا و تعدادی از هواداران در آنجا زندگی می‌کردند. زن و بچهٔ رضا هم در آنجا بودند. پس از اینکه او حالش جا آمده بود، چند ساعتی نزد آنها مانده و به زودی به درخونگاه بازگشته بود. در آنجا نمی‌توانست در جستجوی میترا باشد.

سحر روز بعد، تازه نمازش را تمام کرده بود که احمد آمد. از دیدنش خوشحال شد. چون هر دو گرسنه بودند، صحبت‌کنان رفتند سر بازارچه. از میترا هنوز خبری نبود. به خواست احمد اول رفتند توی کله‌پزی یکی یک ظرف آب کله‌پاچه و گوشت بناگوش خوردند. او هیچوقت از کله‌پاچه خوشش نمی‌آمد، و معدهٔ ضعیفش را تمام روز بد حال می‌ساخت. ولی خورد، چون گرسنه بود، و چون احمد با اشتهای بی‌پایان می‌بلعید. توی کله‌پزی احمد رادیو ترانزیستوری‌اش را باز کرده بود که اخبار هفت و نیم بی. بی. سی را

پخش می‌کرد. اعلامیه تازه امام دربارهٔ شاه بود، که باید بماند و باید دستگیر و محاکمه شود. و دست‌کم به حبس ابد محکوم گردد. اخبار داخلی ایران دربارهٔ احتمال رفتن شاه به خارج برای معالجه و آوردن یک نخست‌وزیر غیرنظامی بود. مردم توی کله‌پزی با شور و شوق به این حرفها گوش می‌کردند. او دلش فقط شور میترا را می‌زد.

پس از ناشتا، به اصرار او، با موتور احمد به نیاوران به خانه مادر میترا رفتند. احمد او را جلوی در خانه پیاده کرد، و خودش رفت پایین‌تر ایستاد. پسرک بعد از کلنجار با سید نصرالله بالاخره موفق شد مادر میترا را ببیند، که به زور با یکی دو کلمه جوابش را داد. نمی‌خواست حرف بزند. خودش هم بدتر از پسرک انگار مأیوس و ترسخورده و وامانده بود. می‌خواست هر چه زودتر او را دست به سر و بیرون کند.

قدسی خانم می‌دانست میترا در زندان اوین است. فرت و فرت دود سیگارش را می‌بلعید. می‌گفت سرش درد می‌کند و باید برود بالا دراز بکشد، چون مسکن و ترانکولایزر زیادی خورده است. پسرک حدس زد خشم و نفرت او ممکن است برای این باشد که نمی‌تواند از کشور خارج شود، چون تمام فرودگاهها بسته بودند. خداحافظی کرد و بی‌نتیجه از خانه بیرون آمد.

با احمد به شهر برگشت. هر دو اول به خانهٔ حجت‌الاسلام علوی رفتند که رضا آنجا بود. تازه امروز بود که پسرک متوجه شد آنجا نه فقط به صورت یکی از مراکز فعالیتهای روحانیون مبارز است، بلکه در حقیقت دبیرستان علوی که جفت خانه بود یکی از مراکز فرماندهی ستادهای تشکیلاتی و تنظیم و هماهنگی فعالیتهای مبارزات مذهبی در تهران است. آنجا مدتی زیر دست رضا پلکیدند. خبر به درد بخوری دستگیرشان نشد.

بعد از ظهر به محوطه دانشگاه تهران رفتند که فوجهای بزرگتری از

گروهها فعالیت می‌کردند. او و احمد به دفتر ستاد بچه‌های مارکسیست
فدایی خلق که پشت دانشکده فنی قرار داشت رفتند و در آنجا مهری
حسینی و یکی دو تا از رفقای میترا را دیدند و حرف زدند. از آنجا به
خانهٔ عمه نصرت رفتند تا با جعفر زمانی که از بسیاری از زندانیهای
آزادشده خبر داشت حرف بزنند. اما وقتی به آنجا رسیدند، پسرک
فقط فهمید گفتند زمانی بعد از نهار و یک بطری ودکا که گیر آورده
و خورده بود خواب است. نتوانستند بلندش کنند و از او حرف
بپرسند. باز به دانشگاه برگشتند. هیچکس میترا را ندیده بود، ولی همه
خبر داشتند که در زندان اوین است. آنها از کسانی که تازه از زندان
بیرون آمده بودند خبر داشتند که میترا در اوین در سلول انفرادی و
تحت مراقبت غیرمعمول و عجیبی بود، بطوری که تا به حال سابقه
نداشت. هیچکس نمی‌دانست چرا میترا صدر آنطور تحت «کنترل و
مراقبت ویژه» است، یا نمی‌توانست حدس بزند. پسرک می‌توانست، و
بیشتر ترس و وحشت هم همین بود. بی‌شک او را به خاطر قتل سروان
وکیلی آماده اعدام می‌کردند. نکند بهمنی لامسب او را گیر آورده
باشد. گاهی آه می‌کشید و سعی می‌کرد به خودش دلداری بدهد. شاید
هم اوضاع زیاد وحشتناک نبود. شاید هم تیمسار ایکس مادر میترا از
او نگهداری می‌کرد.

صبح روز بعد که به زندان اوین رفتند، ناصر به عنوان شوهر
رسمی میترا و ارائه مدارک تقاضای ملاقات با او را کرد. ولی با جواب
سربالا روبرو شد. و حالا بود که به یاد حرف بهمنی افتاد. سه سال
پیش، روزی که با عزیز از زندان آزاد شده بود. بهمنی به او گفته بود
هر وقت احتیاج به کمک داشت با او تماس بگیرد، و او را «دوست
خانواده» محسوب کند.

غروب به خانه برگشت و از ته دولاب خرت و پرتهای قدیمی، تکه
کاغذی را که بهمنی آن روز روی آن شماره تلفن خودش را نوشته و

به او داده بود، پیدا کرد.

در حالی که احمد داشت روی چراغ گاز با گوجهفرنگی و چند تا تخممرغ که گیر آورده بود املت درست میکرد، به او گفت چند دقیقه سر کوچه میرود تا یک تلفن فوری بکند. با یک دو ریالی که از احمد گرفته بود، آمد از کیوسک تلفنی که سر درخونگاه آنطرف خیابان جلوی گرمابه حمیدی بود، با دستهای لرزان و عصبی، شماره بهمنی، کارمند مخوف ساواک را گرفت. هفت هشت دفعه تلفن زنگ زد تا اینکه پیرزنی گوشی را برداشت. پس شماره تلفن خانهاش را داده بود. چون صدای گریه بچهای را هم شنید. پیرزن گفت «بله، بفرمایین؟»

«سلام عرض میکنم... میخواستم با... آقا صحبت کنم.»

پیرزن تندی گفت: «نیستند.» یا مادرش بود، یا کلفتشان.

«بنده از دوستانشون هستم. کار واجب و مهمی هست مربوط به خودشون.»

«نیستند.»

«میتونم پیغامی براشون بذارم؟»

«نیستند.»

«کی برمیگردند؟»

«من خبر ندارم. خونه نمیان... خداحافظ.»

«صبر کنین. کجا میشه با ایشان تماس گرفت؟ شماره دیگری هست؟»

«چیزی نگفتند... ما هیچی نمیدونیم.»

«میتونم پیغامی براشون بذارم؟»

«از شهر بیرون رفتهن.» ارتباط را قطع کرد.

نفهمید خودش ترسخوردهتر و بیچارهتر است یا پیرزن بیچاره.

وقتی برگشت و موضوع تلفن را به احمد گفت، احمد فقط گفت:

«ابوالفضل!...»

«چی؟...» آهی کشید.

«شروع شده، ناصر خان.»

«چی شروع شده؟»

«زه زدن ساواکی‌ها... و الفرار...»

«برای من فایده‌ش چیه؟»

و آن وقت بود که احمد آردکپان ولی‌آبادون نقشه‌ای را که ناگهان به فکرش رسیده بود، مطرح کرد.

فصل شصتم

صبح زود روز دوشنبه ۱۱ دی بود و او و احمد آردکپان، اوایل خیابان نصرت، منشعب از سی‌متری شمالی، کنار یک لبنیات‌فروشی نشسته بودند. روبروی لبنیاتی، کمرکش کوچهٔ بن‌بست دانش، خانهٔ بهمنی بود.

یک هفته می‌شد که خانهٔ بهمنی را پیدا کرده و می‌پاییدند. امروز موتور احمد به گوشه‌ای از پایهٔ صندوق زردرنگ پست زنجیر بود. هر دو لب جوی آب نشسته بودند، می‌پاییدند.

ساعت حدود هفت بود و داشتند به اخبار رادیوهای مختلف از رادیو ترانزیستوری احمد گوش می‌کردند و چشمشان هم به در خانهٔ بهمنی بود. چون حالا از سقوط فوری رژیم نامطمئن بودند، تصمیم گرفته بودند اگر بشود از راه گروگان گرفتن یا بدبخت کردن و عاصی کردن بهمنی او را وادار کنند که میترا را تحویل آنها دهد. بهمنی جزو کادر سرپرستی زندان اوین بود.

اخبار امروز رادیو از هر روز مغشوش‌کننده‌تر بود. از دیشب تا حالا رادیوهای بی. بی. سی و مسکو خبر سقوط حکومت ازهاری را پخش کرده و فرار او و چند تن از ژنرالها را فاش ساخته بودند... شاه

بالاخره به روی کار آمدن دولت ملی بختیار که از مخالفین شاه بود تن داده بود. و گردن نهاده بود که خودش هم تحت عنوان معالجه از کشور خارج شود. دکتر شاپور بختیار به عنوان اولین کار خود خواستار انحلال ساواک و آزادی کلیه زندانیان سیاسی شده بود. اخبار ساعت ۷ رادیو تهران هم مؤید همین‌ها بود. به گزارش خبرگزاری پارس، شاهنشاه استعفای دولت ارتشبد غلامرضا ازهاری را پذیرفته بودند. به موجب فرمان دیگری از جانب شاهنشاه دکتر شاپور بختیار به عنوان نخست‌وزیر جدید ایران برگزیده شده بود. اگرچه به موجب امر اعلیحضرت همایونی دولت ازهاری مکلف بود که تا تعیین کابینهٔ آقای دکتر شاپور بختیار به وظائف خود عمل کند، اما تیمسار ارتشبد غلامرضا ازهاری به علت بیماری قلبی، از امر تصدی امور دولت کنار گرفته و معاونان ایشان وظائف ایشان را انجام می‌دادند. ظاهراً تیمسار با کسب اجازه از پیشگاه شاهنشاه برای معالجه به امریکا فرار فرموده بودند. احمد آردکپان و پسرک با شنیدن این اخبار رسمی با خنده و جیغ هیجان با هم دست دادند و این سقوط را به فال نیک گرفتند.

در اخبار ساعت هفت و چهل و پنج دقیقه رادیو بی. بی. سی هم داشت اعلامیهٔ جدید آیت‌الله خمینی مبنی بر غیرقانونی بودن دولت بختیار را از نوفل لوشاتو پخش می‌کرد، که ناصر سر کوچهٔ دانش، هیکل مردی را دید که از کنار دیوار می‌آمد. با آرنج به احمد زد. احمد سرش را از روی رادیو بلند کرد. او برخلاف هر روز عرض کوچه را طی نکرد و سوار بنز خاکستری‌رنگ متالیک خودش نشد.

در همان نظر اول او را شناختند ـ گرچه بهمنی حالا ته‌ریشی گذاشته و لباس مندرسی هم تنش بود. یک تسبیح دراز زردرنگ هم از دست چپش آویزان بود. او هم وقتی سر کوچه رسید فوری دو پسر کنار لبنیات‌فروشی را دید و شناخت. سرش را انداخت پایین، با

احتیاط آمد به طرف آنها، در حالی که از زیر چشم مواظب دستهای آنها بود. دست راست خودش که آزاد بود به طرف جیب کت گشادش رفت. جلوی آنها که رسید، ایستاد.

پرسید: «چی میخواین اینجا؟» صدایش مثل کسی بود که سؤالی را برای هزارمین بار به زبان آورده باشد. پسرها بلند شدند و ناصر با فاصله‌ای از او راه افتاد. احمد همانجا ایستاد و مواظب ماند.

«دیروز که گفتیم چی میخوایم.»

بهمنی گفت: «من هم که لامسبا بهتون گفتم که دست من نیست. این جور کارها وقت میخواد.» دهانش بوی عرق می‌داد.

احمد گفت: «ما دیگه وقت نداریم.»

بهمنی گفت: «برای منم وقت ساعت صفر فرا رسیده.»

پسرک گفت: «یک روز شما خودت به من گفتی هر کاری رو برای من میکنی... هر کمکی میکنی.»

«اون سه سال پیش بود ـ سه سال و نه ماه پیش بود ـ روزی که تو و مادرت از زندان اوین آزاد شدین.» خوب به خاطر داشت که چه روزی بود. مغزش هنوز هم مثل کامپیوتر کار می‌کرد.

به چشمهای او نگاه کرد. «میترا صدر... اسم دیگرش منیژه نیکوست. اما من مطمئنم که به اسم میترا صدر اونجاست و شما هم خوب می‌شناسیدش. من میخوام که آزاد بشه. امروز.»

بهمنی گفت: «من نمیتونم. از ـ من ـ بر ـ نمیاد! به خدا، به قرآن، به امام رضا، به پیر، به پیغمبر، به امام زمون، نمیتونم، بفهم. همه چیز تغییر کرده. من دیگه اونجا قدرتی ندارم. سازمان امنیت و اطلاعات کشور داره منحل میشه. ما همه بیکاریم و بی‌مصرف. به حضرت سیدالشهدا، به امیرالمؤمنین قسم.

احمد هم که حالا به آنها پیوسته بود، گفت: «این اسمها را توی اون دهن کثیفت نیار... با اون ریشت. با اون تسبیحت.»

بهمنی گفت: «خفه شو.» هنوز هم غرور و بادی داشت. چشمهاش سرخ بود.

احمد گفت: «درشو بذار.»

بهمنی گفت: «اگه فردا ببینم باز اینجاها ولو هستین به همون امام رضا که قفلشو گرفته‌م—»

احمد گفت: «چه غلطی می کنی؟ الان بی. بی. سی گفت شاه داره درمیره. بختیار رو گذوشته سر کار و خودش داره درمیره.»

بهمنی گفت: «گم شو. حرومزادهٔ خر بد دهاتی. گفتم از این محله گم‌شین. دیگه پیداتون هم نشه... وگرنه هر دوتاتون رو خودم شخصاً خدمت می‌رسم.»

ناصر گفت: «خدمت من‌و همین الان برس.»

«شمام برگرد برو درخونگاه آروم باش.»

«چون اگه خدمتمون نرسی. ما خدمتتون می‌رسیم.»

«برگرد برو، پسر. خواهش می‌کنم.» دو تا دستهایش را با تسبیحش به حالت التماس آورد بالا. «به امام حسین نمیدونی من دارم چه عذاب و درد سگ مسبی می کشم... به خاطر بدبختیهایی که به سر خانواده‌ی تو اومده. برو، نذار دستم روت بلند شه و روح و جگرم به خاطر تو هم آتیش بگیره.»

«من هیچوقت نمی‌خواستم چیزی آتیش بگیره.»

«خواهش می کنم برو... صبر کن، همه چی درست میشه.» چشمان مست و سرخش حالا وارفته‌تر بود.

«من میترا صدر رو میخوام که امروز آزاد بشه... بدزدش بیارش بیرون. تو شاید بدونی اون کیه. شاید هم ندونی. هر کی هست هر کاری کرده اون بیگناهه. اون زن منه. من باهاش ازدواج کرده‌م. به همین سادگی. من میخوام اون بیاد بیرون. و تو هم میتونی بیاریش بیرون. تا حالا هزار دفعه از این کارا کردین. بدزدش بیارش بیرون. وگرنه آتش

به زندگیت میفته... به روح پدرم، به روح برادرهام، به روح مادرم، به روح همون خواهرم که زیر دست شماها کشته شد، قسم می‌خورم.»

بهمنی گفت: «نمیشه. من هم قسم خوردم که نمیشه. به جان بچه‌م. به ارواح خاک مادر و پدرم. اگر من سعی کنم که یکی از زندانیها رو سوا کنم و بیارم بیرون، یا حتی ببرم یه جای دیگه، سوءظن میبرن. الان نمیشه. همه به من مثل پلنگهای وحشی حمله میکنن. حالا وضع فرق کرده. میریزن همه چی رو پاره میکنن. پس ترو خدا برگرد برو خونه... این مجاهدبازی و این خل و دیوونه‌ها رو هم ول کن. صبر کن. بزودی همه‌شون آزاد میشن.» سر نصرت و نبش امیرآباد رسیده بودند. خیابان شلوغ و پر سر و صدا بود.

احمد گفت: «بیا بریم، ناصر. ولش کن. حرف مفت میزنه.»

برگشت، به احمد نگاه کرد. با حرکت سر حرف او را تصدیق کرد. باز برگشت و آخرین نگاه را به بهمنی انداخت. پسرک خام رماتیسم قلبی درخونگاه راه درازی را گذرانده بود. او هم تاکتیک یاد گرفته بود. گفت:

«خیلی خوب، خداحافظ. من کوچکم، خرم، بدبختم، خامم. شما بزرگی، فهمیده‌ای، آقایی. ولی میترا صدر یک دختر بیگناه و مغشوش و قربانی درگیریهاست. امروز آزادش کن بیارش درخونگاه خانهٔ ما. آدرس رو که خوب بلدی. بعد صلح... خواهر من به دست شماها کشته شد. اگر میترا امروز آزاد نشه، هر چه دیدی از چشم ـ»

احمد گفت: «ولش کن، هیچی نگو.»

«خیلی خوب. تموم شد.»

بهمنی را ترک کردند. به طرف میدان بیست و چهار اسفند آمدند. بهمنی مات ایستاد و رفتن آنها را از محله نگاه کرد. اما آنها پس از مدتی که آهسته آهسته بالا رفتند و حتی سوار تاکسی شدند و رفتند بالاتر، پس از چند دقیقه پیاده شدند و دوباره برگشتند طرف خیابان

نصرت و سر کوچهٔ دانش. اثری از بهمنی نبود. از بنز بهمنی هم اثری نبود. ظاهراً برگشته و بنزش را برده بود. شاید هم زنش و یا شخص دیگری بنز را برده بود. به‌هرحال آنها باز همانجاها پلکیدند و خانهٔ بهمنی را تحت نظر گرفتند. برای برنامه‌ای که کشیده بودند، و عملیاتی که می‌خواستند انجام دهند آمادگی داشتند.

در این چند روزه، تمام حرکات و رفت و آمدهای خانه بهمنی را فهمیده بودند.

حدود ساعت ده صبح، ننه پیرزن چادری آنها از خانه آمد بیرون. یک دستش زنبیل پلاستیکی خرید بود. با دست دیگرش دختربچهٔ دو سه سالهٔ بهمنی را تاتی تاتی راه می‌آورد.

احمد با سر به پسرک اشاره کرد، و رفت زنجیر موتورش را باز کرد. به او اشاره کرد.

«احمد، من راستش از این کار خوشم نمیاد. بذار یه روز دیگه بهش وقت بدیم.»

«نه. احساساتی هم نشو. اگر می‌خواست این چند روزه کرده بود. کاری نداره.»

«نمیدونم ــ کار خدایی نیست.»

احمد گفت: «این حرفها چیه... باهاس زد این ننه سگ‌ارو. مگه وقتی داداش من و داداشهای تو و خواهر ترو کشتند کار خدایی بود... اونها کرده‌ن. ما هم می‌کنیم... اما ما به نام خدای منتقم می‌کنیم. آقا رضا خودش گفت.» مشتهایش را گره کرده بود. در روح او هم خشم بود.

«بچه‌دزدی کار خدایی نیست.»

«دل ناگرون نباش. اولاً که من خودم از ازبک کوچولوش مواظبت می‌کنم. خونه‌ی ابراهیم اینها که توی یاخچی‌آباده هیچ‌کس هم

نمی‌فهمه. اونها نگه‌ش می‌دارن تا این ننه‌سگ میترا رو بیاره.»

ننه چادری با بچهٔ بهمنی آمده بود جلوی میوه و سبزی‌فروشی بزرگ و شلوغ که کمی بالاتر از ایستگاه اتوبوس بود، قسمتی از پیاده‌رو را هم گرفته بود. خود پیاده‌رو هم همیشه در این قسمت از خیابان شلوغ پلوغ بود. احمد با سر به او اشاره کرد. نقشه را چند بار تمرین کرده بودند.

او سرش را تکان داد: «نه.»

«نه چیه؟ چرا هنوز دل به شکی پسر؟ محکم باش. بیا.»

به احمد نگاه کرد: «بیا یه روز دیگه‌م صبر کنیم.»

احمد گفت: «ناصر... تو هنوز هم دلرحم و نرمی.»

«فقط یه روز دیگه.» خودش هم می‌دانست بیهوده است. اما هنوز دنبال بهانه می‌گشت که لابد که کاری «غیر از اندیشهٔ پاک انسانی» نکند.

احمد گفت: «من که میگم امروز... همین الان بزنیم. اینها ننه‌حرمله‌ن.»

«فقط یه روز.»

فصل شصت و یکم

اما یک روزی که او از احمد خواسته بود صبر کنند منجر شده بود به یک هفته. و بعد ده روز... پسرک نمی‌توانست دلش را راضی کند که بچهٔ بهمنی را بربایند و آنطور که احمد خواسته بود گروگان‌گیری کند. احمد این کارها را از رضا و سایر برادرانی که در لبنان آموزش دیده بودند یاد گرفته بود. حاضر بود حتی تنها این کار را بکند، اما نه بدون اجازهٔ دوستش.

پسرک هفتهٔ اول حکومت بختیار را در آن زمستان لعنتی از نزدیک و هر چه دقیق‌تر تعقیب می‌کرد. هر روز و هر ساعت به اخبار گوش می‌کرد، یا در مدرسه علوی پیش رضا و جرگهٔ روحانیون مبارز تهران و اینطرف و آنطرف جریانات را دنبال می‌کرد، چون اکنون صحبت از انحلال ساواک و آزادی کلیه زندانیان سیاسی بود. زندانیان سیاسی گَر و گُر آزاد می‌شدند، اما از میترا خبری نمی‌شد.

او و احمد علاوه بر شرکت در عملیات توزیع اعلامیه‌های آیت‌الله خمینی از پاریس و شرکت در تظاهرات، و انجام دستورات رضا، هر روز مراقب خانهٔ بهمنی هم بودند. او هنوز آمادگی برای شروع به اجرای عملیات نقشه گروگان‌گیری نداشت، و از میترا هم خبر تازه و

دست اولی نشد، تا هفتهٔ آخر دی‌ماه. آن پنجشنبه، بعد از آنکه یکی از دوستان زهرا آردکپان را از زندان آزاد کردند، (پس از ده روز دستگیری در جلوی دانشگاه به جرم سوزاندن عکسهای شاه و فرح در ملاء عام) او خبر آورد که میترا در زندان اوین است. اما نه به شکل یک زندانی عادی. میترا در یک سلول انفرادی نگه داشته شده، و از او مراقبت ویژه و بی‌سابقه می‌شد... پسرک از شنیدن این خبر ترسید و مطمئن شد که حالا او را به جرم کشتن سروان وکیلی در زندان نگه داشته بودند، تا احتمالاً محاکمه و تیرباران کنند.

اولین شب واقعاً سرد زمستان بود، و از غروب برف سنگینی گرفته بود که پسرک به نیاوران به خانهٔ قدسی خانم رفت. می‌دانست حالا باید مادر میترا را ضرب‌الاجل ببیند و او را از خطر جدی و هولناکی که میترا را تهدید می‌کرد، مطلع کند. یادش بود آخرین باری که چند روز پیش به خانهٔ آنها رفته بود، سرهنگ جهانگیر هم آنجا بود. گرچه وضع درب و داغونی هم داشت. به هر حال سرهنگ هنوز دوست خانواده بود، و هنوز افسر گارد محافظ شهبانو. می‌گفتند مریض است، و حالش هم بد. از موقعی که خانه خودش را در خیابان وزراء بمب گذاشته بودند، و در آپارتمان خصوصی‌اش در مجموعه مسکونی آ.اس.پ هم احساس ایمنی نمی‌کرد، مدام در خانه مادرزن سابقش یک گوشه بیتوته کرده بود.

با یک سکه یک تومانی مدت درازی به در باغ زد، چون برق نبود. حالا برف هم شدیدتر شده بود. سید نصرالله آمد و او را با همان نفرت و اکراه همیشگی راه داد تا داخل منزل شود ـ هنوز از «خانم» دستور داشت که هر وقت «این پسره مال درخونگاه» آمد، «ببینن چه مرگشه».

ساختمان ویلای قدسی خانم در انتهای تاریکی باغ امشب مثل خانه

ارواح بود. علاوه بر مرسدس بنز مادر میترا و فورد بزرگ سرهنگ جهانگیر، امشب اتومبیل آریای دیگری هم پای پله‌ها پارک شده بود. یک نگهبان نظامی، که گروهبان یا چیزی شبیه آن بود، توی آریا نشسته بود نگهبانی می‌داد؛ احتمالاً راننده یا محافظ سرهنگ جهانگیر بود. نظامی خیکی با دیدن او از اتومبیلش آمد بیرون که جلوی او را بگیرد، اما سید نصرالله ضمانت کرد که این بچه از اقوام دور خانم است و خود خانم اجازه داده‌اند.

موتورش را یک گوشهٔ باغ تاریک زیر سرپناهی گذاشت و به طرف پله‌های برف‌گرفته راه افتاد. از اندک نور کم‌سویی که از طبقهٔ بالا، از سمت اتاق سابق کتی می‌آمد، حدس زد که سرهنگ جهانگیر باید آنجا باشد... در طبقهٔ پایین هم نور کمی وجود داشت. اما وقتی از سید نصرالله پرسید که آیا جناب سرهنگ هم تشریف دارند، سید نصرالله انکار نمود، گرچه با نفرت و تحقیر بیشتری او را نگاه کرد.

قدسی خانم هم امشب او را با اکراه و انزجاری بیشتر از همیشه پذیرفت.

بعد از اینکه کفشهایش را درآورد، داخل شد، اما همان پشت در ایستاد.

«سلام، خانم.»

قدسی خانم با سردی پرسید: «چی میخوای؟» لحنش مانند حرف زدن با یک بچه عقب‌افتاده بود.

«ایشالا حالتون که خوبه.»

«گفتم چی میخوای؟»

«از میترا خبر تازه‌ای دارید؟»

«نه.»

«هیچ خبری ندارید؟»

«مگه تمام خبرها پیش خود شوماها نیست؟ مگه شوماها اهمیت

سگ میدین که ما چه می‌کشیم؟»

از طرز حرف زدنش معلوم بود که مطلبی را ناشیانه پنهان می‌کند. پسرک فهمید که با خلق بد و یکدنده‌ای تلخی که قدسی خانم امشب دارد، محال است از او حرفی فهمید. گفت: «بنده اجازه میخوام با جناب سرهنگ صحبت کنم. میدونم که ایشان اینجاست.»

«نه... سرهنگ کی؟»

«سرهنگ جهانگیر. به بنده گفته بودند که هر وقت مسئلهٔ بدی داشتیم به ایشان رجوع کنم. بنده مطمئنم که مرا میبینن. مسئلهٔ بسیار بدی هست.»

«گفتم که نه.»

«خانم، بنده باید با جناب سرهنگ حرف بزنم. او ممکنه بتونه به میترا کمک کنه.»

«سرهنگ مریضه. او هیچوقت با هیچ ـــ»

پسرک حرف او را قطع کرد: «فقط دو دقیقه. شاید هم کمتر.»

«اون اینجا نیست.»

پسرک سرش را بلند کرد. اگرچه بالای پله‌های مارپیچ در تاریکی بود، او اندام بلند سرهنگ را در آنجا دید. آن بالا، در سایه روشن دور چراغ گاز طبقه بالا ایستاده بود ـ تنها و مات، تکیه‌اش به دیوار، انگاری که نمی‌توانست تصمیم بگیرد از یک پله پایین بیاید یا نه.

پسرک به طرف سرهنگ جهانگیر رو کرد. گفت: «جناب سرهنگ، من باید دو دقیقه باهاتون صحبت کنم.»

قدسی خانم از پشت سرش گفت: «نه.» هر دو از این شجاعت و اصلاً از وجود ناگهانی پسرک ریقوی درخونگاهی در حیرت بودند؛ این جُربزه و نیروی درونی را از کجا آورده بود.

پسرک دیگر به قدسی‌خانم اعتنایی نکرد. گفت: «دربارهٔ میتراست، آقا. و خیلی مهمه.»

مردی که بالای پله‌ها بود چیزی نگفت. تکانی هم نخورد. پسرک نور سیگار لای انگشتانش را دید، که تکان خفیفی خورد، و آن را علامت مثبت حساب کرد.

«اجازه میدین؟» نور سیگار در دست سرهنگ علامت منحنی گسترده‌تری در فضای بالای پله‌ها کشید. «بیا بالا.»

پسرک به قدسی خانم گفت: «با اجازه.» و به طرف پله‌ها رفت، و دو پله یکی بالا رفت. وقتی به طبقهٔ بالا رسید وارد اتاق سابق کتی شد. سرهنگ حالا گوشهٔ کاناپه، کنار یک بخاری علاالدین نشسته بود. یونیفرم منزه و زیبایش هنوز تنش بود. آماده. البته منهای کلاه، و فقط گره کراواتش شل و دکمهٔ یقهٔ آهار خورده‌اش باز بود. کمربند مجللش با هفت‌تیر کلت بزرگ به کمرش بود. انگار تازه از خواب بیدار شده بود. پسرک از او تشکر کرد، و معذرت خواست.

چشمهای سرهنگ جهانگیر، که یک روز سرشار از غرور و گستاخی بود، امشب در حلقه‌های سیاه فرو رفته و سایهٔ چروکهای ریزی هم پوستش را خط انداخته بود. لبهایش زیر سبیلهای پرپشت و قهوه‌ای، رنگ ارغوانی تند مریض یا مریض‌کننده‌ای داشت. انگار در کل صورت چیزی مرده بود، یا داشت به سرعت می‌مرد. تمام اتاق بوی تریاک یا شاید بوی سیگارهای ماری‌جوانا و حشیش می‌داد. وقتی حرف زد و جواب سلامش را داد، وضع تکلم و زبانش هم شل بود، و بعضی از حروف را درست ادا نمی‌کرد.

اول پرسید: «ساعت چنده؟...»

«حدود هشت، آقا.»

سرهنگ صورتش را با دو دست مالید. به پشتی کاناپه لم داد: «چی میخوای؟»

بجز آن یک مرتبه که سرهنگ با لباس خدمت به درخونگاه آمده بود، پسرک سه چهار بار دیگر او را ملاقات کرده بود، اما هرگز به یاد

نداشت تا این حد او را با اعصاب داغون دیده باشد ـ حتی آن روز که
او و میترا با هم آمده بودند اینجا، و سرهنگ اینجا بود و تازه شنیده
بود که خواهرش را، خواهر سرهنگ را، با پاشیدن اسید کور و تمام
صورتش را تبدیل به گوشت سوخته و چقر کرده بودند.

برای اینکه مطمئن شود، گفت: «شما یادتان هست که من کی
هستم، جناب سرهنگ؟»

«گفتم چی میخوای؟... حرف بزن، جناب ناصر خان نبوی، مجاهد
نیم‌بند.» نیشخندی زد.

«متشکرم، آقا...» بعد گفت: «میترا هنوز در زندان اوینه. بچه‌هایی
که تازه از زندان آزاد شده‌ن، خبر آورده‌ن که میترا رو در سلول
انفرادی نگه داشته‌ن. میگن از او مثل کسانی که منتظر حکم اعدام هستن
مراقبت و محافظت میشه. هنوز محاکمه‌ش هم نکرده‌ن ـ خیلی عجیب
و غریبه. معمولاً کسانی‌رو که باید اعدام کنن در سلول انفرادی نگه
میدارن.»

«خب، که چی؟» قبل از اینکه ته سیگار دستش را توی
زیرسیگاری خاموش کند، با آن سیگار دیگری روشن کرد.
سیگارهاش ویژه و دست پیچ شده بودند، و سرهنگ آنها را از توی
یک قوطی طلایی درمی‌آورد. پسرک دید که دستهای سرهنگ
می‌لرزند.

«اگر شما بفرمائید ترتیبی بدهید که او را آزاد کنند... او بیگناهه. یا
اقلاً با او ملاقات کنید و وضعش را ببینید.»

سرهنگ پک بلندی کشید، دود را مدت خیلی درازی توی
سینه‌اش، یا توی حلقومش، پس دندانهای با عصبانیت کلیدشده نگه
داشت، بعد موجی از دود از ته ریه‌هایش بیرون دمید. سرش را تکان
داد. مدتی ساکت ماند. بعد گفت: «برو خونه... کاری نداشته باش.»

پسرک هنوز بربر نگاهش می‌کرد. سرهنگ سرش را انداخت

پایین. رفت توی خودش.

«جناب سرهنگ، میترا باید حمایت بشه، باید آزاد بشه، شما می‌تونید. من خودم تا حالا هر کاری‌رو که می‌تونستم یا در چارچوب شرافت انسانی میشه کرد، انجام داده‌م... دیگه نمیتونم. اما شما میتونید. اگر مادرش نخواد به میترا کمک کنه من از شما خواهش میکنم شما کمک کنید.»

«گفتم برو خونه... کاری نداشته باش.»

«جناب سرهنگ، میترا ــ خواهر کتی خانم ــ»

صورت عبوس و غمزده سرهنگ ناگهان بالا پرید و به پسرک نگاهی انداخت. انگاری اسمی را که او بر زبان آورده بود انفجار خونی بود که از اعماق نقطه مرکزی عذاب و احتضار تمام زندگانیش فوران زده باشد. درد تازه‌ای در کرته‌های خون چشمهایش پیدا شد. پک عمیق‌تری به سیگارش زد.

گفت: «ناصر نبوی، گوش کن. میترا حمایت میشه... برو خونه.»

پسرک نفهمید. پرسید: «چه جوری حمایت میشه؟ اون در زندان اوینه. من مبدونم اونجا چه جور جایی‌یه. من خودم اونجا بوده‌م. خواهر من در اون زندان شکنجه شد، و مرد. اونجا یک قصابخونه‌ست. شما از کجا میتونید مطمئن باشید و با اطمینان خاطر بگوئید که میترا حمایت میشه؟»

سرهنگ سکوت درازی کرد. نصف سیگارش را بلعید و دودش را بیرون داد.

«برو، من میدونم.»

«خواهش میکنم توضیح بدهید چطوری؟ نمیتونم باور کنم.»

رویش را برگرداند و پک دیگری به سیگارش زد: «میخوای باور کن. میخوای باور نکن. از بالا دستور هست که از ایشان مراقبت ویژه بشود.»

«ممکنه خواهش کنم یه کم بیشتر توضیح بدید؟»

سرهنگ نفس بلند و آه مانندی کشید. گفت: «دستور هست که او در آنجا کاملاً تحت مراقبت باشد. تا روزی که جناب تیمسار فردوست و جناب تیمسار نصیری هستند، دستور اجرا میشه. و این مردان هنوز هستند. مطمئن باش. همین. اونجا امن‌تره تا توی تظاهرات و جنگهای خیابانی شماها، علیه شاهنشاه! حالا برگرد برو خونه‌ت.»

«چه کسی این دستور را داده؟»

«چرا میخوای راز و رمز داستان رو خراب کنی؟ برو—» لبخند تلخی زد.

نفهمید مقصود از راز و رمز داستان چه بود. گفت: «با همهٔ اینها، ایکاش می‌شد او را از زندان بیرون بیاورند. تحت‌الحفظ در همین خانه نگه دارند.»

«برو خونه...» بعد حرفی زد که ناگهان پسرک خسته و بیچاره را تکان داد. انتظارش را نداشت.

سرهنگ گفت: «پسر جان من، کسی که تو دوست داری اقلاً هنوز زنده‌ست.»

پسرک هزار سال ممکن نبود بتواند خودش را با او مقایسه کند، یا در یک حد قرار دهد. اما او کرده بود. او هم دختری از این خانواده را دوست داشته و بعد از دست داده بود.

سرهنگ او را با عبوسی بیشتری نگاه کرد. ادامه داد: «من کوچکترین کاری نمیتونم بکنم، چون مهره‌های شطرنج فعلاً اینطوری نشسته‌ن... برو.»

دستش را به نرمی گذاشت روی جلد اسلحه‌اش و آن را مرتب کرد. بعد بلند شد و سر پا محکم ایستاد. گفت: «تا روزی که رژیم سلطنت و شاهنشاهی برقرار است، هیچکس اسم شاهنشاه ایران را لکه‌دار نخواهد کرد. من یک جان دارم و از خدا میخواهم که هزار جان

داشتم تا هزار بار آن را فدای اعلیحضرت همایونی و شهبانو کنم.»
سیگارش را در زیرسیگاری خفه و خاموش کرد. بعد پیشانی‌اش را که انگار درد می‌کرد بین دستهایش گرفت و فشار داد.

در یک لحظه پسرک فکر کرد، میزبانش نزدیک است بیفتد. گفت: «معذرت میخوام، آقا. من نمی‌خواستم شما را ناراحت کنم. مرا ببخشید.»

او دیگر جوابی نداد. به پسرک پشت کرد و به طرف پنجره قدم زد. به دیوار کنار پنجره تکیه داد. به تاریکیها و سایه‌های مرده باغ نگاه کرد، که انگار ناگهان همه دور او جمع شده بودند. پسرک هیکل بزرگ و با وقار او را نگاه کرد. احساسی برای او نداشت، ولی فکر کرد او را می‌فهمد. عمر و زندگانی او در راه شاه و شهبانو پایان می‌گرفت، همانطور که حالا عمر و زندگانی خودش برای میترا بود. برگرد برو خانه‌ات پسر. آنها دختری را که تو دوست داری از تو گرفته‌اند و زندانیش کرده‌اند. دختری را که من دوست داشتم چی؟ او دیگر زنده نمی‌شود. او حالا استخوانهایش هم پوسیده. آنها خواهر ترا در زندان تباه کردند. خواهر من چی؟ برگرد برو خانه‌ت، پسر. من برای شاه خواهم مرد. تو چی؟

«خداحافظ، آقا.»

سرهنگ گارد برنگشت. حتی جوابش را نداد. شاید اصلاً چیزی نشنیده بود. یا دیگر نمی‌شنید.

پسرک از اتاق آمد بیرون، و در را بدون صدا بست. از پله‌ها آمد پایین. قدسی خانم توی هال نبود. آمد جلوی در، کفشهایش را پوشید. از در ساختمان آمد بیرون، و از وسط تاریکی به طرف جایی که موتور را گذاشته بود رفت. برف و باد سردی به صورتش می‌خورد، که انگار به سردی و بدبختی چشمهای افسر گارد محافظ وفادار شهبانوی ایران نبود.

فصل شصت و دوم

پنج ساعت بود که سر کوچهٔ دانش کشیک داده بودند، اما امروز هنوز خبری از ننه پیری و بچه بهمنی نشده بود. از خود بهمنی که چند روز بود خبری نبود. می‌دانستند که آنها توی خانه هستند، منتهی لابد از ترس آفتابی نمی‌شدند، و حتی در خانه را باز نمی‌کردند. روز قبل، بختیار ناگهان لایحه‌ای از مجلس گذرانده بود که در آن انحلال ساواک اعلام می‌شد... این لایحه ظاهراً قانونی و از طرف بختیار به سپهبد ناصر مقدم رئیس ساواک اعلام شده بود. ولی باز از آزادی کلیه زندانیان سیاسی و بخصوص میترا خبری نشده بود.

یک بار احمد پشت در خانه رفته و زنگ زده بود. و ننه‌پیری از پشت در گفته بود که کسی خانه نیست. اما احمد انگار صدای گریه بچه را از توی خانه شنیده بود. کوچه خلوت بود. در خیابان نصرت غربی هم خبری نبود. اما خیابان سی‌متری در شمال میدان مجسمه از تظاهرات و درگیری محشر کبری بود.

«امروز اینها بیرون نمیان.»

«صبر کن، میان.» صدای احمد مثل همیشه خشمگین ولی امیدوارکننده بود.

«بیا یه فکر دیگه بکنیم.»

«بالاخره باید یکی‌شون بیاد بیرون، ننه حرمله‌ها.»

یک تکه زنجیر کلفت دستش بود و مرتب آن را دور دستش می‌پیچاند و باز می‌کرد. رادیو ترانزیستوریش هم توی جیب سینهٔ نیم‌تنه‌ش روشن بود. موتورسیکلت یاماهای قرمزش هم کنار دیوار پارک شده بود.

پسرک گفت: «... عجیبه که امروز شیکمم درد نگرفته.» او هم یک زنجیر آهنی نیم‌متری خیلی کلفت دستش بود.

احمد گفت: «حالا اون ننه حرمله‌ها باید شیکمشون درد بگیره. و باید اخ کنن.»

«کاشکی اقلاً زودتر تموم می‌شد.» بعد ناگهان بازوی احمد را گرفت فشار داد.

در خانهٔ بهمنی باز شده بود، زنی چادری و بچه به بغل آمد بیرون. اما این زن ننه‌پیری هر روزی نبود. زن جوانی بود خوشگل و بزک‌کرده و چادرنماز به سرش زار می‌زد، انگار که برای اولین بار و به زور سرش انداخته باشد. او به طرف ماشین آریای خودشان نرفت. پیاده با قدمهای خیلی تند از کوچه آمد بیرون و به طرف خیابان بولوار حرکت کرد. بچه یک بغلش بود، یک چمدان این دستش.

«یا حسین... ننه‌هه نیست. انگار مادر بچه‌س.»

احمد گفت: «آره. زنشه. داره با عجله یه جا فرار میکنه. میترسه با ماشین بره، چون میدونه ماشینهای بهمنی رو خیلیها میشناسن.»

«کاشکی ننه‌هه بود.»

احمد پرسید: «میتونی از پسش بربیای؟ باید سریع عمل کنیم. داره با سرعت یه جایی میره. شایدم با تاکسی بره. پاشو، باید سریع زد. نذار در ره.»

«باشه.»

«الله اکبر.»

هر دو سوار شدند. احمد موتور را روشن کرد. یواش یواش، با کمی فاصله، دنبال زن بهمنی حرکت کردند.

دهان پسرک از ترس خشک شده بود. فکر میترا بود، که اگر الان او اینجا بود چکار می‌کرد؟ درون سینه و امعاء و احشاءاش باز کمی ملتهب شده بود. میترا احتمالاً می‌زد. او برای خلاصی کسی که دوست داشت، تیراندازی می‌کرد. و کرده بود. و کشته بود. هرچه موتور احمد از پشت به زن بهمنی نزدیکتر می‌شد، التهاب پسرک بیشتر می‌شد. احساس شومی داشت.

زن بهمنی تاکسی می‌خواست، اما گیرش نمی‌آمد. با بچه و چمدان حال زاری داشت. تند تند می‌رفت بالا. از سر نصرت آمد طرف بولوار و بعد امیرآباد، و آنها دنبالش: پیاده‌روها شلوغ بود و کاری نمی‌شد کرد. در اینجا بود که ناگهان، خبر تاریخی و تکان‌دهندهٔ آن روز شوم فرصتی به آنها داد. در میان جمعیت غلیظی که در وسط خیابان به تظاهرات مشغول بودند، ناگهان ولوله افتاد که «شاه رفت!... شاه رفته!»

زن بهمنی ترسان ترسان می‌رفت. انگار او می‌دانست. و برای همین بود فرار می‌کرد. با تقلا و عجز بیشتری حالا در انتظار تاکسی یا سواری یا هر چه می‌شد، مدتی می‌ایستاد، مدتی راه می‌رفت. هن و هن می‌کرد. عجله داشت و ترس. گُله به گُله می‌ایستاد، خستگی در می‌کرد، دست بلند کرد، نمی‌شد.

شور و شادی و بهت دیوانه‌واری وسط مردم افتاده بود... بزودی ماشینها و موتورسیکلتها و تاکسیها و حتی اتوبوسها با چراغهای روشن حرکت می‌کردند. مردم دست می‌زدند و دستمال تکان می‌دادند و شعار می‌دادند یا فحش می‌دادند. توی تاکسی‌بارها پر از دختر و پسر دانشجو و غیره بود که انگشتهای خود را به علامت پیروزی در آسمان بلند

کرده بودند. «مرگ بر شاه» «الله اکبر... خمینی رهبر!» فریاد می‌زدند و
شور و هیجان به قدری بود که احمد هم، با وجود مشغلهٔ فکر مأموریت
و عملیاتی که دنبالش بودند، پشت موتور شروع کرده بود به شعار
دادن و فریاد کشیدن. حتی پسرک هم، ناگهان برای اولین بار، هم با
ترس و شور، شاید هم با نوعی احساس آزادی، شروع کرد به «الله
اکبر و خمینی رهبر» فریاد زدن... در حالی که احمد به صیدشان
نزدیک می‌شد.

زن بهمنی با قدم‌های تند تند به نزدیکیهای پمپ بنزین شلوغ
امیرآباد رسیده بود. دیگر به اینطرف و آنطرف برای پیدا کردن وسیله
نگاه نمی‌کرد. پسرک از پشت موتور به او نگاه می‌کرد، و احساس
می‌کرد که آن زن، خطر و وحشت، یا حتی وجود تعقیب‌کنندگانش را
فهمیده است. انگار دنبال پناهگاهی می‌گشت. موتور احمد از فاصله‌ای
معین، مانند عقابی وحشی، دور سر او چرخ می‌زد. زن ریزه‌نقشی بود،
و از همان ثانیه‌های اول که آنها چشمشان به او افتاده بود، پسرک
ظرافت و شکنندگی او را احساس کرده بود. توی دلش به جد و آباء
بهمنی و به خودش فحش می‌داد، که این وضع را به وجود آورده
بودند. اما فکر میترا هم از کله‌اش خارج نمی‌شد. یک دست به کمر
احمد داشت، و با دست دیگر زنجیر آهنی کلفت را چسبیده بود.

هرچه بیشتر از امیرآباد بالا می‌رفتند، جمعیت نسبتاً کمتر، و خیابان
خلوت‌تر می‌شد. احمد حالا چند بار چرخ دایره‌ای زده و فاصلهٔ
بیشتری با زن بهمنی و بچهٔ بغلش گرفته بود ـ مبادا ناگهان زن فریاد
بزند و مردم را بر ضد آنها بشوراند، یا فرار کند. اما زن به عقب نگاه
نمی‌کرد. علامت وحشتزدگی هم از خود نشان نمی‌داد. فقط تند و
محکم می‌رفت. انگاری دارد به مقصدی یا به خانه‌ای در آن حوالی
می‌رود، و نزدیکتر می‌شد.

بعد از طی اولین چهارراه، پس از پمپ بنزین، زن به داخل یک کوچهٔ خلوت و فرعی پیچید. احمد هم سر همان کوچه ترمز کرد. کوچهٔ پنج متری تمیزی بود با ساختمانهای مدرن و اغلب چهار پنج طبقه، اعیان نشین، که در این موقع بعد از ظهر انگار در خواب و چرت بعد از ظهری لذت می‌برد. احمد سرش را برگرداند و نگاه عجیبی به پسرک انداخت. مشت او دور زنجیر آهنی سفت‌تر شد. نگاه احمد را با نگاه تیز و مصمم خودش جواب داد. و سرش را به علامت آمادگی تندی پایین آورد.

«من می‌پیچم جلوش، تو بزن تو مخش. من بچه‌رو از بغلش می‌کشم و میدم به تو. تو بچه رو سفت بگیر. بقیه‌ش با من. به اینها نباید رحم کرد. داداشهامون! مریم! میترا!»

«باشه. برو!»

«یا علی!»

«یا علی!»

و دیگر نمی‌لرزید. خشکی دهان و ترس را هم فراموش کرده بود. چون می‌دانست که این دیگر یک کابوس نیست. این یک حقیقت بود. اصل وحشت بود. که روی سرش بود. باید زد. و زنده ماند.

احمد گاز داد و زوووووم زووووم آمد و از عقب محکم با تنهٔ موتور کوبید به کمر و باسن زن بهمنی. بعد با ویراژ چرخید و زن بهمنی را بین دیوار و موتور خودش به تله انداخت، و با لگد او را به دیوار پرت کرد. «بزن.» پسرک سر جایش میخکوب شده بود و دستهایش خشک. احمد به سرعت برق پیاده شد به طرف بچه و مادر یورش برد، اما مادر بچه را ول نمی‌کرد. بچه به شیون افتاده بود. زن زبانش بند آمده بود و فقط شیون حلقومی می‌زد. احمد داد زد: «بزن! بزن تو کمرش». اما او تنها صدای گریه و ناله‌های مادر را می‌شنید و چشمش سیاهی می‌رفت... جنگ و دعوا و درگیری و آشفتگی را

می‌دید. زنجیر آهنی را بلند کرد، و اول با شدت به زانوهای زن کوبید. زن ضجه‌ای کشید و فحش داد. پسرک زنجیر را بلند کرد و این بار به کمر زن کوبید. بچه ول شد و مادر به زمین افتاد... و ناله‌کنان همانجا باقی ماند. ضربهٔ دیگری به پشت زن زد. بعد ضربهٔ دیگری به سرش. دوباره یک ضربه به کمرش. احمد گفت: «بس کن. بچه‌رو بگیر.» و بچه را توی بغل پسرک انداخت. خودش پشت موتور پرید، صبر کرد، پسرک هم سوار شد. آنگاه مثل تیر شهاب به طرف سر کوچه گاز دادند.

از امیرآباد به جنوب تاختند. ماشین پلیس یا گشت و انتظاماتی وجود نداشت. او بچهٔ بهمنی را که در حال غش و ریسه بود به سینه‌اش می‌فشرد. موتور از وسط بولوار شلوغ با گاز و ویراژ انداخت توی میدان ولیعهد. خیابان یکطرفه با فریادهای «مرگ بر شاه!» و «شاه رفت!» می‌جوشید. او بچه را بیشتر به خودش چسباند و تقریباً خفه کرد.

*

بقیهٔ نقشه را همان شب انجام دادند. در یاخچی‌آباد، که عمه و عموی ولی‌آبادونی احمد آلونکی داشتند، بچه را پیش زن عموی احمد گذاشتند، که خودش هم چند تا بچه قد و نیم‌قد داشت. در آنجا از بچهٔ بهمنی به خوبی و راحتی نگه‌داری می‌شد ـ‌به همان خوبی و راحتی که بچه‌های خودشان را نگه‌داری می‌کردند.

یادداشتی برای بهمنی تهیه کردند که احمد آن را با دست چپ نوشت. قرار شد شب آن را خودش ببرد و در خانهٔ بهمنی بیندازد. «بهمنی خائن و پست. میترا صدر (که نام دیگر او منیژه نیکوست) باید هر چه زودتر و بدون اذیت و صدمه آزاد شود. فقط در این صورت توله‌ات به تو پس داده می‌شود. هر روز بعد از ظهر ساعت دو به تو تلفن خواهد شد.»

فصل شصت و سوم

آن شب برای اولین بار در عمر هیجده ساله‌اش، نخواست که به خانه درخونگاه برود... نه اینکه می‌ترسید. از خودش نفرت پیدا کرده بود. از خودش و از درخونگاه بیزار بود.

سرشب رفت پیش رضا، در خانهٔ حجت‌الاسلام علوی، و شب را آنجا ماند.

یکی از پسرهای حاج آقا به اسم عباس و یکی از محافظین آیت‌الله مفتح به اسم قاسم که «برادر کوچک حاج آقا نبوی» را می‌شناختند، او را راه دادند، و بردند بالا پیش رضا که در طبقه دوم با زن و بچه‌اش اتاقی داشت. رضا وقتی او را تنها دید، خوشحال شد و سلام و علیک کرد و بعد مثل آنوقتها سرش را گرفت و بوسید.

گفت: «چیه، پسر، رنگت بد جوری پریده بابا.» او حالا ریش خیلی بلند و پیراهن شبه‌نظامی گشادی بر تن داشت، که می‌افتاد روی شلوار، با پاهای برهنه.

«چیزی نیست... داداش. حالم خوش نیست.»

«باز سینه‌ت درد میکنه؟»

«نه زیاد. کمی تب دارم. خونه سرد و بد بود، تنها بودم، و حوصله‌م

سر رفته بود. گفتم بیام اینجا.»

«بارک الله. برو توی اتاق بغلی پیش علی و ننه‌ش... بگو واسه‌ت یه پتو بندازن بگیر دراز بکش. یه کاسه آش داغ خوب هم بگو واسه‌ت از پایین بیارن.»

به اتاق بغلی رفت، و چون هیچ‌کس نبود، خودش بدون آنکه لباسش را درآورد، یک پتو و یک بالش از روی بسته رختخواب‌های کنار پرده برداشت و یک گوشه زیر پتو دراز کشید، رو به دیوار.

سرش یکپارچه درد بود، خوابش نمی‌برد. بعد از آنکه زن رضا آمد و با فارسی عربی‌وارش او را صدا کرد، با او احوالپرسی کرد و رفت، بلند نشد. زن رضا برای او یک سینی چلوکباب و کره و تخم‌مرغ و آش ماست و بشقاب میوه‌ای شامل یک پرتقال درشت و چند تا ازگیل آورد و دوباره رفت. او همان‌طور که زیر پتو دراز کشیده بود، آش ماست گرم و مقداری برنج خورد، بعد سینی را عقب گذاشت، و دوباره دراز کشید. وقتی زن رضا دوباره برگشت، و چای داغ و چند تا آسپرین آورد، او چشمهایش دیگر از زور خواب باز نمی‌شد. یک بسته با ده تا آسپرین بود، و او چهار قرص از بسته پلاستیکی کند و با چای خورد. بعد بلند شد رفت وضو گرفت، آمد نمازش را خواند، تا بخوابد.

از پایین و از اتاقهای مجاور می‌شنید که رضا و چند نفر دیگر با هم صحبت می‌کردند یا با تلفن با این و آن اختلاط می‌کردند، یا اشخاص می‌آمدند و با آنها مشاوره و گفتگو می‌کردند... بلند بلند حرف می‌زدند، یا پچ پچ می‌کردند. ظاهراً این روزها خانه حجت‌الاسلام علوی، با مدرسه‌ای که جفت آن بود، حالا یکی از مراکز تشکیلات مجاهدین مبارز تهران شده بود. هر دو محل لملمهٔ علما و حجج اسلامهای تهران و قم و محافظین آنها شده بود. رضا که بیشتر آنها را می‌شناخت، و ارادت داشت، و آنها هم او را به عنوان یکی از شاگردان

امام در نجف می‌شناختند، از آنها پذیرایی و کسب تکلیف می‌کرد. رضا نه‌تنها رابط بین روحانیون و گروههای مجاهدین در دانشگاه بود، بلکه به خاطر تجربیات و رابطهایی که در خارج داشت و به زبانهای عربی و انگلیسی هم حرف می‌زد، رابط سیاسی آنها با نمایندگان فلسطینی و لیبی هم بود.

هنوز رو به دیوار دراز کشیده بود و خواب مثل امواج دریا می‌آمد و می‌رفت. اتاق تاریک بود، و بوی گلاب و بوی برنج دم‌کشیده و پیاز و کباب کوبیده و قیمه‌پلو در همه جا پیچیده بود. سعی می‌کرد به کارهایی که طی دو روز گذشته با زن و بچهٔ بهمنی کرده بود فکر نکند. نمی‌دانست اگر میترا شرح این کارها را می‌شنید چه می‌گفت و چه عقیده‌ای نسبت به او پیدا می‌کرد. یا اگر دایی فیروز می‌شنید چه می‌گفت و چکار می‌کرد. بالاخره چطور می‌شد؟...

نمی‌دانست خواب است یا بیدار. در مرزهای خواب بود، یا کابوس. سرش مال خودش نبود و وسط مه داغ دشت موج می‌خورد. باز پرندهٔ سیاهی را دید که داشت به طرفش پر می‌زد، می‌آمد. نزدیکتر و نزدیکتر می‌آمد. بزرگتر و بزرگتر می‌شد. گوشتخواری از راستهٔ شکاریان روزانه بود. با منقار درشت و برگشته، و گردن و سر لخت. سینهٔ گوشتی، بالهای پهن و بزرگ داشت، و غارغاری گوشخراش و هراسناک. از لاشه تغذیه می‌کرد. وقتی روی خاک بود، بدنش حقیر و کز کرده، و بالهایش کدر و کثیف و بی‌اهمیت می‌نمود. اما وقتی بالا می‌رفت و به پرواز درمی‌آمد، بالهایش گسترده و خطرناک می‌شد. پروازش آهسته و پرجبروت بود، و دارای برد و اوج. داشت می‌آمد. پنجه‌هایش برعکس منقارش ضعیف بود. به طوری که با پنجه‌هایش قادر نبود کاری بکند. به همین جهت بود که بیشتر از لاشه و مردار تغذیه می‌کرد. معمولاً پس از وقوع مرگ یک یا چند جانور، یا پس از باران و سیلابهای بد، فرو می‌نشست. از لاشه‌ها و از جانوران بی‌جان

و در حال مرگ مردارخواری می‌کرد. سحرگاهی سرد بود، اواسط زمان امشاسپندان، (حالا مطمئن نبود چه روز و چه سالی) و پرنده سیاه، از زیر خورشید آتشناک افق، بالای آسمان لاجوردی دور می‌زد. با ابهت فرو می‌آمد. انگار روزی بعد از طوفانی بد و سیلابی سخت بود. دشت زخمه خورده بود، در رخوت و بهت و آکنده از لاشه و جانوران نیمه‌جان... دوری زد، و وسط لاشه‌ها و جانوران بی‌جان، آنجا که دلخواهش بود نشست. غارغاری سهمناک برکشید. قلب پسرک داشت از جا کنده می‌شد.

بعد میترا تنها گوشهٔ سلول زندان انفرادی نشسته بود. پسرک او را می‌دید که بدنش لاغر و ضعیف شده و می‌لرزید. صورتش تکیده بود. بعد میترا بلند شد. آمد دست او را گرفت و خندید. با هم از پله‌هایی رفتند بالا. علاءالدین را روشن کردند. کریم یک گوشه خواب بود. روی پله‌های مسجد کز کرده بود. بعد بلند شد رفت توی ابرها. با میترا با هم بودند. زیر سقف ترک‌خورده کهکشان کنار هم دراز کشیده بودند. شب اول محرم توی کوچه مروی بودند و می‌دویدند و میترا می‌خواست کریم را نجات دهد. سربازها با مسلسل ریختند. بچه‌ها الله‌اکبر و الله‌اکبر می‌گفتند، میترا را دستگیر کردند. او را به یک سربازخانه بردند. بعد با دستهای بسته به اوین می‌بردند و می‌آوردند. او را هی هُل می‌دادند. می‌انداختند توی یک اتاق تاریک. یک هفته بود که او را گرسنه نگه داشته بودند. کتک نمی‌زدند، ولی شلاق روی میز بود. دیگر چه کارهایی می‌کردند. بعد یک روز با یک بنز آبی او را به جمشیدیه آوردند. هر وقت می‌خواست برود توالت یک محافظ یا یک سرباز مسلح با او می‌رفت. از او حمایت می‌شد. سینی غذا را برایش می‌آوردند و سینی را می‌بردند. می‌آمدند از او بازجویی کنند؟ چه کسانی می‌توانستند در هر ساعت از شبانه‌روز به هر عنوان وارد سلول او بشوند؟ بهمنی آنجا بود؟ بهمنی و سیاوشی و احسنی

دور یک میز ورق بازی می‌کردند و ویسکی می‌خوردند.

روز بعد، ساعت دو، از یک کیوسک به بهمنی تلفن کرد. مدت خیلی زیادی طول کشید تا آمد تلفن را برداشت. تلفن سر یک کوچهٔ خلوت بود و کسی هم دور و بر نبود، جز احمد آردکپان. بهمنی انگار جایی مخفی بود و مدت زیادی طول کشید تا توانست بیاید تلفن را جواب بدهد. هر دو صدای هم را حالا خوب می‌شناختند.

پرسید: «میترا رو امروز میاری؟»

بهمنی تندی گفت: «گوشی رو زود نذار... من نقشه‌ای دارم.»

«چه نقشه‌ای؟... من نمیتونم معطل شم. از کیوسک صحبت می‌کنم.»

گفت: «گوش کن. اولاً من دیگه اینجا در اون شماره نیستم. یعنی در این شماره نیستم. امروز هم فقط برای جواب دادن به تلفن تو اومدم. یک شمارهٔ دیگه میدم از این به بعد به این شماره تلفن کن.» (شماره را گفت، او تکرار کرد احمد با خودکار کف دستش یادداشت کرد). «... من فقط به خاطر تلفن تو امروز اومدم اینجا... بچه حالش چطوره؟»

«هنوز زنده‌ست.»

پرسید: «از کجا مطمئن باشم؟»

«مطمئن باش.»

«میخوام ترو ببینم.»

«نمی‌تونی. فقط باید حرف مرا باور کنی. ولی تولهت هنوز زنده‌ست. چه نقشه‌ای داری؟»

بهمنی گفت: «جمعهٔ دیگه سعی می‌کنم شاید بتونم بیارمش بیرون —»

«چرا میگی شاید؟»

بهمنی با غیظ گفت: «گفتم سعی می‌کنم! ــ به من فشار نیار... ما به
اندازه‌ی کافی خودمون زیر فشار و بدبختی هستیم. زنم جفت
استخونای زانوش شکسته، لاکردارا. خونریزی داخلی داره. جمعه‌ی
دیگه، جمعه‌ی ناجوری‌یه. در تهران وضع اضطراری اعلام شده. بیشتر
مأمورین مستقر در زندانها را هم قراره ببرند توی خیابونها... برای
حفاظت دور پادگانها و اماکن دولتی... اون روز زندانها محافظین
زیادی ندارن. شاید به کمک یکی دو تا از دوستانم آن روز صبح
یواشکی میترا رو بیاریم بیرون....»

قرار شد پسرک دو سه شب بعد ساعت ۸ تلفن کند. پسرک
ساعت قرار تلفن را هم کف دستش یادداشت کرد. گوشی را
گذاشت.

بقیهٔ روزهای آن هفته، روزهای اوج انقلاب و مبارزه و درگیری
بود، اما او دلش برای چیزهای دیگر مثل سیر و سرکه می‌جوشید.
شبها می‌رفت پیش رضا می‌ماند، چون حالا آنجا مرکز اخبار و
اطلاعات بود. هر چه روزهای آخر هفته می‌رسید، و احتمال آمدن
«امام خمینی» از پاریس نزدیکتر می‌شد، اوضاع شهر و دولت داغتر و
متشنج‌تر می‌شد، و حال و احساس پسرک توی کوچه‌ها، گاهی شاد،
گاهی افسرده و گاهی جنون‌آمیز می‌شد. بختیار تهدید کرده بود که از
پرواز جت مخصوص مراجعت امام خمینی به تهران جلوگیری خواهد
کرد. یکشنبه بختیار خودش خواسته بود به پاریس برود، و با ایشان
مذاکره کند. اما امام طی اعلامیه تازه‌ای بختیار را باز خائن و نوکر
امپریالیستها خوانده بود. گفته بود اگر بختیار می‌خواهد به ملاقات او
بیاید باید اول از سمت نخست‌وزیری استعفا دهد. بختیار، صبح روز
چهارشنبه به تیمسار ربیعی فرمانده نیروی هوایی دستور داد که از
پرواز جت مخصوص جلوگیری کنند. کلیه فرودگاههای کشور را
یکجا بسته بودند. و تمام نقاط استراتژیک و باندهای آنها را با تانکها

و ماشینهای آتشنشانی و کامیونهای نفربر و جیپهای مسلح به ضدهوایی مسدود کرده بودند. بعد درگیری افراد پرسنل نیروی هوایی در حال اعتصاب شروع شده بود، و حالت التهاب و احتضار بیشتر شده بود و طرفداران امام خمینی و سایر گروهها مبارزه و تظاهرات و برخوردها و جنگهای خونین در خیابانها بخصوص دور دانشگاهها و مساجد و بیشتر از هر جا در حوالی مدرسه علوی و مسجد فجر بیشتر شده بود. پسرک روزها با شور و التهاب، با احمد و سایر بچهها در تظاهرات و زد و خوردها شرکت میکرد. همراه بچههای دیگر شیشههای ادارات را میشکست. یا با قوای مسلح درگیری سنگاندازی و حتی پرتاب کوکتلمولوتف پیدا میکرد. یا با مشتهای گرهکرده و دهان کفکرده در تظاهرات برنامهریزی شده شعار میداد. شعارهای روزانه را بچهها صبح به صبح از رضا تحویل میگرفتند:

وای به حالت بختیار

اگر امام ما نیاید...

تمام روز با بچهها به خیابانها میآمد و در میان مردم کوچه و بازار شعارهای روز را اشاعه میداد. از پا نمیافتاد.

ای رهبران، ای رهبران

ما را مسلح کنید... ما را مسلح کنید!

<hr>

*

در شب قرار و مدار، ساعت ۸ به بهمنی تلفن کرد. بهمنی نبود، اما یک نفر فقط پیامی از طرف او داد: «برای پنجشنبه آماده باشید.»

طی آن پنج روز وحشت و آکنده از آتش و خون در تهران و شهرستانها، امام خمینی همچنین طی اعلامیهای کوبندهتر از همیشه خطاب به کلیه افسران قوای مسلح ایران فتوا داده بود که سوگند آنها به ارتش شاهنشاهی، به شاه و به رژیم مشروطه سلطنتی غیرشرعی

است، و باطل است. از آنها خواسته بود به مردم و به اسلام ملحق
شوند. او از کلیه سربازان عادی خواسته بود که از پادگانها و از صفوف
ارتش و نیروی هوایی و نیروی دریایی فرار کنند و به مجاهدین اسلام
بپیوندند. او همچنین از کلیه آیات عظام ایران خواسته بود که به
وظائف خود عمل کرده و افراد قوای مسلح را بر علیه رژیم حاکم و
بختیار خائن بشورانند. اینها برای پسرک نویدی بود که رژیم بزودی
سقوط می‌کند. شکستن زندانها و آزادی میترا، به این رژیم گره
خورده بود.

آن هفته همچنین، با حضور آیت‌الله طالقانی و تحصن تاریخی او
در مسجد دانشگاه، موج آخر آغاز گشته بود. مردم در حوالی دانشگاه
تهران و بخصوص در میدان ۲۴ اسفند به جنگ شدید خیابانی
پرداختند، و اسم میدان را «میدان انقلاب» گذاشتند. ارتش، بخصوص
نیروی زمینی و افراد گارد جاویدان در حوالی دانشگاه و میدان مثل
میدان جنگ مبارزه می‌کردند... ولی رو به روز از توان و اتکاء آنها به
شاه و سیستم کاسته می‌شد و نیروی مقاومت و وفاداری آنها سست
می‌گردید.... فریادهای مردم برای «خمینی»، «قرآن» و «اسلام» بیشتر و
بیشتر اراده و ایمان ارتشیها را از اطاعت شاه که فرار کرده بود
می‌شکست و تار و پود آنها را به لرزه درمی‌آورد.

خدا ـ قرآن ـ خمینی
اینست شعار ملی!

یاران به ما ملحق شوید!
شهید راه حق شوید!
بطوری که وقتی روز دوشنبه دکتر ابراهیم یزدی که یکی از
گردانندگان کارهای روابط عمومی آیت‌الله خمینی در پاریس بود،
اعلام کرد که امام خمینی روز پنجشنبه دوازده بهمن با هواپیمای چارتر

شرکت هواپیمایی ارفرانس به تهران حرکت می‌کنند، شور تازه‌ای در مردم افتاد. برای پسرک این شور زنگ و طالع دیگری هم داشت. پنجشنبه...

چهارشنبه شب، ساعت ۸ برای آخرین بار به شماره جدید بهمنی (که تدارکات زندان اوین بود) تلفن کرد، این بار بهمنی خودش جواب داد و گفت به هر جان‌کندنی هست میترا را خلاص می‌کند و بچه‌اش را می‌گیرد... او هم انگار می‌دانست این آخرین پرده نمایش سناریو است. دستورهایی به پسرک داد و قرار و مدارها را گذاشتند.

صبح خیلی زود، دو سه ساعت زودتر از ساعتی که قرار بود بهمنی را در محلی که قرار گذاشته بودند ملاقات کند، از خانه آمد بیرون و راه افتاد ــ تنها. یکی از شرایط بهمنی این بود که به هیچکس، حتی به احمد هم دربارهٔ قرار و مدار آن روز صبح چیزی نگوید. پسرک قبول کرده و مصمم بود که بر سر قولش بماند. گرچه با خودش یک کلت هم برداشته بود. طی این چند روزه اخیر، ضمن حرفها و صحبتهای زیادی که با بهمنی داشت، تا حدی به بهمنی و حرفهایش و به نیت و علاقه شدیدش برای پس گرفتن بچه‌اش عادت کرده و تا حدی ایمان آورده بود. چون هر دو یک جور درد و فلاکت داشتند. تا حدی به او اعتماد کرده بود ــ همانقدر که آدم به یک مار درون قفس عادت می‌کند و ایمان می‌آورد.

شب قبل با احمد حرف زده و از او کاغذ یادداشتی را که روی آن آدرس و کروکی کپر پسرعمویش در یاخچی‌آباد بود گرفته بود. «بچه به حامل این یادداشت تحویل گردد.» احمد توضیح بیشتری خواسته بود، اما او توضیح بیشتری نداده بود. نمی‌خواست قرار و مدار بهم بخورد.

صبح پنجشنبهٔ کذائی، در سطح شهر تاکسی قحطی بود، اما او از

امیریه انداخت بالا و پس از ربع ساعت معطلی و پیاده رفتن، بالاخره نزدیک بولوار توانست با یک وانت‌بار که به طرف تجریش می‌رفت تا میدان ونک برود. یک ساعت به وقت قرار ملاقات، بالاتر از میدان ونک، سر خیابان بیژن ایستاده بود.

جای خلوت و ولنگ و باز و کم‌سر و صدایی بود. پس از مدتی اینطرف و آنطرف را نگاه کردن، لب جوی آب کنار درخت چناری نشست، منتظر شد. دهانش خشک بود. هیچ جا هیچ چیز غیرعادی دیده نمی‌شد، الا یک فولکس کهنه و قراضه شیری‌رنگ بی‌اهمیت که آن طرف خیابان پارک بود... و هیچکس هم داخل ماشین نبود. خیلی پایین‌تر، توی میدان، سر هر خیابان منشعب از میدان، تعداد زیادی کامیون و جیپ ارتشی مستقر بودند. تمام شهر انگار در تب و تاب و انتظار یک انفجار بود.

دقایق تلخی گذشت. پسرک مدام اطراف را نگاه می‌کرد. خوره‌هایی از هزار فکر و اتفاق که ممکن بود روی داده باشد، در مغزش نشخوار می‌شد. شاید بهمنی زه زده بود. شاید فرار کرده بود. شاید میترا قادر به حرکت نبود. شاید زندانیهای ناجور سیاسی را اعدام کرده بودند. شاید اوضاع خرابتر از آنچه بود که فکرش را می‌کرد. جاده پهلوی که معمولاً در این ساعت از روز، ساعت هشت صبح، ترافیک سنگین و بلبشویی داشت، امروز مثل جاده ارواح لعنت‌شده بود، خالی و سوت و کور. و می‌دانست چرا. جمعیت و ازدحام حالا دور و بر فرودگاه و تمام مسیر خیابان آیزنهاور و مسیر شاهرضا تا جنوب شهر و بالاخره تا بهشت‌زهرا بود... امام می‌آمد.

به قدری در افکار و خیالات خودش غوطه‌ور شده بود که نه بوق فولکس قراضه را فوری متوجه شد، و نه حرکت دستی را که از توی آن اشاره می‌کرد... بالاخره دید. از شیشه فولکس شیری‌رنگ که ظاهراً خالی آنجا پارک شده بود، حالا سر و کلهٔ یک نفر ظهور کرده

بود. او را به طرف خود می‌خواند.

حرکت کرد. خودش را نه چندان سریع به آنطرف خیابان رساند. از شیشه نگاه کرد. بهمنی با ریش و سبیل سیاهی که صورتش را پوشانده بود، کمی قیافه دهاتی، پشت رل نشسته بود. ظاهراً قبلاً روی صندلی دراز کشیده بود، چون پشتی صندلی هنوز به حالت خوابیده قرار داشت. عقب ماشین هم یک زن چادری نشسته بود و تا آنجا که ممکن بود در صندلی فرو رفته بود. بغل زن چادری یک دختر لاغر، با روسری سیاه خواب بود. دستهای زن مسن و چادری بدن به خواب رفته یا بیهوش دختر را در بغل گرفته و مخفی کرده بود. او یک پیراهن بلند سورمه‌ای داشت که خدمتکارهای زندان می‌پوشیدند، یک کاپشن سیاه، و روسری سیاه. مثل کسانی بودند که از مراسم عزاداری برگشته بودند. پسرک هنوز ایستاده بود، و مات نگاه می‌کرد.

صدای بهمنی تکانش داد: «بیا تو، خر... چرا ماتت برده؟»

فوری در سمت راست ماشین را باز کرد و داخل شد. بهمنی در همان لحظه ماشین را راه انداخت.

گفت: «بچه کجاست؟»

«بچه جاش مطمئنه. میترا... حالش خوبه؟»

بهمنی گفت: «زنده‌س.... فکر نکن اگر به هوش بود با ما همکاری می‌کرد، و با پای خودش می‌اومد... مجبور بودیم با کلروفرم بیهوشش کنیم. حالش خوبه. مطمئن باش. کجا بریم؟»

«برو درخونگاه.»

«درخونگاه؟ بچه اونجاست؟»

«گفتم برو درخونگاه.»

هنوز جرأت نمی‌کرد بگوید بچه در یاخچی‌آباد است، و باز هم باید انتظار داشته باشد که بهمنی او را تا درخونگاه برساند.

گفت: «تا ساعت ده صحیح و سالم تحویلش میگیری...

درخونگاه!»

بهمنی فحشهایی زیر لب داد، اما تمکین کرد.

«برو از طرف سه راه سیروس... برو توی بوذرجمهری.... تمام خیابانهای بالای شهر به طرف درخونگاه از اینطرف بستهس.»

بهمنی فحشهای رکیکتری داد. گفت: «داری به من میگی؟»

از زیر میدان سریع انداخت طرف جاده قدیم و آمد پایین. او حالا دیگر حرفی نمیزد، ولی با ترس و لرز رانندگی میکرد، و رنگش مثل زردچوبه بود. پسرک در تمام این مدت برگشته بود و به صندلی عقب و به میترا نگاه میکرد. چند بار به او، به نبض و سینهاش دست زده بود تا مطمئن شود که زنده است. میترا روی صندلی عقب هنوز از حال رفته و بیهوش به نظر میرسید. زن مسن چادری هم، که قیافه خدمتکارها یا نظافتچیها را داشت، حالت وحشت و نفرت داشت، حالت اجبار ترسخورده. مرتب رویش را میپوشاند و به بیرون نگاه میکرد.

وقتی فولکس از جلوی مسجد شاه گذشت، از باب همایون انداخت از خیابان پارک شهر آمد طرف بوذرجمهری. این شانس را امروز داشتند که تمام راستهٔ جلوی بازار مثل محلههای طاعونزده، خالی و بیسر و صدا بود. بهمنی سر بازارچهٔ درخونگاه ماشین را نگه داشت.

«برو تو... برو توی کوچهمون.»

بهمنی گفت: «نه...»

«برو تو... چه جوری میخوای من هیکل بیهوش او را به دوش بگیرم ببرم توی بازارچه؟»

«بچه اینجاست؟...»

«برو تو... تا مردم نریختهن دور ماشین.»

بهمنی ناچار ماشین را آورد توی بازارچه، بعد پیچید توی کوچه

بناها که فقط کمی بیشتر از فولکس فسقلی عرض داشت. آمد ته کوچه جلوی در خانه نگه‌داشت. کوچه خالی بود.

پسرک آمد بیرون و به زن مسن گفت: «ما رو کمک بفرمایید، او را ببریم تو.»

زن تکان نخورد. انگار داشت از ترس سکته می‌کرد. به بهمنی نگاه کرد. چشمهای بهمنی به پسرک زل بود. «برو اول بچه‌رو بیار.»

پسرک حالا تقریباً داد زد: «کمک کن مادر، او را بیاریم بیرون.» پیرزن گفت: «لا اله الا الله.»

بهمنی گفت: «ببرش بیرون. ببرش توی خونه.»

زن مسن که ظاهراً در اینگونه کارها مهارت داشت، سر و زیر بغلهای میترا را گرفت و پسرک هم کمک کرد تا او را از ماشین بیرون آوردند. بهمنی بیرون نیامد، موتور ماشین را هم روشن نگه داشت. آنها هیکل بیهوش میترا را بردند توی هشتی. روی زمین و سینهٔ دیوار انباری و مستراح چمباتمه نشاندند. پسرک کنار میترا نشست. دختر بیچاره را بهتر برانداز کرد. بدجوری نفس می‌کشید، اما زنده بود.

بهمنی آمد سر کشید تو. تقریباً داد زد: «بچه کجاست، حروم‌لقمه؟»

زن مسن حالا غیب شده بود.

پسرک برگشت به او نگاه کرد. گفت: «خدا به فریاد خانواده‌ی تو برسه، اگه به این دختر آسیبی رسیده باشه.»

«حالش خوب میشه. گفتم بچه کجاست؟ شماها که مرا کشتین!»

دلش می‌خواست فریاد بزند مرده. بعد فکر کرد بی‌شک بهمنی هنوز هم مسلح است و بدش نمی‌آمد کله او را متلاشی کند. همانطور که کنار میترا نشسته بود، از جیب نیم‌تنه‌اش تکه کاغذ یادداشتی را که با احمد آماده کرده بودند در آورد و به طرف بهمنی انداخت.

«اینجاست... آدرس و کروکی کپرشون رو کشیده‌م. توی

یاخچی‌آباد. این کاغذ رو نشون بده، دیگه‌م اینجا برنگرد.»

«بچه توی یاخچی‌آباده؟»

«برو از اینجا... برو تا فریاد نکشیده‌م.»

بهمنی گفت: «بهتره که اونجا باشه، پدسگ... و بهتره که سالم باشه. وگرنه من با تسلیحاتی برمی‌گردم که این طویله رو با خاک یکسان کنه.»

«برو...» تقریباً داد زد.

بهمنی گفت: «میرم. اما تو باز به چنگ من میافتی. تو زن بدبخت منو زدی افلیج کردی.»

«خواهر و مادر من چی؟»

در را محکم کوبید توی صورت او ــ بطوری که بدن میترا توی بیهوشی لرزید.

فصل شصت و چهارم

نشست و او را در بغل گرفت.

«میترا... میترا... صدای مرا می‌شنوی؟»

بعد ناگهان تصمیم گرفت او را، گرچه هنوز تقریباً بیهوش بود و نمی‌توانست درست حرکت کند، فوری به جای امنی ببرد. به دلیل کینهٔ بهمنی لعنتی و اوضاع امنیتی کشور، احساس می‌کرد خانهٔ درخونگاه برای آنها ایمن نیست.

رفت از شیر آب حوض، مشتی آب آورد و پیشانی و گونه‌های او را مرطوب کرد. صورتش لاغر و تکیده، و بدنش حدود پنج شش کیلویی لاغر شده بود.

«میترا... میترا... صدای منو می‌شنوی؟ ناصرم.»

صورت و بدن نازک و شکنندهٔ او را که مانند اسکلتی کوچک و خشکیده بود نوازش کرد، باز صدایش کرد. هیچ جای بدنش تا آنجا که پسرک می‌دید، زخم یا بریدگی یا کبودی نداشت، به استثنای جای دو سه تا سوزن آمپول که بر ساعد دست و دور بازوهایش بود. شبیه خالهای سیاهی بودند و پسرک قبلاً آنها را ندیده بود. فهمید.

زیر لب گفت: «بی‌شرفها...»

با صدای بلندتری گفت: «میترا... ما باید از اینجا بریم بیرون. باید یه جا مخفی بشیم... صدای منو می‌شنوی؟» هم‌اکنون قسمتهایی از شانه‌ها و سینه‌اش شروع کرده بودند به لرزیدن. اما هنوز علائم بارزی از به هوش بودن کامل در او دیده نمی‌شد، گرچه زمزمه کرد:

«چی؟...» پسرک او را بیشتر به خود چسباند، و بیشتر نوازشش کرد. زیر چادر، تنها چیزی که تنش بود یک پیراهن ارمک سورمه‌ای خدمهٔ زندان بود.

یادش افتاد روی پشت‌بام خانهٔ شاطرعباس آقا که دو تا خانه با آنها فاصله داشت، یک پشتک خالی داشتند که بزرگ و جادار بود و آنها فقط در فصل تابستان برای جا دادن رختخوابها در هنگام روز از آن استفاده می‌کردند. حالا که زمستان بود ــ و وانگهی مدتها بود که دیگر شاطرعباس آقای پیر و زنش از پشت بام استفاده نمی‌کردند ــ پشتک خالی برای چند ساعت قایم شدن بد نبود.

میترا را کنار دیوار تکیه داد، خودش به سرعت دوید توی اتاق و یک ژاکت و چند تکه خرت و پرت دیگر برداشت و برگشت. بلوز و ژاکت را تنش کرد بعد سعی کرد با دقت او را بلند کرده به طرف پله‌های پشت بام ببرد. اندام خودش هنوز برای این کار خیلی کوچک بود. فکر کرد او را به آرامی کول کند. نمی‌شد. بالاخره مجبور شد زیر بغلش را بگیرد و او را افتان و خیزان بالا برد. یاد روزی افتاد که با هم جنازهٔ سروان وکیلی را بردند بالا و انداختند توی خیابان.

«یادت هست اون روزی که جنازهٔ اون سروان وکیلی پدرسگ‌رو می‌بردیم بالا؟ میخوایم بریم بالا توی اتاقک پشتک خونهٔ شاطرعباس.»

«هوممم؟» خودش هم ناآگاهانه به آمدن کمک می‌کرد.

«صدام رو میشنوی، میترا؟...»

پشت‌بامها و پشتک و انگار تمام محله خالی بود ــ و لابد همه رفته

بودند توی خیابانهای مسیر به استقبال و تظاهرات. فقط از بلندگوهای مسجد صدای پُر ارتعاش نوحه و شعار پخش می‌شد ــ مسجد با پشت‌بام شاطر عباس فقط دو تا خانه فاصله داشت.

میترا را به درون پشتک خشت و گلی آورد و نیمدری بادکرده و کج و معوجش را بست. درون پشتک متروکه با دیوارها و سقف کوتاه کاهگلی بوی خاک و دم کرده‌ی بدی می‌داد، و هوایش منجمد و خشک بود. انگار حتی سوسکها و جیرجیرکها هم از آنجا فرار کرده بودند. اما امروز، در این ساعت پشتک متروکه بهشت برین بود.

بعد از آنکه میترا را گوشه‌ای خواباند، و رویش را خوب پوشاند، خودش کنار او نشست و سر و شانه‌های او را در بغل گرفت. دیگر هیچ چیز و هیچ‌کس در هیچ جا اهمیت نداشت. کم‌کم پشت و شانه‌های او را ماساژ داد. «صدای منو می‌شنوی؟»

صدای او هنوز ناله بود. «اوهوم.»

«ما اینجا در خطر نیستیم. فقط ممکنه یخ ببندیم، و منجمد بشیم، و با هم بریم هپروت.»

«هوممم...» انگار می‌خواست لبخند بزند.

«من ترو تا حالا دو دفعه از دست دادهم... دیگه هرگز، هرگز نمی‌گذارم کسی ترو از من بگیره.»

دو ساعت به همین منوال گذشت. بعد کم‌کم نوحه‌ها و شعارها تبدیل به اذان ظهر شد و او هنوز اسم میترا را صدا می‌زد و به پشت و سر و صورتش دست می‌کشید.

نور گرم خورشید ظهر روز آفتابی بهمن ماه از لای نیمدری پشتک می‌تابید که خوب بود. میترا حالا آرامتر و وضع نفس‌کشیدنش هم یکنواخت‌تر و راحتتر شده بود. کلماتی هم به زبان می‌آورد. پیشانیش هم دیگر خیلی سرد نبود. بعد چشمانش را باز کرد.

«سلام...»

اول فقط خیره خیره پسرک را نگاه کرد.

«به انقلاب اسلامی ایران خوش آمدی...»

صدایش هم اول خشک و نامطمئن بود: «چطوری شد؟... من چطوری؟... اومدم اینجا؟»

«داستانش درازه. ما با بهمنی یه معامله کردیم... اما دیگه فکرش رو نکن.»

«او... نه... اون؟»

فکر کرد از کار بد و گروگانگیری که او و احمد انجام داده بودند خبردار شده بود و ناراحت است.

«من و احمد بچه‌ی او را از بغل مادرش دزدیدیم و گروگان گرفتیم. بعد بهمنی اومد روی دست و پای ما افتاد و ما هم با او معامله کردیم. من حالا دیگه یه مبارز و انقلابی شده‌م، و اون یه انتر قفس شکسته.»

میترا او را خیره خیره نگاه کرد. بعد گفت: «خوب کردی، عزیز من.» مدت درازی به این کار ادامه داد. بعد ناگهان صورتش را روی سینهٔ او پنهان کرد و مثل آدمهایی که در احتضار هستند و از هذیان کابوسناکی بیدار شده‌اند، چیزهایی گفت که پسرک درست نفهمید. اول فکر کرد گریه می‌کند، اما وقتی او چشمهایش را بالا گرفت، چشمانش خشک و خون گرفته بود، مثل چشمهای یک بچهٔ مریض و در حال مرگ.

«میتونی بلندشی؟»

«اینجا کجاست؟»

برایش توضیح داد. «میتونی بلند شی بریم؟»

«اون منو آورد اینجا؟»

«کی؟» نمی‌خواست دربارهٔ او حرف بزند.

«بهمنی ــ اون منو آورد بیرون، آورد اینجا؟»

«با هم آوردیمت. تو اون پدرسگ رو می‌شناسی؟»

«حالا کجاست؟ میدونی کجاست؟» حالا بهوش بود و ترسخورده.

دست او را فشار داد: «ولش کن. رفته توله‌شو تحویل بگیره. سه ساعت پیش رفت... رفت یاخچی‌آباد. الآن باید تحویل گرفته باشه و رفته باشه و با این حال و اوضاع این روزها فرار کرده باشه.»

میترا با نفرت دندان قروچه رفت، که: «باید گیرش بیاریم... هنوز توی خونه اسلحه داریم؟»

«آره. اما فعلاً ولش کن... بیا مدتی ولش کنیم.»

میترا گفت: «ناصر... اون پدرسگ، همون حرومزاده‌ای‌یه که مریم رو کشته.»

مات و زل به چشمهای او نگاه کرد.

«میخواست مرا هم بکشه. اون یه دیوونهٔ روانی‌یه که از زنها نفرت داره. می‌گفت هر دختر و هر زنی که بی‌اجازهٔ شوهرش از خونه میره بیرون و میره تظاهرات، می‌خواد خودشو نشون بده. میخواد مردها دنبالش بیفتن. میخواد مردها بهش تجاوز کنن. منتها او کلمهٔ تجاوز را هم بکار نمی‌برد. اون و بقیه‌شون الان احتمالاً دارن گُر و گُر از راه ترکیه و عراق فرار میکنن ــ اول به اسرائیل و بعد هم به امریکا... باید اون حرومزاده رو پیدا کنیم.»

پسرک، هنوز با دهان باز به حرفهای او گوش می‌کرد.

«یه چیز دیگه. اون یکی از جلادهایی‌یه که در اعدام دسته‌جمعی نه‌تا چریک و مجاهد در تپه‌های پشت زندان اوین شرکت داشته. و یکی از اون نه نفر هم برادرت مصطفی نبوی بوده. اون از رؤسای اون موقع اوین بوده، و چند سال پیش از نوچه‌ها و پروژه‌های مخصوص تیمسار خودمون... بیشتر کارهای خصوصی تیمسار رو اون انجام

می‌داده. و بیشتر کارهای خصوصی خودش رو. اما حالا به خون تیمسار تشنه‌س و داره از اون انتقام می‌گیره.» سرش را انداخت پایین. مدتی ساکت ماند. بعد گفت: «... از من هم انتقام گرفت.»

«چی؟»

میترا یک آستینش را بالا کشید، جای سوراخهای ریز و سیاه‌شده سوزن آمپول را نشان داد.

گفت: «اون، توی زندان می‌اومد پیش من. تمام اسرار کثیف تیمسار و مادرم رو واسه من اون فاش کرد... و تمام کارهایی رو که خودش برای من کرده بود، درست کردن گذرنامه برای من، و ترتیب مسافرت من و مادرم... و اینکه مادرم و تیمسار چه رابطه‌ای با هم داشته‌ن. گفت اوایل مادرم مدتی زن عقد موقت تیمسار بوده. البته حلال و شرافتمندانه.»

هنوز به چشمهای او خیره بود و نمی‌دانست چقدر از حرفهایش را باور کند. حتی نمی‌دانست چقدر از این حرفها را می‌خواست بشنود، یا نشنود.

«چیزهایی که اون به من گفت... چیزهایی که از دهنش درمی‌اومد ــ»

پسرک دستش را روی لبهای او گذاشت: «حرفش رو دیگه نزن و آروم باش.»

«باید حرفش رو بزنم... وگرنه سینه‌م آتش می‌گیره و مغزم منفجر میشه. احساس می‌کنم امروز، روز انفجار وحشتناک دنیاست.»

«یادت هست اون روز اولی که همدیگه رو دیدیم... گفتی تنها چیزی که در این دنیا می‌خوای زندگی ساده‌ست... ساده و طبیعی زندگی کردن.» اما کلمات حالا حتی در گوشهای خودش هم خالی و ابلهانه می‌آمد.

«ناصر... ناصر...»

«ما حالا با هم هستیم... و با هم زندگی... و همه چی همونطور میشه که همیشه میخواستی. فکر میکنم. میتونیم هر جا تو بخوای با هم بریم. مگر این فکر خوبی نیست... مگر این همون چیزی که همیشه میخواستیم نیست؟ میریم سراب قائنات، میریم یزد...»

آه بلندی کشید: «هیچی دیگه هرگز همونطور که ما فکر می‌کردیم نیست، هیچی...»

و گریه‌اش گرفت... گریه‌اش تکه‌تکه در سینه می‌شکست، و تلخ و سنگین بود. پسرک یاد نداشت آخرین باری که گریه او را دیده بود، چه وقت بود. و یاد نداشت. هرگز او را اینطور شکسته دیده باشد... موهای او را نوازش کرد و آهی کشید.

گفت: «وضع دیگه تغییر کرده. نمیدونم تو چقدر از اوضاع این سه چهار هفته مملکت خبرداری.»

«هیچی...»

«اوضاع واژگون شده.»

«من چند وقت اون تو بودم؟»

«یه ماه هم بیشتره.»

«امروز تاریخ چندمه؟ چندم چه برجی‌یه؟»

«۱۲ بهمن. میدونی الان، در این ساعت، چه کسی با جلال و جبروت از پاریس وارد تهران شده؟»

میترا سرش را بلند کرد، اما انگار نه برای شنیدن جواب، بلکه برای خشک کردن اشکهایش: «کی؟»

«آیت الله روح الله الموسوی الخمینی، رهبر انقلاب اسلامی ایران.»

چشمهای میترا برقی زد. پرسید: «شاه رفته؟»

«آره. اون حدود سه چهار هفته پیش رفت. با طیارهٔ خودشون.»

«فرار کرد... رهبر چه جوری اومده؟ از راه زمینی؟»

«نه... با یک طیارهٔ چارتر... جت دربست اختصاصی، که او و یارانش را بدون توقف، مستقیم امروز از پاریس وارد تهران کرده... تموم تهرون ریخته‌ن توی خیابونها. صبح که داشتیم از چهارراه پهلوی می‌رفتیم بالا طرف میدون ونک، هر کی رو که بگی توی اون خیابون بود. مسیر از فرودگاه تا بهشت زهرا رو قرق کرده‌ن. وسط تمام خیابونهای خط سیر رو شاخه‌های گل چیده‌ن...»

میترا گفت: «خدای من!»

«آره. اگه بخوای و بتونی بعد می‌ریم بیرون تماشا.»

اما او این حرف را نشنید. انگار جرقه‌ای از آتش افکار و خواسته‌ها و گذشته داشت از زیر خاکستر حوادثی که در این مدت در زندان بر سرش آمده بود، کم‌کم دوباره بیرون می‌زد.

«نه... اما رضا و بقیه می‌گفتند روز به روز افراد ارتشی فرار میکنن و میان طرف روحانیون...»

«اعتصابها نشکسته؟»

«نه سفت و سخت. همه چی ریخته بهم.»

«جنگ خیابانی؟»

«نه زیاد... اما حوالی دانشگاه و مسجدها که مردم اسلحه دارن همه روزه درگیری هست...»

میترا گفت: «خوب شد، خوب شده.» دستش را روی آستین مانتو لمس کرد و گفت: «حال خودت چطوره؟ خوبی؟»

«عالی... می‌تونی بلندشی؟ میتونیم از اینجا بریم بیرون... بوی بدی میده.»

«آره... اینجا دیگه کجاست؟ چرا توی اتاق خودت نیستیم؟»

«توی درخونگاهیم. اما نخواستم توی اون... خونه باشیم. خطر از ما هنو رفع نشده.»

کمک کرد او بلند شد. خودش اول آمد بیرون و به اطراف نگاه

کرد. حالا همه جا ساکت و پشت بامها خالی بود.

قبل از اینکه از پشتك خارج شوند، میترا گفت: «من یك اسلحه لازم دارم... یك كلت. تو خونه چیزی داریم؟»

دروغی گفت: «نه. رضا اومد همه رو برد. همهٔ اسلحهها رو میبرن توی کمیتههای مدرسه علوی و مسجد دانشگاه.»

«میتونیم یکی دوتا بگیریم؟»

«احمد میتونه دهتاشو برامون بگیره. اون و پسرعموش از رابطهای بین رضا و پسر یکی از آیت اللهها هستن. اسلحه برای چی لازم داری؟»

میترا آهی کشید. «میخوام... احمد کجاست؟»

«فکر میکنم همه رفتهن بهشت زهرا.»

«قبرستان بهشتزهرا؟»

امام خمینی قراره از فرودگاه یك راست بره بهشتزهرا.... سر خاك شهدا نماز بخونه. اما من مطمئنم که عدهای از بچهها توی دانشگاه هستند. پسرعموش که تقریباً مطمئنم هست. اون یکی از مسئولین اسلحههاست. بیا اول بریم یه چیزی گرم بخوریم...»

«تو پسرعموی احمد رو خوب میشناسی؟»

«آره. اون همون کسییه که توله‌ی بهمنی‌رو توی خونه‌شون نگه داشت.»

«پس میریم دانشگاه.»

«باشه.»

سرش را برگرداند و به دیوارها و سقف توسری‌خورده کاهگلی نگاه کرد. می‌خواست چیزی بگوید، اما نگفت. لبهایش را گزید. دوباره به گریهٔ شدیدی افتاد، و سینه دیوار کاهگلی نشست.

اما این بار گریه‌اش آرام و خوب و سبك بود، و انگار از ته دل می‌آمد و خالی می‌کرد ـ انگار که بالاخره بین روح خودش و روح

او به یک صلح تازه رسیده بود. سینه‌اش را صاف کرد.

گفت: «ناصر... چیزهایی هست که باید بگم...»

انگشتش را باز روی لبهایش گذاشت: «فقط دوستت دارم.»

او انگشتش را گرفت و بوسید. «هیچوقت تو این جمله رو به من نگفته بودی.»

«هیچوقت اینطوری و انقدر دوستت نداشته بودم.»

«فعلاً بذار نگم با من چه کارها کردند....»

«تو برگشتی، سالمی، و ما با همیم. دیگه چی میخوایم؟»

«میخوای برگردیم توی اتاق تو؟»

«فعلاً نه. من میتونم برم مقداری پتومتو بیارم اینجا استراحت کنی. یا اگه بخوای، و بتونی حرکت کنی، میتونیم بریم مسجد دانشگاه. یه غذای گرم هم برامون بد نیست.»

«من حاضرم، بریم.» و اضافه کرد: «بعد من باید یه سری هم برم پیش مادر نازنینم...»

«باشه.» تصمیم گرفت امروز به خواستهٔ او عمل کند ــ هرچه می‌خواست. «باشه.»

از بچگی، از پشتک پشتبام شاطرعباس اینها، راهی را بلد بود که می‌افتاد روی هره‌های لب پشتبام مستراح مسجد، که به کوچه امجد می‌خورد. تقریباً سینه‌خیز سینه‌خیز آمدند، پشتبام دور گنبد کوچک را دور زدند. ساعتهای خلوت بعد از ظهر بود و کوچه‌ها خالی، و دکانها بسته، و احتمالاً ملت همه در بهشت‌زهرا. از هرّهٔ دیوار پایین پریدند، و آمدند توی کوچه اصلی درخونگاه. اینجا هم تقریباً خالی بود. فقط کریم و یک نفر دهاتی لب پله‌های بیرون مسجد نشسته بودند. وقتی از جلوی آنها رد می‌شدند، کریم گفت: «نا ــنا ــناصرخان. سام‌علیک.»

«خبرمبری نیست، برادر کریم؟»

«او ـــاو ـــاومدن آقا مبارک...»

«پس چرا تو نرفتی بهشت زهرا؟»

«م ـــم ـــمن و این ولی‌الله خان داریم م ـــم ـــم ـــمسجد رو می‌پّایم.»

«تبارک الله. خداحافظ، کریم.»

«خ ـــخ ـــخداحافظ، ناصرخان.»

از دهنهٔ بازارچه بیرون آمدند.

فصل شصت و پنجم

تنگ غروب بود که به خیابان اصلی نیاوران رسیدند. همه جا تاریک
و سوت و کور بود. با یاماهایی که از احمد گرفته بودند آمدند طرف
خانهٔ میترا. میترا جلو نشسته بود. خیابانها را حتی در تاریکی مثل کف
دستش بلد بود. راحت می‌آمدند. مثل هر شب، حوالی شروع اخبار
تلویزیون، برقها قطع بود. ویلای سفید سبک ایتالیایی غرق در
تاریکی بود، فقط از پنجره‌های طبقهٔ پایین نور کمی دیده می‌شد.

اول کمی رفتند بالاتر، بعد دور زدند و برگشتند. با احتیاط دور و
بر خیابان را خوب نگاه کردند. پسرک می‌ترسید، اما احساس می‌کرد
در وجود میترا چیزی قوی‌تر از تصمیم محکم جوش می‌خورد. فرمان
موتور محکم توی دستهایش بود، و حالت یک سرباز دیده‌بان جنگی
را داشت که میدان نبرد را شناسایی می‌کند. هر کدام یک کلت زیر
کمربندهای نیم‌تنه خود داشتند.

جلوی در نگه داشتند، هر دو به نرمی بچه پلنگ پایین پریدند.
میترا آمد اف اف را که باطری اضطراری داشت زد.

کسی که آمد و پس از چند بار پرسیدن کیه در را باز کرد، سید
نصرالله آبله‌رو نبود، بلکه فاطی پیر، کلفت قدیمی قدسی خانم بود.

پیرزن وقتی میترا را دید و شناخت، از خوشحالی زد توی سینهٔ خودش و شروع کرد به قربان صدقه رفتن. او میترا را از زمان تولد توی دامان خودش بزرگ کرده بود.

میترا گفت: «سلام، فاطی.» به اطراف نگاه کرد. «حالت خوبه؟» بعد فاطمه را تند و خشک بوسید.

فاطمه گفت: «شکر خدا، شکر امیرالمؤمنین... عاقبت آزادت کردن ذلیل مرده‌ها؟»

میترا جواب نداد. پرسید: «مادر خونه‌ست؟»

«ها، تصدقت برم. توی اتاقشه.»

«کسی دیگه‌م خونه‌ست؟»

«نه. دیگه کی مونده؟ همه رفته‌ن.»

ناصر پرسید: «سرهنگ جهانگیر چطور؟ سرهنگ اینجا نیست؟»

فاطمه جواب داد: «نه. تا عصری اینجا بود. اما خواستندش. لباس پوشید رفت.»

«اون یارو نگهبانه که اینجا بود چی؟ اون هنوز هست؟»

فاطمه گفت: «آره، اون هست. اون رو گذوشته‌ن باشه. حالا واسهٔ چی خدا میدونه.»

میترا پرسید: «کجاست؟»

فاطمه گفت: «توی حیاط. بیچاره توی ماشینش اونجا مونده. انگار خوابه.»

میترا فاطی را پس زد و وارد حیاط شد. پسرک هم دنبالش رفت و موتور را هم آورد تو و تکیه داد به دیوار. بعد دنبال میترا راه افتاد. فاطمه هم در حالی که چیزهایی زیر لب می‌گفت تند تند همراه آنها می‌آمد، تا نگهبانی که توی ماشین پای پله‌ها بود برای میترا مزاحمتی ایجاد نکند. اما بزودی معلوم شد که او برای هیچکس مزاحمتی ایجاد نمی‌کرد، چون پشت رل، یک وری شده بود، خوابش برده بود ــ با

بوی عرقی که از او می‌آمد و درون ماشین را پر کرده بود. یک گروهبان نظامی بود چاق و کوتوله، که دماغ درازش همچون نوک بوقلمون از وسط صورتش زده بود بیرون ـ و عین لبو تنوری سرخ و سوخته بود. لای سبیل پرپشت و آویزانش هم ذرات نان سفید و مرغ چسبیده بود.

فاطمه جلو جلو دوید و از پله‌ها رفت بالا تا مژده آمدن میترا را به قدسی خانم بدهد.

در جلوی ساختمان بسته بود اما طولی نکشید که قدسی خانم پشت در پیدایش شد. وقتی در را باز کرد و میترا را دید، معلوم نبود از شوک یا از گیجی، انگار ماتش برد.

قدسی خانم یک ربدشامبر سیلک فرانسوی صورتی بلند تنش بود که گل و بته‌های رنگارنگ داشت، و دمپایی‌های بندی طلایی پایش بود. صورتش باد کرده و زیر چشمانش هم پف کرده بود. موهایش را بالای سرش قشنگ جمع کرده و آرایش کرده بود. یک گُله از موهای وسط سرش سفید شده بود، انگار همین چند ثانیه الآن. فقط چشمانش هنوز زیبا بود، و هنوز انگار همان آتش جادویی را داشت که از بیست سال پیش تعدادی از سیاستمداران و افسران دور و بر رئیس دفتر وزیر دربار را دیوانه کرده بود.

آمد جلو و با قربان صدقه خواست دستهایش را دور گردن میترا بیندازد و او را ببوسد، اما میترا دستهای مادرش را پس زد و با زور خودش را از جلوی مادرش رد کرد و رفت داخل هال.

گفت: «ماچ و موچ و این کثافتکاریها رو بریز دور، مادر. امشب من اومدم تسویه حساب کنم، حوصلهٔ ماچ و موچ ندارم.»

قدسی خانم گفت: «چه وقت اومدی بیرون؟ چرا اینجوری با من حرف میزنی، تصدقت برم؟ تسویه حساب چیه؟»

میترا گفت: «انتظار نداشتی من بیام بیرون؟»

«وای! خاک بر سرم. من خوشحالم. چرا نمی‌گیری بشینی؟» وقتی پسرک را هم دید، گفت: «شمام بفرما تو.»

میترا همان جا ایستاد و به مادرش خیره خیره نگاه کرد. کمی می‌لرزید. پسرک آمد توی هال و در را بست. به قدسی خانم سلام کرد و به میترا گفت: «بریم تو بشینیم... صدا میره بیرون.»

قدسی خانم به میترا گفت: «چرا نمیری بالا اتاق خودت، مادر؟ اتاقت گرمه. الان به فاطی میگم یه چراغ گاز هم ببره بالا. برق و قطع کردەن خاک بر سرهای دیوونه، اما ساعت ده، ده و نیم برق دوباره میاد. فاطی!...»

میترا گفت: «بس کن، مادر!»

قدسی خانم گفت: «وا ــ خاک عالم. چرا؟ این چه جور حرف زدنه، مادر؟ تصدقت برم... بیا بشین. چند دقیقه پیش پریسا از لوس آنجلس زنگ زد. اقلاً این تلفن رو هنوز خراب نکردەن خاک بر سرها. هنوز کار میکنه. همەرو گذوشتەن توی تاریکی.»

میترا داد زد: «گفتم بس کن، مادر! نمی‌فهمی؟» بعد گفت: «خیلی چیزهاست که میخوام امشب از جنابعالی بپرسم و روشن کنم.»

قدسی خانم تکانی خورد و چند لحظه مات به میترا نگاه کرد. بعد رفت روی یک مبل نشست و پاهایش را انداخت روی هم. گفت: «خوب، بپرس. چی یه؟ روشن کن.»

میترا همان جا ایستاد.

گفت: «مادر، تو آدمی به اسم بهمنی رو می‌شناسی؟»

«بهمنی؟ بهمنی کی یه؟»

«توی ساواک کار میکنه ــ اداره سازمان امنیت و اطلاعات کشور.»

«نه، نمی‌شناسم. چرا؟»

«فکر کن، مادر. شاید به خاطر نازنین و یادت بیاد.»

قدسی خانم گفت: «نه.»

میترا داد زد: «فکر کن!»

قدسی خانم گفت: «اوه، شاید، نمیدونم. چند سال پیش یه مهندس بهمنی بود، یا مهندس بهمن، یادم نیست، که تلفنش رو از طرف یکی از دوستانم به من داده بودند اگر دربارهٔ ویزا یا پاسپورت یا کاری توی شهربانی داشتیم یعنی مشکلی بود که حل نمیشد با او تماس بگیرم...»

میترا پرسید: «تلفنش رو کی بهت داده بود؟ این که گفتی (یکی از دوستانم) کی بود؟ خوب فکر کن.»

«یادم نیست.»

«فکر کن! کدوم دوستت؟» روی کلمهٔ «دوستت» سنگین حرف زد، و مسخره کرد.

«وا... یادم نیست. لابد خسروی داده بود، آره، خسروی داده بود.»

«اون دوست تیمسارت نداده بود؟»

«یادم نیست، شاید. خسروی مدام مسافرت بود، دوستهای زیادی داشت و وقتی او تهران نبود، ژنو بود یا پاریس یا واشینگتن، دوستهاش اغلب به ما کمک میکردن. اگر کاری داشتیم...»

«اون دوست تیمسارت هم کمک می‌کرد؟»

قدسی خانم سرش را انداخت پایین: «چه میدونم. اگر کاری داشتیم به یکی میگفتیم.»

میترا گفت: «مادر، بخصوص اون خیلی کمک می‌کرد، مگه نه؟ آدم خوبی بود، مگه نه؟»

«کی؟»

«دوستت تیمسار ایکس.»

قدسی خانم سرش را بلند کرد و به طرف پنجره نگاه کرد. مدت زیادی سکوت کرد. بعد گفت: «اون مدتها پیش بوده، سالها پیش بوده،

گذشته. اونها انسانهای خوب و وفاداری بودند. به من و بچه‌هام کمک کردند. به همین ناصر و مادرش هم کمک کردند. چه میدونم.»

میترا فریاد زد: «مادر! انقدر لنترانی کثافت نخون! بگو ببینم. تو صیغهٔ این دوست تیمسارت نشدی؟ من باید بدونم. من توی زندون حرفهایی شنیدم، باور نمی‌کنم، حقیقتش را میخوام. قبل از اینکه با پدرم، با بیژن صدر ازدواج بکنی، شما زن این تیمسار نشدی برای یکی دو هفته؟ خیلی خوب، کار غیرقانونی و غیرشرعی که نکردید —ازدواج موقت داشتید. درسته یا درست نیست؟»

قدسی خانم بربر به میترا نگاه کرد.

گفت: «من خودمو قاطی این جور حرفهای احمقانه و بچگانه نمیکنم، عزیزم.»

میترا گفت: «خیلی هم میکنی عزیزم! جواب بده!»

قدسی خانم گفت: «نه. قاطی نمی‌کنم. شما اشتباه میکنی. من جواب نمیدم.»

میترا گفت: «شما غلط میکنی جواب ندی، مادر عزیز!»

قدسی خانم بلند شد ایستاد.

میترا داد زد: «کجا؟»

قدسی خانم گفت: «میرم سیگارم رو بیارم. مگه سیگارم غلط میکنم بکشم؟»

میترا جعبه خاتمکاری سیگار روی یکی از ویترینهای لوکس را برداشت و پرت کرد روی مبل کنار مادرش. بعد گفت: «کردی یا نکردی؟»

قدسی خانم گفت: «چکار نکردم؟»

«قبل از ازدواج با پدر من با اون تیمسار دوستت ازدواج موقت کردی یا نکردی؟ من باید بدونم. یک چیزهایی هست که میخوام برای خودم روشن بشه. کردی یا نکردی؟»

قدسی خانم سیگاری از توی جعبه برداشت، به لب گذاشت، بعد یک فندک طلایی از گوشهٔ جعبه بیرون آورد. گفت: «امشب، این که من بیست سی سال پیش دو سه تا شوهر کردم یا با فلانکس ازدواج کردم، یا نکردم، چه اهمیتی داره؟ اون بیست سال پیش بوده. عهد دقیانوس... من قبل از ازدواج با پدر تو بیوه بودم، دو تا شوهر کرده بودم، صدها خواستگار داشتم. اما اینها همه قبل از ازدواج من با پدر تو بوده، قبل از تولد تو... به شماها چه ربطی داره؟»

با دستهای لرزان سیگارش را آتش زد. با ولعی خشمناک ششهایش را پر از دود کرد، بعد بیرون دمید.

میترا گفت: «دو هفته با اون رفتی سویس، درسته؟»

قدسی خانم گفت: «من هرگز کاری نادرست و یا غیرشرعی نکردهم. من هرگز در عمرم کاری نادرست یا غیرشرعی نکردهم. من اون موقع یک زن مطلقه و آزاد بودم. به کسی هم مربوط نبود که با زندگی خودم چه میکنم یا چه نمیکنم.»

«دو هفته زنش شدی؟»

قدسی خانم جواب نداد.

«شدی؟ یا نشدی؟»

قدسی خانم، حالا آرام آرام، دو سه پک دیگر هم دود بلعید. بعد گفت: «حرفهای زمان دقیانوس رو وسط کشیدن چه فایده داره؟ گفتم که این موضوع مال سالها پیش، مال پیش از به دنیا اومدن توئه. من همیشه یک زن مذهبی بودهم. او هم یک مرد مذهبی با شخصیت و محترم بود. سرگذشت من این جوری بود و گذشته. حالا امشب مجبورم نکن بشینم و به این سؤالهای وحشتناک جواب پس بدم. بعد از ماهها ندیدن تو که دلم مثل سیر و سرکه برای تو جوش می‌زد، و نگران تو بودم، نذر و نیازها کردم، آیا سزاواره که تو امشب مثل حاکم شرع وایستی محاکمهم کنی و تمام زندگی‌م رو به هم بریزی؟

تمام کن.»

«مادر، خفه شو! من هنوز شروع نکرده‌م.»

قدسی خانم آهی کشید... گفت: «وای! خدای من. چرا دنیا این جوری شده؟ چرا وضع این جوری شده؟ این چه مصیبت و بلایی‌ست که به دنیا و روزگار ما افتاده؟ دختر با مادرش این جوری حرف می‌زنه؟» او حالا رویش را تقریباً به طرف پسرک کرده بود. هم می‌خواست تمام اینها را تقصیر او جلوه دهد، هم می‌خواست او را واسطه کند، اما از زیر چشم به میترا نگاه می‌کرد. میترا حالا دستهایش را کرده بود زیر کاپشن شبه‌نظامی‌اش.

گفت: «خوب، مادر. حالا که به گفتهٔ خودت با این شخص با شخصیت و محترم ازدواج کردی، بگو اسم اون چی بود؟»

قدسی خانم گفت: «حالا دیگه اهمیت نداره.»

میترا فریاد زد: «اسم تیمسار ایکس جونت چی بود؟»

قدسی خانم گفت: «چه فرقی میکنه؟ چه فرق میکنه اسمش چی بود؟ هر که بود، گفتم که یک انسان بود. انسان خوبی بود. به این کشور هم خدمت کرد. همه‌شان به این مملکت هزار جور خدمت کردند. در این مملکت راحتی و آسایش بود، زندگی خوش بود، امنیت بود، قانون و نظم بود، عظمت بود...»

میترا گفت: «بس کن. بذار روشنت کنم که چقدر نظم و قانون و عظمت درست کرده بودند. چشمهات رو واکن. به این ناصر نگاه کن. چهار تا از برادرهای او با نظم و قانون شماها کشته شدند... چون با شاه مخالف بودند. خواهرش را برای خاطر نوشتن یک انشاء در زندان تباه کردند و کشتند. پدرش را چند روز بعد از اینکه از زندان ول کردند زیر ماشین گرفتند و کشتند. بعد به من نگاه کن. پدر خود من هم به دستور مستقیم دوست تیمسار عزیز تو کشته شد. من حالا همه اینهارو میدونم. حالا فقط میخوام خودت اسمشو به زبون بیاری.»

یک نفر پشت در بود و مشت می‌زد. نگهبان جلوی عمارت بود. صدایش از بیرون در آمد که می‌پرسید چی شده؟ طوری شده؟ آیا با او فرمایشی ندارند؟ قدسی خانم بلند شد رفت جلو، از پشت در به او گفت که چیزی نشده، خبری نیست، و از او تشکر کرد، او را برگرداند، بعد برگشت سر جایش نشست.

میترا پرسید: «اسمش چی بود؟»

قدسی خانم گفت: «نه.» صدایش لحن لجبازی نداشت، اما محکم بود.

میترا گفت: «خجالت میکشی اسمشو به زبون بیاری؟ یا میترسی؟»

قدسی خانم گفت: «با من اینطوری حرف نزن.»

میترا گفت: «میخوای زنده بمونی یا میخوای با گلوله مغزت داغون بشه؟»

قدسی خانم باور نمی‌کرد که حرفهای دخترش را درست می‌فهمد. گفت: «چی؟ این کارها چیه؟ معنی این حرفها و این کارها چیه؟»

میترا گفت: «خفه شو!» بعد اسلحه‌اش را از داخل کاپشن درآورد، آن را رو به مادرش نگه داشت. «بهمنی توی زندون به من گفت کی بود... من فقط میخوام از زبون خودت بشنوم، مطمئن بشم.»

قدسی خانم فقط می‌لرزید. اشک می‌ریخت. بعد از مدتی سرش را بلند کرد و گفت: «امام رضا...» به دخترش نگاه کرد. «ترو به هر کی میپرستی. به هر چی که میپرستی اسم او را وسط نکش. اون مرد بیگناه و مرد با شرافتی‌یه. با اون اسلحه‌ت بزن مرا بکش. راحتم کن.»

«بگو!»

پسرک دلش می‌خواست میترا این صحنه را تمام کند، مادرش را بیشتر آزار ندهد. اما میترا گفت: «تو عقد موقتش شدی... نشدی؟»

قدسی خانم ساکت ماند و سکوت تلخ و تیزی فضای اتاق را

گرفت، انگاری که تمام هستی مادر و دختر به لبۀ انفجار کوه آتشفشان رسیده باشد. با صدای بلند شروع کرد به گریه کردن. حتی تا آخرین ثانیه هم به او وفادار ماند، و اسم او را تأیید نکرد.

میترا رفت جلو و بالای سر مادرش، در حقیقت درست روی سر مادرش ایستاد، و گفت: «لازم نیست جواب بدی، مادر. من خودم همه‌چی رو میدونم.»

«نه... نمیدونی.»

«اون بهمنی کثیف ــ پادوی نوکر زرخرید شماها، که حالا داره از شماها انتقام میگیره، خیلی چیزها به من گفت. میدونی کجا و چه وقت به من گفت؟ توی سلول زندان، بعد از اینکه مرا کتک می‌زد و بعد با آمپول بی‌حسم می‌کرد... می‌فهمی، مادر عزیزم؟ اون این کارها را به خاطر گرفتن انتقام از شماها کرد ــ چون تیمسار ایکس تو از طریق دوستانش به رؤسای زندان اوین سفارش کرده بود که از من در زندان «حمایت و نگه‌داری» بکنند. میخوای برات جزئیات کارهای حمایت و نگه‌داری رو تعریف کنم؟»

قدسی خانم گریه‌ش بالا گرفته بود. گفت: «چرا دیگه داری شکنجه‌م. میدی؟ بکُش.»

میترا گفت: «خوب میکنم!»

«من برای چیزهایی که برای تو اونجا اتفاق افتاده متأسفم، دلم داره پاره میشه. اما همه چی حالا گذشته. گذشته‌های من هم گذشته...»

میترا گفت: «پس اون بوده ــ درسته؟» صدایش می‌لرزید، و دستهایش هم می‌لرزید. گفت: «بگو آره. بوده. بگو.»

قدسی خانم ساکت ماند. رنگ از صورتش رفته و چشمانش مثل دو تا ماهی قرمز مرده بود. میترا اسلحه را این دست و آن دست کرد. پسرک هنوز ساکت و بی‌حرکت مانده بود، و میترا را نگاه می‌کرد. می‌دانست میترا هرگز به مادرش شلیک نخواهد کرد. فقط ضجّۀ

نفرت...

میترا نفس بلندی کشید. گفت: «من همه چی رو میدونم. مادر.»

قدسی خانم هم تقریباً با همان لحن جواب داد: «تو هیچی رو نمیدونی، بچه... شماها خام و بچه هستین، خرین، کله‌تون داغه، پر از فکرهای چرند و پرنده و آخوندها هم شما را شیر کرده‌ن که بریزین هر کاری بکنین. هنوز غوره نشده مویز شدین، شراب شدین، مست شدین. اگر تو عقل درستی داشتی الان باید میرفتی به اون که تو زندون نگه‌ش داشته‌ن کمک میکردی، می‌فهمی؟»

«به کی کمک میکردم؟»

«به همون. اون و امثال اون سرباز بودند. اونها هنوز هم جانباز این مملکت‌اند، وطن‌پرست و شاهدوست‌اند. اونها خدمتگذار دستگاه بودند، به سنتهای این مملکت خدمت...»

میترا داد زد: «به تیمسار ایکس جان خودمون کمک کنم؟ خدمت کنم؟! اوه، مادر عزیز من. چقدر خوشگل فکر میکنی و زیبا حرف میزنی.»

قدسی خانم سرش را انداخت پایین و گفت: «فقط گفتم که... اگر عقل تو کله‌ت داشتی، و اگر همه‌چی رو میدونستی، میرفتی به اون کمک میکردی.»

«به کسی کمک کنم که دستور داد پدر مرا توی تصادف قلابی بکشند؟»

قدسی خانم گفت: «اون هیچوقت توی... کارهای جزئی و اجرائی دخالت نمیکرد. احمق و خام نشو، بچه.»

«کارهای جزئی؟»

«گفتم احمق و خام نشو.»

«احمق و خام نشو یعنی چی؟»

نفس بلندی کشید. «اون چند دفعه حیثیت خودشو، و این دفعه

جانش رو، به خطر انداخت که ترو نجات بده؟ چقدر سعی کرد تو رو نجات بده؟ به خاطر تو؟ چرا ترو فرستاد آمریکا؟ چرا سعی کرد ترو در زندان اوین حمایت کنه؟ چرا حالا هم میخواد در اولین فرصت که میاد بیرون ترو با خودش به خارج ببره؟»

هنوز درست حرف مادرش را نفهمیده بود، اما دستش را بلند کرد و با اسلحه‌اش وحشیانه کوبید به یک طرف صورت مادرش. قدسی خانم جیغ ضجه‌واری کشید و از روی مبل افتاد زمین و روی قالی پهن شد.

«چقدر با مزه‌ای، مادر... من باید برم و دست و پای کسی رو ماچ کنم که جنابعالی دو هفته قبل از ازدواج با پدر من با او رفتی سویس و به عنوان «زن موقت» بغلش خوابیدی ــ کسی که بعداً قاتل پدر من شد ــ پدر من ــ تنها مردی که در تمام بچگی‌م برای من عزیز بوده، معنی داشته...»

قدسی خانم از روی فرش با آه بلند و نفرت‌انگیزی سرش را بلند کرد: «اون مرد خوبی بود، نفهم! اون مرد شریفی بود. از بهترین مردان شاه مملکت بود. اون منو عقد کرد. این کجاش جنایته، بی‌انصافها...» چشمانش را دست کشید. آه دیگری کشید. «اون سال، اون در یک دوره‌ای از زندگیش بود که تنها بود... مردی بود، ناراحتی داشت. غمزده بود، عاشق من بود. مرا عقد کرد. اونجا توی سفارت یک آقای روحانی بود، عقدمان کرد. بعد هم که اومدیم ایران، من از او بطور رسمی طلاق گرفتم. من در اون موقع نمیدونستم که ازش حامله شده‌م. اون همه‌ش اینور اونور دنبال کارهای سیاسی و امنیتی مملکت و شاه بود. فقط چند شب با من بود. بعد هم که گفتم بطور رسمی از او طلاق گرفتم. من اون موقع نمی‌دونستم از او حامله شده‌م. به قرآن مجید نمی‌دونستم! من همیشه عادتم عقب و جلو می‌افتاد. اگر میدونستم هرگز هرگز زن بیژن نمیشدم. تو حالا باید به اون مرد توی

زندون کمک کنی... اون...»

چشمهای میترا به صورت و دهان مادرش زل و مات بود.

«دروغگو!...» با لگد توی سر مادرش زد. «تو تمام عمر به من دروغ گفتی.»

«من به تو دروغ نگفتم، میترا. تو حالا فقط یه چیزهای بد رفته تو کله‌ت. تو حالا یه ریشهٔ سرکش بد شدی. تو حالا کارهای غلط کردی و میکنی. وگرنه همه‌چی می‌تونست خوب باشه.»

«خفه، لکاته بورژوآ!» این بار توی سینهٔ او لگد. زد. نفس زن بیچاره برید. «با اون تیمسارت...»

«خیلی خب. بزن! نفهم! یه موی گندیده‌ی اون و امثال اون افسر شجاع و خوب می‌ارزید به هزارتا گدای عقده‌ای مثل اون بچه‌های درخونگاه.»

میترا ضامن اسلحه‌اش را کشید. «منم حالا بچه‌ی درخونگاهم، مادر.»

«بخاطر تو بود، احمق خر... بخاطر تو اومد.»

چشمهای میترا در یک لحظه، به حال بهت دهشتناکی به مادرش خیره ماند. بعد سرش را تکان تکان داد.

قدسی خانم گفت: «بفهم، چرا نمیفهمی؟ به خاطر من و تو بود. بیشتر به خاطر تو بود... به خاطر تو!...»

به صورت مادرش تف انداخت. دوباره و دوباره. هر بار از دفعهٔ پیش خشمناکتر. هر بار محکمتر. حالا فهمیده بود. بعد ناگهان شروع کرد به تیراندازی. قدسی خانم قائناتی، روی قالی فیروزه‌ای‌رنگ نائینی شروع کرد به دور خودش پیچیدن و ضجه کشیدن. می‌خزید و فرار می‌کرد، و خونریزی می‌کرد، و میترا به طرف قسمتهای مختلف بدن او تیر خالی می‌کرد.

سلسله فعل و انفعالات بعدی هم مثل برق اتفاق افتاد. گروهبان

نگهبان دوباره سراسیمه پشت در بود و شروع کرده بود به در زدن. پسرک از جا پرید. اسلحه‌اش را درآورد، ناشیانه آمد پشت مبل نزدیک در. اسلحه‌اش را آماده کرد. میترا پنج تا شش تا تک تیر شلیک کرده بود و انگار در این دنیا نبود.

نگهبان نظامی خیکی با اسلحهٔ کشیده خودش را انداخت تو. هیکلش جلوی در تلوتلو خورد و چشمهای احمقانه و خواب‌زده‌اش هاج و واج و زل بود. وقتی دید چه اتفاقی افتاده، فحش و کلمات درهم برهمی از دهانش درآمد و با اسلحه‌اش به طرف میترا نشانه رفت. میترا خودش را در حال دفاع به زمین انداخته بود و غلت می‌زد. نگهبان هم شلیک کرد. پسرک از گوشه اتاق میترا و نظامی خیکی را نگاه کرد، و ناگهان اسلحه در دستش انگار جان مستقلی گرفت. ماشه کشیده شد، و دو گلوله پشت سر هم توی شکم و سینهٔ نظامی خیکی خالی شد. این اولین دفعه‌ای بود که او به طرف موجود زنده‌ای شلیک می‌کرد. هیکل نظامی خیکی هم گنده‌تر از اینها بود که کسی از دو قدمی تیرش به خطا برود، حتی برای پسرک ریزه و مریضی از بازارچه درخونگاه. هدف عین دیواری که خراب شود رفت پایین.

میترا تیراندازی‌اش را قطع کرد و برگشت و به طرف پسرک نگاه کرد. قدسی خانم هنوز روی زمین می‌پیچید و می‌خزید و از چند جای سینه و دستها و پاهایش خون می‌رفت. نظامی خیکی هم حالا بی‌حرکت افتاده بود، و از سوراخهای شکم و سینه‌اش شرشر خون می‌رفت.

میترا گفت: «بارک الله پسر.» بلند شد.

«... چطور شد؟»

«بیا بریم. کار ما اینجا تموم شده.»

«مادرت چی؟»

«ولش کن.»

قدسی خانم، یا آنچه از او مانده بود، به سختی نفس می‌کشید و ناله می‌کرد.

میترا او را نگاه کرد. خم شد تیر دیگری توی سر مادرش خالی کرد، تا مطمئن شود مرگ او حتمی است. اسلحهٔ پسرک را هم گرفت و تیری هم در مخ نظامی در حال مرگ خالی کرد. بعد گفت: «بریم.»

«باشه.» منگ بود. اسلحه‌ها را قایم کردند.

«بیا... خیلی حرفها و خیلی کارها داریم.» از اتاق آمدند بیرون، و تند تند از توی هال هم رد شدند. وقتی از در ساختمان بیرون می‌آمدند، فاطمه با یک سینی چای، یک جا پشت در نشسته بود، خشکش زده بود. دستهایش مثل لقوه‌ایها می‌لرزید. در سایه‌روشن پله‌ها، بهت زده به میترا و به پسرک نگاه می‌کرد.

میترا گفت: «فاطمه... خداحافظ.» دولا شد پیرزن را بوسید.

فاطمه گفت: «خاک بر سر من، میترا خانم. چی شده؟ چی شد؟ این صداها چی بید؟ صدای تیر و تفنگ بید؟»

میترا گفت: «گوش کن، فاطمه. این خونه از این به بعد مال تو و مال بچه‌های توئه. تمام بچه‌ها و نوه‌ات رو بیار اینجا، اینجا زندگی کنین. می‌فهمی؟»

«نه به قرآن. چه خاکی بر سر همه شده؟»

میترا گفت: «تموم شد. ما دیگه صاحب اینجا نیستیم. اینجا مال شماهاست. انقلاب شده. می‌فهمی؟»

«نه. نمیفهمم به ابوالفض.»

«بعداً میفهمی.» بعد با انگشت فاطمه را تهدید کرد. «فاطی گوش کن. به کسی نگو کی اینجا بوده. نگو امشب چه کسانی آمدند اینجا. به هیچکس نگو من اومدم اینجا. تو هیچی ندیدی. نگو ما اینجا بودیم. میفهمی؟ تا عمر داری به هیچکس نگو.»

«چشم... پس چه خاکی بر سرم بریزم؟»

«به هیچکس نگو ما اومدیم اینجا. به سرهنگ جهانگیر تلفن کن. بگو تیراندازی شده. اسم نیار. فهمیدی؟ بگو الان دو تا چریک اومدند. ریختند توی منزل و خانم و محافظ نظامیش را کشتند و فرار کردند.»

«خاک بر سرم شد.»

«خداحافظ فاطمه. اسم نیار. اگر جز این حرف بزنی تو هم کشته میشی.»

به طرف پسرک برگشت و دست او را گرفت: «بیا بریم.» و راه افتاد. از پله‌های مرمر نیمدایره‌ای پایین آمدند.

وسط تاریکی باغ، میترا ایستاد، برگشت و به ساختمان نگاهی انداخت، که سکوت مرگ آن را در رخوت دفن کرده بود. گفت: «خداحافظ، مادر صیغه‌ی لکاته‌ی من. حالا میریم سراغ معشوق تو.»

«بیا بریم، میترا. زود.»

«بریم.»

در تاریکی، بی‌حرف سوار موتور شدند. میترا آن را روشن کرد و تندی راه انداخت، و آمدند بیرون. خیابان فرعی هم در سکوت و تاریکی فرو رفته بود. سرمای برّنده‌ای تو صورتشان می‌زد. از سرازیری خیابان نیاوران زدند پایین، بعد انداختند طرف میدان تجریش. پسرک، ساکت و گیج، دو دستی به کمر او چسبیده و چشمانش را بسته بود. سعی می‌کرد به چیزی فکر نکند. وقتی وارد جاده قدیم می‌شدند، صدای بلند تلاوت قرآن مجید از بلندگوی مسجد سر جاده، شب سرد میدان تجریش را پر کرده بود.

فصل شصت و ششم

در شهر، در تاریکی کوچه و خیابانها، بچه‌ها هنوز به اینطرف و
آنطرف می‌دویدند. از اول بعد از ظهر تا حالا، دیوانه‌وار به هر طرف
دویده بودند: فوق‌العاده روزنامه در دست: با درشت‌ترین حروف و
سیاه‌ترین مرکب که تاریخچه چاپ ایران به یاد داشت نصف بالای
صفحه روزنامه نوشته شده بود: امام آمد. وقتی از خیابان سعدی
انداخته بودند طرف پارک شهر، میترا گفت: «بریم خونه. من واخورده
و خسته و گیجم.»

«اونجا خطرناک نیست؟»

«من اهمیت نمیدم. وانگهی هیچ خطری از طرف نیاوران نداریم.
فاطی مطلقاً به کسی حرفی نمی‌زنه. هیچکس نخواهد دانست که ما
امشب اونجا بودیم. من این رو میدونم ــ مطلقاً.»

«باشه. منم اهمیت نمیدم.» در واقع نمی‌توانست هیچ‌یک از کارهای
امشب را، یا حتی وجود خودش را امشب باور کند. یا احساس کند.
شاید فردا احساس می‌کرد. یا باور می‌کرد. مثل تمام شهر. تمام شهر و
تمام قوای انتظامی هم متشنج و ترسخورده‌تر از آن بود که بفهمد و
احساس کند. یا بداند که باید چکار کند. تنها کسی که ممکن بود امشب

به سراغ آنها بیاید، بهمنی بود ـ و اگر می‌آمد، آنها اشتیاق و انتظار دیدارش را داشتند.

در طول راه، ماشینهای خالی جلوی پمپ بنزینهای بسته و گالنهای خالی نفت به طناب کشیده جلوی مغازه‌های نفت فروشیهای بسته برای صبح در صفهای دراز بودند. جلوی نانوایی‌هایی که پخت می‌کردند، صفهای درازی بود. آنها نزدیک ساعت یازده بود که به خانه رسیدند. سر راه مقداری ساندویچ و میوه خریده بودند. بعد از آنکه موتورسیکلت را به داخل حیاط بردند، و در خانه را بستند، به اتاق ته حیاط رفتند، و در حالی که میترا چراغ گاز را روشن می‌کرد، پسرک سعی کرد تا حدی بهم ریختگی چند هفته‌ای اتاق را جمع و جور کند.

میترا پرسید: «حال غذا خوردن داری؟» کنار شعله اندک گاز نشست، زانوهایش را بغل کرد.

«آره، اگه تو دلت بخواد.» پاکت خوراکیها وسط اتاق بود.

«من فقط احساس درد دارم.»

«آروم.»

میترا خندید. لبهای سرد و چقر او را بوسید.

«میترا، من امشب یک انسان را کشتم...»

میترا گفت: «اون یک مزدور کثیف و مست بود. تو اون خونه چکار میکرد؟»

«او یک انسان بود. من حتی اسمش رو هم نمیدونم.»

«تو جان منو نجات دادی. خیلی چیزها تغییر کرده... ارزشها تغییر کرده خیلیها آدمهای بد را می‌کُشند. مقصودش را نگفت.»

«میترا... میترا...»

«آره... و فکرش رو نکن. دیگه فکر اون خونه‌رو هم نکن. اون ساختار زندگی بورژوا تمام شد. اون خونه دیگه مال فاطی و بچه‌های

بدبختش خواهد بود.»

«سید نصرالله چی؟»

«اون پدرسگ جد کمرزده‌م سرمایه‌دار و مکاره ــ و من خودم فردا ــ اگه گیرش بیارم تیربارونش میکنم. اون سرهنگ جهانگیر رو هم فردا اعدامش میکنم...»

پسرک دستش را روی لبهای او گذاشت. پوستش سرد و تنش‌دار بود.

«اونها به کنار... خودت خوبی؟ چطوری؟»

«الحمدلله وحشتناکم، مرسی.» خندید.

«جدی... چطوری؟»

میترا دست او را که روی صورتش بود گرفت و کف دستش را بوسید. گفت: «آره... خوبم، ناصر. از همه چی گذشته خوشحالم. خوشتر از اصل خوشبختی. امروز، امشب، اولین لحظات خوب زندگی منه، روز و زندگی تازه. و چه روزی!... امروز ورق تازه‌ای توی تاریخ من و توئه، و تاریخ همه‌مون و تاریخ ایران. انقلاب همینه... بدکاران رژیم فاسد باید کشته بشن. اولین نتیجه‌هایش را نگاه کن، به من و تو. من صبح سحر به وسیله یک قاتل و ناموس پاره‌کن از زندان دزدیده شدم. بعد در روز روشن اسلحه به دست گرفتم و به خانه‌ی مادرم حمله کردم، چون به من گفته شد که فرزند پدرم نیستم و از پشت معشوق مادرم که یکی از رؤسای دولت کاپیتالیستی رژیم بوده هستم. من مادرم را گلوله‌باران کردم و تو هم... عزیز من، تو هم که بیگناه‌ترین بچه‌ی یک خانواده‌ی مسلمان و بی‌آزارترین و نرم‌تر از پروانه و مورچه بودی، امشب اولین تیرباران انقلابی‌ات را انجام دادی.»

دستش را باز روی لبهای او گذاشت. «من آدم کشتم.»

«اگه لازم باشه باز هم‌ـ میکشیم.»

نفس بلندی کشید. «هر چی تو بخوای و خدا بخواد.»

میترا گفت: «از اون شیشه دوای آرامبخش هوم طبّی که دایی از یزد آورده بود، چیزی ته‌ش مونده با آسپرین بخوریم؟»

«می‌خوای؟»

با لبخند سرش را چند بار آورد پایین: «حالا نخوام کی بخوام؟»

پسرک بلند شد رفت و یکی از شیشه‌ها را از توی دولاب انباری زیر پله‌ها آورد، گذاشت جلویش.

«مرسی...»

می‌دانست که او دوست دارد، یک شب با دایی کمی نوشیده بود. قبلاً هم در اروپا و امریکا هم خورده بود. گفت: «اما... با این حال و وضعیت... و با اعصابی که امشب داریم... نمیخوای پرهیز کنی؟ یعنی یه خرده... بیشتر مواظب باشیم؟»

دستی زیر چانه‌اش زد «چیزی نیست.»

«میترسم حالت رو بدتر کنه.»

«ناصر عزیز من. من حالم دیگه هرگز از این بهتر نمیشه، و من امشب میخوام به نهایت برسم. میخوام تو مرا، به نهایت، به ابدیت برسانی. میخوام ترو... احساس کنم.»

«ما همین الآن هم توی ابدیت هستیم... و چند تا دروازه‌م اون طرفتر.»

خندید. «هنوز نه.» بطری را برداشت: «داریم می‌رسیم، به نهایت... الا یا ایّها السّاقی.»

«به نهایت وحشت...»

«ناصر... این جور حرف نزن... با من امشب مهربان باش. مگه دایی نمیگفت مهربان باشین؟»

«ما اون چیزهایی شده‌ایم که پدر و مادرهامون وحشت داشتند که یک روز بشیم.» به دیوار تکیه زد، سرش را تکان داد، او را نگاه

کرد.

«چه حرفی زدی!»

چوب پنبهٔ در بطری را با کمی تلاش پیچاند، برداشت. دوتا قلپ بزرگ سر کشید. گفت: «مِمِم... معرکه‌س. این دوای درد منه، پس از اون روز و شبهای زندان ساواک. حکیم هم فرموده.» بعد بطری را به طرف او دراز کرد. میدانست او تا حالا لب نزده. پسرک بطری را از دست او گرفت، اما توی دستش نگه داشت. به چشمهای میترا نگاه کرد. نمی‌توانست بفهمد در چشمهای میترا، خودش چه بود ــ بجز همان ساده‌لوحی و ضعف. ته تغاری اوس‌عبدالرضای درخونگاه. اما راه درازی را هم طی کرده بودند، از درخونگاه. در چشمهای میترا همان شور و احساسی بود... که آن بعد از ظهر هفت سال پیش یا پیشتر در قبرستان امامزاده عبدالله، روز چله علی دیده بود. بطری را گذاشت زمین.

«من بعد میخورم...» می‌خواست هوشیار بماند و مواظبش باشد. امشب شب بیداد بود و یک نفر باید بیدار می‌ماند.

میترا جلوتر آمد. «من همسر عقدی توام...»

*

تنها صدایی که در اتاق به گوش می‌رسید، صدای هیس هیس چراغ گاز بود، و پت پت گهگاهی آن. از بیرون، از دورها، صدای تیراندازی و رگبار انقلابیون و ارتشیها هم دل شب را می‌لرزاند. رادیو را روشن کرده بودند، با صدای آهسته. اخبار نمی‌خواستند، چون حالا خودشان قلب خبر بودند. سکوت هم نمی‌خواستند. میترا حرف می‌زد و جرعه جرعه می‌نوشید.

پسرک بلند شد رفت توی هشتی و در حیاط را قفل و کلون کرد. هرچه گونی و الوار و اثاث توی انبار بود پشت در کوت کرد. وقتی به اتاق برگشت و کنار میترا نشست، او خواب‌آلود بود و نپرسید کجا

رفتی. ولی انگار با وجود خواب‌آلودگی و خستگی می‌دانست.

دست او را گرفت، روی پیشانی خودش گذاشت. «پس قرار بود اینطوری شروع بشه، عزیز من؟» لپهایش گل انداخته بود و چشمهای نیمه‌بازش آرام.

به راحتی و با لبخند گفت: «آره، قرار بود اینطوری شروع بشه. چی قرار بود اینطوری شروع بشه؟» فکر کرد مقصودش ازدواج است.

«انقلاب ایران.»

«یا حضرت عباس! بیا آروم باشیم.» پاکتهای غذا را آورد جلوتر، بین خودشان.

«جای دیگه‌ای نیست بریم... سالها مارو مثل بچه با صندوق عروسکها و قصه‌ها و دروغهایشان فریب دادند.»

«بهتر شد. شاعرانه شدی؟»

«هم نه... هم آره.» لبخند زد.

«تو شاعرانه‌شده هستی.»

«اونجا، توی خونه‌ی مادرم شاعرانه نبودم؟»

«نه!» سرش را انداخت پایین. اما یک دست او را که آزاد بود گرفت. انگار نمی‌خواست این دست دیگر آدم بکشد.

«مرا هنوز دوست داری ناصر؟»

پسرک آه کوچکی از سوراخهای بینی‌اش بیرون داد: «مگه یه روز خودت نگفتی وقتی کسی‌رو دوست داری و اون شخص در خطر بود به خاطر او اسلحه برمیداری، و میکشی؟»

«تو به خاطر من اون گروهبان خیکی رو کشتی!»

به چشمهای او نگاه کرد.

«اون آدمکش بود. جونور بود. مگه نه؟»

«... ما نباید آدم بکشیم.»

لبخند زد: «پس از اسباب‌بازیهای تازه‌مون خوشت نمیاد؟» با سر بطری به اسلحهٔ پسرک که هنوز به کمرش، زیر پیراهنش بود، اشاره کرد.

«نه.» او لبخند نزد. «من وقتی بچه بودم هیچوقت اسباب بازی نداشتم. ما فقرا هیچوقت نداریم. حالا هم نمیخوام.»

به چشمهای او نگاه کرد: «از من بدت نمیاد؟ از من که ترو به اینجاها کشوندم؟»

«جواب را میدونی.»

«من مستم؟»

«زیاد نه.»

نفس بلندی کشید و دست پسرک را که در دست خودش بود بوسید. گفت: «من اولین روزی که ترو دیدم یادمه... اون روز من خیلی مست‌تر بودم. تو مرا مست کردی، دیوانه‌ام کردی... وقتی برگشتم خونه با کتی دربارهٔ تو حرف زدم... چشمهای تو مرا مست کرده بود و حرفهای تو. هیچوقت، هیچوقت اون بعد از ظهرو یادم نمیره. چشمهای قشنگ و کوچک و مریض و حساس و رماتیسم قلبی تو. سرت روی دامن عزیز بود. روی زمین کنار قبر برادر شهیدت دراز کشیده بودی. آفتاب توی صورتت می‌زد. من آمدم بالای سر تو. بعد از ظهر داغ و خاک‌آلودی بود. مردم گریه و زاری می‌کردند. شهید، شهید می‌کردند. باز این چه شورش است که در قلب عالمَ است / باز این چه فتنه و چه عزا و چه ماتم است. امروز میفهمم. تو آنجا دراز کشیده بودی. انگار نفس هم نمیکشیدی. نمیدونستی اصلاً تمام این چیزها سر چی بود، چی هست؟... نمیدونستی جنبش و مبارزه چیه. مجاهد کی‌یه. نمیدونستی شهادت چیه؟ نمیدونستی اسلحه چیه، شلیک کردن چیه، مرگ چیه. دنیای تو، عزیزت بود... و قناریها. یادت هست بعدها، اون روز که یکی از قناریها پاش زخم شده بود، چه دلشوره و

ناراحتی‌یی داشتی؟ رفتیم وازلین و پنبه و پودر سولفامید از دواخونهٔ
ادیب سر پیچ خیابون شاپور خریدیم؟...»

سرش را تکان داد. گفت: «نه. هیچکدوم از اینها رو یادم نمیاد.»

«دِ.» اعتراضش، با خوش‌خلقی و ناز توأم بود. «اذیتم نکن.»

«من حتی یادم نمیاد که قبل از امشب توی این خونه یا این محله
هرگز زندگی کرده باشم.»

«باشه... اینجا دنیای تازه‌ای‌یه. برای من که هست.»

«من حتی یادم نمیاد مادری داشتم که اینجا زندگی می‌کرد. امشب
انگار تمام اون چیزها و خاطره‌ها یک جای دیگه برای یه آدم دیگه
اتفاق افتاده بود. شاید هم اونها همه‌ش یک خواب بود، یا یک بهشت
گمشده. حالا چیز دیگه‌س...»

میترا گفت: «به هر حال اون روز بعد از ظهر تو اونجا بودی و من
یادم هست. و من بودم که ترو توی این همه چیزها کشوندم.»

«یا من ترو... اگه منِ مفنگی نبودم، تو الآن کجا بودی؟ لابد برای
خودت توی لوس‌آنجلس دانشگاه می‌رفتی.»

«ناصر، من و تو با هم یکی هستیم. و یکی بودیم. چون بچه‌های
دردیم و دلشکسته‌ایم. تازه در زندگی‌م هیچوقت سر و ته خطها درست
و واقعی و مشخص نیست. فکر اینکه «اگر» آن روز آنطوری
نمی‌کردم، «اگر» اینطور نمی‌شد، پنجه توی هوا و آسمان انداختنه.
آدم زندگی نمی‌کنه. زندگی آدم را توی خودش می‌بره... پس تو
نبودی که آمدی و مرا با خودت بردی... تو توی زندگی خودت غلت
می‌خوردی. من هم توی زندگی خودم گیج می‌خوردم. نمی‌خوای
بخوابی؟ چشمهات پر از خوابه.»

«چیزی نمیخوای بخوری؟ ساندویچها مونده.»

«نه. میخوام تو منو با خودت ببری و توی کهکشانها بکشانی...» او
را بوسید. «فقط من و تو.»

«و آدمهای دیگه هم هستند. توی این دنیا. ما هنوز توی درخونگاه هستیم. خیلی‌ها هم هستند، جاهای دیگه، که دارند توی زندگیهای خودشون غلت می‌خورند و اثرش روی ما هم افتاده...»

میترا لرزید. حرفهای او را درست نفهمید. گفت: «باز هم گلوله برای اسلحه داری؟»

«آره.»

مدت درازی نگاهش کرد. بعد گفت: «ناصر، به من یک قول میدی؟» دست او را فشار داد.

«آره. چه قولی؟»

«اگر من، اگر من در این جریانها کشته شدم، آخرین گلوله را برای پدر خائن من نگه‌دار...»

«میترا!...

«قول دادی. گفتی آره.»

«باشه.»

«قسم بخور. بیا دستت رو بگذار روی قلب من و بگو به روح مادرم قسم می‌خورم که آخرین گلوله‌ام را برای کشتن پدر خائن و دروغی میترا شلیک کنم.»

با اجبار چشمهایش را بست و دستش را روی سینهٔ او گذاشت. تمام جملهٔ او را به استثنای صفاتی که او برای پدرش به کار برده بود، تکرار کرد. وقتی او جمله را ادا می‌کرد، کلمات بیشتر به صورت یک حکم دادگاه یا سوگند شرعی مطلق به صدا درمی‌آمد، تا یک خواستهٔ بچگانه.

«بعد از این کار از اینجا میریم؟»

«باشه، قول.»

«یزد.»

«یزد. قول.»

میترا دست همسرش را گرفت. «خوشحالم که تو حالا قوی و عالی هستی.»

«کاش بودم.»

«هستی... تو همه چیز هستی، برای من. اما من بد و مرتدم... برای تو که پاک و خوبی، خوب نیستم.»

«فکر میکنی مردم این ارتش امپریالیستی رو داغون میکنن؟»

«آره. چرا نمیخوای بخوابی. امروز به اندازهٔ کافی داغون‌کننده بوده.»

«جدی اینطور فکر می‌کنی؟»

«فکر می‌کنم چی؟»

«این ارتش داغون میشه؟»

«وضعیت ارتش شاهنشاهی از همین حالا هم ترک برداشته.»

«برام تعریف کن وضعیت ارتش شاهنشاهی چطور ترک برداشته. برام تجزیه و تحلیل کن.» خودش را در آغوش او کوچک کرد، لم داد.

پسرک هرگز یاد نگرفته بود سیاسی حرف بزند یا بحث کند، چه برسه به اینکه تجزیه و تحلیل کند. اما امشب فرق می‌کرد. امشب با زبان بی‌زبانی خودش، و فقط به خاطر میترا، یکی یکی واقعیتهای این روزها را شمرد. شاه از کشور رفته بود. ژنرالها گیج و بی‌اراده بودند. بیشتر حجم ارتش ایران از تودهٔ مردم طبقه پایین و سرباز وظیفه بودند. آنها نمی‌توانستند با این جریانهایی که توی توده ملت افتاده و آنها را به تب و تاب انداخته بی‌تأثیر بمانند. بخصوص که روحانیون در رهبری بودند. ارتش نتوانسته بود و نمی‌توانست جلوی روحانیون را بگیرد. طبقهٔ جوان و طبقهٔ پایین ارتش هم‌اکنون سخت تحت تأثیر قرار گرفته بودند. برادر احمد آردکپان که در سال دوم آموزشگاه نیروی هوایی بود و می‌خواست همافر بشود می‌گفت تمام آموزشگاه

نیروی هوایی مثل سایر دانشگاهها دربست طرفدار آیت‌الله خمینی و طرفدار انقلابند. مدرسهٔ نظام هم حتماً همینطور بود. دانشکدهٔ افسری هم لابد همینطور بود. حتی افسرها و درجه‌دارها و گروهبانها هم داشتند گُر و گُر می‌رفتند طرف روحانیون. و صحنه‌سازیها و استراتژیهای برو بچه‌های مذهبی-سیاسی هم بود. چند روز پیش که او و احمد پیش داداش رضا توی مسجد دانشگاه بودند و آیت الله طالقانی در آنجا صحبت می‌کرد، رضا یک نفر را داده بود لباس سربازی پوشانده بودند، و او با اسلحه‌اش آمده بود توی مسجد. اما اول بچه‌ها جلویش را گرفته بودند، اما رضا اشاره کرده بود و آن یارو آمده بود جلو، رفته بود جلوی آقا، دست آقا را ماچ کرده بود، اسلحه‌اش را گذاشته بود جلوی پای آن حضرت، و گفته بود: «آقا، بفرمائید دستور بدهید ما چه کنیم... ما نمی‌خواهیم امت مسلمان را بکشیم. ما شرعاً چه باید بکنیم...» اطرافیان طالقانی یکهو فریاد کشیده بودند و برای او الله اکبر گفته بودند و صلوات فرستاده بودند و او را روی دست بلند کرده و توی خیابانهای دانشگاه گردانده و برادر ارتشی، برادر ارتشی گفته بودند... و این موضوع همه جا پیچیده بود. هنوز غروب نشده بود که صدها تن از سربازها و درجه‌دارها، حتی افسرها گروه گروه می‌آمدند تسلیم می‌شدند.

میترا گفت: «خوبه... خوبه... اینها علامتهای خوبی‌یه.»

خسته شده بود: «من اهمیت نمیدم که اینها علامت خوبی‌یه، یا علامت بدی‌یه، حالا که تو دیگه خونه هستی، کار من تموم شده، ترو مخفی می‌کنم، دیگه هم به هیچ کس و هیچ جا کاری ندارم.»

میترا گونه‌اش را روی دست او گذاشت. مدتی ساکت ماند. تا اینکه پسرک اشکهایش را روی دست خود حس کرد. خم شد، اشکهایش را پاک کرد.

«بازم برام حرف بزن.»

«فقط دوستت دارم، میترا.»

«باز هم تکرار کن.»

«دوستت دارم.»

«اسمم رو. تو هیچوقت اسم منو صدا نمی‌کنی.»

«میترا... میترا، میترا، میترا، میترا.»

سرش را بلند کرد. خندید. «وقتی تو اسم منو صدا میکنی، من خودم میشم... واقعی میشم.» صورتش حالا با گریه و مستی باد کرده و سرخ و کمی خنده‌دار شده بود.

«ما از اینجا میریم، میترا. از این خونه، از این محله، از این شهر...»

«کجا؟»

«هر جا... یزد، قائنات، امریکا. من باید ترو از اینجا ببرم.»

«باشه، ببر. من مال توام.»

«چه وقت؟ فردا؟»

«نه!» سرش را با حیرتی که حالت منگ مجهولی داشت، تکان داد. گفت:

«قبل از اینکه بریم، من فقط یک چیز هست که میخوام ــ یک آرزو دارم.»

«چه آرزویی؟»

«که جلوی پدرم بایستم. جلوی او بایستم و با اسلحهٔ امپریالیستی خودشون، او رو گلوله‌بارون کنم...»

پسرک به چشمهای او، به عمق چشمهایش نگاه کرد.

«انتقام و نفرت خوب نیست. ببخشین.»

«انتقام در رگهای هر انقلاب جریان داره.»

«اگه ما کشتارهای شخصی بکنیم، گناه کرده‌ایم.»

میترا گفت: «تو هنوز موافق نیستی، ناصر عزیز من؟ ــ بعد از اونچه

که به سر برادرها و خواهر و تمام خانواده و زندگی تو آوردند؟»

«حالا دیگه وضع عوض شده. اهمیت نداره. خودت اون روز گفتی وضع عوض میشه. اونها زندگیهای خودشون‌رو کردند و رفتند. حتی رضا. اون هم مهم نیست.»

«من مهم هستم؟»

«تو برای من یک دنیا مهم هستی.»

«من غیرعادی و کمپلکس‌دار و عقده‌ای و غیرمنطقی و سرخود و نیمچه مارکسیست؟»

«و مهم.»

«دلم می‌خواست میتونستم امشب در عشق... با هم باشیم. همین جا، توی همین اتاق، که من این همه آرزوش رو داشتم. اما من از خودم شرم دارم. احساس می‌کنم آلوده و ناپاکم. احساس می‌کنم بدم و کثیف و چرک و ملوث و حرام و نجس و ناخالص، و دیگه چه کلمه‌ی مترادفی در این معنا در فارسی مونده که روی خودم بذارم. احساس می‌کنم کثافتم. امیدوارم فردا دیگه اینطوری فکر نکنم.»

دستش را سفت گرفت: «میترا... مگه تقصیر تو بوده؟»

«اگه تو با من باشی من پاک میشم.»

به او نگاه محبت انداخت و باز اشکهایش را لمس کرد: «من مرتب اینها رو خشک می‌کنم و مرتب دوباره راه میافتن...»

«فردا؟»

هنوز گونهٔ او را نوازش می‌کرد. «من برای نجات تو یک نفر را کشتم... عشق کردن از تیراندازی و کشتن سختتره؟...»

گفت: «خوشحالم...» جرعهٔ دیگری نوشید. بطری را به نرمی به لب پسرک گذاشت. پسرک آن را به نرمی پس زد: «امشب نه.»

«به خاطر من و به سلامتی امشب کمی بنوش. مگه دایی نگفت ایرانیان بزمهای شادی و پیروزی را با جرعه‌ای از شیرهٔ گیاه «هوم»

جشن می‌گرفتند؟»

«بعد...» بطری را از دست او گرفت و کنار دیوار گذاشت. «شما هم حالا بخواب، باشه؟»

«باشه. اگه تو بخوای.» دراز کشید و پتو را کشید روی خودش. «فردا...»

«چشم، دختر خوب.»

«بیا پهلوم بشین.»

«باشه.»

نیم‌تنه و اسلحه‌اش را درآورد، بعد آمد تکیه به دیوار دراز کشید.

فصل شصت و هفتم

دمدمه‌های سحر، میترا غلتی زد و چشمهایش را توی صورت او باز کرد.

او هنوز بیدار بود و نگاهش می‌کرد. بدون اینکه حرفی بزنند. بعد لبهای خشک و بیرنگش را بهم مالید.

«هوممممممم.»

برای اینکه چیزی گفته باشد پرسید: «تشنه‌ته؟»

«فعلاً دیدار تو کافیه. تو نخوابیدی؟»

«نه... نمیدونستم دوست داشتن میتونه انقدر خوب باشه.»

«تموم شب بیدار نشستی؟».

صدای اذان از پشت پنجره از ته درخونگاه می‌آمد.

«فقط بلند شدم رفتم دست نماز گرفتم و نماز خوندم و زود برگشتم کنارت. تمام شب نشستم صورت ترو تماشا کردم.» به دور صورت او انگشت کشید: «موهای ترو، گونه‌های ترو، ابروها و لبها و دماغ و چانهٔ ترو تماشا کردم. اگه نقاش بودم الان میتونستم بشینم از حفظ هزار تا پرتره بکشم...» بطری را برداشت، چوب پنبهٔ آن را درآورد.

«میخوای؟»

«کمی...»

میترا که او را، و تمام حرکات او را نگاه کرده بود، صورت او را لمس کرد. مدتی نگاهش کرد. پرسید: «حالت خوبه؟»

«حالم عالی‌یه. ما باید از درخونگاه بریم... بریم پیش دایی، و دنیای دایی...»

«باشه.»

گفت: «فرداست...»

گفت: «باشه. همه‌چی خوب و درسته.»

«امیدوارم...»

گفت: «نگاه کن، ناصر. درسته که ما عقدکردهٔ هم هستیم، اگر میخوای، اگر احساس راحت‌تری میخوای، میتونی اول ترتیب بدی یک سفر بریم یزد... اونجا درست و حسابی عقد و ازدواج بکنیم.»

«هر جور تو میخوای. اما ما عقدکردهٔ همدیگه‌ایم.»

«من همینجوری میخوام. وقتی دو نفر مثل من و تو همدیگر رو دوست دارند، از اون گذشته‌ها گذشته‌ن و به این دنیای تازهٔ خوب رسیدن، یک خطبهٔ عقد، یا ثبت اسمهاشون در دفاتر اسناد، چه فرقی به حال اونها و پیوند انسانی اونها میتونه داشته باشه؟... وانگهی حالا ما عقد دیگه‌ای داریم، خودمون جامعه و قانون هستیم.»

«میدونم.»

مدتی نگاهش کرد. «ضمناً من همه چی‌م خوب و درسته. بیا.»

او هم مدتی او را نگاه کرد، مطمئن نبود مقصودش را می‌فهمد. «فقط... تو تازه از زندون اومدی بیرون. تجربهٔ بدی داشتی. و با اون وقایع تیراندازی دیشب... شاید بهتر باشه به خاطر تو صبر کنیم تا مدتی بگذره.»

«من حالم خوبه. وضع روحیم عالیه.» بعد با خنده گفت: «معمولاً

دخترها در این جور لحظه‌ها ترسو و محتاط و دوراندیش میشن.»

«من خنگم.»

«ولی فرداست.»

فصل شصت و هشتم

جمعه‌ای سرد بود، با آفتاب درخشان.

او و میترا آمادهٔ بیرون رفتن بودند که احمد آمد. دو کاست از جدیدترین نطقهای آیت‌الله خمینی را هم با خودش آورده بود. یکی آخرین پیام او در پاریس و پشتش نطق کوتاه فرودگاه. دیگری پشت و رو نطق تاریخی در بهشت زهرا... احمد آردکپان بقدری شوق و هیجان داشت که با خودش نان تازه‌ای را که هر وقت می‌آمد بطور سنت از تافتونی سر کوچه یا از سنگکی زیر بازارچه می‌گرفت و می‌آورد، یادش رفته بود. حتی شادی عجیب و تازهٔ پسرک و میترا را هم متوجه نشد ــ گرچه از دیدن میترا خوشحال شد، و با میترا ناشیانه دست داد و چند کلمه‌ای حرف زد. احمد آردکپان از دو سه دوست محرمی بود که می‌دانست میترا پسر نیست و می‌دانست کیست و عقدکردهٔ دوستش است.

از میترا پرسید: «نطقهای روز آقا رو که شنیدین؟»

میترا گفت: «تمامشون رو که نه. من دیروز از زندان فرار داده شدم و مشغولیات داشتیم. دیروز غروب هم درگیری مختصری بود.» موضوع تیراندازیها و قتلها را نگفت. پسرک هم البته چیزی نگفت.

احمد گفت: «آقا کولاک کرد!... توی بهشت زهرا که معرکه بود. گفت من توی دهن این دولت میزنم. گفت من دولت تشکیل میدم. گفت من تمام این دولت و مجلس و بقیه مناصب را غیرقانونی اعلام می‌کنم. پسر، ماه بود. معرکه.»

میترا گفت: «نوارها رو بذار ما گوش کنیم.»

احمد گفت: «چشم... بازم دارم. اعلامیهٔ تازهم هست. شماها ناشتا زدین؟»

پسرک گفت: «فقط چای...»

«پس من برم کله‌پاچه و نون و پنیر بگیرم... باهاس جشن گرفت.»

«زنده باد...»

«درود بر امام خمینی.»

ناصر پرسید: «از بهمنی خبری هست؟»

«نه. اومد توله‌ش رو گرفت. غیبش زده.»

میترا گفت: «میریم خونه‌ش.» دستش را روی اسلحه‌اش گذاشت. «من صبح علی‌الطلوع با موتور رفتم در خونه‌ش. خونه‌ش خالی‌یه. وقتی بچه‌ش رو میگیره یکی از دخترعمه‌هام رو با لگد میزنه، ننه‌سگ. من رفتم خدمتش برسم. خونه‌ش رو خالی کرده، غیبش زده.»

میترا گفت: «ما خدمتش می‌رسیم. نگران نباش احمد آقا.»

احمد گفت: «بابا یه ظرف بدین من برم غذا مذا بگیرم.»

پسرک گفت: «باشه. منم با تو میام.»

میترا گفت: «اصلاً میتونیم بریم بیرون غذا بخوریم، میشه؟» نمیخواست از او جدا شود.

«چرا نمیشه؟»

«میتونیم بریم گشت بزنیم و یه جا ناشتا بزنیم.»

«میتونیم بریم هر جا...»

«بنزین داریم، احمد؟»

احمد گفت: «بنزین داریم، گالن گالن... نفت کشور دیگه مال مستضعفان شده. بزن بریم.»

«بریم.»

با دو تا موتور راه افتادند. او و میترا با یاماهای بزرگی که دیروز از رضا گرفته بود، احمد هم با هوندای تازهٔ خودش. از درخونگاه آمدند بیرون، و انداختند طرف شمال شهر و جاده پهلوی. احمد جفت آنها می‌آمد. هوندا و یاماها زیر پاهایشان مثل یک جفت مرغ طوفان غرش‌کنان موج می‌خورد. میترا از پشت سر طوری ناصر را چسبیده بود که انگار او را در بغلش پنهان کرده بود. خیابانهای شمال شهر خالی بودند. اثر زیادی از ارتشی و خودروهای مسلح و نفربرهای ارتشی و پلیس نبود. فقط جلوی پمپ بنزینها و نفت‌فروشیها صفهای بسیار بسیار طولانی بود. احمد از روی موتور خودش با صدای بلند و با عشق و کیف و هیجان نطقهای آیت‌الله خمینی را رله می‌کرد و در هوای یخبندان تهران تشعشع می‌داد. هر سه با هم شعارهای روز را می‌خواندند.

از تجریش هم خوشحال و خندان انداختند بالاتر. احمد سر بند یک کافهٔ خوب را می‌شناخت به اسم کافهٔ اسلامی، بالاتر از کافهٔ کوهپایه. با موتور رفتند توی حیاط کافه. بعد رفتند توی سالن سرپوشیده نشستند که با بخاری نفتی گرم شده بود. گفتند پیشخدمت هشت تخم‌مرغ املت کند بیاورد، با پیاز و پنیر... که به زودی همه چیز با نان تافتون فراوان و چای رسید. هر سه خیلی گرسنه بودند و می‌خوردند. میترا و ناصر مدام در چشمهای همدیگر نگاه می‌کردند و با احمد حرف می‌زدند، حرف امام خمینی و ارتش شاه و بختیار و دولت احتمالی بازرگان و تحصن آیت‌الله طالقانی در دانشگاه، و تظاهرات و اعتصابهای سراسری، قطع پخش مستقیم تلویزیونی ورود آیت‌الله

خمینی به وسیله ارتشیها را. و بعد احمد گفت شش تا تخم‌مرغ دیگر
املت کنند.

بعد از ناشتای کبیر به شهر برگشتند. از جاده قدیم آمدند پایین، و
بعد انداختند زیر دروازه شمیران و به طرف مدرسه علوی که محل
اقامت روحانیون مبارز بود. از پل چوبی به طرف پایین نمی‌شد جلو
رفت. مردم مثل آب دریای معجزه‌ای که طوفان معجزه‌آساتر کرده
باشد خیابانها را پر کرده بودند. بعد از مدتی پرسه‌زدن و شعار دادن،
انداختند توی خیابان سعدی و آمدند پایین طرف بازار و گلوبندک.
وارد بوذرجمهری می‌شدند که میترا رو به ناصر گفت:

«من میخوام برم طرف پادگان جمشیدیه ـــ»

«الان؟» در چشمهای او درد کهنه‌ای می‌دید.

«آره. ببینم چه خبره.»

اینجا جایی بود که بسیاری از رجال و تیمساران «بازداشت» شده
بودند.

«دوستانی اونجا داریم.»

«باشه.»

«بعد هم میریم دانشگاه ببینیم بچه‌ها چه میکنند، چه برنامه‌هایی
دارند.»

او به طرف احمد داد زد: «احمد، ما داریم میزنیم طرف دانشگاه.»

احمد گفت: «شما برید... من باید برم پیش آقارضا، کارم داشت.
خداحافظ. سرشب میام خونه پهلوتون.»

«خداحافظ، احمد.»

احمد داد زد: «الله اکبر.»

میترا دست تکان داد و خداحافظی کرد. گفت: «متشکرم که آمدی،
احمد. اگه اعلامیه تازه‌ای بود بیار.»

«چشم، خداحافظ.»

آمدند خانه بنزین زدند و بعد رفتند بالا طرف میدان ولیعهد، از آنجا انداختند توی بولوار و از امیرآباد رفتند طرف غرب. اطراف پادگان جمشیدیه را، که مثل یک قلعه مرکز فرماندهی جنگ، محافظت می‌شد، تا آنجا که می‌شد دور زدند. تانکهای بزرگ چیفتن و کامیونهای افراد مسلح و جیپهای مسلح به اسلحه‌های سنگین و سبک خیابان خورشید و خیابان مشعل و حتی محوطه پشت پادگان را که بیابانهای بزرگراه به آن می‌خورد، همه جا را محاصره کرده بودند. بعد از مدتی آمدند جلوی یک لبنیات‌فروشی دریانی، سر خیابان فرعی شیبانی، یک خیابان فرعی پایین‌تر از پادگان. میترا رفت از مغازه یک پاکت سیگار شیراز و کبریت خرید و آمدند سر فرعی ایستادند و پادگان را با سردر پر طمطراق و تاج و همه چیزش نگاه کردند.

میترا به دیوارهای سیم‌خاردار کشیده‌شده نگاه می‌کرد و چشمهایش از غم و دردی کهنه پر بود. لحظات خنده و شادی ناشتای دربند رفته بود.

پسرک پرسید: «ترو... اینجا نگه داشتند؟»

«آره، چهار روز... روز اول جد و آبادم رو با سؤال پیچ کردن درآوردند. اما غروب که فکر می‌کنم پارتی‌دار شدم یکهو از من محافظت شاهانه کردند.»

«اون روز رو من یادم هست. به تاخت رفتم به مادرت خبر دادم. لابد باز یک تلفن کرد.»

«مطمئناً. ولی این دفعه انگار خرشان زیاد نمی‌رفت.»

سوار شدند و از خیابانهای خلوت امیرآباد آمدند به طرف دانشگاه. روز بالا آمده بود و خورشید با گرمی بیشتری می‌درخشید. پسرک یواش می‌آمد. انگار خیابان و ترافیک شهر نبود و آنها روی زمین نبودند و یاماهای قرمزرنگ روی ابرهای پنبه‌گون آسمان آبی

می‌لغزید. باد سردی که توی صورتشان می‌زد، نسیم بهشت بود. میترا حالا کم حرف می‌زد، و او در حافظه‌اش یاد سحر امروز بود، آنجا توی آن اتاق، که تمام زندگی دردناکش در آن گذشته بود، و ناگهان تجربهٔ زیبا و تکان‌دهندهٔ آن سحر، تمام وجود او را زیر و رو کرده بود.

*

شبها خوب بود و روزها می‌رفتند دور و بر پادگان جمشیدیه مثل ارواح احضارشده می‌پلکیدند. بعد به دانشگاه می‌رفتند، یا چون میترا می‌خواست در تظاهرات و حمله‌های خیابانی شرکت می‌کرد، که حالا روز به روز خشن‌تر و گستاخانه‌تر می‌شد. در تظاهرات و در حضور افراد گروههای دیگر، میترا مطابق معمول خودش را به لال بودن می‌زد، و حرف نمی‌زد. مردم فکر می‌کردند او پسربچه‌ای لال است. آنها هر روز ساعتها در دانشگاه بودند و با گروههای طرفدار خمینی و مجاهدین و فدائیها و بقیه سیل برانگیختهٔ بچه‌ها، با سربازها جنگ و گریز می‌کردند. ماشینها را آتش می‌زدند، یا حتی به کلانتریها و جیپهای ارتشی یا ماشینهای پلیس حمله می‌کردند، آنها را می‌زدند، فرارشان می‌دادند، یا خلع سلاح می‌کردند و اسلحه‌ها را به مسجد دانشگاه می‌بردند.

قوای انتظامی هم‌اکنون به ملت پیوسته یا بی‌طرف بودند. فقط ارتش بود که با تزلزل مقاومت می‌کرد، و بیشتر از نیروهای دیگر مورد هجوم انقلابیون قرار می‌گرفت. جعفر زمانی حالا عملاً در خیابانها سرپرستی شعار دادن چند واحد و گروه از بچه‌ها را به عهده داشت. پسرک و میترا و احمد آردکپان و کریم ریزه جزو گروههای او نبودند. ولی همه برای هدف سرنگونی دولت و ارتش مبارزه می‌کردند. بچه‌ها جلوی کامیون سربازهای هاج و واج و دلمرده می‌ایستادند، هوار و فریاد می‌کردند، شعار می‌دادند و آنها را تشویق

می‌کردند که به حزب‌الله و به خلق خدا، به جهاد خمینی ملحق شوند، یا آنها را مسخره می‌کردند و آزارشان می‌دادند.

ارتش به این بی‌غیرتی
هرگز ندیده ملتی

وقتی یکی از ارتشیها به صف آنها می‌پیوست، آنها او را به دوش گرفته و برایش دست می‌زدند و یونیفرمش را به تنش پاره کرده و به او لباس شخصی می‌دادند و اسلحه‌اش را به مسجد دانشگاه یا به کمیتهٔ امام در مدرسهٔ علوی می‌بردند.

روز دوم او و میترا، احمد و کریم و چند تا از بچه‌های دار و دسته را برداشتند و به خانهٔ بهمنی حمله کردند، گرچه خانه تقریباً خالی بود. بعد از آنکه در را شکستند، او و میترا با شلیک چند گلوله آینه و شیشه‌های تمام قد پنجره‌ها را شکستند و تمام خانه را آتش زدند. همسایه‌ها و کسبه محله جیک نزدند، حتی برایشان دست زدند، و آنها به در خانهٔ بهمنی علامتی زدند که روی آن با ماژیک قرمز کلمات «ساواکی جانی و کثیف فراری» نوشته شده بود.

آنها به محوطهٔ مدرسهٔ علوی که اکنون آیت‌الله خمینی و بیشتر اطرافیانش آنجا بودند نمی‌رفتند، چون بی‌نهایت شلوغ و نفس‌گیر بود. فقط یک بعد از ظهر، به هزار زحمت، به خانه حجت‌الاسلام علوی رفتند، که خانه‌اش جفت مدرسه بود و رضا و اغلب یاران امام آنجا بودند. احمد و دائیش شیخ عبدالحسین قلیونی هم آنجا بودند. رضا نبوی این روزها توی تظاهرات کم پیدا بود، چون می‌گفتند با چند تن دیگر از محرمان حلقه یاران نزدیک مشغول برنامه‌ریزی و اجرای فعالیتهای دولت جدید است.

جمعه بعد، طواف به دور پادگان جمشیدیه به علت دیگری متوقف شد. احمد صبح زود به خانهٔ درخونگاه آمد و گفت امروز باید به

مدرسه علوی بروند که خبرهای مهمی است. رضا خواسته بود همه در آنجا جمع شوند و تظاهرات پشتیبانی از همیشه قویتر باشد. آنها به کمک افراد گروه رضا و همراه شیخ عبدالحسین قلیونی از در عقب مدرسه داخل شدند و جزو جمعیت بر خوردند. میترا هنوز لباس پسرانه تنش می‌کرد و کسی متوجه نمی‌شد. اطراف مدرسه تا دهها کوچه و خیابان، مردم به تظاهرات ایستاده بودند. آن روز، در واقع یکی از نقطه‌های عطف انقلاب از آب درآمد. روزی بود که آیت‌الله خمینی آقای بازرگان پیر و ملی‌گرا را به عنوان نخست‌وزیر دولت موقت انقلاب اسلامی معرفی کرد. جناب حجت‌الاسلام رفسنجانی حکم نخست‌وزیری بازرگان را که روی یک ورقه کاغذ امتحانی خط‌دار نوشته شده بود بلند بلند خواند. دستهایش می‌لرزید. بازرگان کنار امام نشسته بود. بعد امام صحبت کرد و از بازرگان تمجید و ستایش نمود. او را مردی مسلمان، و مبارزی با ایمان خواند. از او خواست اعضاء هیأت دولت انقلابی را تشکیل و آن را تحت همکاری با شورای انقلاب و به نفع خلق مستضعف و با سیاست نه غربی نه شرقی اداره کند... او همچنین در آن نطق آزادی گروهها و احزاب را تجت حکومت الهی تضمین کرد، نوید استقلال و آزادی و حکومت اسلامی را تکرار نمود. از تمام ارتشیان خواست که سوگند خود به شاه را کان‌لم یکن تلقی کنند، چون آن سوگند شرعی نبوده و باطل است. از تمام کارکنان دولت خواست که از دولت غیرقانونی بختیار اطاعت نکنند، و وزراء و رؤسای خود را که به حکومت انقلابی نپیوسته‌اند از ادارات بیرون بیندازند. و از کلیه اقشار مردم خواست با ارتش شاهنشاهی و طرفداران آن شدیداً مبارزه کنند. میترا گوشهٔ بازوی او را فشار داد و لبخند زد.

از آن ساعت به بعد، خیابانها و ادارات دولتی در هرج و مرج و طغیان مطلق قرار گرفت. مردم می‌ریختند توی خیابانها اگر افسر

ارتشی می‌دیدند او را می‌گرفتند، کتک می‌زدند و کشان کشان به
مساجد می‌بردند. توی بولوار کریم‌خان و خیابان تخت‌جمشید به چند
تا وزارتخانه حمله کردند و غنائم خود را به مسجد دانشگاه، پیش
آیت‌الله طالقانی بردند. وقتی نیروهای مسلح به آنها حمله می‌کردند،
آنها با سنگ یا کوکتل‌مولوتف برخورد می‌کردند، یا به خیابانهای
فرعی و کوچه‌ها فرار می‌کردند، جلوی آنها را با آتش زدن لاستیک
کهنه، صندوق میوه، یا ماشینهای وارونه شده سد می‌کردند، و با آنها
می‌جنگیدند، و خوشحال بودند. اینها کارهای روزانهٔ آنها بود. شب
داستان دیگری داشت.

شبها، خسته ولی با هیجانی پنهانی به خانه می‌آمدند. چراغ گاز و
بخاری نفتی را روشن می‌کردند ــ که لازم هم نداشتند ــ و با هم
بودند و حرف می‌زدند. زیاد پابند غذا نبودند، اگر بود ساندویچی
می‌خوردند، چیزی می‌نوشیدند، پسرک نمازش را می‌خواند، عشق
می‌کردند، رادیو گوش می‌کردند، و تا ساعتها بعد از نیمه شب حرف
می‌زدند. شبها به این نحو ناگهان به صبح می‌رسید و نمی‌فهمیدند وقت
چطوری گذشته است.

میترا در آن شبها خیلی زیبا بود، یعنی از همیشه قشنگتر شده بود.
ناصر نمی‌دانست او چه وقت فرصت کرده بود که به آرایشگاه برود.
سرش را کوتاهتر و مدل دیگری درست کرده بود. بوی شامپو یا عطر
خوبی هم می‌داد. وقتی کنار هم دراز کشیده بودند، و نور کم بخاری
و آباژور کوچولوی تازه‌شان از طرف پشت سر میترا می‌تابید،
قشنگتر بود. در پرتو سایه‌روشن زرد و صورتی، او با موهای خیلی
کوتاه و صورت لاغر مثل یک عروسک فضایی درخشنده بود، با
درخشش یک آتش نرم، یا تابش یک خورشید خصوصی، که در
شبی تاریک دمیده باشد و او را به کهکشانی تازه برده باشد.

«صبر کن یه چیزی از آنچه که تو خیلی دوست داری برات

بخونم. مگر قرار نیست بریم یزد؟»

دستش را دراز کرد و از گوشهٔ اتاق کتاب «گاتها۔سرودههای زرتشت» را برداشت که سالها پیش بین آنها رد و بدل و حالا کهنه شده و غبار خاطرهٔ سالهای جدایی آنها را داشت. کتاب را روی سینهاش باز کرد. جایی را که خودش سالها پیش سطورش را با مداد خط کشیده بود، برای پسرک خواند:

٭

«بشود که در این خانه فراز آید خشنودی پاکان

توانایی و سود و فر و آسایش

بشود که در این خانه فراز آید آشویی و تندرستی

به پهنای جهان

به درازای رودخانه

و به بلندی خورشید تابان

بشود که فراز آید در این خانه پیروزی...»

شور و سرمستی نور تازه آنها را در خود تعمید میداد، آنها را با خود میبرد. و این ترکیبی از انگیختن احساسهای بیزاری از گذشتهها، و شور تازه و احقاق حقی بود که شمع وجود جدید آنها را شکل میداد. آنها با این ترکیب عشق می کردند.

فصل شصت و نهم

شنبه بیستم بهمن، صبح هنوز توی رختخواب بودند، که حدود ساعت هشت احمد آمد و داشت در را از جا می‌کند. پسرک پاشد و دوید رفت در را باز کرد.

در ثانیه اول احمد گفت: «توی نیروی هوایی داشم‌اینا جنگه!» بقدری به هیجان آمده بود که پسرک حرفش را درست نمی‌فهمید.

«چی شده احمد؟ کجا جنگه؟»

«داشم اینها دارن با گاردیا جنگ میکنن و گاردیا محاصره‌شون کرده‌ن.»

«گاردیا کی‌ها هستن؟»

«گارد شاهنشاهی... آموزشگاه نیروی هوایی داشم‌اینا به طرفداری از امام طغیان کرده‌ن و دارن با گاردیا جنگ میکنن.»

هنوز توی هشتی بودند که میترا هم لباس پوشیده آمد. پرسید: «خبری یه بچه‌ها؟»

ناصر گفت: «من که نمیفهمم. احمد جوش آورده. ظاهراً آموزشگاه نیروی هوایی که رسول داداش احمد اونجاست شلوغ شده.»

«راستی؟»

احمد گفت: «بچه‌ها دارن با گاردیا جنگ میکنن. گاردیا با توپ و تانک و زره‌پوش و هلیکوپتر به پادگان داداشم‌اینا حمله کرده‌ن، دارن قتل‌عامشون میکنن.»

میترا گفت: «آموزشگاه نیروی هوایی توی خیابان نیروی هوایی پایین‌تر از چهار راه کوکاکولا؟»

«آره. آره.»

«اونجا که پادگان نیست، آموزشگاست...»

احمد گفت: «آره. مردم ریخته‌ن دور آموزشگاه رو گرفته‌ن نمیذارن گاردیا برن جلو. اما اون پدرسگا از بالا دارن با هلیکوپتر هوانیروز تیربارونشون میکنن. من الان اونجا بودم. قیامته! گفتم بیام به شماها و بقیه بچه‌ها بگم. نیرو ببریم.»

میترا گفت: «عالی‌یه. باید بریم.» بعد رو به ناصر گفت: «کلتها رو بردار. احمد تو هم هر چی بطری و بنزین اضافی هست بردار. می‌گذاریم توی یه جعبه. یالّا بچه‌ها...»

وقتی داشتند بطریهای بنزین را توی یک جعبه می‌گذاشتند، و حاضر می‌شدند. ناصر از احمد پرسید: «کسی هم اونجا کشته شده؟»

«نمی‌دونم. اما مرتب آمبولانس می‌اومد و میرفت.»

«از رسول چه خبر؟»

«نمیدونم... رسول اون توئه. هیچکس نمیتونست از آموزشگاه بیاد بیرون. یا بره تو... الاّ آمبولانسها. اونم بزور. پریشب داشم اومد خونه که زن و بچه‌ش رو ببینه. دیروز صبح زود وقتی می‌رفت بیرون اونها رو ماچ کرد. ننه رو هم ماچ کرد. همه رو ماچ کرد و گفت حلالم کنید. گفت قراره پادگان شلوغ بشه. گفت بچه‌ها میخوان اعتصاب کنن. گفت گاردیا و هوانیروزیا از طرف بختیار و از طرف خسروداد و بدره‌ای و رحیمی ریخته‌ن توی پادگان. گفت اونها رو خیلی کنترل

میکنن و سختگیری میکنن و تهدید کردهن که اینجا ارتشه و اگه بر علیه شاه تظاهرات بکنن همهشون رو دستگیر و با حکم دادگاه صحرایی اعدام میکنن.»

میترا حاضر شده بود. گفت: «بریم بچهها.»

اسلحهها را برداشتند. میترا تمام خشابهای اضافی را هم برداشت. احمد مسئول بطریهای بنزین کوکتلمولوتف شد. وقتی از در خانه آمدند بیرون، پسرک از احمد پرسید: «رضا از این جریان خبر داره؟»

احمد جواب داد: «پس چی؟... پریروز صدتا، هزارتا، از بچههای آموزشگاه و همافرها و افسرهای هوایی رفته بودند جلوی مدرسه علوی پیش آقا. نمایندهشون با آیتالله مفتح و آقارضا رفتهن پیش آقا... آقا هم خبر داره، موافقت کرده که مقاومت کنن.»

میترا گفت: «ما هم میریم مقاومت کنیم... ارتش خلقی مقاومت.»

احمد گفت: «ارتش سه نفره!»

«بریم، فرمانده. فیلد مارشال احمد آردکپان از ولی آبادون.»

احمد گفت: «الله اکبر.»

میترا گفت: «شاه... ما اومدیم.»

سر کوچه کریم را دیدند که چند تا از بچههای کوچکتر را جمع کرده بود. کریم برای بچهها یک تایر کهنه و دوتا دله آشغال و مخلفات آتش زده بود. بچهها داد میزدند: «نه شاه میخوایم نه شاپور / لعنت به هر دو مزدور / درود بر خمینی.»

احمد گفت: «کریم میای بریم جنگ؟»

کریم دهان همیشه بازش بازتر شد: «ج ـ ج ـجنگ؟» باز توی سرما دماغش سرخ، و لولههای دماغش مرطوب بود.

«آره. که کوکتلمولوتف پرت کنیم.»

«چ ـچ ـچی؟»

«کوکتل‌مولوتف. شیشه بنزین و آتش پرت کنیم، به گاردیا... به سربازهای گارد شاهنشاهی».

«ج ــ ج ــ جنگ کنیم؟ باشه... من خوب بلدم مولوتف پرت کنم. بعد کریم به بقیه بچه‌ها رو کرد و گفت: «بچه‌ها شما اینجا سنگربازی کنین... من باهاس برم با گاردیا جنگ کنم. مولوتف پرت کنم».

همه خندیدند. کریم آمد ترک موتور احمد نشست که امروز یک سوزوکی زیر پایش بود. میترا خودش پشت فرمان یاماها نشست و پسرک ترک او. امروز آنچنان به کمر او دست انداخته و او را چسبیده بود که گویی این دنیای او بود، و دیگر هیچ.

به فاصله چند دقیقه در خیابان نیروی هوایی بودند. نزدیکیهای آموزشگاه نیروی هوایی، در طول خیابان اصلی و فرعیهای اطراف آن، به اندازهٔ هفت هشت هزار نفر از مردم محل و جوانها و بچه‌ها و عده‌ای هم چریک عملیات‌دیده جمع شده بودند، و آموزشگاه را تقریباً در محاصره داشتند. در آن موقع برخورد و جنگی در خیابان جریان نداشت. داخل محوطه هم ظاهراً ساکت بود. فقط گهگاه از یک طرف صدای رگبار تیر می‌آمد. مردم می‌گفتند که عدهٔ زیادی از گاردیها داخل محوطه هستند، و پرسنل نیروی هوایی را در سالن و در خوابگاههایشان محاصره کرده‌اند. گفتند یک گردان قوی کمکی از گاردیها آمده بود، ولی نتوانسته بود وارد پادگان شود و برگشته بود طرف بیمارستان. قرار بود قوای بیشتری برای گاردیها برسد... مردم ظاهراً تمام استراتژیها را می‌دانستند، و خودشان در عملیات بودند، و سعی می‌کردند از ورود قوای کمکی گارد ممانعت کنند.

احمد راست گفته بود، مردم از پیر و جوان، از گدا و اعیان آمده بودند ــ با هر اسلحه‌ای که توانسته بودند پیدا کنند. عده‌ای به خاطر اینکه بچه‌شان یا برادرشان یا قوم و خویششان در آنجا، در آموزشگاه بود، یا جزو پرسنل بود... بقیه از انقلابیون مبارز بودند که به خاطر

پیامهایی که دانشجوها و همافرها برای کمک فرستاده بودند، آمده بودند. مردم، پیر و جوان، زن و مرد، مبارزه می‌کردند.

آنها کنار پیرزنی ایستاده بودند که با دخترش و نوه‌اش آمده بود تماشا. دخترش، مادر یکی از دانشجوها بود. نوه‌اش با تیر و کمان و سنگ برای نجات برادرش آمده بود. مادر فقط توی لُپَش می‌زد. اما پیرزن یک کارد آشپزخانه به دست داشت.

میترا از پیرزن پرسید: «مادر، از کی تا حالا اینجا هستید؟»

«از دیشب تا حالا...»

«چرا اومدین؟»

«چی چرا اومدیم؟... واسه اینکه بچه‌م اونجاست. نوه‌م اون‌توئه. گاردیا دارن با گلوله شهیدشون میکنن.»

میترا گفت: «غصه نخور، مادر... ما نمیذاریم... خلق نمیذارن.»

پیرزن گفت: «بله، خلق الله نمیذارن. ما خودمون ذُرّیاتشون رو ورمیداریم. اِهِه. مگه شهر هِرته؟... توی دهنشون میزنیم... امام گفته جهاد کنین...» جملهٔ آخر را جوری ادا کرد که گویی آخرین کلام مطلق روزگار است.

میترا پرسید: «چه جوری شروع شد؟ شماها چه جوری فهمیدین؟»

پیرزن گفت: «دیشب غروب بچه‌ها بعد از شام حیوونی‌ها میخواستن فیلم تشریف فرمایی آقا رو توی تله‌بیزیون تماشا کنن... آخه قرار بود دیشب فیلم تشریف‌فرمایی آقا رو توی تله‌بیزیون نشون بدن. اما گاردیای جونم‌مرگ‌شده و مأمورهای بختیار نمیذارن و تله‌بیزیون رو قطع میکنن، و سلام شاهنشاهی میذارن. بچه‌ها صلوات میرفستن و الله‌اکبر میگن و شروع میکنن به تظاهرات و جهاد کردن واسه‌ی آقا... گاردیای ذلیل مرده‌م اونها رو با تیر میزنن. چندتاشون رو لت و پار میکنن و بقیه رو هم میخوان دستگیر کنن... بچه‌ها هم

مقاومت میکنن... قمربنی هاشم حفظشون کنه.»

میترا گفت: «ایشالاّ، مادر.»

آنها آن روز تمام صبح را تا ساعتهای اول بعد از ظهر، مقابل پادگان نیروی هوایی ماندند و به مردم کمک کردند که سنگرهای کیسه شن و سنگرهای کیسه خاک درست کنن. همچنین کمک کردند سدّ معبرهایی که با آتش زدن تایر و حتی ماشین و هرچه به دستشان می‌رسید، درست کنند. هنگام عصر، که او و میترا موتورسیکلت به دست از میان جمعیت جلوی دروازه ورودی آموزشگاه آمدند بیرون، در اطراف پرسه زدند. همه جا، حتی تا دورترین نقطه‌ها، تا میدان ژاله و میدان بهارستان مردم در حال سنگرگیری و مبارزه بودند. بعد سوار شدند، و به خواست میترا یک سر رفتند به محوطه پادگان جمشیدیه. آنجا وضع هنوز نسبتاً عادی بود. یعنی چندان شلوغ نبود. هنوز قوای مسلح آنجا را در احاطه داشتند. اما نزدیکیهای غروب که به محوطه جلوی آموزشگاه نیروی هوایی برمی‌گشتند، در تمام مسیر راه، قوای مسلح زیادتر شده بود، و از درون صحن آموزشگاه هم صدای تیراندازی و درگیری زیاد می آمد.

آنها احمد و کریم ریزه را وسط چند بچه و جوان دیگر حالا بالای یک کامیون ارتشی تصرف‌شده پیدا کردند و باز به آنها ملحق شدند، موتور را هم بردند بالا.

میترا گفت: «هی... چه خبره؟ وضع شماها خوبه.»

احمد و کریم مقدار زیادی نان سنگک داغ گیر آورده بودند و از یک جا هم یک قابلمه بزرگ قیمه‌پلو، و مشغول بودند.

احمد گفت: «گاردیا با هلیکوپتر اومده‌ن رفته‌ن تو... قوا پیاده کرده‌ن.»

پسر دیگری که قدی بلند داشت و یک کلاهخود نظامی هم بر سر داشت، گفت: «آره، با هلیکوپتر اومده‌ن رفته‌ن تو، ننه‌سگا.»

جوان دیگری که کوتاه و خپله بود و بیشتر صورتش را با شال گردن پیچازی فلسطینی پوشانده بود، گفت: «رنجرهای هوانیروز بودن.» او خوب می‌دانست که چه می‌گذرد. گفت: «با هلیکوپترهای کبرام اومده‌ن تیراندازی هم کردن.»

کریم گفت: «خ ـ خ ـ خیلی پایین بودن.» دهانش پر از قیمه پلو بود.

احمد گفت: «اگه یه ژ-۳ داشتیم از همین جا میزدیمشون.»

جوان کوتاه و خپله گفت: «نه، اونها ضد گلوله هستن. گلوله ژ-۳ بهشون اثر نداره.»

جوان بلند قد گفت: «داغونشون میکنیم.»

او و میترا آن دو جوان را می‌شناختند، اما لازم هم نبود، امروز تمام جمعیت همه یک هدف داشتند.

میترا پرسید: «کی میدونه اون تو دقیقاً چه خبره؟»

جوان چریک خپله گفت: «نیروی هوایی شورش کرده.»

میترا گفت: «پس تا صبح اینجا هستیم.»

کریم گفت: «سا ـ سا ـ ساعت نُه، حو ـ حو ـ حکومت نظامی‌یه.»

«گور بابای حکومت نظامی».

«امام حکومت نظامی رو غیرشرعی و غیرقانونی اعلام فرمودن.»

میترا گفت: «باید بریم روی اون پشت بامهای روبرو... با ژ-۳ و ام-یک میتونیم تک تک بزنیمشون. یا مجبورشون کنیم دفاع کنن. احمد و بقیه میتونن کامیون رو ببرن سر چهار راه کوکاکولا و اونجا رو ببندن. سر ژاله رو که بسته‌ن.»

چریک خپله گفت: «اگه یکی از تانکهاشون رو بگیریم میتونیم دروازه رو بشکنیم بریم تو.»

میترا گفت: «این همه مردم خودشون میتونن دروازه رو که هیچ،

دیوار رو هم از جا بکنن.»

پسرک از احمد پرسید: «داداشم اینجا نیومده؟»

«نه. من که ندیده‌مش، اما کاش پیداش بشه.»

«موضوع نیروی هوایی مثل توپ توی شهر پیچیده.»

احمد گفت: «ناصرخان شما برو مدرسه علوی به آقا رضا بگو که اینجا چه خبره.»

«من همین جا میمونم.»

«پس من میرم. ما به کمک احتیاج داریم. اگه آقارضا بهش خبر برسه و بفهمه نیم دقیقه بعد پونصد تا چریک با ام-یک و توپ میریزن اینجا.»

«تو میتونی وارد مدرسه بشی؟»

«آره، دائیم اونجاست.»

ناگهان صدای انفجاری آمد. بعد صدای شکستن شیشه و ریختن دیوار و آوار بلند شد. شعله و دود زیادی از پشت دیوار آموزشگاه زبانه کشید. صداهای فریاد «مرگ بر شاه» و بانگ «الله‌اکبر» بلند شد. تیراندازی و رگبار قطع نمی‌شد. جمعیت توی خیابان هم ناگهان به فریادهای آمیخته با خروش و شیون و ضجه پرداختند. پیرزنی که کارد آشپزخانه دستش بود و نوه‌اش در آموزشگاه بود، زد توی سر خودش: «وای! کشتندشون! وای! تیکه تیکه‌شون کردن.» به جلوی دروازه رسید و موج جمعیت دور و برش بودند.

میترا گفت: «مثل اینکه دیوارهای ساختمان را دارند خراب میکنند. دارند حمله میبرند به داخل ساختمان.»

احمد گفت: «منم بهتره همین جا باشم، انگار داره یه خبرهایی میشه.»

«باش، احمد. رضا اینها حتما تا حالا خودشون با خبر شده‌ن. الان همه جای شهر خبردار شده.»

احمد گفت: «رادیو در اخبارش گفت که نیروی هوایی شلوغ شده.»

آن شب، علیرغم حکومت نظامی، بیشتر جمعیت همانجا باقی ماندند، و تا صبح سنگرها را محکمتر کردند، و آتشها را بیشتر. تا صبح غرش بود و فریاد. در داخل پادگان آموزشگاه هم جنگ و مقاومت ادامه داشت. گاهی دروازه باز می‌شد و آمبولانسی تردّد می‌کرد. اما قوای مسلح پشت در بودند و با اسلحه و شلیک هوایی مردم را به عقب می‌راندند. مردم در این موارد به سربازها حمله نمی‌کردند، و برای آمبولانس راه باز می‌کردند. نمی‌خواستند رفت و آمد آمبولانسها قطع شود، ولی از ورود یا خروج وسائل یا قوای مسلح جلوگیری می‌کردند. از مجروحینی که خارج می‌کردند فهمیده می‌شد که سربازهای گارد شاهنشاهی و گارد جاویدان دیوارهای سالن و کافه تریا را منفجر کرده بودند، و از بالای پستهای دیده‌بانی به هر طرف تیراندازی می‌کردند.

بعد از پخش این اخبار در سطح شهر، تراکم جمعیت جلوی آموزشگاه بیشتر و بیشتر شد، و حمله و فشار مردم هم بیشتر. و با اولین روشنائیهای صبح، ناگهان صدای حرکت تانکها و جیپهای بسیار بیشتری از دور بلند شد.

*

یک نفر از بالای یکی از کامیونهای تسخیرشده فریاد زد: «گارد ویژه دربار داره میاد.»

«دارن نزدیک میشن.»

میترا که مدتها بود کنار پسرک آرام ایستاده و حرف زده بود داد زد: «کوکتل‌مولوتفها رو آماده کنید.»

جمعیت هم بیشتر فریاد زدند و شعار دادند و جنگ و گریز کردند. صدای شلیک و رگبار هم حالا سرسام‌آور بود. اما ظاهراً بیشتر هوایی.

بچهها بالای کامیون روباز، پشت نردهها سنگر گرفته و جلوتر از آنها هم آتشی بزرگ از تایر و در و پیکر و یک اتوبوس وارونه به آسمان میرفت.

تازه هوا روشن شده بود که پسرک او را دید. پشت یک تانک، چند دستگاه جیپ مجهز به مسلسل سنگین در حرکت بودند، و او روی صندلی جلوی جیپ اول، بغل دست راننده بود... یک افسر درشت هیکل، با سبیلهای پُرپشت و صورت سفید. اول از کلاهخود بزرگ و خاکخوردهاش که تا روی دماغش پایین آمده بود، او را خوب نشناخت و با تردید نگاهش کرد. اما وقتی برگشت و به میترا نگاهی انداخت، دید میترا هم به صورت آن افسر خیره شده است. از چشمهای خشمناک میترا یقین حاصل کرد آن افسر کیست.

«نگاه کن، چه کسی اونجاست.»

«آره، توی اون جیپ جلویی.»

«باور نمیکنم.»

میترا گفت: «خودشه. شوهر خواهر جاودانی بنده... محافظ ویژه علیاحضرت... که حالا خودشان در مراکش نزول اجلال فرمودهاند. برو تو قیافه.»

هیچکدام نمیتوانستند باور کنند: «برو تو غرور...»

میترا گفت: «پر غروره. گامبو اومده سلطنت و تاج و تخت رو حفظ کنه... میتونست در مراکش باشه و شراب ریسیلینگ آزادی نوش جان کنه. اما لول غرور و عشق شاهه.»

همیشه، وسط زد و خورد و جنگ و تق و توق، میترا به جای احساس ترس یک جور طبع شوخ پیدا میکرد، که مطبوع هم بود، و ترس و لرز عملیات را سبک و حتی فراموش میکرد، که لابد در حین آموزش به او یاد داده بودند.

ناصر گفت: «دفعهی آخری که من سرهنگ رو دیدم لول ماری

جو آنا بود.»

«اون سالها لول شاهنشاه و شهبانو بوده.»

در یک لحظه پسرک فکر کرد که دست میترا رفت زیر نیم‌تنه‌اش برای کشیدن اسلحه. اما بعد دستش خالی بیرون آمد. انگار حالا او هم دلش به حال شوهر خواهر بدبخت و در سراب مانده‌اش سوخته بود.

صدای رگبار از تسلیحات گارد بلند شد. تانک جلوی جیپها آمد و سنگر و موانع وسط خیابان را خرد و له کرد. باز هم جلوتر آمد تا رسید جلوی دروازه آموزشگاه. از بالای کامیونی که بچه‌ها آنجا سنگر گرفته بودند، میترا داد زد: «همه رو زمین دراز بکشین.» رگبار مسلسل‌های گارد، تار و پود این کامیون را هم به لرزه درآورد و حتی در و بدنه کامیون را داغون کرد. اما جمعیت همچنان غرش‌کنان در پیاده‌روها پیش می‌رفت، و با حجم موج خود جلوی تانک و قافله‌ای را که دنبالش بود می‌گرفت. مردم فریاد می‌زدند، «برگردین... گم‌شین.» پیرزنی که نوه‌اش آنجا بود، ضجه زد «برادرکشی نکنید. شاه و گنده‌گنده‌هاتون فرار کرده‌ن... شمارو گذوشته‌ن که برادرهاتون‌رو بکشین... بچه‌های مردم‌رو نکشین. خدا ذلیل‌تون کنه.» صدای رگبار مسلسل پیرزن را انداخت.

سرهنگ جهانگیر که حالا توی جیپ تقریباً ایستاده بود. با یک بلندگوی دستی اعلام کرد: «تیراندازی نکنید... به طرف مردم تیراندازی نکنید. اهالی محترم خواهش داریم اجازه دهید این گروهان برای رفع غائله وارد پادگان شود. ما از شما هستیم.» در آن لحظه جیپ سرهنگ جلوی دروازه پادگان و تقریباً وسط مردم بود.

پسرک او را نگاه می‌کرد. نمی‌دانست از مغز او چه می‌گذرد. در یک لحظه، دلش می‌خواست خودش را به سرهنگ برساند و به او بگوید که هر چه زودتر شهر را ترک کند. همانطور که آن شب کذایی در درخونگاه سرهنگ به او پیشنهاد کرده بود شهر را ترک

کند. یک نفر فریاد زد «الله اکبر...» و میترا فریاد زد «مرگ بر شاه!... مرگ بر گارد!» ناگهان مردم به تبعیت از شعارها فریاد زدند: «مرگ ـ بر ـ شاه... مرگ ـ بر ـ گارد.»

بعد او در یک چشم بهم زدن دست کریم را دید. با یک بطری مشتعل بالا رفته و آن را به طرف سرهنگ جهانگیر نشانه رفت. بطری درست توی سینه افسر گارد ویژه محافظ شهبانو خورد. در یک آن جلوی یونیفرم او آتش گرفت. مردم هنوز فریاد می‌کشیدند و شعار می‌دادند. در همان ثانیه چریک خپله هم دستش بالا رفت و چیزی را به طرف جیپ فرماندهی پرت کرد. اما در دست او بطری کوکتل-مولوتف نبود، یک نارنجک بود. نارنجک درست به وسط جیپ اصابت کرد و آن را به هوا پراند، و پسرک دید یک دست و بازوی سرهنگ هم، همان دستش که بلندگو بود از تنش جدا شد، و پروازکنان توی خیابان افتاد.... کل جیپ هم حالا تکه‌تکه و در آتش بود. سرهنگ و راننده و یک سرنشین دیگر روی اسفالت افتادند. سرهنگ کف خیابان مذبوحانه به خود می‌پیچید و می‌سوخت.

بعد جیپهای عقب تیراندازی شدیدتری را شروع شد. رگبار گلوله روی سر مردم می‌ریخت، و این بار شلیک هوایی نبود ـ و مردم می‌ریختند زمین، یا از روی کشتگان و مجروحین فرار می‌کردند... داخل پادگان هم صدای تیراندازی شدیدتر شده بود. لحظه‌ای بعد، صدای توپ و انفجار و فشار جمعیت کامیون آنها را از جا کند، و حرکت داد، و به طرف جلوی دروازه اصلی پادگان فشار داد. بچه‌ها نگاه کردند. یک اتوبوس آبی و سفید نو آنجا بود و منتظر بودند تا نگهبانان در را باز کنند و داخل شود. توی اتوبوس عده‌ای از کارکنان نیروی هوایی و عده‌ای هم شخصی و حتی زن بودند، که لابد در داخل آموزشگاه کار می‌کردند... آنها ظاهراً آمده بودند سر کار، که یک روز کاری را آغاز کنند. وحشت صورتهایشان را پوشانده بود. بچه‌ها

ریختند پشت اتوبوس.

میترا فریاد زد: «فشار.»

کریم داد زد: «زور... بدین.»

احمد آردکپان فریاد زد: «یا الله... الله اکبر...»

در حالی که صدای انفجارها و تیراندازیها گوشها را کر می‌کرد، مردم به اتوبوس پرسنل فشار آوردند. جمعیت پشت اتوبوس فشار و خروش عجیبی داشت، انگاری که حالا و در هر ثانیه ممکن است که دروازه را خرد کنند. مسافرین داخل اتوبوس فریاد می‌زدند «ما معلم و کارکنان آموزش هستیم. ما با شمائیم.»

جیپها و آمبولانسها از هر طرف زوزه‌کشان فشار می‌دادند. افراد مسلح گارد همه جا بودند. دود و خاک و بوی باروت توی صورتها می‌زد. بلندگوها با صدای گوشخراش دستورهایی می‌دادند، یا تهدیدهایی می‌کردند. گلوله و ترکش تیر از در و دیوار می‌بارید. بعد ناگهان تمام شد. دروازهٔ آهنی بزرگ از جا کنده شد.

جمعیت از دروازه ریخت داخل پادگان و به دلیل تیراندازی هر کس به طرفی دوید. میترا و بقیه بچه‌های گروه از نزدیکترین در ورودی به داخل اولین ساختمان دویدند. در اینجا همافرها و دانشجوها و سایر پرسنل را با یونیفرمهای آبی دیدند که از اینطرف به آنطرف می‌دویدند و فریاد می‌زدند. راهروها و حتی کلاسها شلوغ و هرج و مرج بود. بیشتر افراد اسلحه داشتند، یا مسلسل دستی، یا اسلحه کمری، و از داخل ساختمان یا کلاسها به افراد گارد در ضلع شمالی محوطه تیراندازی می‌کردند.

میترا به یک نفر گفت: «ما اسلحه میخوایم ــ که به شما کمک کنیم.»

مخاطب او یک دانشجوی همافر بلندقد و سبیلو بود که موهایش توی صورتش ریخته بود. اما یونیفرمش تمیز بود و برق می‌زد. روی

پاگون سرشانه‌اش سه خط کوچک داشت. نفس نفس می‌زد.

پرسید: «تیراندازی بلدین؟»

میترا گفت: «من با ژ-۳ و یوزی و ام-یک آموزش دیده‌م.»

همافر گفت: «ته راهرو. از در برید بیرون، بپیچید طرف چپ. همانجا روبرو ساختمان اسلحه‌خونه‌ست. اما مواظب بالا باشین. از بالا طرف چپ از برج دیده‌بانی تیراندازی می کنن. خیلی مواظب باشین.»

میترا گفت: «متشکریم، رفیق.»

احمد که یک طرف صورتش خون‌آلود بود، از همافر پرسید: «برادر همافر، رسول آردکپان کجاست؟ سال دومه.»

دانشجوی همافر گفت: «آردکپان باید همونجا توی اسلحه‌خونه باشه. من اونجا دیدمش. اون ته، دست چپ.»

احمد گفت: «یا علی ــ قربون تو... خدا خیرت بده.» و همه به راه افتادند.

همافر داد زد: «تو داداشش هستی؟»

احمد جواب داد: «یا حسین!» او حالا نیشش باز بود.

«صورتت چی شده؟» یک دستمال به طرف احمد پرت کرد که صورتش را پاک کند.

احمد گفت: «پشه پدسّگ لقد زده. الله اکبر.»

دانشجوی همافر گفت: «مواظب باشین. الله اکبر.»

میترا گفت: «بیاین بچه‌ها.»

احمد گفت: «الله اکبر.»

بیرون راهرو، توی محوطه پشت ساختمان و اسلحه‌خانه، از همه طرف تیراندازی می‌شد. میترا معطل نکرد. او اول خودش به شکل زیگزاگ دوید به طرف ساختمان سمت چپ و داخل اسلحه‌خانه. ناصر و احمد و کریم هم بلافاصله آنجا بودند. در اسلحه‌خانه باز بود. رسول

آردکپان و دو دانشجوی همافر دیگر هم با چند گروهبان و افسر آنجا اسلحه توزیع می‌کردند. با دیدن هم از شادی فریاد زدند.

رسول فریاد زد: «مردم دروازه رو شکسته‌ن؟»

احمد فریاد زد: «کدوم دروازه؟»

میترا گفت: «اسلحه به همه...»

احمد گفت: «داداش کوچک آقارضا و میترا خانوم ما رو آوردند.»

رسول گفت: «زنده باد... الله‌اکبر.»

میترا گفت: «ما مسلسل سبک می‌خوایم.»

رسول میترا را خوب می‌شناخت، و می‌دانست کجاها آموزش دیده. به قفسه‌های اسلحه جلوی آنها اشاره کرد: «چه نوع مسلسلی میل دارید، خانم؟»

میترا گفت: «سه تا یوزی ــو کلی هم خشاب.»

رسول گفت: «همه دارند ژ-۳ می‌برند...»

میترا گفت: «یوزی خوش‌دسته.»

رسول گفت: «سه تا یوزی و کلی هم خشاب... آی به چشم.»

رسول اسلحه‌ها را به دست میترا داد و خشابها را به ناصر و احمد. او بچه‌ها را از در دیگری به باغ پشت برد و به آنها نشان داد از کجا می‌توانند به داخل ساختمانهای امور اداری و به طرف برج بروند تند. میترا گفت که آنها استراتژی دیگری دارند. رسول مات و آنها را نگاه می‌کرد که ــمیترا تر و فرز طرز استفاده از مسلسلها را به بچه‌ها نشان داد ــ که انگار ساده‌تر از آب خوردن بود. بعد به چشمهای ناصر نگاه کرد.

«حالا بریم... به سوی نور و پیروزی!»

ناصر گفت: «انفجار نور!»

رسول گفت: «الله اکبر.»

میترا گفت: «الله اکبر.»

احمد گفت: «الله اکبر.»

پسرک هنوز به طرف میترا نگاه می‌کرد: «کجا بریم؟»

میترا گفت: «خودت میدونی. حرکت!»

رسول پرسید: «کجا؟»

میترا گفت: «جمشیدیه.»

رسول که یک برادرش نبی، در زندان ساواک کشته شده بود، گفت: «منم با شما میام.»

«عالی‌یه.»

در آن لحظه صدای مهیب دیگری از طرف سمت راست محوطه آمد ــ صدایی که انگار یک تانک یا لودر دروازه آهنی دیگری را بشکند و فرو بریزد.. متعاقب صدای شکستن، و فرو ریختن، غرش و همهمه عظیم دیگری از مردم به گوش رسید که به داخل محوطه ریخته بودند. صدای تیراندازی و حتی توپ و انفجار از قسمت برج بالا گرفت... اما این صداها غرش مردم را که پیش می‌آمدند خاموش نکرد، بلکه شدیدتر کرد. بچه‌ها با حیرت و شادی بیشتر نگاه کردند.

در جلوی موج جدید جمعیت، چریکهایی بودند که صورتهایشان را یا سیاه کرده بودند یا با پارچه و شال گردن چریکی پوشانده بودند. همگی مسلح بودند، و مردم را به داخل محوطه پادگان سرازیر کردند... پسرک دید که برادرش رضا آنها را رهبری می‌کرد. مردم اول مثل مور و ملخ ریختند توی ساختمان آموزش و توی کلاسها و همافرها را در آغوش گرفتند و بوسیدند.

بعد ریختند طرف اسلحه‌خانه.

فصل هفتادم

و ناگهان اسلحه همه جا دست بچه‌های کوچه و خیابان بود... و آنهایی که قبلاً داشتند و مخفی کرده بودند، حالا، دستهایشان با اسلحه و انگشتهایشان به صورت V پیروزی در هوا بود... صدای شلیک تیر، و انفجار نارنجک و پرتاب کوکتل‌مولوتف بلند بود و آتش بود و شعار و خون.

گروه میترا وقت تلف نکردند و از راهی خلوت‌تر خارج شدند. در آخرین لحظه رسول هم به آنها پیوست، و چون بلد بود، همه دنبال او به طرف یکی از ساختمانهای سمت عقب آموزشگاه دویدند. رسول و یکی از دوستانش، پنجره‌ای را که به یک خیابان فرعی باز می‌شد به زور گلوله مسلسل و لگد شکستند و بچه‌ها خودشان را وسط لملمهٔ جمعیت آنجا انداختند. خنده‌کنان اسلحه‌های خود را به ملت نشان می‌دادند. پسرک در کنار میترا دست و اسلحه‌اش را بلند کرده بود. برای اولین بار در زندگی، احساس می‌کرد وجودش قائم به ذات خود شده است.

احمد آردکپان قبل از اینکه بپرد، فریاد زد: «الله اکبر ــ خمینی رهبر.» جمعیت هم دیوانه‌وار جواب هر مصرع قافیه‌دار را می‌داد. بعد

ملت الله اکبر گویان از پنجره به داخل رفتند و بچهها آنها را به سوی اسلحهخانه راهنمایی کردند. بخاطر سیل انبوه جمعیت، عدهای از جوانها همانجا از پنجرهها بالا رفتند و وارد ساختمان شدند.

با یک جیپ ارتشی (که سربازها رها کرده و گریخته بودند) همراه عدهای از بچهها که به آنها ملحق شده بودند، عازم شدند. او و میترا جلوی جیپ بودند. رسول رانندگی میکرد. احمد و ده دوازده نفر دیگر عقب جیپ از سر و کول هم بالا میرفتند، یا بیشترشان به هم چسبیده بودند.

میترا فریاد زد: «به طرف پادگان جمشیدیه!»

بزودی عدهٔ دیگری هم با وسائل مختلف به آنها پیوستند.

از خیابان مازندران زدند طرف میدان شهناز. همه جا درگیری بود. جیپها و کامیونهای ارتشی در حال سوختن بودند، یا سوخته بودند. افرادشان فرار کرده، یا کشته شده بودند، یا به مبارزین پیوسته بودند. زیر پل وسط میدان، دو تانک ارتشی چیفتن بیسرنشین در آتش میسوخت، و بچهها هنوز باران بطریهای کوکتلمولوتف را روی آنها میریختند. از خیابان شاهرضا به طرف بولوار و امیرآباد بالا رفتند. در مسیر راه، به تشویق و فریادهای آنها بچههای موتورسوار یا افرادی با اتومبیلهای شخصی یا وسائل ارتشی به آنها محلق میشدند. آنها هم اغلب مسلح بودند. «به طرف پادگان جمشیدیه.»... «به طرف پادگان جمشیدیه.» با شور و جنون تازه، هر چه را رنگ پرچم ایران یا ظاهر ارتشی یا دولتی داشت به رگبار میبستند. هنوز به ته بولوار نرسیده بودند که هر کدام سه چهار دور خشاب تمام کرده بودند... کریم ریزه شش دور خشاب تمام کرده بود.

احمد همچنان به رادیو گوش میداد (که هنوز دست دولتیها بود و اخبار و اعلامیههای دولت و فرماندار نظامی را پخش میکرد) و بقیهٔ بچهها را در جریان اعلامیهها قرار میداد. فرماندار نظامی تهران و ارتش

اعلامیه داده بودند که آن روز ساعات منع عبور و مرور از ساعت چهار بعد از ظهر اجرا می‌شود... اما خبرهایی که دهان به دهان به ملت می‌رسید آن بود که آیت‌الله خمینی اعلامیه پشت اعلامیه داده بود و از مردم خواسته بود که اعلامیه فرماندار نظامی مربوط به ساعت چهار بعد از ظهر را نادیده گرفته و به خیابانها بریزند و مبارزه کنند.

ته بولوار، جیپ دیگری از چریکها و دوستان میترا به آنها ملحق شدند که بلندگوی دستی هم داشتند. میترا یک بلندگوی دستی از آنها گرفت و مستقیماً به رهبری گروه خود پرداخت.

«پاینده باد ارتش خلقی و رهایی‌بخش کشور اسلامی ایران... مردم، آموزشگاه نیروی هوایی فرح‌آباد سقوط کرده و اسلحه‌های آن دست ماست. ما به طرف پادگان جمشیدیه می‌رویم... این پادگان که خائنین سیاسی ساواک و سایر مقامات دولتی در آنجا به صورت مهمان از آنها پذیرایی می‌شود باید سقوط کند. به دنبال ما ـ به پیش ـ به طرف پادگان جمشیدیه. طبق دستور حضرت آیت‌الله خمینی اعلامیه دولت در منع عبور و مرور از ساعت چهار بعد از ظهر باطل است... این یک توطئه است برای شبیخون، برای کودتا و سرکوبی ما... مرگ بر خائنین و مزدوران امپریالیستی.»

وقتی در انتهای بولوار به طرف چپ می‌پیچیدند، یک ارتش کوچک داشتند.

میترا از احمد پرسید: «وضع رادیو چطوره، مجاهد؟ هنوز اونجا رو نگرفته‌ن؟»

احمد با صدای گرفته از فریاد، گفت: «نه... دارن میگیرن.»

میترا گفت: «بعد از سقوط جمشیدیه میریم سراغ رادیو.»

احمد فریاد زد: «الله اکبر.»

میترا به طرف پسرک نگاه کرد. وسط خروش و بلبشو وهیاهوی مردم، چشمهای او از هیجان و شادی برق می‌زد.

دور از میکروفن و آهسته گفت: «درست همونطوری که خوابش رو دیده بودم و آرزو میکردم!»

در یک لحظه، پسرک باز چشمهای او را نگاه کرد، و در همان لحظه یاد آن غروب پاییزی خداحافظی‌شان افتاد، توی پارک شهر، جلوی درخونگاه ـ آن شب که قرار بود میترا به امریکا برود. چشمهای او امشب، آن چشمهای غمزده و ترسخورده نبود.

«قفس انترها داره میشکنه؟...» او هم آهسته حرف می‌زد.

میترا گفت: «قفس انترها خورد شده... و ما حالا انتر بزرگ را به بند میکشیم.»

«خوشحالی؟»

میترا یکی از دستهایش را رها کرده و دست او را گرفت و فشار داد: «عالی یه. عالی یه.»

«منم خوشحالم.»

«احساس می‌کنم همه چی خوبه.»

«منم.»

«سفر یزد داره نزدیک میشه.»

«امیدوارم.»

دور جیپها، انبوه جمعیت مبارزه‌کننده‌ها و تماشاچی و اهل محله مرتب بیشتر می‌شد. اما این یک تظاهرات بی‌مزه شعار و دست‌تکان دادن نبود. این یک تظاهرات پوستر تکان دادن هم نبود. مردم می‌خروشیدند و می‌آمدند.

میترا اولین کسی بود که سَردَر و ستونهای بزرگ پادگان را از دور دید، و به آنها نشان داد. از تقاطع سه‌راهی جمالزاده، که پیش از این راه بسته بود، اکنون قوای ارتش عقب‌نشینی کرده بودند به داخل پادگان. دروازهٔ بزرگ پادگان بسته بود، ولی چند تانک و قوای نفربر مسلح نیروی زمینی بیرون محوطه را به حال آماده‌باش نگهبانی می‌کردند.

بچه‌ها کم‌کم به آنها نزدیک شدند ولی تیراندازی نکردند. آنها هم آتش نگشودند، چون لابد دستور نداشتند. مردم شعارهای ملی و آزادی می‌دادند. به فاصلهٔ یک ساعت خیابانهایی که اطراف پادگان بود لملمهٔ جمعیت شد. کامیونهای دیگری پر از مجاهد از طرف خیابان خورشید آمدند که مردم زیادی آنها را همراهی می‌کردند. آنها بزودی آتش عظیمی وسط خیابان خورشید بر پا کردند و پشت آن سنگر گرفتند. میترا هم دستور داد با چپه کردن دو دستگاه اتومبیل وسط خیابان جمالزاده، بالاتر از خیابان فرعی شیبانی، و با استفاده از تایر و چوب و صندوقهای میوه کنار لبنیات‌فروشی آتش و سنگر درست کردند. به زودی خیابانهای فرعی نادر و یوسفی و انتهای خورشید هم مسدود شد. قوای محافظ پادگان محاصره شدند. بعد بچه‌ها شروع کردند به پرتاب کوکتل‌مولوتف و تیراندازیهای پراکنده، اما هنوز جرأت حملهٔ مستقیم را نداشتند، چون لوله‌های تانک مستقیم به طرفشان نشانه رفته بودند.

غروب که رسید بیشتر افراد ارتشی که بیرون توی تانکها و نفربرها بودند، به درون پادگان رفتند، یا فرار کردند. فقط تانکها و کامیونها و جیپهای مسلح به اسلحه‌های سنگین بیرون ماندند. بچه‌ها از سربازهایی که رفته رفته به آنها ملحق می‌شدند شنیدند که علاوه بر یک تیپ نیروی زمینی، بیشتر قوای باقیمانده مسلح پلیس هم در آنجا مستقر شده‌اند. بزرگترین وجه امتیاز پادگان جمشیدیه البته خیل وزرا و امرای ارتش بازداشتی بود ــ بزرگترین مردان شاه.

شب فرو آمده بود، با آسمان آبی پرستاره، اما سرد، و سوز بادی که صورتها را انگار می‌سوزاند. اما ملت مانده بودند، و بچه‌ها جلوی پادگان ساکت و کم‌حرف ولی با شور بیشتری مبارزه می‌کردند. او و میترا با کلاه اسکی سیاه و شال گردن سیاه و نیم‌تنه‌های نظامی شکل

هم بودند، و مبارزه می‌کردند. پس از یورشهای گهگاهی ارتشیان به آنها، اکنون چند فروند دیگر از کامیونهای خالی و حتی دو تا تانک در دست و زیر پای مردم بود. اما جلوی دروازه اصلی پادگان هنوز دیوار عظیمی از یک ردیف تانکهای مجهز نگهبانی می‌شد.

حدود نه، گروه میترا با جیپ رسول انداختند توی خیابان خورشید و میترا و رسول دیوارهای بلند و مستحکم را وارسی کردند. نیم دوری اطراف قسمتهای جنوب غربی پادگان زدند. این قسمت از اطراف پادگان که به بن‌بست و بیابانی می‌خورد، نسبتاً خلوت و تا حدی تاریک بود.

میترا گفت: «کاش می‌تونستیم یکی از تانکها رو بیاریم اینجا و بکوبیم به این دیوار.»

احمد پرسید: «میتونیم با تانک دیوار رو خراب کنیم؟»

میترا گفت: «میتونیم دیوار رو خورد و داغونش کنیم و بریم داخل.» ناصر صورت و چشمهای هیجان‌زده و شکست‌ناپذیر او را نگاه می‌کرد. امیدوار بود که این کار را نکنند، چون فکر می‌کرد داخل محوطه هزاران سرباز مسلح منتظرشان باشند.

رسول فکری کرد و گفت: «این فکر خوبی‌یه. بریم ببینیم شاید بتونیم یک نفر پیدا کنیم که بتونه تانک رو برونه.»

میترا گفت: «من خودم شاید بتونم.»

«آموزش دیدی؟»

«با این تانکها نه. ولی شاید بتونم راهش بندازم.»

«بهتره کسی رو پیدا کنیم که مال پرسنل خودشون باشه.»

دور زدند و برگشتند وسط جمعیت. رسول از طریق بلندگوی دستی وسط جمعیت، از مردم خواهش کرد که اگر کسی با رانندگی تانک چیفتن آشنایی دارد، عنایت فرموده خودش را معرفی کند.

به فاصله چند ثانیه عدهٔ زیادی پیر و جوان آمدند جلو، اما معلوم

بود که بیشتر احساس شوق و هیجان بود تا آشنایی واقعی. بین آنها حتی یک پیرمرد پابرهنه دیده می‌شد با یک تبرزین درویش گل مولایی. اقلاً هشتاد ساله بود، با قدی کوتاه و پشتی خمیده و کله تاس فسقلی، مثل اسکلتی بود که ریش سفید گذاشته باشد. گفت: «من بلدم تانک ببرم. کدوم تانک؟» حتی توی تاریکی و سرمای این شب عجیب، قیافه و ادعای او باورنکردنی بود.

بچه‌ها دورش را گرفتند، اما بیشتر به خاطر تفریح. رسول به تانک عظیم چیفتن اشاره کرد. گفت: «این تانک. اما پدر... مطمئنی که میتونی این کوه رو راه بندازی؟»

پیرمرد گفت: «بنزین منزین داره؟» بچه‌ها حالا همه می‌خندیدند.

رسول جواب داد: «آره. مطمئنم که سوخت داره.»

پیرمرد گفت: «پس من به یاری حضرت حق راهش میندازم. درش کجاست؟»

رسول گفت: «تا حالا از این چیزها... اصلاً روندی؟»

پیرمرد گفت: «من چهارتا بچه شهید داده‌م. مجید، اکبر، عبدالله، مرتضی. من هر چیزی رو به خاطر آقام امام راه میندازم.» جمعیت دور و بر پیرمرد وقتی این کلمات را شنیدند، شروع کردند به دست زدن و الله اکبر گفتن. پیرمرد با افتخار و غرور گفت: «کلید سوئیچ دارین؟»

رسول گفت: «به هر حال نگاه کنید پدر، ما یه نفر رو میخوایم که تجربهٔ بیشتری داشته باشه، یا آموزش دیده باشه. این کار خطر داره.» در این لحظه، احمد ناگهان داد زد: «آقا رضا... آقا رضا اومد. اونجاست.»

و راست بود، وسط جمعیت آنها رضا نبوی را دیدند که بالای یک کامیون پر از چریکهای سبک فلسطینی و مجاهد به پادگان نزدیک می‌شد. جلوی کامیون تصویر بزرگ امام نصب بود. چند روحانی

جوان هم با آنها بودند. رضا و یک روحانی مسن‌تر هر کدام دو ژ-۳ به دست داشتند. بقیه چریکها و مجاهدین هم مسلسل دستی یا اسلحه‌های نسبتاً سنگین‌تر از قبیل آر. پی. جی-۷ حمل می‌کردند.

پسرک با خوشحالی از جیپ خودشان پیاده شد و دوید طرف کامیون رضا.

«سلام، داداش.»

رضا نبوی سرش را آورد پایین و برادر کوچکش را اسلحه به دست بربر نگاه کرد ـ انگار که به چشم خودش اطمینان نداشت. برای اولین بار تو روی او خندید.

جواب داد: «سلام، مجاهد اسلام... شیر مادر حلالت.» بعد رو به روحانی مسن کرد و گفت: «حاج آقا، این هم داداش کوچیکه‌ی ما.»

روحانی سرش را آورد پایین و گفت: «خدا خیرو اجر بده، فرزندم.»

پسرک گفت: «داداش، ما یه نفر لازم داریم که تانک رو رانندگی کنه.» رضا به طرف جیپ احمد و رسول آردکپان و دیگران نگاهی انداخت. رسول سلام کرد و بقیه دست تکان دادند. رسول گفت: «تانک هست.»

میترا گفت: «میتونیم دیوار رو بشکافیم و بریم داخل.»

رسول گفت: «یا الله.»

رضا به سادگی گفت: «من خودم میرونم.»

«اونجاست. بچه‌ها هم اونجا هستند.»

رضا از کامیون پرید پایین و از وسط جمعیت آمد کنار تانک. هنوز دو ژ-۳ از چپ و راست شانه‌هایش آویزان بود.

پسرک رو به بچه‌ها گفت: «داداش تانک رو میبره.»

رضا از تانک رفت بالا که داخل آن شود.

پیرمرد فسقلی گفت: «من میخوام برم اون بالا بشینم.»

رضا او را نگاه کرد. از او خوشش آمد. گفت: «بیا پدر... نَصرٍ من اللّه و فتحاً قریب. یه دعای حمد و سوره‌م واسه من بخون.»

جمعیت با فریاد شادی غرش کرد. احمد و ناصر و میترا کمک کردند و پیرمرد را به بالای تانک فرستادند، و خودشان هم تر و فرز کنار او نشستند.

پیرمرد فرمان داد: «اللّه اکبر... پیش به سوی کارزار... حرکت.» جمعیت با فریادهای شادی دست زدند، صلوات فرستادند. در بلبشوی شب تاریک و هیجان‌زده، نمی‌شد گفت چه کسی از چه گروهی است. مجاهد اسلامی، ملی، یا مردم عادی و همسایه. همه به شوق و هوای خراب کردن پادگان بودند، و رضا این موج را رهبری می‌کرد.

در طول خیابان فرعی تاریک و سرد، رضا تانک را به نرمی از سربالایی ملایم بالا برد. صدها نفر از مردم دنبال آنها آمدند. توی پیاده‌روها و از در و دیوار و پنجره خانه‌ها مردم چراغ آورده بودند و فریادهای تشویق‌کننده می‌زدند.

میترا پیرمرد را نگاه می‌کرد، و پسرک از طرز نگاه او فهمید که در همان لحظه‌های اول عاشق پیرمرد شده بود و دلش میخواست که پدرش بود.

از پیرمرد پرسید: «چکاره بودی پدر؟»

تانک خوب حرکت می‌کرد.

پیرمرد جواب داد: «میوه‌فروشی داشتم. از طرف شهرداری خراب کردن پارک درست کنن.»

«گفتی که چهار تا شهید دادی؟ پسرهات بودند؟»

«یه پسر... سه تا نوه.»

میترا او را نگاه کرد و با حسرت سرش را تکان داد. از جیب نیم‌تنه‌اش دفترچه کوچکی درآورد که مداد کوچکی هم لای آن بود. تانک رضا از وسط جمعیت به طرف قسمت خلوت‌تر خیابان حرکت

می‌کرد.

«سواد داری؟»

«یه خورده داشتم... حالا یادم رفته.»

«میخواستم اسم خودت رو یادگار برام بنویسی...»

پیرمرد گفت: «بنویس ذاکر سیدالشهداء... ما همه ذاکر سیدالشهدائیم.»

در فلکه کوچک ته خیابان، رضا تانک را مانور داد، و چرخی زد. بعد کمی سرعت گرفت، و دور برداشت. بچه‌ها محکم‌تر نشستند. پیرمرد حالا دوتا دستهایش را به یک جای تانک گرفته بود و دور برداشته و نوحه‌های سینه‌زنی و «شهید شهید» و «حسینی ـ خمینی» سرداده بود. مردم هم کلمه به کلمه قافیه‌ها را تکرار می‌کردند.

احمد و ناصر و میترا نیز به سوراخ بزرگی که رضا در آن رفته بود چسبیده بودند. پیرمرد در بین شعارهای امام حسینی اسمهایی هم فریاد می‌زد که معلوم نبود اسامی پیامبر و ائمه معصومین بودند، یا اسم بچه‌های شهید خودش. یا علی، یا محمد، یا محسن، یا مصطفی. در تاریکی، بالای تانک، چشمهای بی‌فروغ پیرمرد برق تازه‌ای پیدا کرده بود. شاید هم یک روح. پسرک او را نگاه می‌کرد. وسط تاریکی لغزان بالای تانک، انگار وقتی خوب نگاهش می‌کرد کله تاس و صورت لاغر پیرمرد شکل آخرسرهای پدر خودش بود. یا خود پدرش بود. فریاد می‌زد.

وقتی تانک بالاخره به دیوار پادگان کوبیده شد و قسمتی از آن را درهم شکست، پیرمرد به بالا و جلو پرت شد. پاهایش رفت هوا. او حالا اشهدش را می‌گفت. میترا با یک دست او را محکم گرفته بود. بالاخره صدای درهم شکستن و فرو ریختن دیوار همراه با غرش مردم فضای شب را لرزاند ـ و تانک به درون پادگان رخنه کرد.

درون محوطه، بچه‌ها فوری پریدند پایین، ولی هنوز پایشان کاملاً

به زمین نرسیده بود که صدای شلیک از پشت درختها و بالای برج نگهبانی بلند شد. میترا سعی کرد کمک کند پیرمرد از تانک پایین بیاید، اما او هنوز فریاد میزد: «یا حسین، یا خمینی» و نمیخواست تانک را ترک کند. میترا او را به حال خود گذاشت و با ناصر و احمد روی زمین دراز کشید.

احمد داد زد: «بیا پایین پیری.»

میترا داد زد: «بیا با ما روی زمین دراز بکش.»

پیرمرد داد زد: «نترسین... کارشون تمومه. دست علی همراهه.»

رضا از بالای تانک داد زد: «بخوابین. دراز بکشین.» و صدای رگبار مسلسل طولانیتری از بالای برج آمد.

چیزی از بالا روی سر میترا افتاد. بعد جنازهٔ پیرمرد جلوی چشمانشان بود.

«خدای من!... پیر دیوونه. گفتم دراز بکش.»

«زدندش؟»

میترا جسد پیرمرد را برگرداند، و در تاریکی از صورتش جز خون که سیاه بود چیزی دیده نمیشد. صدایی هم نبود مگر رگبار مسلسل از جلو و از عقب...

«آره....»

انفجار نارنجک و خمپاره و رگبار مسلسل از پشت محوطه درختدار، صحن پادگان را پر کرد. بچهها درازکش پشت تانک رضا حرکت کردند. پشت سر آنها کسان دیگری هم بودند.

فصل هفتاد و یکم

تمام شب را مبارزه کردند، ولی هنوز نفوذ بیشتر به داخل پادگان امکان نداشت. رضا حالا ریاست گروهها را به عهده داشت. بعد از کاری که او با تانک و شکستن دیوار انجام داده بود، هیچکس در رهبری او حرفی نداشت. او به مبارزین اطراف جبهه دستور داد که مردم بی‌اسلحه را عقب نگه دارند. گروههای تازه‌ای پشت تانکهای تسخیرشده، و ماشینهای واژگون‌شده قرار داد، تا سنگر گرفته و به تیراندازی ادامه دهند. ناصر و میترا و احمد هنوز پشت تانک سنگر گرفته بودند.

میترا یکی دوبار از بقیه جدا شده و به جلوی دروازه اصلی رفته و مطمئن شده بود که جلوی دروازه کاملاً در اختیار مردم است، به وسیلهٔ دریایی از آنها سد شده و کسی داخل و یا خارج نمی‌شود.

ساعتی پیش سه نفر از بچه‌های چریک در تاریکی به وسط پادگان رسوخ کرده بودند تا اوضاع سوق‌الجیشی درون پادگان را از نزدیک بررسی کنند، و خبر بیاورند. یکی از آن سه تن خلف‌بیگی بود که از نیمه‌شب، از قبل از شکستن دیوار به آنها ملحق شده بود. او قسمتی از خدمت نظامش را در این پادگان گذرانده و از اوضاع استراتژیکی درون آن خبر داشت. از این جمع سه نفری، بعد از مدتی فقط

خلف‌بیگی و یک نفر دیگر برگشتند و نفر سوم کشته شد. خبر آمد که از زاویه مستقیم حمله کردن خطرناک است، چون پشت باغ و درختها، یک محوطه باز و روشن قرار داشت که سربازها می‌توانستند از داخل ساختمان هر تعداد مبارز را دیده و به رگبار ببندند و قتل‌عام کنند. یا باید از پشت ساختمان حمله کرد، یا اسلحه‌ای سنگین داشت مانند توپ که ساختمان را منفجر ساخت. رضا، رسول و دوستش، و یک چریک مجاهد دیگر را با جیب به پایگاه آموزشگاه هوایی فرستاد تا اسلحهٔ سنگین هر چه می‌توانند با خود بیاورند.

سحر، رضا از حاج آقا مفتح درخواست کرد که نماز صبح را به طور جماعت امامت بفرمایند. و همه بچه‌ها در خط جبهه و پشت تانک و زیر آتش به نماز ایستادند. پسرک و میترا کنار هم تیمم کردند و به نماز ایستادند. میترا همانطور با شلوار جین و نیم‌تنهٔ نظامی و کلاه اسکی سیاه بود. نماز، نماز اتحاد و یگانگی بود. هیچکس دختران و زنان مبارز را تکفیر نمی‌کرد، که چرا بدون چادر به نماز ایستاده‌اند. میترا بخصوص خوشحال به نظر می‌رسید. گرچه به پسرک گفته بود نه‌تنها کلمات رکوع و سجود را نمی‌داند، بلکه حتی سورهٔ فاتحه و قل هو الله احد را هم بلد نیست. اما امشب او با حال ایمان نیازی به نماز ایستاده بود... انگار به خدایی که تا آن روز او را نمی‌شناخت داشت ایمان می‌آورد، و از او یاری و روشنی می‌خواست.

بعد از نماز، رضا بلندگو را گرفت. ایستاد، و پس از صلوات کمی سکوت کرد. بعد با صدای لرزان ولی هیجان‌زده آیاتی از سوره التّوبه را خواند... آیه‌هایی که پرخروش و فریادگونه تلاوت می‌شد. صدایش بلندتر و بلندتر می‌شد. بالاخره یک صَدقَ اللّه العَلیّ العظیم فریاد زد و با صدای رسا اعلام کرد: «برادران، خواهران، به فرمان امام: از نماز به مبارزه!...»

به مبارزه ادامه دادند، و کم‌کم روز بالا آمد. رضا یک لحظه

تیراندازی و هجوم را رهبری می‌کرد، یک لحظه با حاج آقا مفتح و روحانیون و چریکهای دیگری که می‌آمدند و می‌رفتند گفتگو می‌کرد، و لحظهٔ دیگر افرادش را به جاهای دیگر می‌فرستاد تا وضع سایر قسمتهای دور پادگان را برای او خبر بیاورند... حدود ساعت هشت خودش هم یک بار با حاج آقا مفتح و یک روحانی دیگر و چند تا چریک با جیپ رفت. حدود یک ساعت دیگر که برگشت روحیه بهتری داشت و گفت که آماده حمله باشند.

میترا گفت: مثل اینکه خبر دست اول مهمی را شنیده یا موضوعی در کاره.»

«چه موضوعی؟»

«نمیدونم... احمد، رادیو سقوط کرده؟ دست افراد خودمون نیفتاده؟»

«احمد گفت: «نه. همه‌ش اعلامیه پخش می‌کنه.»

میترا گفت: «یه خبری هست، و هر چی هست داداشت از حلقه دور و بریهای خود آیت الله و بازرگان شنیده... خیلی شارژ شده.»

«آره. من هیچوقت رضا رو اینطور با هول و شوق ندیده‌م.»

میترا گفت: «و برگشته اومده اینجا... ظاهراً اینجا خیلی مهمه.»

«اینجا چه اهمیتی داره؟»

«لابد اونم دنبال کسی‌یه که من و تو هستیم... یادت باشه که او هم قتل برادرهاش و پدرش و خواهرش رو گردن چه کسی میدونه... درسته که خیلی سیاسی و بنیادی‌یه... اما بندهٔ بسم‌الله المنتقم هم هست.»

«اوخ... تا بخوای.»

«... و کارهایی که با خودش گفتی توی زندان و توی بیمارستان شماره ۵ کردند.»

هنوز ساعت یازده نشده بود که ناگهان احمد فریاد زد: «هی.

آقارضا گوش کنین. اعلامیه ارتش... از رادیو اعلامیه دادند. قره‌باغی و تمام افسرها تسلیم امام شده‌ن.»

رضا و بقیه، همه ساکت شدند. احمد رادیو را تا دینش بلند کرد. میترا درست حدس زده بود. خبری که رضا قبلاً قرار و مدارش را لابد از مرکز فرماندهی انقلاب و بازرگان شنیده بود حالا پخش می‌شد. تیمسار قره‌باغی رئیس ستاد ارتش و بیست و دو نفر از امرای ارتش در اعلامیه‌ای که همه آن را امضاء کرده بودند و برای جلوگیری از خونریزی و اضمحلال ارتش ایران، بیطرفی خود را در جریانات سیاسی اعلام کرده بودند، از ملت پشتیبانی کرده و به تمام افراد قوای مسلح دستور داده بودند که به پادگانهای خود برگردند.

ارتش ایران... برای اولین بار کلمهٔ «شاهنشاهی» از روی ارتش برداشته شده بود. «زنده باد برادران ارتشی...» «مرگ بر ارتش شاه»... «الله‌اکبر».

مردم در آن واحد هم ارتش را تشویق می‌کردند و درود می‌فرستادند و هم آن را لعن می‌کردند و دشنام می‌فرستادند. به هر حال همه به هم تبریک می‌گفتند و صلوات می‌فرستادند... همهمه و آشوب همه جا را پر کرده بود.

«اون بالاها زهٔ شاهانه زده شده.»

«من که نمیفهمم.»

«فکر میکنم رضا میفهمه.»

رضا گفت: «... باید منتظر دستور امام باشیم... امام فرموده‌ن اگر ارتشیها اطاعت کنن بخشوده میشن... و بیت‌المال باید دست‌نخورده بمونه...»

خلف‌بیگی باز فریاد زد: «باید این ارتش و سازمان امپریالیستی رو داغون کنیم.»

رضا گفت: «اینجا امام دستور می‌دهند.»

میترا با لحن التماس‌آمیزی گفت: «اگر حمله نکنیم حالا تمام زندانیهای سیاسی شاه و خود هویدا و تمام تیمسارهایی که اینجا به حال بازداشت به سر می‌برن فرار میکنن!...»

رضا گفت: «حمله می‌کنیم.»

در آن لحظه، تیراندازی از داخل پادگان تقریباً قطع شده بود، و هیچگونه حمله و یا حتی آثار دفاعی از داخل پادگان محسوس نبود.

جمعیت فریادزنان و الله‌اکبر گویان از میان درختها ناگهان هجوم بردند به طرف میدان مشق... آنها که اسلحه داشتند تیراندازی می‌کردند، آنها که نداشتند با مشت خالی یا چوب و میله آهنی پیش می‌رفتند.

میترا و پسرک جلو بودند. اما اولین افراد نبودند. میترا نقشه و کروکی ساختمان قهوه‌ای و کرم‌رنگ دو طبقه را به نحوی گیر آورده و می‌دانست که زندانیان سیاسی را کجا نگه می‌داشتند. با سرعت به آن سمت دویدند. جمعیت هنوز ترسان ولی نه وحشیانه از هر طرف می‌دویدند و هرچه به دستشان می‌رسید برمی‌داشتند... اسلحه و کلاهخود و یونیفرمهای کنده‌شده بود که در هر طرف انداخته و پراکنده شده بود. سربازها و درجه‌دارها و افسرها نیمه برهنه یا با لباسهای زیر و عجیب و غریب از هر طرف می‌دویدند.

میترا گفت: «باید بریم طبقه دوم ــ تا فرار نکرده‌ن... اونجاست. تندتر بیا.»

«پدرت اونجاست؟»

«اونجا بوده...»

«پس تندتر بریم... همه دارند فرار می‌کنند. خدا کنه باشه.»

میترا گفت: «خدا کنه... خدا کنه ما زودتر برسیم، و پیداش کنیم. من میخوام زنده از اینجا ببرمش.»

«باشه.»

از وسط آشوب زلزله‌مانندی که تمام ساختمان را درهم ریخته بود، از پلکان زرد و خاکستری دویدند بالا. هر دو نفس نفس می‌زدند. بعد از این همه سالها، و بعد از آنچه که بر سرشان گذشته بود، مطمئن بودند دارند چکار می‌کنند. تقدیر و بازی حوادث زندگیهای دور و برشان آنها را در خود می‌پیچید و می‌برد. هم طالع بد و هم بدبختی بود، هم معجزه. وسط پله‌ها میترا ناگهان میخکوب شد. برگشت دست ناصر را گرفت. اول به صورت او، و بعد به کله تاسی که از بینشان رد شده بود نگاهی انداخت ـــ و انگاری که ناگهان طالع بد و معجزه، در هیکل یک انسان ـــ یک مرد تاس و قدبلندـ از وسطشان لغزیده باشد. میترا سرش را برگرداند و هیکل آن مرد را که پشت به آنها می‌رفت بهتر نگاه کرد. مرد تاس و قد بلند هم ایستاد، برگشت و به میترا نگاهی انداخت. انگاری که او هم امواج این بدبختی و طالع شوم را زیر پوستش احساس کرده بود. دستش به نرده‌های فلزی پلکان خشک زده بود. هر دو چشمهایشان به هم افتاد، و میترا او را شناخت. همان صورت دراز، سبیل فلفل نمکی، دماغ عقابی کشیده، جمجمهٔ تقریباً تاس، قد کشیده، و حتی همان کت چرمی سیاه که اخیراً با آن عکسی از تیمسار در مجله چاپ شده بود. او تقریباً سه پله از آنها که در حال بالا رفتن بودند، پایین‌تر بود. بعد سرش را برگرداند و با سرعت بیشتری به حرکتش ادامه داد.

میترا با علامت سریعی به پسرک، تیمسار پیر را تعقیب کرد. تقریباً پر در آورده بود، و بالاخره در گوشهٔ زیر پلکان، که سقف زاویه‌داری داشت، و به یک پستو یا آبدارخانه منتهی می‌شد، به او رسید.

با قنداق یوزی محکم پشت جمجمه او کوبید، و او را به زمین پرت کرد.

«سلام پدرجان!»

تیمسار وحشتزده برگشت، دختر را نگاه کرد و گفت: «یا خدا.»

میترا گفت: «من میترا صدر هستم... شما مرا شناختی.... مگه نه؟»

تیمسار گفت: «دختر جان... این کار قشنگی نیست.» تخم چشمهای تیزش به دو دو افتاده بود، و صدای مرتعشش، ترس و وحشت او را مذبوحانه‌تر می‌نمود.

میترا گفت: «این هم ناصر نبوی‌یه... تو خانواده‌ی او را هم خوب میشناسی. یا میشناختی. چهار تا از برادرهاش و خواهرش مریم و پدرش به دست ساواک کشته شدند... برادر دیگرش رضا نبوی‌یه که شماها برای زنده یا مرده‌ش جایزه تعیین کرده بودین، الان داره با مردم انقلابی میاد. ساواک همچنین بیژن صدر را هم کشت... مردی که سالها فکر میکردم پدر من بوده...»

تیمسار سعی کرد از زمین بلند شود، اما میترا با لگد دیگری او را به زمین کوبید. خون از دهانش بیرون زد. با وجود این گفت: «دخترجان، خیلی چیزهاست که من میخواستم برای تو توضیح بدم... خیلی چیزها.»

میترا گفت: «من سه شب پیش مادرم را کشتم.»

پیرمرد با چشمهای هاج و واج به عذاب‌دهندهٔ خود نگاه کرد.

«آره، قدسی خانم قشنگ، معشوقه‌ی صیغه‌ای ترو... اون به من گفت من بچه و نطفه‌ی کی هستم... و از من خواست که بیام و تو رو نجات بدم. حالا اومده‌م که تو رو نجات بدم.»

میترا این را گفت و اول با قنداق مسلسل کوبید توی گلوی پیرمرد. بعد لولهٔ مسلسل را با زاویه چهل و پنج درجه پایین آورد: «کجات بزنم؟»

پیرمرد گریه‌اش گرفته بود. گفت: «... عزیزم.» صدایش داشت می‌رفت: «خواهش میکنم مرا فوری بکش...» و دستش را روی پیشانی اندک خون‌آلودش گذاشت، و چشمانش را بست: «خواهش میکنم.»

چشمهای میترا هم ناگهان پر از اشک بود: «... هنوز زوده. باید اول برای من یه خرده قصه تعریف کنی. تو پدر من هستی. نمیخوام به دست اونها بیفتی.»

«دخترم خواهش میکنم مرا فوری بکش...»

ناگهان صدای رعدآسایی از پشت سرشان، تکانشان داد: «صبر کنین!» برگشتند. رضا نبوی بود، که با گروه کوچکی آنجا ایستاده و به تیمسار نگاه میکردند. «خودشه.» بعد سر میترا فریاد زد: «شلیک نکن. او را زنده میخواهیم.»

تیمسار پیر هنوز به میترا نگاه میکرد. گفت: «از تو خواهش میکنم. شلیک کن. عزیز من. از آن اسلحه استفاده کن.»

صدای تکاندهنده رضا نبوی فریادزنان حکم کرد: «صبر کن، بچه.» بعد به تیمسار که با سر و روی خونآلود روی زمین زیر دست میترا بود نگاه کرد، داد زد: «برین عقب...» فوری نیمتنهٔ خودش را در آورد و آن را روی سر و صورت پیرمرد انداخت و او را از چشم جمعیت خروشانی که به سرعت دور آنها جمع میشدند، مخفی کرد.

«ما او را هم مثل بقیه رجال و تیمسارها خدمت امام میبریم. کسی بدون محاکمه کشته نمیشه.»

میترا گفت: «نه... اون باید با من بیاد. من او را اول پیدا کردم.»

رضا داد زد: «تمام!»

«باید همین الان کشته بشه. من میدونم اون کییه.»

رضا فریاد زد: «نه. باید خیلی چیزها معلوم بشه.» و با گفتن این حرف توی چشمهای گریان میترا زل زد. انگاری که بخواهد رازهای هولناکی را که نمیدانست چیست، از چشمهای او بفهمد. بعد به برادر کوچکش رو کرده گفت: «تو هم عقب.»

آنها تیمسار پیر را کشان کشان بردند.

در آن لحظه نه او و نه میترا هیچکدام نفهمیدند که رضا چقدر از

حرفهای میترا را به پدرش شنیده بود. پسرک به طرف میترا رفت و سعی کرد دست او را گرفته و آرامش کند.

در گوشهٔ دیگر کریدور، داد و فریاد دیگری بلند بود. عدهٔ دیگری هویدا را گرفته بودند.... اما به دستور رضا و یارانش که از سایرین بیشتر بودند، همه را به خدمت امام بردند. تمام اسلحه‌ها را از آنجا خارج کردند. بعد مردم قابهای تصاویر شاه را شکستند، عکسها را پاره کردند. حتی، دفاتر را بیرون ریخته و نابود کردند....

دو ساعت بعد، چیزی باقی نمانده بود جز فضای تقریباً خالی و سوخته و بر باد رفته. میترا با چشمهای اشک آلود و مات هنوز همانجا مأیوس نشسته بود، ناصر در کنارش.

فصل هفتاد و دوم

وسط خواب و بیداری، در یک لحظه، ناگهان فرشته‌ای را دم در دید. ایستاده بود، هیچ کاری نمی‌کرد. فرشته نقاشیهای کلاسیک اروپا نبود، و بالهای خاکستری و چشمهای آبی آسمانی نداشت. بالای سرش هم هاله و ستاره نبود. فرشتهٔ دنیای رحمت و عالم روحانی هم نبود که در پایان دردها ظاهر می‌شود. فرشته‌ای ساده بود، که بر حسب احتمال یک جا وسط کوچه پس‌کوچه‌ها می‌دیدید، و سادگی او در رسالت عشق بود، و در فهمیدن دنیا. فرشتهٔ واقعیت روشن.

دیروقت شب بود و آنها کنار هم زیر پتو، در سایه نور کمرنگ بخاری علاءالدین در اتاق قدیمی با سقف توفالی ترک خورده و سرد دراز کشیده بودند. میترا خواب بود، او وسط خواب و بیداری، نگاهش می‌کرد. جغدی بیرون پنجره، یک جا، وسط درخونگاه، ناله می‌کرد. معلوم نبود صدا از وسط لاخه‌های خشکیدهٔ مو گوشهٔ حیاط می‌آمد، یا از وسط کاجهای کهنه حیاط روبرو. صدای حلقومی هووو، هوووی گرفته و کریهی داشت، که گاهی هم شبیه ناله یک زن می‌شد، که یک جا توی تاریکی دوردست برای بچهٔ مرده‌اش گریه و لابه بکند... از فاصله‌های دورتر، از سر کوچه و خیابان، حالا صداهای تیراندازی و

رگبار مسلسل بیخودی یا شادی می‌آمد که پایان نداشت.

هنوز صورت او را نگاه می‌کرد، که از همیشه زیباتر بود... بعد صاحب صورت غلتی زد و نفس بلندی توی حلقومش کشید، انگاری که صدای مرغ نحس او را رنج بدهد، یا صدای تیراندازیها، یا هر دو. بعد ناگهان بدجوری لرزید و ناله کرد. پسرک دستش را روی سینهٔ او گذاشت و لرزش و نالهٔ خواب بد او را آرام کرد، و میترا به خواب آرامش، یا هر جا بود برگشت.

یاد اولین روزی افتاد که او به این اتاق آمده بود. شش سال پیش، اسفند سال ۱۳۵۱ که روز تولد خودش بود. در ویلای نیاوران جشن تولدی برای او گرفته بودند، و می‌گفت تیمسار ایکس هم انگار دعوت شده بود. اما میترا ساعتهای بعد از ظهر را به درخونگاه پیش پسرک آمده بود. با هم در همین اتاق، لب پنجره نشسته بودند، و آفتاب بود، و به هوای درس خواندن، میترا از شعرهای گلسرخی حرف می‌زد ــ در حالی که خاله خانم، مادر قدسی‌خانم، و عزیز در آن اتاق نشسته بودند و با چای و خرما، وراجی می‌کردند و حرفهای گذشته را می‌زدند.

میترا ناگهان از خواب پرید و چشمهایش را باز کرد.

«... خواب بد میدیدی؟»

«آره... و مزخرف. خواب می‌دیدم توی یه اتاق شلوغ و داغ بودم. یه گربه سیاه و سفید چاق و پیر به پاهام چسبیده بود، گاز می‌گرفت. هر چی مشت و لقدش می‌زدم، ول نمی‌کرد.»

«حالا بیداری.»

آهی کشید: «هوم... مرسی. تو چرا نخوابیدی؟ باز منو نگاه میکردی؟»

«آره. و شما هم نگرون نباش. حالا باید بریم یزد؟ قول دادی گفتی میخوای بریم یزد.»

«اون پدرسگ چی؟ دیدی چه بلبشو بازاری بود؟ ــ میترسم

فرارش بدن... بیشترشون فرار میکنن.»

«حُکماً اعدامش می‌کنن.»

طی بیست و چهار ساعتی که از سقوط رژیم و حادثه پادگان جمشیدیه گذشته بود، او و میترا دورادور سرنوشت تیمسار را تعقیب کرده بودند. گروههای رضا بعد از اینکه تیمسار را از چنگ میترا درآورده بودند، او را ـ همراه با عدهٔ دیگری از تیمساران و وزرای سابق که در زندان بودند، منجمله امیرعباس هویدا ـ از توی خیابانها کشانده و کتک زده و بالاخره به مدرسه علوی برده بودند ـ جایی که حالا «کمیتهٔ امام» خوانده می‌شد، و او را در طبقهٔ دوم، در یک کلاس درس خالی نگه داشته بودند، و به وسیلهٔ مجاهدین و روحانیون جوان مسلح محافظت می‌شدند. مدرسه همچنین دفتر موقت کار بازرگان نخست‌وزیر بود، و دفتر اعضای شورای انقلاب.

رضا در این روزها جزو سرپرستان کمیته و نزدیکان و از محافظین و پاسداران مدرسه بود. بیرون مدرسه شب و روز اقیانوس ملت موج می‌خورد. تمام خیابانها و کوچه‌های اطراف محل اقامت دائم موجی از انسان بود که مسلح یا غیرمسلح آنجا جمع بودند. برای این موج دریای انسانی بود که گهگاه امام لب پنجره می‌آمد و دست تکان می‌داد، دعا می‌کرد.

پسرک گفت: «اگر تو رضا رو شناخته باشی، میفهمی که نباید نگران باشی. اون فقط اسلام در رگهایش جریان داره، و مرجع تقلید اسلام او آیت الله خمینی‌یه. هر کس مخالف باشه کارش تمومه. اونها نمیذارن تیمسار فرار کنه، یا بازنشسته بشه و تقاعد بگیره.»

با خنده دست انداخت گردن او: «قول میدی؟»

«نه فقط قول میدم، بلکه ضمانت میکنم، قولنومه میدم. اونها بیشترشون شاه و افسران شاه رو قاتل کس و کارشون میدونن. این اعمال شرعاً تقاص داره. من این رو به تو قول میدم. صد در صد.»

«صد درصد؟»

«خب حالا بگو ۹۹ درصد ممیز هر چی میخوای ۹ بذار جلوش.»

«من حرفهای ترو باور میکنم.»

«بهتر شد. فردا برم بلیت بگیرم؟»

«فقط وقتی با تو هستم، همه چیز ساده و بنیادی و ابدی‌یه.»

رادیو هنوز روشن مانده بود و دقیقه به دقیقه اعلامیه پخش می‌کرد. رادیو تهران حالا خودش را «صدای راستین خلق قهرمان ایران» می‌نامید... دقیقه به دقیقه از گروهها و کمیته‌ها و از جانب امام و از جانب بازرگان اعلامیه پخش می‌کرد.

میترا پرسید: «آخرین خبرها چیه؟»

«مثل اینکه تموم شده...» به او دلداری داد. «بختیار رو هم گرفته‌ن و به کمیتهٔ امام برده‌ن... یا دارن می‌برندش. تمام پادگانها و ادارات ارتش و ساواك و شهربانیها تسخیر شده. همانطور که خودت یک روز گفتی تمام افسرهای شاه یا فرار کرده‌ن یا افتاده‌ن دست انقلابیون، یا کشته شده‌ن. فرمانده نیروی زمینی شاه، تیمسار بدره‌ای را که مردم توی دفتر کارش با رگبار مسلسل سوراخ کرده‌ن.»

میترا از ته دل گفت: «خوب شد!...» بعد پرسید: «بیگلری چی؟ ـ فرمانده لشگر گارد جاویدان...؟»

به موهای سرش دست کشید: «رادیو گفت او را هم مردم کشته‌ن.»

«تیمسار نشاط فرمانده لشگر گارد شاهنشاهی چی؟ و تیمسار خسروداد فرمانده هوانیروز؟»

«با تمام اونها مصاحبه تلفنی کرده‌ن... نوار مصاحبه‌شون از رادیو پخش شد، تو خواب بودی. اونها تسلیم شده‌ن. گفته‌ن ما با ملت جنگ نمیکنیم، ما تسلیم ارادهٔ ملت و امر امام هستیم!»

«فرماندار نظامی چی؟ تیمسار رحیمی؟»

«او را هم گرفتهن برده‌ن پیش امام.»

میترا نفس بلند و پر و جدی بیرون داد و پرسید: «قره‌باغی چطور؟ ــ رئیس ستاد مشترک؟»

«اون رو نمیدونم. از اون انگار خبری نیست.»

«پس لابد مخفی شده... یا همکاری میکنه.»

«اعلامیهٔ اون بود که اعلام کرد امرای ارتش تصمیم گرفتهن به خاطر جلوگیری از جنگ و برادرکشی بیطرفی اختیار کنن.»

میترا بلند شد نشست. عینکش را از روی جاجیم کنار رختخوابش برداشت و به چشم زد. انگار حالا درد و غم خصوصی او از طرف پدرش تحت‌الشعاع هدف و ایده‌آل بزرگتری قرار گرفته بود.

سرش را تکان داد. گفت: «این حرفی بود که رضا یک روز زد.»

«آره، درسته. من از او خیلی خوشم می‌آمد. گرچه او از من هیچوقت خوشش نمی‌اومد. حالا هم... احساس می‌کنم از من خوشش نمیاد، و اگه دستش برسه ـــ»

«نه... و نگران رضا نباش. تو و من به اونجا که تو میخواستی رسیده‌ایم. انقلاب پیروز شده. شما سالها با هم در یک جبهه مبارزه کردین و حالا ما آزادیم. استقلال داریم، با هم هستیم... و قول دادی بریم...»

میترا گفت: «نمیدونم... حالا من گیج و مغشوشم. و از خودم بدم میاد. دیشب و دیروز من فقط خون پدرم رو میخواستم، یا کسی رو که تمام بچگی و زندگی مرا تباه و زخم‌آلود کرده بود. حال آنکه پیش از این سالها بود که فقط به فکر دنیایی انقلابی بودم ـ به فکر روزی که مبارزه و انقلاب به ثمر برسه، ولی نمیدونستم که در چنین روزی یا شبی همه به فکر خواسته‌ها و اغراض و عقده‌های شخصی می‌افتیم و بعد برای در دست گرفتن هر چی میخوایم از همدیگه نفرت پیدا میکنیم و سر هم فریاد میکشیم.»

گفت: «تو زیبایی...»

«وجود مرا دوست داری؟»

«آره.»

«دیگه چی رو دوست داری؟»

«و روحت رو. تو فرشته عشق و همه زندگی من هستی.»

خندید: «... تو خام و خوبی.»

...

در ساعتهای اول صبح که بیدار شدند، رادیو که حالا کاملاً به دست گروههای مذهبی و چریکی افتاده بود، داشت اخبار لحظه به لحظه انقلاب را پخش می‌کرد. یا مارش یا آهنگهای انقلابی «خمینی ای امام...» و «ایران، ایران، ایران، رگبار مسلسلها» می‌گذاشت. به گزارش خبرگزاران ویژه رادیو انقلاب مردم اغلب شهرها را مثل تهران آزاد کرده بودند. بازرگان به عنوان اولین انتصاب در دولت خود صادق قطب‌زاده را که از فرانسه همراه آیت‌الله خمینی آمده بود سرپرست تلویزیون ایران، سرلشگر قره‌نی را هم به عنوان رئیس جدید ستاد ارتش منصوب نموده بود. رادیو خودش را رادیوی صدای انقلاب مردم ایران می‌نامید و اعلامیه‌های تمام گروههای چپ و راست و دولت و روحانیت مبارز و همه را پخش می‌کرد. حمله گروهها را برای تصرف نقاط مختلف و احتیاجات آنها را هماهنگ می‌کرد. دستگیری ژنرالها و سیاستمدارهای قبلی گُر و گُر اعلام می‌شد. کلیهٔ پادگانها تسخیر یا تسلیم شده بودند.

تازه آفتاب زده بود که از خانه بیرون آمدند، و از امیریه انداختند توی شاهرضا و به طرف کمیتهٔ مسجد دانشگاه رفتند. ناصر نمی‌فهمید چرا دلشورهٔ بدی دارد.

گرچه سرد بود، اما آفتاب روشنی که توی صورتهایشان می‌زد

خوب بود و روی هوندا بهم چسبیده بودند. در خیابان گُله به گُله سنگرهای خلقی هنوز باقی بود و باید مرتب دور می‌زدند. اهمیت نمی‌دادند کجا هستند، آنقدر که با هم بودند خوب بود. جلوی دانشگاه به احمد آردکپان و زهرا و جعفر زمانی و سه تا از بچه‌هاش ملحق شدند. زمانی باز دهانش بوی عرق می‌داد. حتی رسول هم اسلحه به دست در مسجد بود. کریم ریزه هم آنجا بود با دو تا یوزی به شانه‌هاش. تمام بر و بچه‌های آشنا آنجا بودند و اسلحه می‌گرفتند و هر کدام در دم یک دور خشاب شلیک هوایی می‌کردند. فقط مانده بود احمد آقای نزول‌خور پسر بزرگ عمه نصرت ـ که تا حالاً سه ملیون دلار پول فرستاده بود اتریش و لوس آنجلس ـ بیاید و با ژ-۳ در دستش فریاد بزند و شعار بدهد.

علیرغم اعلامیه‌ها و توصیه‌های بازرگان و چند تن از آیات عظام برای اینکه مردم از تخریب و غارت پادگانهای ارتش که تسلیم و مطیع امر امام شده بودند خودداری کنند، بچه‌های مجاهدین و فدائیها و سیل خروشان تندروها از هر سن و سال بخصوص بچه‌های مسلح به هر چه کلانتری و پادگان و اداره ساواک و زندان بود حمله می‌کردند و ویران می‌کردند. هنوز هم مشغول بودند.

افراد پادگان سلطنت آباد، که می‌گفتند گارد شاهنشاهی و بعضی از ساواکیها آنجا بودند، تا بعد از ظهر مقاومت کرده بودند. گروههای مسلحی که در سلطنت آباد مبارزه می‌کردند از طریق رادیو پیامی برای کمک فرستادند. او و میترا این پیام را خصوصی گرفتند و با خنده گروه خود را به آن طرف بسیج کردند. از دانشگاه با دو تا جیپ و یک بلیزر ژاندارمری و مقدار زیادی اسلحه به طرف شمال غرب شهر راه افتادند. اما وقتی به بلبشوی آتش و دود و سیل جمعیت در خیابان سلطنت آباد، جلوی مرکز آموزش گارد رسیدند، شنیدند مبارزه در اینجا هم تمام شده، و خود افسران ساواک با مردم همکاری

کرده بودند، مینها را جمع کرده بودند... و پادگان سقوط کرده بود. کلیه پرسنل یا فرار کرده یا به مردم پیوسته بودند و اسلحه‌ها و مهمات و حتی اثاثیه آنجا به دست مردم افتاده بود. جلوی درب اصلی پادگان رضا را دیدند که بالای یک تانک بزرگ ارتشی ایستاده و دو انگشت یک دست را به علامت پیروزی بالا برده و یک ژ-۳ هم در همان دست بود. در دست دیگرش مثل همیشه یک بلندگوی سیار بود، آیه می‌خواند یا دستور می‌داد. بزودی مردم را برای تسخیر کاخ نیاوران بسیج کرد.

میترا دست او را فشار داد. گفت: «بیا... این منظره‌ای است که من بدم نمیاد ببینم.»

«باشه.»

اوایل غروب سرد زمستانی آن شب ۲۴ بهمن ۵۷ بود که آنها با قوای رضا و چند تن از حُججَ‌الاسلام وارد محوطه کاخ نیاوران شدند. تعداد اندکی از سربازان گارد که در آنجا باقی مانده بودند، هم‌اکنون بدون هیچ‌گونه مقاومتی تسلیم شدند و اسلحه‌های خود را زمین گذاشتند.

باغ محوطه کاخ نیاوران، بزرگ و شاهانه و باغچه‌ها و قلمستانهای پله‌دار و زیبای کاخ که شهبانو آنها را خودش طرح‌ریزی کرده و پرورانده بود، امشب بینوا می‌نمود. درختهای بلند و عریان، چنارها، بید مجنونها و نارونها با لاخه‌های انبوه، لخت و ژولیده به نظر می‌رسیدند. حتی انگار سروها و صنوبرها و کاجهای همیشه سبز هم در تاریکی خودشان را لای برگهای سوزنی و دردمند خود مخفی کرده بودند. باغ جلو هم که یک نوع حالت طبیعی رومانتیک داشت و معرف سلیقه و هنر خام‌پرور شهبانو بود، امشب منظره قهرآلود یک تنبیه شوم را مجسم می‌کرد. سوز سرد مثل لبه یک شمشیر خونین نامرئی

از وسط درختها می‌آمد و بی‌رحمانه به صورت آنها می‌زد. اثری از زندگی در قصر نبود. میترا متوجه شد که اینجاها را در بچگی می‌شناخته. یک گوشهٔ باغ، تکه راهی را که بین کاخ نیاوران و کاخ صاحبقران دفتر مخصوص شاه بود به پسرک نشان داد. اینها محلی بود که او در بچگی شاه را دیده بود که در طول آن قدم می‌زد و سگهای بیگ‌دِنْ دور و بر او با خوشحالی ورجه ورجه می‌کردند و با شوق می‌پریدند. امشب حتی از سگهای شاه هم اثری نبود. خانواده پهلوی سگهای خود را هم برده بودند.

حاج آقا قدوسی که از جانب آیت الله بهشتی آمده بود تا در امر مهر و موم کردن درهای کاخ و اموال آن نظارت کند، به رضا نبوی دستوراتی می‌داد، که رضا هم فوراً به کمک برادران اجرا می‌کرد. آنها در ابتدا نتوانسته بودند جلوی عصبانیت و حسد مردم را از تجملات کاخ «طاغوتی» بگیرند. مردم پایین شهر به در و دیوار و شیشه‌ها تیراندازی کرده و چند تا از اتومبیلهای سفارشی و لوکس درون گاراژها را خرد کرده بودند. اما آنها به درون کاخ راه نیافته و اکنون همه چیز تحت کنترل و طبق دستورات حاج آقا قدوسی در آمده بود، و هیچکس را بجز گروه کنترل اماکن تاریخی خودشان به درون کاخ نیاوران و کاخ مجاورش صاحبقران راه نمی‌دادند....

شب تازه فرو آمده بود و پسرک و میترا خسته بودند، و می‌خواستند به درخونگاه برگردند، که رضا به دستور حاج آقا قدوسی از مردم خواست نماز مغرب را بطور جماعت در جلوی ساختمان کاخ ادا کنند. دستورات رضا محکم و اکید بود. «برادر عباس آقا کریمی، شما و پنج نفر دیگر جلوی در ضلع شرقی باشید. برادر همافر رضوی، شما عنایت بفرمائید و به همراه ده نفر جلوی کاخ صاحبقران پاسداری بفرمائید. برادر کریم آقا، شما و پنج نفر جلوی مدرسه و گاراژها پاسداری می‌دهید.» این اولین باری بود که آنها کلمه پاسدار

را در رابطه با انقلاب می‌شنیدند... و رضا به آنها فرمان می‌داد که شرعاً و عملاً هر کسی را که هرگونه کار ضداسلامی و ضدانقلابی انجام داد، یا موضعی غیراسلامی داشت، باید با او «برخورد شود».

حاج آقا قدوسی آمادهٔ ادای نماز مغرب به صورت جماعت در روشنائی اندک باغ جلوی کاخ می‌شدند، که رضا از بچهٔ نه ساله خودش که همراهش بود، خواست که آیاتی را بخواند... و بعد از صدای جیغ جنین‌وار بچه رضا که از داخل بلندگو دستی حالت ضجه و شیون بیشتری پیدا کرده بود، رضا خودش پشت بلندگو قرار گرفت و آیه‌ای تلاوت کرد. ناصر آن آیه را خوب می‌شناخت:

قَاتِلُوهُم یُعَذِّبْهُمُ اللهُ بِأَیدِیْکُم وَ یَخزِبْهم و یَنْصُرکُم عَلَیهُم و یَشفِ صُدور قَومٍ مؤمِنینْ.

بعد بچهٔ رضا هنوز داشت اذاناً می‌گفت، که رضا از میان جمعیت بلند شد آمد جلوی برادر کوچکش و میترا. آنها را از جمعیت پشت آقا بیرون آورد و با خودش آورد یک کنار. عینکش را برداشت و پسرک دید که در آن یک چشم ریز و برادرش امشب تصمیم تازه‌ای بود.

گفت: «ناصر...»

«بله، داداش.»

«خسته نشدی؟»

«نه خیر داداش... روز عالی‌یی بوده.»

رضا به میترا پشت کرده بود. رو به پسرک گفت:

«شما برو خونه. من... فردا میام با تو حرف بزنم.»

«الان؟»

«برو خونه.»

«ما حاضریم تمام شب برای پاسداری اینجا بمونیم.»

رضا گفت: «لازم نیست. یه چیزهایی هست که میخوام فردا یا پس

فردا بیام درباره‌شون با تو حرف بزنم. اونم با خودت ببر.» با حرکت سر به عقب اشاره کرد. «یکی از جیپهارو وردار. با جیپ برو. به آقا رسول بگو، اون درست میکنه. رسول جلوی دروازه مسئول حفاظته.»

«اما داداش، من ـ»

«... راه بیافتین.»

«چشم.»

رضا گفت: «همه چیز با خداوند متعال است. با او باش!»

«چشم داداش جان.»

«راه بیافتین.»

توی سرمای شب، صورت چروکیده‌اش پیرتر می‌نمود. دماغش سرخ شده بود.

بعد انگار که چیزی یادش رفته باشد گفت: «اگر... گوش کن. اگر من فردا تا ساعت ده نیومدم، خودت بیا کمیتهٔ امام. فهمیدی؟ کارت دارم. خودت رو میخوام ببینم. من طبقهٔ دوم هستم. فهمیدی؟»

«چشم.»

«راه بیافتین.» آنها را ترک کرد.

در حالی که جماعت، با وجود تیراندازیهای پراکنده در اطراف کاخ تاریک، به نماز می‌ایستادند، پسرک و میترا، بالاجبار، به طرف دروازه اصلی کاخ به راه افتادند.

پسرک دلیل دلشورهٔ بدش را هنوز نمی‌فهمید.

فصل هفتاد و سوم

قدم‌زنان از ماشین روی اسفالت کاخ آمدند پایین. او حالا کمی احساس دلمردگی، و اسلحه سرشانه‌اش سنگینی می‌کرد.

میترا گفت: «هی... نگران حرفها نباش. شنیدم.»

«نگران حرفهای کی؟» می‌دانست مقصود میترا چیست.

ماشین‌روی وسیع باغ نیاوران خالی بود و در سرما و تاریکی شب، خالی‌تر و ولنگ‌واز تر می‌نمود. هر چه از کاخ پایین‌تر می‌آمدند صدای نماز جماعت دورتر می‌شد. صدای باد هم وسط درختهای عریان می‌پیچید. از خیلی دورها صدای سگهای گرسنه و رها شده می‌آمد.

«فکر میکنی فردا توی کمیته باهات چکار داره؟»

«نمیدونم.»

اما می‌توانست حدس بزند. حالا که مبارزه تمام شده بود، می‌خواست باز به پر و پای رابطهٔ او و میترا بپیچد، تهذیب کند، چون برادرش را می‌شناخت، نمی‌توانست از فکرش در بیاید.

جلوی دروازهٔ تسخیر شده و شلوغ، رسول آردکپان را پیدا کردند. رسول با اسلحه‌های آماده همراه گروهی از دانشجوها و همافرهای ریش و سبیل‌دار جلوی کاخ پاسداری می‌دادند. رسول، بعد

از صحبت با یکی از برادران، خواست یک جیپ در اختیارشان بگذارند. پسرک با رسول دست داد، اما از قبول جیپ خودداری کرد. گفت موتور دارند، خوب است.

«احمد کجاست؟»

«اونجا، توی اون بلیزر قرمز.»

سلانه سلانه آمدند بالا، زیر نور یک چراغ برق، احمد را پیدا کردند. با برادر کریم و یک مجاهد جوان ریش توپی توی یک بلیزر جمع بودند. لوله‌های ژ-۳ و ام-یک و ام-۴ و یوزی آنها از در و پنجره بیرون زده بود... وسط صندلی عقب قابلمه بسیار بزرگی بود و آنها داشتند با نان از توی قابلمه شام می‌خوردند. احمد آنها را دید. مشت بالا کرد و با خنده گفت:

«موعلیکم، بچه‌ها، بفرما.»

ناصر گفت: «متشکریم احمد. فقط خواستیم حالتو بپرسیم، و خداحافظی کنیم.»

کریم گفت: «بـ ـبـ ـفرما. چ ـچ ـچلومرغ بزنین...»

«متشکریم کریم، نوش جون.»

احمد گفت: دارین میرین؟ بابا اینجا کاخ شاهنشاه آریامهره. باشین منزل بی‌ریاست...»

«خداحافظ، احمد.»

احمد گفت: «خداحافظ. یارمون کو؟»

«اونجا رو موتور نشسته.»

«از قول ما سلام برسون.»

«خداحافظ.»

از میان خیابانهایی که اینجا و آنجا وسط دود و آتش، و صدای تیراندازی خالی و مرده یا در حال جان کندن می‌نمود، از نیاوران به درخونگاه آمدند. عده‌ای سرخود هنوز به کلانتریها و باقی‌ماندهٔ

پادگانها یا حتی به خانه‌های افسران و ساواکیها حمله می‌کردند و هر چه
بود به غارت می‌بردند. مقداری غذا و خرت و پرت از تك و توك
مغازه‌ای که باز بود خریدند. آمدند طرف درخونگاه، به خانه و به اتاق
عشقی که اکنون خوب می‌شناختند.

از ته بازارچه، از بلندگوی تکیه، که صدایش زیر سقف درخونگاه
می‌پیچید، صدای پخش سرود تازه می‌آمد که حال و جلوهٔ جدیدی به
محله می‌داد ـــ که خوب بود.

این بانگ آزادی است

کز خاوران خیزد

فریاد انسانهاست

کز هر زبان خیزد...

با کلید خودش در را باز کرد و به آرامی لغزیدند توی هشتی، و
بعد توی اتاق آرام آن دست حیاط، که بیصداتر بود.

فصل هفتاد و چهارم

دو روز بعد، ساعت نزدیک ده و نیم یازده بود که (پس از آنکه رضا به درخونگاه نیامد) و به کمیته واقع در مدرسه رفاه رفتند ـ جایی که حالا بیشتر از هر چیز با دریایی از مردم کوچه و خیابان احاطه و محافظت می‌شد. در جلوی مدرسه، پاسدارها و طلبه‌ها سد دیگری کشیده بودند. هیچکس را به داخل مدرسه راه نمی‌دادند، مگر اینکه یک نفر بیاید و او را به درون محوطه اسکورت کند.

بعد از اینکه نیم ساعت با پاسدارها و طلاب صحبت کردند، و با وجود آنکه همه آنها رضا نبوی را در میان نزدیکان آقای بازرگان می‌شناختند، ولی راه ندادند. تا اینکه بالاخره به او خبر دادند و رضا خودش بیرون آمد. آنها به هر حال میترا را به درون محوطه راه نمی‌دادند، چون فقط روسری سرش بود و چادر نداشت. رضا پس از یک نگاه انداختن به میترا، دیگر به او توجه نکرد. فقط جواب سلامش را داد.

به برادرش گفت: «تو بیا تو.»

«میترا هم می‌تونه بیاد تو؟ روسری سرشه.»

«نه ـ تو تنها.»

پسرک به میترا رو کرد: «اینجا صبر میکنی؟»

«البته... ببین تیمسار بزرگ اینجا هست یا نه.»

«باشه.»

رضا داد زد: «بیا تو... کار داریم.»

طبقهٔ پایین بطور کلی در کنترل روحانیون و طلاب بود. عدهای از آنها جوان بودند، و مسلح، و عدهٔ دیگری که پیرتر و سرشناس‌تر بودند توی اتاقهای به کارها مشغول. در این طبقه در یکی از اتاقهای محقر ته راهروی سمت چپ، امام خمینی اقامت داشت. به دیوار سر راهرو تکه کاغذی چسبانده بودند که با خطاطی تمیز و خطوط کشیده موازی روی آن نوشته شده بود:

«دیو چو بیرون رود فرشته در آید.»

طبقهٔ دوم هنوز محل کار و تشکیلات بازرگان نخست‌وزیر دولت موقت بود، گرچه امروز ظاهراً در شرف نقل مکان به کاخ نخست‌وزیری بودند. اتاقها شلوغ و پر سر و صدا، و تمام کریدور پر از مردان مسلح نیروی هوایی و پاسداران و مجاهدین بود. اسلحه و مردان مسلح از در و دیوار دو طبقه مدرسه بالا می‌رفت.

رضا او را به طرف یکی از اتاقهای نسبتاً خالی برد: «بیا داخل اینجا.» چند نفر آمدند، با او کار داشتند، و می‌خواستند با او حرف بزنند. رضا گفت: «صبر کنید، برادران.» و در را بست.

«بشین.»

«چشم، داداش.» هیچی نشده دهانش خشک شده بود. دلشوره توی سینه‌اش سنگینی می‌کرد، مثل آن وقتها که رماتیسم قلبی آزارش می‌داد.

رضا گفت: «راجع به موضوع این دختره‌ست.»

«میترا؟»

«پس کی؟»

ساکت ماند. واژهٔ «این دختره» قلبش را تقریباً ترکاند.

«ببرش بیرون.»

در این لحظه در اتاق به‌شدت باز شد و چند پاسدار دو نفر از مردان شاه را که تازه دستگیر کرده بودند، آوردند. دستگیرشدگان چشمانشان با شال‌گردن و دستمال بسته شده بود.

رضا پرسید: «شناسایی شده‌ن؟»

پاسدار گفت: «بله، حاج آقا.»

رضا گفت: «پس محاکمه و تیربارون میشن. مفسد فی‌الارض‌ن. انقدری که هویتشان معلوم شد، باید محاکمه اعدام بشوند.»

پاسدار پرسید: «ببریم تیربارونشون کنیم؟»

«نه، هنوز محاکمه نشده‌ن.»

آن دو نفر با چشمها و دستهای بسته شروع کردند به فریاد و اعتراض.

رضا گفت: «بردیشون خدمت حاج آقا خلخالی؟»

«بله، برادر. ایشون فرمودند بیاریمشون بالا. ما آوردیمشون بالا. اینجا از برادرها پرسیدیم چکارشون کنیم، گفتند بیاریمشون توی این اتاق خدمت برادر کچویی یا خدمت شما.»

رضا گفت: «من فعلاً وقت ندارم. ببریدشون این بغل خدمت برادر کچویی.»

«بردیمشون خدمت برادر کچویی، چون سرشون خیلی شلوغ بود گفتند بیاریمشون خدمت شما.»

رضا گفت: «بسیار خوب، بگذارینشون همین جا. من تحویلشون میگیرم. شما بفرمایید. الله اکبر.»

پاسدارهای جوان گفتند: «چشم، برادر. الله اکبر.» و با شتاب خارج شدند.

رضا بلند شد رفت جلوی آن دو نفر ایستاد. اسلحهٔ کلت کمریش

را کشید. پسرک فکر کرد الان می‌خواهد خودش آنها را همان جا اعدام
کند. اما رضا آنها را هول داد، جلو جلو انداخت و از در اتاق بیرون
برد. روی پاشنهٔ در برگشت و رو به پسرک گفت:

«تو همین جا باش، تا من برگردم. فهمیدی؟»

«بله، داداش.»

در همان لحظه عدهٔ دیگری از پاسدارها و همافرهای مسلح آمدند
و دستگیرشدگان تازه‌ای آوردند. یکی از گوشهٔ دیگر کریدور فریاد
زد با تلفن به رادیو دستور بدهند که پخش کند برای تصرف کاخ
شاهپور غلامرضا نیروی کمکی بیشتری لازم دارند، چون عده‌ای
ساواکی دارند از داخل کاخ تیراندازی می‌کنند. پسرک مدتی همانجا
دم در اتاق ایستاد، و کریدور پهن را که از آدمهای مسلح ریز و
درشت و خسته و غبارآلود و عرق‌کرده که مثل مذاب آتشفشان در
خود جوش می‌خوردند تماشا کرد. فکر میترا بود. ده دقیقه گذشت.
بعد بیست دقیقه گذشت. جمعیت دقیقه به دقیقه بیشتر و درهم‌برهم‌تر
می‌شد.

در یک لحظه، از پنجره‌ای که میترا با چادر پشت آن ایستاده بود،
واقعهٔ عجیبی را دید. گروه تازه‌ای از مبارزین و مجاهدین در یک
جیپ، زندانی تازه‌ای می‌آوردند که کسی جز بختیار نخست‌وزیر
نبود! ناگهان غوغا پیاده‌رو را فراگرفت. احمد آردکپان هم یکی از
مجاهدین بود و با مسلسل در دستش در هوا می‌خندید.

اما هنگامی که جیپ به درب بزرگ ساختمان نزدیک می‌شد،
فاجعهٔ مهیب دیگری به‌وقوع پیوست.

ناگهان صدای شلیک حمله‌آسای سربازان ضدانقلاب پیاده‌رو را
لرزاند و عده‌ای را به زمین افکند. انقلابیون بختیار را به داخل ساختمان
آوردند. ولی...

از جمله کسانی که مورد اصابت و تکان شدید قرار گرفت میترا

بود. سرش به دیوارهٔ پنجره خورد، چادر از سرش افتاد و به زمین افتاد.

دست بر قضا، احمد آردکپان این منظره را دید، از جیپ پایین پرید و خود را به میترا رساند. پسرک نیز از داخل سالن این واقعهٔ هولناک را دیده بود خود را بیرون انداخت و به طرف صحنهٔ زخمی شدن میترا رساند.

تمام تنش می‌لرزید... اوه، خدای من نه!

در عرض چند ثانیه خود را به محل وقوع حادثه، و به میترا و احمد رساند. دو سه جای صورت میترا خون‌آلود بود و احمد او را در چادر و در پناه نگه داشته و خون زخمهای پیشانی او را با دستمال پاک می‌کرد.

پسرک بالای سر آنها رسید: «چطور شد! چطور شده!»

احمد گفت: «زیاد خطرناک نیست... باید به بیمارستان برسونیمش.»

در یک لحظه به فکرش رسید بخواهد یک آمبولانس خبر کنند، اما با وضع موجود، و این حقیقت که آنها خودشان میترا را مصدوم کرده بودند، این توقع زیادی بود.

سعی کرد خودش میترا را بلند کند، برایش سنگین بود. حس و حرکت نداشت. چمشانش هم باز نمی‌شد.

«میترا... میترا... بلند شو. میترا...» روسریش را سفت کرد.

جوابی نبود.

سرش را بلند کرد. به احمد که حالا کنارش زانو زده بود نگاه کرد. یک چیزی تو سینه‌اش می‌سوخت.

احمد گفت: «بذار کمک کنیم.»

«تو زیر اون بغلش رو بگیر، با احتیاط!»

«یا علی.»

«یواش. سرش به دیوار نخوره.»

آمدند طرف جوی آب. به هر زحمتی بود او را از عرض پیاده‌رو رد کردند. گذراندن او از وسط دریایی از آدم آسان نبود. هر طور بود، افتان و خیزان و کشان‌کشان تا نزدیک پل چوبی آمدند، که حالا خیابان خلوت‌تر شده بود. یک تاکسی به هزار زحمت گیر آوردند. احمد مجبور بود به کمیته برگردد، چون تکلیف و وظیفه داشت. ناصر با او خداحافظی کرد، و با تاکسی، میترای نیمه‌جان را به طرف بیمارستان سینا برد، که می‌شناخت.

فصل هفتاد و پنجم

توی تاکسی او را سفت به خودش چسبانده بود، تا ول نشود، و سرش به جایی نخورد. میترا جائیش خون نمی‌آمد، اما هنوز بیهوش بود. دندانهایش بهم کلید شده و قرچ قرچ می‌کرد. چانه‌اش به یک طرف کج شده بود. تاکسی هم تند می‌رفت، و ترمزهای بد می‌کرد، و تکان می‌داد.

راننده از توی آینه پرسید: «چی شده؟ تیر خورده؟» وقتی جوابی نشنید، دوباره با صدای بلندتری سؤال کرد.

«ضربه دیده.» پیشانیش را با دستمال خشک می‌کرد، خنک می‌کرد.

«یه دستمال بذار لای دندوناش... نذار زبونشو گاز بیگیره. انگار حمله‌س.»

نمی‌دانست چه غلطی بکند. با زحمت دو تا فک میترا را از هم باز کرد و دستمالش را بین آرواره‌های او قرار داد. بدجوری در بیهوشی و اغما فرو می‌رفت.

جلوی بیمارستان سینا نزدیک میدان حسن‌آباد پیاده شدند، و راننده به او کمک کرد او را آوردند داخل بخش اورژانس. این تنها

بیمارستانی بود که پسرک می‌شناخت. از بچگی او را به اینجا آورده بودند، اما امروز شلوغ بود و به علت زد و خوردها و جنگ خیابانی و انقلابی در سطح شهر، و انواع و اقسام مجروح و مصدوم، توی بیمارستان هیچکس به هیچکس نبود.

در حالی که میترا روی زمین سینهٔ دیوار دراز بود، و هنوز بی‌حال مانده بود، او مجبور شد بیشتر از ربع ساعت توی راهرو این در و آن در بزند. مردم از هر طرف می‌رفتند و می‌آمدند، و دنبال پرستار و دکتر می‌گشتند. آمبولانس‌ها صفیرزنان می‌رسیدند و زخمیها و اجساد کشته‌ها را می‌آوردند و با سرعت به داخل بیمارستان می‌بردند. بعضی‌ها را روی برانکار می‌آوردند، بعضی‌ها خودشان با سر و کلهٔ خونین یا دست و پای شکسته می‌آمدند.

بالاخره یک دکتر را با خواهش و تمنا گیر آورد، او را کشاند بالای سر میترا، که هنوز بیهوش بود. دکتر جوان و خسته کمی او را معاینه کرد. بعد با بی‌توجهی پرستاری را که رد می‌شد صدا کرد. پسرک مرتب توضیح می‌داد که این مریض مجروح زن اوست، اسمش میترا نبوی است، و در یک درگیری ضربه‌هایی به سر و گیجگاهش زده‌اند، حدود یک ساعت پیش. دکتر توجه زیادی نکرد. چشم و گوشش پر بود. بعد از معاینات مقدماتی، به پرستار دستوراتی داد. پرستار هم با خستگی و بی‌اهمیتی یکی را صدا کرد و یک برانکار خواست. مدتی طول کشید تا جوانکی با یک برانکار آمد. جوانک و پرستار با هم دوست از آب در آمدند. و اول مدتی سلام و علیک و احوالپرسی کردند. بالاخره میترا را به طرف یکی از اتاقهای اورژانس بردند. او هم با دلشوره دنبالشان رفت.

جلوی اتاق اورژانس، پرستار برگشت و با تشر به او گفت: «شما کجا؟» او کمی آرایش کرده بود، و چاق، با مقداری موهای بور رنگ شده، بیرون زده از جلوی کلاه پرستاریش.

پرسید: «چکار میخواهید بکنید، خانم؟»

پرستار گفت: «بفرمائید بیرون باشید. نترس. نمیخوایم بخوریمش.» این حرف هم دلش را لرزاند.

«خواهش می‌کنم، خانم. این تنها خانوادهٔ من، و عزیزترین کسان منه.»

«خب، میخوایم ازش چند تا تست بکنیم ــ اگه شما بذارین. شمام عوض اینکه مزاحم بشید تشریف ببرید دم اطلاعات فرم لازم رو پر کنید.»

«چشم... حالش خوب میشه؟»

پرستار دیگر جواب نداد و در را تقریباً توی صورت او بست.

آمد توی راهرو جلوی باجهٔ اطلاعات، فرم لازم را پر کرد. بعد همانجا توی کریدور تاریک باقی ماند و منتظر شد. کریدور پنجره‌های هلالی‌شکل و شیشه‌های کوچک و نه‌چندان تمیز داشت. پشت شیشه ایستاد و باغ کوچک و توسری‌خورده را تماشا کرد. هوا ابری و تیره بود و بعد از ظهر رفته رفته می‌گذشت. باران هم شروع شده بود. بلندگوی کریدور به رادیو وصل بود و سرودهای انقلابی پخش می‌کرد:

ای مجاهد ای مظهر شرف

ای گذشته ز جان در ره هدف

اشخاص دیگری هم توی راهرو بودند، یا می‌آمدند و می‌رفتند. بعضی‌ها گریه می‌کردند، بعضی‌ها فحش می‌دادند و نفرین می‌کردند. بعضی‌ها هم مثل او ساکت و بهت‌زده بودند.

جرأت نمی‌کرد از سالن بیرون برود و به احمد یا رسول خبر بدهد تا به کمکش بیایند. دقیقاً نمی‌دانست در آن موقع کجا بودند یا اصلاً چه کاری از دست آنها برمی‌آمد ــ جز اینکه میترا را به بیمارستان مجهزتر و خلوت‌تری ببرند، و به او دوا و درمان بهتری برسانند ــ اگر

فایده‌ای داشت.

حدود یک ساعت بعد، پرده اتاق اورژانس کنار رفت. میترا را روی برانکار بیرون آوردند. هنوز بیهوش بود. پتوی خاکستری ساده‌ای روی او کشیده بودند. زیر سرش چیزی نبود. دستهایش را روی سینه‌اش گذاشته بودند. صورتش سفید و مات و تقریباً آرام بود، انگاری که چیزی به او تزریق کرده باشند. پاهایش مانند دو عضو یخزده‌ای توی آدیداس، که از سیاره دیگری افتاده باشند، تنها و مرده به نظر می‌رسید. پسرک جلو رفت، یک دست او را گرفت.

پرستار چاق که انگار خودش هم سرماخورده بود، مرتب عطسه می‌زد، برانکار را به طرف ته کریدور هول می‌داد و می‌برد. جلوی دری که ظاهراً دفتر بود ایستاد، و بعد از آنکه فرم را از پسرک گرفت، رفت و نیم‌ساعتی هم دنبال کاغذبازی معطل کرد. او کنار برانکار ایستاد، منتظر ماند. بعد از آنکه پرستار برگشت، اول دستمالش را درآورد و فین بزرگی کرد و لوله‌های دماغش را یکی پس از دیگری پاک کرد، بعد برانکار را هل داد به طرف سالن بزرگتری در انتهای کریدور. بخش عمومی زنان بود.

پرستار با صدای تودماغی‌اش گفت: «شوما نمیتونی بیای تو.»

«چشم. اما... حالش چطوره؟»

پرستار نیم‌نگاهی به او انداخت. ممکن بود نگاهی باشد که به یک جانور کوچک و مزاحم، ولی بی‌آزار می‌اندازند. «بیرون باش. خدا بخواد خوب میشه.» لهجهٔ تهرانی داشت، حرکات کمی افاده‌ای و خیلی سر سیری.

«فهمیده‌ن چه‌ش شده؟ شما میدونی؟»

گفت: «ضرب و جرح و خونریزی داخلی، احتمالاً خونریزی مغزی. بقیه‌ش هم خدا میدونه.» باز نگاهی به نیم‌تنه شبه‌نظامی پسرک انداخت. بعد گفت: «از من می‌پرسی؟ همه کارها را خودتون کردین.

تمام شلوغ‌بازیها رو خودتون در آوردین. همه آتیشها رو خودتون افروختین. حالا میخواین ما درستش کنیم؟»

گفت: «هیچی. هیچی. ببخشید.» نمی‌خواست جر و بحث شود.

بعد از آنکه پرستار با تخت چرخدار رفت و محو شد، او به اتاق اولی برگشت که دکتر را پیدا کند. موفق نشد. دوباره به طرف بخش برگشت، سر کریدور ایستاد.

همانجا پشت در ایستاد و منتظر شد. پرستار آمد و از جلوی او رد شد، و فقط گفت: «ملاقاتی فردا ساعت ۳».

اما او نرفت، و همان جا ساعتها در انتظار دکتر ایستاد. کم‌کم هوا تاریک شد و صدای خیلی بلند اذان از بیرون ساختمان تمام راهروها را گرفت. از پنجره می‌دید که باران به برف تبدیل شده، ولی هیچ خبر دیگری نشد. بعد از اینکه چند تا دیگر از پرستارها و انفرمه‌ها و مستخدمین به او گفتند باید بخش را ترک کند، و بیرون باشد، از راهروی بخش آمد بیرون. لب پله‌های باغ ایستاد. سوز بدی توی صورتش می‌زند.

در این حیرت بود که چه کند. خونریزی داخلی! احتمالاً مغزی؟ از وسائل شخصی به چیزی احتیاج داشت؟ آیا می‌توانست یک متخصص در خارج از بیمارستان گیر بیاورد و میترا را مداوا کند؟ با که می‌توانست تماس بگیرد، کمک بخواهد؟ با رضا؟ هرگز! با احمد آردکپان؟ او چکار میتوانست بکند؟ کاش دایی اینجا بود. دلش میخواست یک نفر با او بود. باغ هم حالا خالی و سوت و کور بود. و فقط صدای کلاغها از زیر شیروانی می‌آمد.

برای آوردن وسائل شخصی میترا تصمیم گرفت یک سر برود خانه، و زود برگردد. بیمارستان از درخونگاه زیاد دور نبود، یک خرده بیشتر از طول پارک شهر. از خیابان سپه انداخت پایین توی پارک

شهر و با سرعت آمد طرف بوذرجمهری و توی بازارچه.

خانه خالی، و اتاق همانطوری بود که صبح با میترا از خواب پا شده بودند، رادیو گوش کرده بودند، و با خوشحالی ناشتا خورده و آمده بودند بیرون. مقداری از لوازم شخصی او را با چند کتاب و مقداری پول توی ساک دستی‌اش گذاشت.

توی دولاب چشمش به یک یوزی و یک ژ-۳ و یک کلت افتاد که هنوز پیش آنها مانده بود. یک چیزی توی شکمش پیچ زد. از صبح تا حالا چند بار اعلامیه دولت موقت را در رادیو خوانده بودند که افراد باید اسلحه‌های خود را تحویل مساجد دهند.

اسلحه‌ها را برداشت و توی یک گونی تپاند. با آنها دیگر کاری نداشت. وقتی می‌آمد بیرون یادداشت کوچکی نوشت و آن را به یک گوشه در چسباند. «احمد. من در بیمارستان سینا هستم. به آنجا بیا —فوری.»

با ساک میترا از خانه آمد بیرون. کیسه اسلحه‌ها را هم با خودش آورد. هنوز برف می‌آمد، و حالا روی زمین نشسته بود. اول با قدمهای محکم آمد طرف مسجد کوچک کمرکش بازارچه. مسجد حالا تبدیل به کمیته محل شده بود. تمام کارهای قانونی و مقرراتی را مسجد به جای کلانتری انجام می‌داد. شیخ حاج محمد آقا مونسی و حاج آقا سید علی حجتی با عدهٔ زیادی از بچه‌های محل آنجا جمع بودند. دست هر کدامشان یک ژ-۳ یا یک یوزی بود. عباس سالکی، یکی از پسرهای سید نصرالله پشت یک میز توی اتاقک دفتر نشسته بود. عباس داشت چیز می‌نوشت. حاج آقامونسی یک یوزی به سر شانه‌اش بود. تسبیح کذائیش که همیشه دور کف دست و انگشتهایش می‌پیچید، دستش بود. کریم ریزه هم با یک یوزی یک گوشه کنار صندلی حاج آقا مونسی به عنوان محافظ ایستاده بود. به دیوار پشت سر حاج آقا مونسی یک پوستر بزرگ امام خمینی بود و زیر آن نوشته شده بود

«دیو چو بیرون رود فرشته در آید.» کریم وقتی پسرک را دید خندید، گفت: «یا ــیا ــیا الله. س ــس سام علیکم ناصرخان. مخلصیم.»

جواب سلامش را داد.

با کیسه رفت جلوی حاج آقا مونسی و اسلحه‌ها را از توی گونی بیرون آورد و تحویل داد.

«اینارو تحویل میدم، حاج آقا.»

شیخ حاج محمدآقا آنها را از او تحویل گرفت، و مثل آن وقتها که پسرک کاسه شله‌زرد نذری یا پول نذری می‌آورد، با صورت مهربان فقط گفت: «خدا قبول کنه، جانم.»

«دیگه فرمایشی نیست؟»

«خدا خیرت بده، جانم.»

حوصله هیچ کار و حرف دیگری را نداشت، برگشت. حتی رسید اسلحه‌ها را هم نخواست. فقط از کریم پرسید: «کریم، احمدآقارو اینجاها ندیدی؟ رفیق من، که موتور هوندا یا یاماهای قرمز داره؟»

«ن ــن ــنه.»

«تو تا چه ساعتی اینجا میمونی؟»

«من اینجا معاون اَ ــاَ ــاَسلحه خونه‌م.»

گفت: «کریم، گوش کن. اگه احمد اومد اینجا... احمدو که میشناسی، احمد آردکپان مال ولی‌آبادون... اگه اومد اینجاها یه پیغام از طرف من به او بده. یادداشتی به در خونه‌مون براش گذاشتم، اما ممکنه نبینه... به احمدآقا بگو من در بیمارستان سینا نزدیک چهار راه حسن‌آباد هستم. بگو فوری فوری بیاد. فوری فوری. یادت میمونه؟»

«آ ــآ ــآره، ناصر خان.»

«بگو همین پیغام‌رو به در خونه‌م نوشته‌م.»

«چ ــچ ــچشم. نوکرتم.»

«من اونجا توی بیمارستانم.»

«خ ــخ ــخدا بد نده.»

«خداحافظ، کریم.»

کریم ریزه با خنده یوزی را بلند کرد و گفت: «ع ــع ــعزت زیاد، ناصر خان. ا ــا ــالله اکبر.»

داشت از اتاق بیرون می‌رفت که کریم داد زد و احوال حاج آقا رضا را پرسید. گفت حالش خوب است. از مسجد خارج شد، به سرعت زیر برف به طرف بیمارستان برگشت.

حدود هشت شب بود و جلوی در بیمارستان حالا خلوت. حتی توی راهروها و پشت میز اطلاعات هم کسی نبود. اما اشخاص متفرقه و کسان بیماران و مجروحین و پاسدارهای جوان و مسلح اینجا و آنجا بودند، اینطرف و آنطرف می‌رفتند.

در بخشی که میترا بستری بود همه جا ساکت بود. از لای در سرک کشید و میترا را همان گوشه پیدا کرد. هنوز روی همان برانکارد خوابیده بود، انگار وضعش هم تغییری نکرده بود. چراغ کم‌سویی در بخش روشن بود. دلش می‌خواست داخل شود، اما نرفت، چون بقیهٔ زنهای مریض هم روی تختهایشان استراحت می‌کردند. البته اگر هم وارد می‌شد، چون هیکلش هنوز قد و قوارهٔ بچه‌های ده دوازده ساله بود، کسی لابد اهمیت نمی‌داد.

چون کسی مانعش نشد، آمد کنار پنجره راهرو، ایستاد و به دیوار تکیه داد، و برف را تماشا کرد. گرسنه بود و دلش می‌خواست برود بیرون و چیزی بخورد، اما ترسید احمد بیاید و او را پیدا نکند. آمد جلوی در بیمارستان و از دستفروش پیر یک بسته بیسکوئیت ویتانا خرید، نشست روی نیمکت کریدور، کم‌کم خورد.

بعد از نیمه شب راهروها به کلی خلوت و خالی شد. او هر چند وقت یک بار می‌آمد توی بخش به تخت میترا نگاه می‌کرد. میترا همانطور بی‌حرکت و بی‌تغییر دراز کشیده بود.

رادیوی بلندگودار پشت میز اطلاعات باز بود و اخبار و اعلامیه‌ها
و سرودهای انقلابی و اسلامی و مجاهدین را پخش می‌کرد. بعد از
مدتی آمد بیرون و روی پله‌های باغ نشست. احمد پیدایش نشد.

حدود ساعت دو بعد از نصف شب، برف زمین و باغ و ماشینها و
لب دیوارها را پوشانده و سفید کرده بود و هنوز هم می‌بارید. پسرک
از سرما تقریباً منجمد شده بود ولی دلش را نداشت که میترا را اینجا
گوشهٔ بیمارستان تنها رها کند. نشستن در آنجا هم بی‌فایده بود. بعد از
آنکه برای آخرین بار یواشکی به راهروی بخش آمد و نگاهی به
تخت میترا انداخت، برگشت و با اکراه از بیمارستان خارج شد. به
طرف خانه راه افتاد.

از توی پارک نیامد، چون بدجوری تاریک و برف گرفته بود.
انگار پارک هم حالش خراب و در بیهوشی فرو رفته بود. از پیاده‌روی
جلوی پارک بیرون راستهٔ شاپور برگشت. قلبش باز بدجوری درد
گرفته بود. بین راه، جایی لب حصار باغ نشست. سوزش تیزی در
سینه احساس می‌کرد. سرما تا مغز استخوانش را می‌لرزاند. فکر کرد
خودش هم دارد می‌میرد. به اطراف نگاه کرد، اما جز میله‌های آهنی و
خیابان خالی و درختهای خشکیده و برف پوشیده و ریزش برف
چیزی ندید. به خودش گفت بلند شود کمی به خودش برسد، زه نزند.
چون میترا به او احتیاج داشت. چند تا نفس عمیق کشید و بلند شد.

در درخونگاه هم همه جا بسته و تاریک و خالی بود. فقط از
بلندگوی مسجد صدای تلاوت قرآن می‌آمد. نانوایی عباس آقا جدلی
با پیشخوان و چهارپایه‌های قراضه‌اش زیر برف وامانده بود. صندوقهای
خالی میوه سبزی‌فروشی اکبر آقا نامرتب روی هم مثل اسباب‌بازی
شکستهٔ بچه‌ها یک گوشه افتاده بود. از لای در بسته دکان لبنیاتی
آقاعزت همان بوی ماست ترشیده بیرون می‌زد...

یادداشت هنوز همچنان به در خانه چسبیده بود. آمد توی اتاق،

بخاری را که تهش کمی نفت باقی بود روشن کرد. تیمم کرد، نمازی
خواند. بعد چند تا قرص با آب و مقداری نان و پنیر و گوجه‌فرنگی
را که مانده بود خورد. بدون اینکه لخت شود، در سرمای اتاق زیر
پتوهایی که هنوز بوی میترا را می‌داد، دراز کشید. پیش از این هم او
را از دست داده بود، اما هرگز نه اینطور. یک چیزی درون روحش
خبر از طالع بدتر از هرگز می‌داد.

همانطور که دراز کشیده بود، و صدای زوزهٔ باد با لجبازی از ته
بازارچه و از لای درز در و پنجره می‌آمد، میترا را می‌دید که آنجا،
روی تخت در تاریکی سالن بخش زنان دراز کشیده است.

✳

در میان خوابهای بریده بریده و بدش آن شب، صحنه‌ها و
لحظه‌های بد به هم ریخته زیاد بود. اول یک طور بود، بعد یک طور
دیگر می‌شد. همه چیز می‌افتاد. کریم ریزه را می‌دید که با لباس
شبه‌نظامی و ژ-۳ می‌دوید، و شعار می‌داد. می‌افتاد و بلند می‌شد. بعد
احمد آردکپان با لباس شبه‌نظامی و یوزی از پشت بام کپرشان توی
ولی‌آبادون پرت شد پایین. بعد هر سه توی بازار می‌دویدند. بعد
خودش می‌خواست از کوه بالا برود، اما می‌افتاد، سقوط می‌کرد، و
هیچوقت هم به ته جایی نمی‌خورد.

بعد دایی فیروز آمد توی اتاق. عصبانی بود. او نمی‌افتاد. همان
لباس سفید آرام تنش بود. دهانش هم کمی بوی شراب «هوم» می‌داد.
فکر کن... شما باید فکر کنید... باید از درخونگاه بروید بیرون...
رضا با کلت از بالای کامیون تک تیر شلیک می‌کرد.

فصل هفتاد و ششم

صبح هنوز هوا درست روشن نشده بود که از خواب پرید. بلند شد،
نماز خوانده نخوانده، توی برف سنگینی که نشسته بود، به طرف
بیمارستان دوید. هوا یخبندان و خیابانها خالی بود، بیمارستان هم
سوت و کور و ساکت و خالی. هیچ تغییر و تفاوت محسوسی به چشم
نمی‌خورد. همه چیز درست مثل دیشب بود. فقط یک نفر معجزه کرده
بود و یک سرم آب قند شش درصد دکستروز به رگ دست میترا
وصل کرده بود. صورتش امروز زردتر و کشیده‌تر می‌نمود، و زیر
چشمهایش هم حلقه‌های سیاه نشسته بود.

دو زن بیماری که در کنار میترا بودند، دلشان به حال پسرک
سوخته و از او پرسیدند که چه بر سر این دختر بیچاره آمده، و
پرسیدند چه نسبتی با او دارد. حوصلهٔ شرح و بسط و اختلاط نداشت.
گفت در یک درگیری با ته قنداق مسلسل کوبیده‌اند توی مغزش.

کنار میترا ایستاد و اسم او را صدا زد. پرستاری با سینی دارو برای
بیماران آمد. ناصر پرسید وضع بیمار میترا نبوی چطور است. پرستار
جواب نداد، فقط گفت بیرون... با اصرار و التماس پسرک، گفت
خونریزی مغزی دارد... پرسید آیا می‌داند امروز چه کاری برای مداوای

او انجام خواهند داد. پرستار گفت «آقا جون، برادر، خواهش می‌کنم از اینجا تشریف ببرید بیرون. بگذارید ما به کارمون برسیم. اینجا خونه‌ی خاله که نیست که هر کس بخواد از صبح علی‌الطلوع بیاید اینجا و اصول دین بپرسه.»

آهی کشید و رفت بیرون منتظر ماند. شاید می‌توانست دکتر دیروزی را پیدا کند. اما ساعت نه و نیم که او را پیدا کرد، دکتر گفت که متأسفانه کار زیادی نمی‌توانند برای او انجام دهند. چند نوع داروی جزیی به او داده بودند. باید صبر می‌کردند تا جراحت خودش سیرش را به طرف مثبت یا منفی طی کند. گفت چون بیمار جوان است احتمال دارد انشاالله به طرف مثبت برود و خودش را بگیرد.

آمد کنار پله‌ها نشست و ماند که چه کند. به که رجوع کند. سرش بیشتر گیج می‌رفت فکر کرد برود چیزی بخورد.

خیابان سپه مثل همیشه شلوغ و پر از دکانهای لوازم‌فروشی و کارگاههای مکانیکی بود. دنبال یک دکان ساندویچی چیزی گشت. اما اینجاها فقط قهوه‌خانه بود یا کله‌پزی. رفت توی قهوه‌خانه و گوشه‌ای نشست و گفت برایش یک ناشتا بیاورد. پیرمرد لاغر قهوه‌چی انگشتش توی دماغش بود. تخم‌مرغ نیمرو؟ کره مربا؟ پنیر؟ پرسید نیمرو چند است؟ گفت هفت تومن. گفت نیمرو، لطفاً، و چای داغ.

چایش خوب داغ بود و شیرین کرد. وقتی نیمرو هم توی بشقاب فلزی لبه‌دار آمد آن هم بد نبود. با نان تافتون چند لقمه تند تند خورد. فکر دایی بود. از رضا که دیگر نمی‌شد انتظار کمک داشت. مادر میترا هم که مرده بود. باید به دایی تلفن کند. می‌توانست برود تلگرافخانه. دایی گفته بود که ممکن است دو ماه آخر زمستان را برود هندوستان. آیا رفته بود؟ با این وضع بسته بودن فرودگاهها. راههای زمینی باز بودند؟

وقتی برگشت بیمارستان، احمد و یاماهای قرمز او را دید که

زووووم و زووووم‌کنان تازه رسیده بود جلوی در ورودی. احمد که او را دید، با نیش باز دست تکان داد. خوشحال شد که اقلاً یک نفر را توی این بدبختی و تنهایی می‌بیند که اهمیت می‌دهد. احمد آمد با او دست داد و خوش و بش کرد.

«بابا، سلام.... تو که ما رو کشتی از ترس... گفتم لابد طوری شدی. تو این سرما. سام‌علیک.» با او روبوسی کرد.

«سلام احمد، یادداشت رو دیدی...»

«طوری شده؟»

نفس عمیقی کشید و سرش را تکان تکان داد.

«میترا کجاست؟»

«اون تو...» با دست به داخل مریضخانه اشاره کرد.

«حالش بده؟»

حالا برایش تمام و کامل گفت که چه اتفاقی افتاده.

احمد گفت: «امام حسین!... اون بیچاره تقصیری نداشت. از آقا رضا نباید گله داشت...»

سرش را تکان داد، نمی‌دانست چه کوفتی جواب بدهد. «تیر خورد. نفهمیدم کی‌ها بودند.»

«یعنی چه؟ بیا بریم بالا.»

احمد موتورش را گوشه‌ای گذاشت، و شروع کرد به زنجیر کردن آن. گفت: «اونارو هم توی کمیته راه نمیدن. کمیته مسجد دانشگاه هم دست آقا رضا و اونهاست. خوب کرده‌ن. اون زمانی‌تون همیشه مسته... خودت چکارها کردی؟»

«اسلحه‌ها رو تحویل دادم.»

«اسلحه همیشه هست. بیا. امروز خیلی داغونی.»

وقتی رفتند بالا و احمد از پشت شیشهٔ بیضی‌شکل میترا را نگاه کرد، اخم غمناکی توی صورتش دوید. چون فقط زنها و پرستارها

آنجا بودند و داشتند تختها را درست می‌کردند، وارد نشدند. میترا همانطور بی‌حال افتاده بود.

احمد گفت: «گفتی مادرش رو که وابسته دربار بود با تیر زد؟»

«حرفشو نزن. اون یه موضوع دیگه‌س و مال خیلی وقت پیشه. میترا فهمیده بود که مادرش با یک تیمسار رابطه داشته... اونروز فهمیده بود تیمسار چه کسی‌یه. اون یه طوفان روحی بود. اون روز من هم یک گروهبان محافظو که نزدیک بود میترا رو بکشه، کشتم.»

«مادرش مرده؟»

«آره.»

احمد دوباره به چشمهای او نگاه کرد، «ایشالا به حق امام حسین خوب میشه.» بعد گفت: «خیلی دوستش داری، مگه نه؟»

«تقصیر من شد. من بردمش اونجا.»

احمد گفت: «د ــ مگه نگفتی خودش میخواست بره اونجا و تیمسار رو بزنه؟... بیا بریم پایین. همه‌چی رو هم تقصیر خودت ننداز.»

«تقصیر من بود. تقصیر از ضعف من خر بود. وگرنه نمیذاشتم خودش بره این کارها رو بکنه.»

«خب، حالا هی بیخودی حرف بزن، ناصرخان. ببین، من باید برم پیش رسول. ننه گفت بچه‌ش مریضه باید بهش خبر بدم. عصری میام سراغت.»

«باشه.»

«از دست من کاری برمیاد؟ چکار میتونم برای میترا بکنم؟»

«فعلاً هیچی... با خداست.»

«یک کاری باید باشه.»

«آره، یه کاری هست.» به چشمهای احمد نگاه کرد.

«چه کاری؟»

«گفتی قراره افسرای ارشدو امشب یا فرداشب تیربارون کنن؟»

«گفتم میخوان بکنن. شایعاتی توی کمیته امام بود که تمام تیمسارها و وزرای شاهرو تیربارون میکنن...»

«میدونم... رضا گفت حکم اینه که انقدر که هویتشون معلوم شد، باید فوری محاکمه و کشته بشن.»

«بازرگان و ملیها نمیذارن. میگن باید سر فرصت محاکمه بشن... اما جور دیگه‌ای بوش میاد.»

«یعنی میخوان همونجا توی مدرسه تیربارونشون کنن؟...» به چشمهای احمد نگاه کرد.

احمد نگاه او را می‌فهمید: «دلت میخواد مبصر جوخهٔ آتش باشی؟»

«اگه چیزی شنیدی خبرم کن.»

آمده بودند بیرون مریضخانه، احمد رفت طرف یاماهاش. گفت: «انگار یه نقشه‌هایی تو کله‌ت داری؟»

«من اینجام... یا خونه.»

«اگه دربارهٔ تیربارون چیزی شنیدم خبرت میکنم.»

«من فقط میخوام بدونم کِی تیمسار رئیس ساواک‌رو میزنن.»

احمد خندید: «باشه. خبرت میکنم.» برگشت و به پنجره اتاق بخش میترا نگاه کرد.

«مواظب خودتم باش.»

«تو هم همینطور.»

«خب، ما رفتیم. یا حق، مبصر جان.»

«خداحافظ، قرقی دشت.»

«الله اکبر، مجاهد درخونگاه.» خندید.

«برو سوار شو.»

فصل هفتاد و هفتم

اما آن روز، و تمام روز بعد، اتفاقی نیفتاد، جز اینکه میترا وضع کلی‌اش به مرور ناجورتر شد. خونریزی داخلی‌اش شدت پیدا کرد، و در اغمای بیشتری فرو رفت. ناصر تقریباً تمام روز و شب را توی بیمارستان یا دور و بر بیمارستان می‌ماند. پس از دوندگی و خواهش و تمنای زیاد و داد و قالهای او و احمد و زهرا آردکپان، قرار شده بود میترا را به اتاق خصوصی ببرند، که کسی بتواند پهلویش باشد، بالای سرش باشد. ولی دست آخر این تلاش هم بیهوده مانده بود. اینجا بیمارستان عمومی دولتی شلوغ بود و جا نداشتند.

غروب روز دوم، ساعت ملاقات تمام شده بود، و بعد از اینکه احمد و زهرا هم بالاخره رفتند، او تا اوایل شب همانجاها پلکید، بعد با خستگی و تحلیل قوا از بیمارستان آمد بیرون. پیاده برگشت درخونگاه.

شام نخورد. فقط گوشهٔ اتاق چمباتمه در تاریکی نشست. حتی رادیو را هم روشن نکرد. سرش را توی دستش گرفت و نشست. درون کله‌اش موجهایی از فکر و خیالهای بد پیچ و تاب می‌خورد. میترا... میترا...

ایران، ایران، ایران
رگبار مسلسلها

هنوز کاپشن تنش بود، ولی سرمای اتاق تاریک تنش را به مور مور انداخته بود. دهانش را پر از نان خشک کرد و جوید. بعد جرعه شراب دیگری نوشید و سعی کرد سرش را به دیوار بگذارد و بخوابد.

صدایی از توی کوچه، پشت در آمد. انگار زوووووم و زوووووم یاماهای احمد بود. بعد صدای در حیاط آمد.

لرزان و کمی گیج تلوتلوخوران بلند شد و تند تند آمد در را باز کرد. خودش بود. ولی احمد در التهاب بود حتی از موتورش هم پایین نیامد. باز در یکی دیگر از آن ساعتهای جوش و هول و ولا و دستپاچهٔ کذائیش بود ــ از آن حالتها که شبهای اوایل ماه محرم داشت. گفت: «بیا بپر سوار شو... باید بریم!»

«چی؟ چی شده؟» توی تاریکی کوچه احمد چشمهای او را ندید.

«آقا رضا گفت به تاخت بیا... زود!»

«کجا؟»

«کمیتهٔ امام.»

«اتفاقی افتاده؟»

«پسر. تو چته امشب؟ بیا سوار شو. آقا رضا گفته جَلدی به تاخت بیا... معلومه دیگه پسر. یالاّ. تیمسارا.»

«تیمسارا چی؟ تیربارون؟»

«نمیدونم. اینجوری بوش میاد. انگار هفت هشت ده‌تایی رو میخوان بزنن. اما هنوز هیچکس نمیدونه. محرمانه‌ست. ساعت هفت آقارضا به رسول گفته فوری بفرستید دنبال ناصر که زود بیاد اینجا... و رسول گفت که آقارضا داشت با دمبش گردو می‌شکست...»

«منو واسه چی میخواد؟»

«پسر داری به آرزوت میرسی.»

«آرزوم؟»

«مگه نگفتی شبی که میخوان تیمسارهارو تیربارون کنن خبرم کن. یالا شانس آوردی!»

«امشبه!»

«شانس با موتور اومده، پاشو! یالاّ پسر.» بعد با حیرت نگاهش کرد: «مگه هِر زدی؟ یا منگی؟» به خاطرش خطور نمی‌کرد چه ممکن است زده باشد.

توی دلش گفت احمد، احمد، احمد... بعد به خودش تکان سختی داد و گفت: «بذار یه مشت آب بزنم صورت سگ مسّبم.»

«ابوالفضل! بجنب.»

رفت لب حوض و چند مشت گنده آب زد به سر و صورتش. آب کرد توی دهانش و گرداند و تف کرد. صابون کوچک لب حوض را برداشت، کرد توی دهانش و با آب و صابون دهانش را لایروبی کرد. تف کرد. «یا خدا!...» فکر میترا از کله‌اش بیرون نمی‌رفت. در این لحظهٔ شب جمعهٔ سرد، توی درخونگاه، باز جنونی توی رگهایش افتاده بود. از همان جنونهایی که همیشه ترکیب حال و حرفها و فشار برادر بزرگ در تنش می‌انداخت...

ترک موتور احمد بود، و زوووم و زوووم از درخونگاه آمدند بیرون. سرش هنوز گیج می‌رفت. احمد انداخت توی بوذرجمهری و داشت می‌پیچید طرف گلوبندک، که او از احمد خواست اول بیاندازد طرف شاپور، و طرف حسن‌آباد. گفت می‌خواهد سر راه اول چند لحظه دم بیمارستان سری به میترا بزند. احمد تکرار کرد که رضا گفته بود «هرچه زودتر و به تاخت» باید به کمیته بروند. او بازوی احمد را فشار سختی داد. گفت باید چند لحظه میترا را ببیند...

حدود ده بود که احمد جلوی پله‌های فسقلی بیمارستان ترمز کرد.

او پرید پایین، دوید طرف ساختمان. سرش حالا داغ بود و درد می‌کرد و اکسیژن و باد زیاد منگی کله‌اش را زیادتر کرده بود. از راهروی جلوی در دوید تو. اهمیت نداد چه کسی پشت میز اطلاعات بود و چه کسانی کشیک می‌دادند، و چه کسی توی، کدام بخش خوابیده بود. با قدمهای تند از میان راهروهای نیمه‌روشن با موزائیکهای رنگ و رو رفته که خوب می‌شناخت پیش رفت.

سالنی که میترا در آن بستری بود تاریک بود. فقط سایه‌ای از نور راهرو به آن می‌تابید. اما او به نور احتیاج نداشت، چون می‌دانست میترا در کدام گوشه و در کدام نقطه است. مثل شبح و روحی ترسان لغزید تو. روی تختهای دیگر سالن همه خواب بودند. صدا و حرکتی جز خر و پفها نبود.

میترا هنوز در بیهوشی بود. در سایه‌روشن اتاق، یواش‌یواش، توک پا توک پا، آمد کنار تخت او ایستاد. دست او را در دست خودش گرفت.

میترا، میترا، میترا... با او حرف زد، اما کلمات به لبش نمی‌آمد. به او گفت که دوستش دارد. به او گفت که الان قرار است به کجا برود. به او گفت قرار بود امشب احتمالاً چه کسی را تیرباران کنند. اسم او را به زبان آورد. از او خواست که برایش نیت خیر کند. باز اسم او را صدا کرد. زانو زد، از او خواهش کرد که اگر صدایش را می‌شنود، یا چیزی از حرفهای او را می‌فهمد، یا حتی اگر او را احساس می‌کند، دست او را کمی فشار دهد.

کوچکترین حرکتی در دست میترا نبود... خم شد گونه او را بوسید. صورتش هم مثل دستش هماکنون شروع به سرد شدن کرده بود....

با گریه بلند شد، برگشت، و دوید طرف موتور.

با وجود ساعت دیر وقت شب، و سرمای آخر زمستان، فوج جمعیت زیادی جلو و اطراف مدرسه جمع بودند. جماعت تکبیر می‌گفتند، و شعار می‌دادند. فقط به این امید که شاید لحظه‌ای امام را از پشت پنجره ببینند.

احمد دو نفر از پاسدارهای نیروی هوایی را که جلوی در بودند شناخت. موتورش را به آنها سپرد. اما کسی به آنها اجازهٔ دخول نداد. یکی را دنبال رضا فرستادند. چند دقیقه بعد خود رضا آمد. اشاره کرد راهشان بدهند. اول احمد، بعد او رفتند داخل. او هنوز چشمانش اشک‌آلود، و سرش گیج بود.

«سلام، پسر. کجا بودین؟ دیر کردین. چشمهات چرا سرخ شده؟»

صدای رضا تشرآلود نبود.

«چیزی نیست. درد میکنه.»

«برین توی حیاط، لب حوض وضو بگیرین. همونجا باشین، شامتون رو بخورین. تا من خبرتون کنم. وضوتون باطل نشه.»

داشت به سرعت به سوی ساختمان برمی‌گشت، که احمد جرأت کرد و پرسید:

«آقا رضا، امشب اون لامسبا رو تیرباروِن میکنین؟...»

رضا گفت: «به حق حسین. شوماها همونجا باشین... آروم باشین تا من برگردم.» دو سه قدم رفت. بعد برگشت و توی چشمهای برادر کوچکش نگاه کرد. پسرک تخم چشمهای او را از پشت عینک دودی نمی‌دید، اما صدای همیشه سنگین او را می‌شنید: «... به هیچ‌کس فعلاً چیزی نگین... اما شما توی جوخه‌ی آتشین. امشب خدا خیرتون میده.»

صورت بی‌احساس و تقریباً مردهٔ برادرش را نگاه کرد که امشب

ناگهان بطور عجیبی مصمم و پیروز می‌نمود. قلب خودش هم با شنیدن این حرف پایین ریخت.

رضا گفت: «این انقلاب، یک انقلاب به نام اسلام و خدای منتقم بوده... و بیشتر به وسیله جوانها و بچه‌ها برپا شد... شما دوتا بچه از خانواده‌های شهیدپروری هستین که بیشتر از هر خانواده‌ای که من می‌شناسم شهید دادین. و قاتلوهم یعذبهم الله بایدیکُم. می‌فهمین؟»

احمد پرسید: «امشب چه کسانی رو تیربارون می کنیم، آقا رضا؟»

رضا گفت: «سر ضرب چهارتاشون رو به درک واصل میکنیم. اون بالا دارن محاکمه‌شون میکنن. و من هم باید فوری برگردم توی جلسه.» این حرف را زد، بعد به جای آنکه با آن سرعتی که تصمیم گرفته بود برگردد، آمد جلوی برادر کوچکش و دستش را گذاشت روی سر او.

گفت: «امشب شب جمعه‌م هست. خدا خیر عاجل مرحمت می‌فرماید... روح بابا و روح عزیز و ارواح برادرای شهید ما محمد، علی، مصطفی و محسن و روح پر فتوح اون معصومه طاهره یعنی مریم‌مون منتظرند... و حالا خوشحال میشن.» بعد به طرف احمد نگاه کرد: «و تو هم احمد، سه‌تا برادر شهید دادی: نبی، کریم و جواد. ارواح اون شهدا هم منتظرند... و حالا خوشحال میشن. با خیر خداوند. شب جمعه هم هست، خیرات اموات می کنیم. خداوند تبارک و تعالی از ما قبول کند و ما را در دریای لطف و رحمتش ببخشد و آنها را غریق آمرزش و رحمت بفرماید.»

در یک ثانیه پسرک فکر کرد رضا گریه می‌کند، اما فقط سرفه می‌کرد. گفت:

«شوما همین جا باشین تا من خبرتون کنم.» دستش هنوز روی سر پسرک بود: «میخوام تو اولین گلوله را خالی کنی.» سر او را مثل سر

بچه‌گربه‌ای نوازش می‌کرد. پسرک سرش را انداخت پایین. اما گفت: «چشم. میخوام...»

رضا او را نگاه کرد. پسرک برای اولین بار فکر کرد برادرش می‌خواهد بگوید خدا را شکر که تو هم آدم شدی. گفت: «میدونی کی رو میخوای تیربارون کنی؟»

«بله، فکر میکنم.» اما نمی‌خواست فکرش را بکند.

«الحق که تو هم داداش اونایی. باشه، خدا را شکر که گفتی میخوام. ثوابش بت می‌رسه.»

تا ساعت یازده و نیم توی اتاقی گوشهٔ حیاط صبر کردند. غذای خوب و میوه و نوشیدنی بود. می‌آوردند و قسمت می‌کردند ــ نه اینکه تعارف کنند یا بگویند چه کسی میل دارد. می‌آوردند و تقسیم می‌کردند. احمد با جان و دل می‌خورد و می‌نوشید. پسرک با اینکه گرسنه و تشنه بود به زحمت توانست چند لقمه‌ای از قیمه پلو و کباب کوبیده به دهان بگذارد. فکر میترا بود. دلش آشوب می‌شد.

حدود یازده و چهل و پنج دقیقه، ناگهان صدای بچه‌ای که تلاوت قرآن می‌کرد از بلندگوی پشت‌بام پخش شد. صدای بچه را شناخت. صدای عبدالرضا بچهٔ نه سالهٔ رضا بود، که عربی و فارسی را خوب بلد بود. پسرک پیش از این هم صدایش را شنیده بود. صدای زیر عبدالرضا آیه‌های نخستین سورهٔ توبه را توی میکروفن و بلندگوها فریاد می‌زد. تلاوت او با تلاوت بقیه فرق داشت، و هر کلمه را یک ثانیه به رسم لبنانیها می‌کشید، و اِعراب را غلیظتر می‌خواند.

بعد چند روحانی آمدند توی حیاط و رفتند. یا ایستادند و دستوراتی به این و آن دادند. پسرک چند نفر از آنها را می‌شناخت. خیلیها را هم نمی‌شناخت. آنها می‌آمدند به طرف دری که ته کریدور بود، می‌رفتند و دوباره برمی‌گشتند.

بعد رضا آمد، پنج نفر از بچه‌ها را انتخاب کرد. اول ناصر، بعد

احمد آردکپان. گفت بلند شوند، بیایند جلو. بچه‌ها بلند شدند.

رضا آنها را به اتاق اسلحه‌خانه فرستاد تا اسلحه‌های خوشدست خودشان را انتخاب کنند. آنها اطاعت کردند. به اسلحه‌خانه ته حیاط رفتند. هر کس یک چیزی برداشت. او البته یک قبضه یوزی برداشت. هم اسلحهٔ منتخب میترا بود و هم به قد و قوارهٔ خودش می‌خورد. آن را امتحان کرد، خشاب گذاشت. رضا منتظر بود و با فریاد همه را صدا کرد. آنها را با عجله به طرف پشت‌بام مدرسه برد.

اینجا باد سرد و گزندهٔ بدتری تو صورت می‌زد. چند نورافکن قوی و چراغ زنبوری و میکروفن و بلندگوی پارازیت‌دار، به صحنه وضع و حال تندتری می‌داد.

چندین روحانی و مجاهد و پاسدار دیگر هم آنجا بودند. نورافکنها و چراغ زنبوریها حال جشن و چراغانی به پشت‌بام می‌داد.

در انتهای پشت‌بام، چهار مرد را سینهٔ دیوار ایستانده بودند. با پیراهن و شلوار خاکی‌رنگ، با دستهای بسته پشت سر. پسرک فوری یکی از آنها را شناخت. سر و صورت و نصف سینهٔ پیرمرد باز بود. زیر نور کورکننده و زمینه دیوار کاهگلی، صورت فرتوت و سفید و مات او، تقریباً مثل صورت عروسکهای گچی به نظر می‌رسید. صدای ریز ضجه‌وار تلاوت قرآن بچه رضا هم در اینجا تیزی بیشتری داشت، و تقریباً از راه پوست وارد بدن می‌شد. و این آیه‌هایی بود که در مغز پسرک ضبط بود و خوب می‌شناخت.

اَلاٰ تُقاٰتِلوُنَ قَوْماً نَکَثُوا اَیْماٰنَهُمْ وَهَمُّوا بِاِخْراٰجِ الرَّسُولِ وَهُمْ بَدَؤُکُمْ اَوَّلَ مَرَّةٍ اَتَخْشَوْنَهُمْ فَاللّٰهُ اَحَقُّ اَنْ تَخْشَوْهُ اِنْ کُنْتُمْ مُؤمِنینَ. قاٰتِلُوهُمْ یُعَذِّبْهُمُ اللّٰهُ بِاَیْدِکُمْ وَیَخزِهِمْ وَیَنْصُرکُمْ عَلَیْهِمْ وَ یَشْفِ صُدُورَ قَوْمٍ مُؤْمِنینَ. وَ یُذْهِبْ غَیْظَ قُلُوبِهِمْ وَ یَتُوبُ اللّٰهُ عَلیٰ مَنْ یَشاٰءُ وَاللّٰهُ عَلیمٌ حَکیمٌ.

رضا بچه‌های اسلحه به دست را در مقابل خادمان وفادار شاه به صف

نیم‌دایره‌واری کشید و نشاند. مثل عکاسی بود که یک گروه کوچک را برای عکس دسته‌جمعی جابه‌جا می‌کند. آنها را منظم کرد. برادر کوچکش و احمد آردکپان را در وسط و دو مجاهد بلندقد دیگر از خانوادهٔ شهیدان را اینطرف و آنطرف آنها نشاند و در حال آماده‌باش نگه داشت.

دستهای پسرک شروع به لرزیدن کرده بودند.

حکم انقلابی اعدام خوانده شد: «بِسم اللّه الرَّب الْمُنْتَقِم...» نام و شهرت و شغل هر یک از چهار تیمسار خوانده شد. آنها مفسد فی‌الارض بودند. حکم درازی بود و مستند به آیه‌های قرآن مجید و آکنده از کلمات عربی.

پسرک درست نمی‌شنید. میترا تمام مغزش را گرفته بود. قلب خودش، بدتر از پیرمردی که جلوی او بود، و او را نگاه می‌کرد، تپشهای بد داشت. «... شما به عنوان مفسد فی‌الارض و محارب با خدا و رسول و نایب امام در دادگاه خلق و خداوند به اعدام محکوم شده‌اید...»

در تمام ثانیه‌هایی که حکم خوانده می‌شد، او فقط به چشمهای عقاب‌مانند پیرمرد نگاه کرده بود ــ که شبیه چشمهای کشیده و مهربان میترا بود.

در این لحظه چیز عجیب دیگری نیز اتفاق افتاده بود. چشمهای پیرمرد هم به او خیره شده بود. در ثانیه‌های زودگذر، انگار پیرمرد نیز او را شناخته بود. انگار فهمیده بود که چند روز پیش این بچه... همراه میترا... در پادگان جمشیدیه با او درگیری پیدا کرده بودند. شاید هم جای دیگر.

دیگر کلمات حکم را نمی‌شنید. زیر نورافکنها، فقط چشمهای او را می‌دید. چشمهای میترا بودند. مثل آن روز بعد از ظهر توی امامزاده عبدالله. یا آن شب توی درخونگاه. بیا دستت را بگذار روی قلب من،

قسم بخور. مسلسل سبک یوزی وسط دستهایش بچهٔ عشق بود. حکم تقدیر بود، زنده بود، نشانه رفته بود. بانگ تیز تلاوت قرآن عبدالرضا می‌آمد. گرمی اشک را روی صورتش احساس می‌کرد. با میترا حرف می‌زد...

بعد صدای رعدآسای یک نفر آمد که پس از بانگ «الله اکبر!» فرمان حاضر باش داد.

بچه‌ها بلند شدند. و شب با آتش و رگبار گلوله منفجر شد.

فرهنگ نشرنو
فرهنگ فشردهٔ انگلیسی ـ انگلیسی ـ فارسی
ترجمه و تألیف محمدرضا جعفری
۱۵۴۰ صفحه

* * *

همتی مردانه در موسم عسرت... مؤلف براستی زحمت کشیده... فرهنگ نشرنو پایه و اساس درست و متین دارد. مؤلف جوان آن، با دست خالی ولی همت بلند کمر به کاری سترگ بسته و خلئی واقعی را در وضع کنونی برای دانش‌پژوهان پر کرده است.

عزت‌الله فولادوند ـ مترجم (مجلهٔ جهان کتاب)

* * *

بر خلاف فرهنگهای انگلیسی ـ فارسی موجود، فرهنگ جعفری به‌جای واژه‌ها و معادلهای قدیمی و منسوخ، بیشتر واژه‌ها و معادلهای رایج را به‌کار گرفته است. مثلا در فرهنگ پنج جلدی آریانپور کلمهٔ pylon چنین معنی شده است: «راهرویی که مصریان باستان به شکل هرم ناقص برای معابد خود می‌ساختند، راهرو، درب، دروازه، برج، ستون» و حال آنکه معنی امروزین آن در فرهنگ جعفری «دکل برق» است.

اینترنشنال ایران تایمز، لس‌آنجلس

* * *

از آنجایی که تخصص من ترجمهٔ متون سیاسی و دیپلماتیک است، این فرهنگ جامع را جوابگوی واژه‌ها و اصطلاحات امروزی مورد نظر یافتم.

دکتر عبدالرضا هوشنگ مهدوی ـ مترجم

* * *

فرهنگ فشردهٔ انگلیسی ـ انگلیسی ـ فارسی تألیف و ترجمهٔ آقای محمدرضا جعفری در بین فرهنگهای منتشر شده فرهنگی است بسیار مفید که هم به کار دانشجویان می‌خورد و هم برای مترجمان راهنما و گره‌گشاست.

حشمت‌الله کامرانی ـ مترجم

یک گام مثبت در تهیهٔ فرهنگی سودمند.

خشایار دیهیمی ــ سرپرست مجموعهٔ نسل قلم

* * *

یک کار سترگ و با ارزش...

علی اصغر بهرام‌بیگی ــ مترجم

* * *

تهیهٔ فرهنگ فشردهٔ انگلیسی دوزبانه، کار آقای جعفری را به همگان توصیه می‌کنیم.

مجلهٔ دندانپزشکی امروز